abdomen	배, 복부	**agriculture**	농업
ability	능력, 재능	**aid**	도움
access	접근(권한)	**aim**	목표
accident	사건, 사고, 우연	**alchemy**	연금술
accomplishment	성취, 완성, 수행	**alley**	뒷골목, 좁은 길, 오솔길
accord	합의, 협정, 일치, 조화	**ally**	동맹국
account	계좌, 거래, 계정	**altitude**	고도, 높이
action	행동, 조치, 소송	**altruism**	애타(이타)주의, 이타심
activity	활동	**ambition**	야망, 대망
addict	중독자	**amount**	양, 액수
addition	부가, 덧셈	**analogy**	유사, 유추
address	주소, 연설	**anatomy**	해부학, 해부
admirer	숭배자, 찬미자, 추종자	**ancestor**	선조, 조상
adolescence	사춘기	**anchor**	닻
advantage	이점	**anecdote**	일화
advent	도래, 출현	**angle**	각도, 모퉁이, 양상, 국면
adventure	모험, 모험담	**anniversary**	기념일
advice	충고, 조언	**antarctic**	남극(지방)
advocate	옹호자, 변호사	**anthem**	축가, 성가
affair	일, 용건, 사건	**anthropology**	인류학
affluence	풍부함, 풍요, 부유함	**antibiotic**	항생물질
agent	대리인, 중개인, 첩보원	**anxiety**	걱정, 불안, 갈망
aggression	공격(성), 침략, 침범	**apparatus**	(한 벌의) 장치, 기계
agony	고민, 고통, 고뇌	**appetite**	식욕, 욕구
agreement	동의, 일치, 협정	**appliance**	가전제품, 기구

approval	승인, 시인, 허가		**ban**	금지령, 금지
archaeology	고고학		**band**	그룹, 무리, 악대, 끈
architect	건축가		**barbarism**	야만, 미개
armor	갑옷과 투구		**bargain**	할인 판매, 특가품
article	기사, 조항, 물건		**barrier**	장벽
aspect	면, 양상		**barter**	물물교환
aspiration	열망, 포부, 동경		**basis**	기초, 기저, 토대
assembly	모임, 집합, 의회		**bay**	만, 궁지
assumption	가정, 가설, 인수		**beast**	야수, 짐승
astronomer	천문학자		**behalf**	측, 편, 이익
athlete	운동선수		**behavior**	행동
atmosphere	대기, 환경, 분위기		**belief**	신념
attention	주의, 주목		**benefit**	이익
attitude	태도, 자세		**beverage**	마실 것, 음료
attorney	대리인, 변호사, 검사		**bias**	선입관, 편견, 사선
audience	청중, 접견		**bid**	입찰
audition	음성 테스트, 오디션		**bill**	청구서, 지폐, 법안
author	저자		**biology**	생물학
authority	권위, 당국		**blast**	폭발, 한바탕의 바람
autobiography	자서전		**blade**	(풀의) 잎, 칼날
autograph	(기념으로 하는) 서명		**blaze**	불길, 번쩍거림
average	평균		**bliss**	행복, 축복
backbone	등뼈, 척추		**blueprint**	청사진, (상세한) 계획
balance	균형		**blunder**	큰 실수
ballot	투표 용지, 투표수		**bond**	유대, 결속, 묶는 것

bone	뼈		**carbohydrate**	탄수화물
border	경계		**carbon**	탄소
branch	나뭇가지, 자회사		**care**	걱정, 관심
breakdown	고장, 파손, 쇠약, 몰락		**career**	경력, 이력, 직업
breakthrough	돌파구, 새로운 발견		**carriage**	탈 것, 마차, 몸가짐
breeze	산들바람, 미풍		**cart**	수레, 카트
broadcast	방송		**carton**	(두꺼운 판지로 만든) 상자
broker	중개인, 브로커		**category**	범주, 부류, 종류
bud	싹, 봉오리		**castle**	성, 성곽
budget	예산		**cattle**	소
buildup	강화, 증강, 조성		**caution**	조심, 경고
bulletin	게시(판), 고시		**cave**	동굴, 굴
bunch	다발, 송이, 일단		**cavity**	구멍, 충치
bundle	묶음, 꾸러미		**celebrity**	유명인사
burden	짐, 부담		**cell**	작은 방, 세포, 감방
burglar	강도, 도둑		**certificate**	증명서, 자격증
by-product	부산물, 부작용		**challenge**	도전, 곤란, 난관
canal	운하, 수로		**chant**	노래, 성가
cancer	암		**chaos**	혼돈, 무질서
candidate	후보자, 지원자		**character**	성격, 특성, 등장인물
canyon	깊은(큰) 협곡		**charm**	매력
capability	가능성, 능력		**chef**	주방장, 요리사
capacity	수용력, 용량, 능력		**chemistry**	화학
capital	수도, 자본, 대문자		**chill**	냉기, 한기, 으스스함
captain	선장, 주장, 우두머리		**choir**	합창단, 성가대

chore	지루한 일, 잡일		**compliment**	경의, 칭찬, 아첨
circuit	순회, 우회, 회로		**component**	성분, 구성 요소
circumstance	상황, 환경, 주위의 사정		**composite**	합성물, 혼합물
citizen	시민		**compromise**	타협, 화해, 양보
client	고객, 소송 의뢰인		**concern**	관계, 관심, 염려
climate	기후		**condition**	조건, 상태, 병
clown	어릿광대		**conduct**	행위, 처리
clue	단서, 실마리		**conference**	회의
code	규약, 규정, 암호, 법전		**confidence**	자신감, 신임, 신뢰
cognition	인식, 인지		**conflict**	투쟁
coincidence	우연의 일치, 동시 발생		**congestion**	혼잡, 정체
colleague	동료, 동업자		**congratulation**	축하
collection	수집, 소장품, 모금		**congress**	회의, 의회, 국회
colony	식민지		**conscience**	양심, 도의심
combat	전투		**consensus**	일치, 합의, 여론의 일치
comet	혜성		**consequence**	결과, 중요성
comfort	위로, 위안, 안락		**conservation**	보호, 관리, 보존
command	명령		**contact**	접촉
commercial	상업광고		**contract**	계약, 약정
commission	위원회, 임무, 중개수수료		**contagion**	(접촉) 전염, (접촉) 전염병
commodity	상품, 일용품		**contraction**	수축, (말 따위의) 축약
community	사회, 공동체		**contrary**	반대, 모순
companion	친구		**contrast**	대조, 차이
compassion	동정, 연민, 불쌍히 여김		**convenience**	편리함
competition	경쟁, 대회, 시합		**convention**	집회, 협정, 관습

conversation	대화		crew	탑승원, 승무원
cooperation	협력		crime	(법률상의) 죄, 범죄
copper	구리, 동		crisis	위기, 고비
copy	사본, 원고		criteria	기준(들)
cord	새끼, 끈		crosswalk	횡단보도
core	핵심, 응어리, 중심		crumb	작은 조각, 빵가루, 소량
correlation	상호 관련, 상호(의존)관계		cuddle	꼭 껴안음, 포옹
cosmetic	(pl.) 화장품		cue	신호, 단서
cosmopolitan	세계인, 세계주의자		cuisine	요리, 요리법, 요리 솜씨
costume	복식, 복장		curator	(박물관 따위의) 관리자
cottage	오두막집		curb	(인도와 차도 사이의) 연석
cotton	면, 솜		currency	통화, 유통
couch	침상, 소파		current	흐름, 조류, 전류
council	회의, 지방 의회		curriculum	교육과정
counsel	조언, 충고		custom	습관, 관습
county	[행정구역] 군		customer	고객
courage	용기		dairy	낙농장, 낙농업
courtesy	예의, 공손		damage	손상, 손해
cousin	사촌		dawn	새벽
coward	겁쟁이, 비겁한 자		death	죽음
cradle	요람		debris	부스러기, 파편
craft	공예, 기술, 재주		debt	빚, 부채
crash	고장, 충돌		decade	10년, 10개
credential	자격 증명서, 성적 증명서		deceit	속임, 사기, 기만
credit	신용, 명성, 외상		decline	하락, 쇠퇴

deed	행위, 실행, 공적	**disguise**	변장, 위장, 가장
defect	결점, 결함	**dismay**	낙담, 경악, 공포
deficiency	부족, 결핍, 결여	**dispute**	논쟁, 분쟁
degree	정도, 각도, 학위	**distance**	거리, 떨어짐
delay	지연, 연기	**distress**	고통, 괴로움
delicacy	섬세함, 민감, 맛있는 것	**document**	서류, 문서
demand	수요, 요구	**dominance**	지배, 우세
democracy	민주주의	**doom**	운명
dentist	치과의사	**dormitory**	기숙사
deposit	예금, 보증금	**doubt**	의심
despair	절망, 자포자기	**downtown**	번화가, 도심
destiny	운명	**drape**	덮는 천, 커튼
detergent	합성세제	**drawback**	약짐, 결점
device	장치, 고안	**draft**	도안, 초안
devotion	헌신, 전념	**drift**	표류, 이동
diet	식사, 식이요법	**drop**	방울, 급강하, 감소
difficulty	곤란, 어려움	**drought**	가뭄
dignity	존엄, 위엄	**duplicate**	사본, 복사본
dimension	치수, 크기, 차원	**durability**	내구성, 내구력
diploma	졸업 증서, 학위 수여증	**dye**	염료, 물감
disadvantage	손해, 불이익	**earthquake**	지진
disaster	재난, 재앙	**ecology**	생태학
discipline	훈련, 교육	**ecosystem**	생태계
disease	질병	**edge**	가장자리, 모서리
disgrace	치욕, 불명예, 망신	**effect**	영향, 결과, 효과

effort	노력	excess	초과, 과잉
element	요소	exploit	공훈, 공적, 공
embassy	대사관	extinction	멸종, 소멸
emergency	비상사태, 위급	extrovert	외향적인 사람
emigrant	이주민	fable	우화, 교훈적 이야기
emission	배출, 배출물	facility	용이함, 설비
emphasis	강조, 강세, 역설	failure	실패
encouragement	격려, 자극	fairy	요정
endeavor	노력, 시도, 애씀	faith	신념, 믿음
enemy	적, 적군	fame	명성, 명예, 평판
engineer	기사, 기술자	famine	기근, 굶주림
enlightenment	계발, 계몽, 깨달음	farewell	작별, 고별
enrollment	등록	fatigue	피로, 피곤
enterprise	기업, 사업, 기획	feat	위업, 공적, 묘기
enthusiasm	열심, 열중, 의욕	feather	깃털
envelope	봉투	feature	특징, 모양
environment	환경, 주위	fee	요금, 수수료
epidemic	유행병, 전염병	fellow	동료, 친구
epoch	시대, 신기원	fever	고열, 열병
equation	방정식	fiber	섬유, 실, 기질
era	기원, 시대	fiction	소설
errand	심부름, 용건	figure	모양, 인물, 숫자, 도형
estate	토지, 재산, 사유지	filter	여과기
evidence	증거	finance	금융, 재정, 자금(조달)
example	예, 모범	firm	회사

flash	플래시, 번쩍임	**grade**	등급, 학년, 성적
flavor	맛, 풍미	**graduate**	졸업생
flaw	결점, 흠	**grant**	수여, 허가, 보조금
fleck	반점, 주근깨	**grave**	무덤
flexibility	유연성, 융통성	**greed**	탐욕, 지나친 욕심
flight	비행	**grief**	슬픔, 비탄
flood	홍수, 범람, 만조	**guide**	안내자
fluency	유창성, 능변	**guilt**	유죄, 죄
fluid	액체, 유동체	**habitat**	거주지, 서식지, 환경
forecast	예상, 예보	**haze**	아지랑이, 안개
form	형식, 양식	**headache**	두통
formula	형식적 문구, 공식	**hemisphere**	(지구나 천체의) 반구
fort	요새, 성채	**heredity**	유전, 유전적 형질, 세습
fossil	화석	**hierarchy**	계급 제도, 서열
fountain	분수, 샘	**honor**	명예, 경의, 자존심
fraction	파편, [수학] 분수	**horror**	공포
fragment	파편, 조각, 단편	**horizon**	수평선, 지평선
friction	마찰, 불화	**hospitality**	환대, 흔한 대접
front	앞면, [군사] 전선	**hostility**	적의, 적개심
frost	서리	**household**	가정, 가족
function	기능, 직무	**humanity**	인간성, 인간
fund	자금, 기금, 재원	**hunger**	배고픔, 굶주림
funeral	장례식	**hybrid**	잡종, 혼혈아, 혼성물
fur	모피, 털	**hydrogen**	수소
government	정부	**hygiene**	위생학, 위생 상태

hypothesis	가설, 가정
identity	정체, 신원, 동일성
infrastructure	사회 기반 시설
illusion	환영, 착각
imagination	상상(력)
impact	충돌, 충격, 영향
import	수입(품)
impulse	추진력, 충격, 자극
incentive	유발 요인, 자극, 장려책
income	수입, 소득
individualism	개인주의
infant	유아
influence	영향
ingredient	성분, 재료, 구성 요소
innocence	순결, 청정, 순진
innovation	(기술) 혁신, 쇄신
input	투입, 입력, 정보
insight	통찰력
inspiration	영감, 고취
intermediary	매개자, 중개자
interval	간격, 틈, 휴식 시간
intimacy	친밀함, 절친함
issue	문제
itch	가려움, 갈망, 욕망
journal	신문, 일지, 잡지

junk	폐물, 쓰레기
jury	배심, 심사원
laboratory	실험실, 연구소
landscape	경치
latitude	위도
law	법, 법률
leak	누출, 샘
lease	임대차 계약
leather	가죽
legend	전설
length	길이, 기간
liberty	자유
license	면허(증)
lifestyle	생활방식
limb	팔다리, 수족
linguist	어학자, 언어학자
liquid	액체
literacy	읽고 쓸 줄 아는 능력
literature	문학
loan	대부(금), 대여, 융자
logic	논리, 논리학
loss	손실, 손해
magnet	자석
major	전공, [음악] 장조
mammal	포유동물

mankind	인류		mountain	산, 산악
manual	안내서		moustache	콧수염
manuscript	원고		noble	(중세) 귀족
marble	대리석, 공깃돌		nomad	유목민, 방랑자
margin	가장자리, 여지, 차이		nonresistance	무저항(주의)
mass	덩어리, 모임, 일반 대중		norm	기준, 규범, 모범
master	주인, 석사, 달인, 교장		notation	기호법, 표시법, 기록
maxim	격언, 금언, 좌우명		notion	관념, 의향, 개념
mechanic	기계공, 정비사		novelty	신기함, 새로운 것
media	매체, 언론		nuisance	성가심, 난처한 것
medicine	약, 의학		nutrition	영양, 영양 섭취
merchant	상인		object	물체, 목적, 목적어
mercy	자비, 연민, 인정		obstacle	장애(물)
merit	장점, 가치		occasion	경우, 행사, 이유
mess	혼란, 뒤죽박죽		occupation	직업
metaphor	은유, 암유		occurrence	사건, 발생, 생긴 일
metropolis	중심 도시, 대도시, 수도		officer	공무원, 장교
micrometer	마이크로미터, 측미계		offspring	자식, 자손, 후예
midst	중앙, 한가운데		omission	생략, 탈락
minister	목사, 장관		opinion	의견, 견해
minority	소수(파)		opponent	적수, 상대, 대항자
mischief	해악, 손해, 장난		opportunity	기회
misconception	오해, 그릇된 생각		optimism	낙관주의, 낙관론
molecule	분자, 미분자		option	선택(권)
monologue	독백		orbit	궤도

orient	동양	**perspective**	원근법, 전망, 관점
ornament	꾸밈, 장식	**pessimism**	비관주의(론)
outlook	전망, 견해	**pharmacy**	약학, 약국
pain	고통, (pl.) 노고, 노력	**phase**	단계, 국면, 양상
panic	돌연한 공포, 당황	**phrase**	구(句), 숙어
paradise	천국, 낙원	**phenomenon**	현상, 사건
paralysis	마비	**philosopher**	철학자
parcel	소포, 꾸러미	**photograph**	사진
parliament	의회, 국회	**pioneer**	개척자, 선구자
particle	입자, 극소량	**pity**	연민, 안타까운 일
passion	열정	**plague**	전염병
pastime	취미, 오락	**plot**	음모, 줄거리
patent	특허(권)	**poetry**	시
patient	환자	**poison**	독약
path	길, 보도	**pond**	연못
patriotism	애국심	**popularity**	인기
patron	후원자, 단골 손님	**population**	인구, 주민
pedestrian	보행자	**position**	위치, 입장
peer	동료, 친구	**possession**	소유(물)
penalty	처벌, 벌금	**potential**	잠재력, 가능성
peninsula	[지리학] 반도	**poverty**	가난, 결핍
penny	페니(돈의 단위)	**predator**	약탈자, 육식동물
peril	위험, 모험	**predecessor**	전임자, 선배
permission	허락, 허가	**prejudice**	선입견, 편견
personnel	인력, 직원	**preoccupation**	선취, 선점

preservation	보존, 보호		proverb	속담, 격언
president	대통령, 사장		province	지방, 지역
pressure	압력, 스트레스		psychology	심리학, 심리(상태)
prestige	위신, 명성		publicity	명성, 평판, 홍보
preview	예비 검사, 시연		pupil	학생, 동공
priest	신부, 성직자		purity	순수, 청결
principal	교장		purpose	목적, 의도
principle	원리, 원칙		quantity	양, 수량
privacy	사생활		quest	탐색, 추구
privilege	특권		quotation	인용(구)
probe	조사, 탐사선		race	경주, 인종
procedure	절차, 순서		rage	격노, 분노
productivity	생산성		rate	비율, 요금, 속도
professor	교수		rack	선반, 걸이
proficiency	숙달, 능숙		ranch	목장, 농장
profit	이윤, 이익		range	범위, 산맥
progress	전진, 진보		ratio	비, 비율
proof	증명, 증거		realm	왕국, 영역
property	재산, 부동산		rear	뒤, 후면
prophecy	예언		rebel	반역자
proportion	비율, 부분		receipt	수령, 영수증
proposal	제안, 신청		recipe	조리법
prose	산문, 지루한 이야기		reconciliation	조정, 화해
prospect	전망, 예상, 기대		recruit	신병, 신입사원
protein	단백질		rectangle	직사각형

PART I 명사

reflex	반사작용(행동)	retailer	소매상
refuge	피난(처)	retrospect	회고, 소급력
refund	반환, 환불	reverse	역, 반대
regard	안부	revival	소생, 부활
region	지역, 지방	revolution	혁명, 회전
rehearsal	리허설, 예행 연습	reward	보상(금)
reinforcement	강화, 보강, 증원 부대	riddle	수수께끼
relative	친척	rider	타는 사람
reliability	신뢰성	risk	위험
reliance	의지, 신뢰	rite	의식
religion	종교	ritual	(종교적) 의식
reluctance	마음이 내키지 않음	rod	막대, 낚싯대
remark	발언, 주목	row	줄, 열, 노젓기, 소동
remedy	치료(법), 구제책	roof	지붕
remembrance	기억, 기념물	routine	판에 박힌 일, 일상
resemblance	유사(성), 닮음	sacrifice	희생, 제물
reputation	평판, 명성	saint	성인, 성자
request	요구	sake	위함, 이익, 이유
research	연구	salary	봉급
reservoir	저수지, 저장소	sanitation	(공중) 위생, 위생 시설
residence	거주, 주거	satisfaction	만족
resort	휴양지	scale	규모, 저울
responsibility	책임, 의무	scene	장면, 광경, 현장
restoration	복구, (건강의) 회복	scent	향기, 냄새
result	결과, 성과	scheme	계획, 음모

scholar	학자		significance	중요성, 의미
scholarship	학문, 장학금		sin	죄
scope	범위, 영역		situation	상황, 위치
scrap	작은 조각, 오려낸 것		skeptic	회의론자
script	대본, 각본		skin	피부, 껍질
sector	분야, 방면		skyscraper	마천루, 고층건물
seed	씨, 종자		slang	속어, 은어
segment	단편, 조각		slave	노예
sensation	감각, 느낌		slice	얇은 조각, 한 조각
sentiment	감정, 정서		slide	미끄러짐
sequence	연속, 순서, 결과		slope	경사
series	연속, 일련		smash	분쇄, 충돌
session	회기, 학년, 학기		soldier	군인, 병사
shade	그늘, 블라인드		sorrow	슬픔
shame	부끄럼, 유감		souvenir	기념품
shelf	선반		spark	불꽃
shelter	피난처, 주거		species	종류, 종(種)
shield	방패, 보호물		spectacle	광경, 구경거리
shipwreck	난파, 조난 사고		sphere	구체, 영역
shortage	부족, 결핍		spice	양념, 향신료
shoulder	어깨		spine	등뼈, 척추
shrub	키 작은 나무, 관목		spite	악의, 심술
sibling	형제, 자매		spot	장소, 점
sidewalk	보도, 인도		spouse	배우자
signal	신호		spur	박차, 자극

DAY 15

square	정사각형, (네모진) 광장	**subject**	주제, 학과, 국민
stability	안정(성)	**submission**	복종, 제출
stain	얼룩, 오점	**subsidy**	(국가의) 보조금, 지원금
stall	마구간, 매점	**substance**	물질, 실체
state	상태, 국가	**suburb**	교외, 도시 근교
static	정전기, 잡음	**suit**	소송, (복장의) 한 벌
statistic	통계치, 통계량	**sum**	합계, 금액
stead	대신, 대리	**summary**	요약, 개요
statue	조각상	**summit**	(산의) 정상, 절정
status	상태, 지위	**support**	지지(대), 원조
stereotype	고정관념	**surf**	밀려드는 파도
stick	막대기, 지팡이	**surface**	표면, 외부
sting	찌르기, 찔린 상처	**surgeon**	외과의사
stitch	한 바늘, 한 땀	**surplus**	나머지, 과잉
stomach	위, 복부	**survey**	조사
stool	(등 없는) 의자	**suspicion**	혐의, 의심
storage	저장, 보관	**swamp**	늪
strain	긴장, 피로	**sword**	검, 칼
strategy	전략, 작전	**sympathy**	동정, 공감
strength	힘, 세력	**symphony**	교향곡
stride	큰 걸음, (pl.) 진보	**symptom**	징후, 증상
string	끈, 줄, 일련	**tablet**	현판, 정제, 알약
stroke	일격, 발작	**tack**	압정, 방침, 정책
structure	구조, 구성	**tactics**	전술, 전략
struggle	투쟁	**tale**	이야기, 설화

talent	(타고난) 재주, 재능	tomb	무덤
target	목표, 표적	tongue	혀
tariff	관세(제도)	toll	사용료, 통행료
taste	미각, 맛, 취향	tool	도구, 연장
tear	눈물	tooth	치아
telescope	망원경	total	합계
temper	화, 기질	tradeoff	교환, 거래
temperature	온도, 기온	tradition	전통
tenant	세입자	tragedy	비극, 참사
term	용어, 기간, 학기, 조건	trait	특성, 특징
terminal	종착역, 터미널	transformation	변화, 변형
terrain	지역, 지형	transition	변천, 과도기
territory	영토, 지역	transmission	전달, 전송
theft	도둑질	trash	쓰레기
theory	이론, 학설	tray	쟁반, 접시
therapy	치료, 요법	treatment	대접, 대우, 치료(법)
thief	도둑, 절도범	trial	재판, 시도
thrift	검약, 검소	tribe	종족, 부족
throat	목구멍	troop	무리, 부대
throne	왕위, 왕좌	trust	신뢰
thunder	천둥, 벼락	tuition	수업, 수업료
tide	조수, 세월	ultraviolet	자외선
timber	목재	upset	혼란
tin	[금속] 주석, 양철	venture	모험적 사업, 벤처
toilet	화장실	viewer	관찰자, 텔레비전 시청자

abandon	버리다, 단념하다	advance	나아가다
abbreviate	요약해서 쓰다	advertise	광고하다
abolish	폐지하다	affect	영향을 주다
absorb	흡수하다, 열중시키다	affirm	단언하다, 주장하다
abstain	삼가다, 그만두다	afflict	괴롭히다
abuse	남용하다, 학대하다	afford	~할 여유가 있다
accelerate	가속하다, 촉진하다	aggravate	악화시키다, 괴롭히다
accept	받아들이다	alarm	놀라게 하다, 불안하게 하다
accommodate	편의를 도모하다	alienate	멀리하다, 소원하게 하다
accompany	동행하다, 반주하다	align	일직선으로 맞추다
accumulate	모으다, 축적하다	allocate	할당하다, 배분하다
accuse	고소하다, 비난하다	allot	할당(배당)하다
accustom	익숙하게 하다	allow	허락하다, ~을 하게 하다
achieve	이루다, 달성하다	allude	언급하다, 넌지시 내비치다
acknowledge	인정하다	alter	바꾸다, 변경하다
acquaint	알리다, 정통하게 하다	alternate	번갈아 일어나다(나타나다)
acquire	획득하다	amaze	놀라게 하다
activate	활성화시키다	amend	개정하다, 수정하다
adapt	적응시키다	amuse	즐겁게 하다
adopt	입양하다, 채택하다	analyze	분석하다
adhere	들러붙다, 고수하다	animate	생명을 불어넣다
adjust	맞추다, 조정하다	announce	발표하다, 알리다
administer	관리하다, 집행하다	annoy	성가시게 굴다
admit	인정하다	anticipate	예상하다
adore	숭배하다, 사모하다	apologize	사과하다

PART II 동사

appeal	호소(간청)하다		**astonish**	놀라게 하다
appear	나타나다, ~처럼 보이다		**astound**	몹시 놀라게 하다
applaud	(박수)갈채를 보내다		**attach**	붙이다
apply	적용하다, 신청하다		**attack**	공격하다
appoint	임명하다, 지정하다		**attain**	도달하다, 달성하다
appreciate	감사하다, 감상하다		**attempt**	시노하다
approach	접근하다		**attend**	참석하다, 돌보다
argue	논쟁하다		**attract**	끌다, 매혹하다
arise	일어나다, 발생하다		**attribute**	~의 탓으로 하다
arouse	깨우다, 자극하다		**avoid**	피하다
arrange	(미리) 정하다, 준비하다		**await**	기다리다
arrest	체포(구속)하다		**awake**	깨우다, 각성시키다
arrive	도착하다		**awe**	두려워하게 하다
ascend	올라가다, 오르다		**bar**	(문을) 잠그다, (길을) 막다
ascribe	~의 탓으로 하다		**bark**	짖다, 고함치다
assent	동의하다, 찬성하다		**beam**	빛을 발하다, 방송하다
assert	단언하다, 주장하다		**bear**	참다, 낳다
assemble	집합시키다, 조립하다		**beat**	때리다, 패배시키다
assess	평가하다		**beg**	청하다, 빌다
assign	할당하다, 배당하다		**behave**	(예절 바르게) 행동하다
assimilate	동화하다, 받아들이다		**behold**	보다, 주시하다
assist	돕다		**bet**	돈 따위를 걸다, 단언하다
associate	관련시키다, 연상하다		**betray**	배반하다, 누설하다
assume	추정하다, 떠맡다		**beware**	조심하다, 경계하다
assure	확인하다, 보장하다		**bewitch**	마법을 걸다, 매혹하다

bind	묶다, 동여매다
bleed	피를 흘리다
blend	(뒤)섞다, 어울리다
bless	은총을 내리다, 찬양하다
blink	눈을 깜박거리다
blow	불다, 바람에 날리다
blur	희미해지다, 흐리게 하다
blush	얼굴을 붉히다
boast	자랑하다
boost	밀어 올리다, 후원하다
board	탑승하다
book	예약하다
bore	지루하게 하다
borrow	빌리다
bother	귀찮게 하다, 괴롭히다
bounce	(공이) 튀다, 뛰어오르다
bound	[수동형으로] 제한하다
bow	인사하다, 굽히다
breathe	숨 쉬다, 호흡하다
breed	낳다, 기르다
bring	가져오다, 데려오다
broaden	넓어지다, 확장하다
browse	띄엄띄엄 읽다, 검색하다
brush	(솔로) 털다
bump	부딪치다, 충돌하다

burrow	굴을 파다, 숨다
burst	터지다, 폭발하다
bury	파묻다
calculate	계산하다
call	전화하다, ~라고 부르다
calm	진정시키다
cancel	취소하다
captivate	마음을 사로잡다
capture	잡다, 생포하다
carve	새기다, 조각하다
cast	던지다, (금속을) 주조하다
catalog(ue)	목록을 작성하다
cause	~의 원인이 되다
cease	중지하다
celebrate	축하하다
chance	우연히 하다(발생하다)
charge	(요금 등을) 청구하다
chase	뒤쫓다, 추적하다
cheat	속이다
check	확인하다, 점검하다
cherish	소중히 하다
chew	씹다
choke	질식시키다
chop	자르다
cite	인용하다

claim	요구하다, 주장하다
clap	박수치다, 찰싹 때리다
clarify	분명하게 하다
classify	분류하다
cling	달라붙다, 매달리다
clutch	꽉 잡다, 붙들다
collaborate	협력하다
collapse	무너지다
collide	충돌하다, 일치하지 않다
combine	결합하다, 협력하다
commemorate	기념하다, 축하하다
comment	논평하다, 말하다
commit	(죄, 과실을) 저지르다
communicate	의사소통하다, 통신하다
commute	통근하다
compare	비교하다
compel	강제하다
compensate	보상하다, 벌충하다
compete	경쟁하다
compile	편집하다, 수집하다
comply	동의하다, 따르다
complain	불평하다
complicate	복잡하게 하다
compose	구성하다, 작곡하다
comprehend	이해하다, 파악하다

conceal	숨기다, 비밀로 하다
compress	압축하다, 요약하다
comprise	포함하다, 구성되다
conceive	마음에 품다, 상상하다
concentrate	집중하다
conclude	결론짓다, 끝내다
condemn	비난하다
confess	고백하다, 자인하다
confine	제한하다, 가두다
confront	직면하다, 맞서다
confirm	확인하다, 승인하다
conform	일치하다, 따르다
confuse	혼란시키다, 혼동하다
connect	연결하다
conquer	정복하다
consent	동의하다, 승낙하다
consider	고려하다, 간주하다
consist	이루어져 있다, 존재하다
console	위로하다, 달래다
constitute	구성하다
construct	건설하다
consult	상담하다
consume	소비하다
contain	담고 있다, 내포하다
contaminate	오염시키다

contemplate	심사숙고하다		**criticize**	비판(비난)하다
contend	싸우다, 다투다		**crush**	눌러서 뭉개다
continue	계속하다		**cultivate**	경작하다, 재배하다
contradict	부인하다, 반박하다		**cure**	치료하다
contribute	기여하다, 공헌하다		**curl**	곱슬곱슬하게 하다
control	통제하다, 지배하다		**curse**	저주하다, 욕하다
converge	한 점(곳)에 모이다		**curve**	곡선을 그리다, 굽히다
convert	바꾸다, 전환하다		**dare**	감히 ~하다
convey	나르다, 전달하다		**deal**	거래하다, 다루다
convict	유죄를 입증하다		**debate**	논쟁하다, 토론하다
convince	납득시키다, 확신시키다		**decay**	썩다, 부패하다
coordinate	대등하게 하다, 조정하다		**decide**	결심(결정)하다
cope	대처하다, 극복하다		**declare**	선언(공표)하다
correspond	일치하다, 대응하다		**decompose**	분해(부패)시키다
cost	비용이 들다		**decorate**	장식하다
cough	기침을 하다		**decrease**	감소하다
count	세다, 중요하다		**dedicate**	헌신하다, 바치다
counteract	~와 반대로 행동하다		**defeat**	패배시키다
counterfeit	위조하다		**defend**	방어하다, 지키다
cover	덮다, 다루다, 포함시키다		**define**	정의하다
crack	찰싹 소리를 내다		**defy**	도전하다, 무시하다
crave	열망하다, 간청하다		**degrade**	떨어뜨리다, 저하시키다
crawl	기어가다, 포복하다		**delete**	삭제하다
create	창조하다		**delight**	즐겁게 하다
creep	기다, 포복하다		**deliver**	배달하다, 넘겨 주다

demonstrate	보여주다, 입증하다	diminish	감소하다
deny	부인 (부정) 하다	dine	식사하다, 정찬을 먹다
depart	출발하다, 떠나다	dip	담그다, 가라앉다
depend	의지하다, 의존하다	direct	지시하다, 알려주다
depict	그리다, 묘사하다	disappear	사라지다
depress	우울하게 하다	disapprove	인가하지 않다
deprive	빼앗다, 박탈하다	discard	버리다
derive	끌어내다, 획득하다	discern	분별 (식별) 하다
descend	내려가다, 전해지다	disclose	드러내다, 폭로하다
describe	묘사하다	discourage	낙담시키다
desert	버리다	discover	발견하다
deserve	~할 만하다, 가치가 있다	discriminate	구별하다, 차별 대우하다
designate	가리키다, 지시하다	disperse	흩어지다, 퍼뜨리다
desire	바라다	dispense	분배하다, 베풀다
despise	경멸하다	dissent	의견을 달리하다
destine	운명짓다, 예정하다	dismiss	해산하다, 해고하다
detach	분리하다, 파견하다	display	전시하다, 보이다
detail	상술하다, 열거하다	disrupt	혼란에 빠뜨리다
detect	발견하다, 간파하다	dissolve	녹이다, 용해시키다
deteriorate	악화 (저하) 시키다	distinguish	구별하다
determine	결정하다, 결심하다	distort	왜곡하다
devastate	유린하다, 황폐화하다	distract	흐트러뜨리다
devour	게걸스럽게 먹다	distribute	분배하다, 나누어주다
differ	다르다	disturb	방해하다
digest	소화하다, 잘 이해하다	diverge	갈라지다, 빗나가다

diversify	다양화하다, 분산시키다	encounter	(우연히) 만나다
divide	나누다, 분할하다	endanger	위태롭게 하다
donate	기부하다, 기증하다	endow	주다, 기부(기증)하다
drain	배수하다, 물을 빼다	endure	견디다, 참다
dread	두려워하다, 무서워하다	enforce	실시(시행)하다
drown	물에 빠지다, 익사하다	engage	종사시키다, 약혼하다
dub	작위를 주다	enhance	강화하다, 높이다
dwell	살다, 거주하다	ensue	뒤따르다, 뒤이어 일어나다
dwindle	줄다, 작아지다, 약화되다	ensure	보장하다, 확실하게 하다
ease	(긴장 등을) 완화시키다	eradicate	근절하다, 박멸하다
edit	편집하다, 교정하다	erase	지우다, 삭제하다
educate	교육하다	erect	세우다, 직립시키다
elect	뽑다, 선출하다	erode	침식하다, 부식하다
elevate	올리다, 높이다	erupt	(화산 등이) 분출하다
eliminate	제거하다	escalate	확대(상승)하다
embark	(배나 비행기 등에) 타다	escape	탈출하다, 벗어나다
embarrass	난처하게 하다	establish	설립하다, 확립하다
embed	깊숙이 박다	esteem	존경하다, (높이) 평가하다
embrace	포옹하다, 채택(신봉)하다	estimate	추정하다, 평가하다
emerge	출현하다, 나타나다	evaluate	평가하다
emit	(빛·열 등을) 발하다	evaporate	증발하다
empathize	감정이입을 하다	evoke	불러일으키다, 환기하다
employ	고용하다, 소비하다	evolve	진화하다, 발전시키다
enact	(법률을) 제정하다	exaggerate	과장하다
enclose	동봉하다, 둘러싸다	excavate	발굴하다, 파다

PART Ⅱ 동사

exceed	능가하다	**force**	강요하다, ~하게 하다
excel	뛰어나다	**foretell**	예언하다, 예고하다
expel	쫓아내다, 방출하다	**foster**	조장하다, 기르다
exchange	교환하다	**found**	설립하다
excuse	용서하다, 변명하다	**freeze**	얼다, 몹시 춥게 느끼다
execute	실행(집행)하다, 처형하다	**frown**	눈살을 찌푸리다
exert	발휘하다, 노력하다	**frustrate**	좌절시키다, 실망시키다
explore	탐험하다, 탐구하다	**fulfill**	이행하다, 완료하다
expose	노출시키다, 드러내다	**furnish**	비치(설치)하다, 공급하다
express	표현하다	**generate**	발생시키다, 만들어 내다
extend	뻗다, 넓히다, 연장하다	**grab**	움켜잡다, 붙잡다
extract	뽑아내다, 발췌하다	**grasp**	잡다
facilitate	용이하게 하다, 촉진하다	**graze**	풀을 뜯어 먹디
fade	바래다, 희미해지다	**grin**	씩 웃다
faint	기절하다	**grip**	꽉 잡다, 움켜잡다
falter	비틀거리다, 말을 더듬다	**guarantee**	보증하다, 장담하다
fascinate	황홀케 하다, 매혹시키다	**halt**	멈추다, 정지하다
fill	(가득) 채우다	**hand**	건네주다, 넘겨주다
fling	내던지다	**hang**	걸다, 목을 매달다
float	떠다니다, 떠오르다	**hesitate**	망설이다
flock	떼 지어 오다(가다)	**hold**	잡다, 들다, 유지하다
flourish	번영(번성)하다, 잘 자라다	**hurry**	서두르다, 재촉하다
focus	집중하다	**ignore**	무시하다, 모르는 체하다
fold	접다, (양팔에) 안다, 싸다	**illuminate**	밝게 비추다, 계몽하다
forbid	금하다, 허락하지 않다	**illustrate**	설명하다, 삽화를 넣다

imagine	상상하다, 생각하다	**inquire**	묻다, 조사하다
imitate	모방하다, 흉내 내다	**insist**	주장하다, 고집하다
immigrate	(외국에서) 이주해 오다	**inspect**	조사하다, 검사하다
impair	해치다, 손상하다	**install**	설치하다
implement	이행하다, 실행하다	**instruct**	가르치다, 지시하다
imply	암시하다, 의미하다	**intend**	의도하다, 예정하다
impose	(세금·의무를) 부과하다	**interact**	상호 작용하다
impress	감동시키다	**interpret**	해석하다, 통역하다
imprison	투옥하다, 감금하다	**interrupt**	방해하다, 중단시키다
improve	개선하다, 향상시키다	**intervene**	개입하다, 중재하다
include	포함하다	**introduce**	소개하다, 도입하다
increase	증가시키다	**investigate**	조사하다, 연구하다
indicate	나타내다, 가리키다	**involve**	관련시키다, 포함하다
induce	설득하다, 유도하다	**isolate**	고립시키다
indulge	만족시키다, 탐닉하다	**judge**	판단하다
industrialize	산업화하다	**justify**	정당함을 증명하다
infect	감염시키다	**launch**	시작하다, 출시하다
infer	추론하다, 추측하다	**leap**	뛰다
inflate	팽창하다, 부풀리다	**lick**	핥다
inform	알리다, 통지하다	**lie**	눕다, 거짓말하다
inhabit	살다, 거주하다	**limit**	제한하다
inherit	상속하다, 물려받다	**linger**	오래 머무르다
initiate	시작하다, 창시하다	**locate**	(특정 위치에) 두다
inject	주사(주입)하다, 삽입하다	**lodge**	숙박하다, 하숙하다
injure	부상을 입히다, 해치다	**long**	바라다, 동경하다

DAY 26

SUMMA CUM LAUDE VOCABULARY

PART Ⅱ 동사

lure	유혹하다, 유인하다	nominate	지명하다, 임명하다
maintain	유지하다, 주장하다	notice	알아채다, 주의하다
manage	다루다, 처리하다	notify	통지하다, 공고하다
manifest	명백히 하다	nourish	자양분을 주다, 기르다
manipulate	능숙하게 다루다	nurture	양육하다
manufacture	제조하다	obey	복종하다, 따르다
marvel	이상하게 생각하다	obligate	(의무상) ~을 해야 한다
mean	의미하다, ~할 작정이다	oblige	~을 하게 하다, 강요하다
measure	재다, 측정하다	observe	관찰하다, 준수하다
mediate	(분쟁 등을) 조정하다	obsess	사로잡다, 괴롭히다
meditate	명상하다, 숙고하다	obstruct	차단하다, 막다, 방해하다
memorize	기억하다	offend	화나게 하다, 죄를 범하다
mention	언급하다, 말하다	offer	제공하다, 제안하다
merge	합병하다, 합체시키다	operate	작동하다, 수술하다
mimic	흉내 내다	oppose	반대하다, 겨루다
modify	수정하다, 수식하다	oppress	압박하다, 억압하다
monopolize	독점하다, 전매권을 얻다	organize	조직하다, 창립하다
motivate	동기를 부여하다	outdate	낡게 하다
mourn	슬퍼하다, 한탄하다	outline	윤곽을 나타내다
mumble	중얼거리다	overcome	극복하다, 이겨내다
narrate	이야기하다, 서술하다	overestimate	과대평가하다
navigate	항해하다, 조종하다	overhear	우연히 듣다, 엿듣다
necessitate	필요하다	overlap	부분적으로 ~위에 겹치다
neglect	무시하다, 태만히 하다	overlook	간과하다, 눈감아주다
negotiate	협상하다, 협의하다	oversee	감독하다, 두루 살피다

DAY 27

overtake	따라잡다, 추월하다	prevail	우세하다, 널리 보급되다
owe	빚지다	prevent	막다, 방해하다, 예방하다
participate	참가하다, 관여하다	proceed	진행하다, 나아가다
pave	(길을) 포장하다	proclaim	포고하다, 선언하다
penalize	벌주다, 유죄를 선고하다	produce	생산하다, 산출하다
penetrate	관통하다, 침입하다	prohibit	막다, 금하다
perceive	지각하다, 감지하다	prolong	늘이다, 연장하다
perform	수행하다, 공연하다	promise	약속하다
perish	멸망하다, 사라지다	promote	조장하다, 장려하다
perplex	당혹케 하다	pronounce	발음하다, 선언하다
persist	고집하다, 주장하다	propel	추진하다, 몰아대다
persuade	설득하다, 납득시키다	prosper	번영하다, 성공하다
pierce	꿰뚫다, 관통하다	protect	보호하다, 막다
pile	쌓아올리다, 축적하다	protest	항의하다
pitch	던지다, 설치하다	provoke	(특정한 반응을) 유발하다
plunge	던져 넣다, 뛰어들다	prove	증명하다, 입증하다
polish	닦다, 윤을 내다	provide	제공하다, 공급하다
pollute	오염시키다	publish	발행하다, 출판하다
praise	칭찬하다	punish	처벌하다, 혼내다
precede	선행하다, 앞서다	purchase	사다, 구입하다
predict	예언하다, 예측하다	pursue	추적하다, 추구하다
prefer	선호하다	qualify	자격을 갖추다
prescribe	처방을 내리다, 규정하다	quarrel	말다툼하다
presume	추정하다, 상상하다	raft	뗏목을 타다
pretend	~인 체하다, 가장하다	raid	급습하다, 습격하다

raise	올리다, 일으키다, 기르다	**regulate**	규제하다, 조절하다
realize	깨닫다, 실현하다	**rehabilitate**	원상태로 되돌리다
reap	거둬들이다, 수확하다	**reject**	거절하다, 거부하다
recall	상기하다, 소환하다	**rejoice**	기뻐하다, 축하하다
recede	물러나다, 멀어지다	**relate**	관련시키다
receive	받다	**release**	풀어 놓다, 해방하다
recite	암송하다, 낭독하다	**relieve**	경감하다, 구제하다
recharge	충전하다, 재충전하다	**rely**	의지하다, 신뢰하다
recognize	인식하다	**remain**	남아 있다, 여전히 ~하다
recollect	생각해 내다, 회상하다	**remind**	생각나게 하다
recommend	추천하다, 권고하다	**remove**	제거하다, 옮기다
recover	회복하다	**render**	주다, ~이 되게 하다
recreate	휴양하다	**renew**	새롭게 하다, 갱신하다
recur	재발하다, 순환하다	**renovate**	새롭게 하다, 수리하다
recycle	재활용하다	**repel**	쫓아버리다, 격퇴하다
reduce	줄이다, 낮추다	**replace**	대체하다, 제자리에 놓다
refer	언급하다, 참조하다	**reply**	대답하다, 응답하다
refine	정제하다, 세련되게 하다	**represent**	나타내다, 대표하다
reflect	반사하다, 반영하다	**reproduce**	복사하다, 재생하다
reform	개혁하다, 개정하다	**require**	요구하다, 필요로 하다
refrain	그만두다, 삼가다	**rescue**	구조하다, 구출하다
refresh	상쾌하게 하다	**resent**	분개하다, 원망하다
refrigerate	냉각하다, 서늘하게 하다	**reserve**	남겨두다, 예약하다
refuse	거절하다, 거부하다	**reside**	거주하다, 존재하다
register	등록하다, 가리키다	**resign**	사임하다, 포기하다

resist	저항하다, 견디다	**saw**	톱질하다
respect	존경하다	**scan**	자세히 조사하다
respond	반응하다, 응답하다	**scatter**	뿌리다, 흩뿌리다
rest	쉬다, 의존하다	**scoop**	국자로 푸다
restrain	억제하다, 제지하다	**scrape**	문지르다, 긁어모으다
restrict	제한하다, 한정하다	**scratch**	긁다, 할퀴다, 휘갈겨 쓰다
resume	다시 차지하다	**scrub**	비벼 빨다, 북북 문지르다
retain	보유하다, 계속 유지하다	**scrutinize**	자세히 조사하다
retire	은퇴하다, 물러나다	**search**	찾다, 조사하다
retreat	퇴각하다	**season**	맛을 내다, 흥미를 돋우다
retrieve	회수하다, 되찾다	**segregate**	분리하다, 격리하다
return	돌아오다, 돌려주다	**seize**	붙잡다, 붙들다
reveal	나타내다, 밝히다	**separate**	떼어 놓다, 분리하다
review	다시 보여주다, 복습하다	**serve**	섬기다, 봉사하다
revise	개정하다, 교정하다	**settle**	정착하다, 진정하다
rid	제거하다	**shatter**	산산이 부수다, 박살내다
ridicule	놀리다, 비웃다, 조롱하다	**shed**	흘리다, 뿌리다
rip	쪼개다, 째다, 찢다	**shift**	이동하다, 자리를 옮기다
roam	거닐다, 방랑하다	**shine**	비추다
roar	으르렁거리다, 고함치다	**shiver**	와들와들 떨다
rot	썩다, 썩히다	**shove**	밀치다, 떠밀다
rob	훔치다, 털다	**shrink**	오그라들다, 축소시키다
rub	문지르다, 마찰하다	**shrug**	(어깨를) 으쓱하다
rotate	회전하다, 교대하다	**shuffle**	발을 질질 끌다, 뒤섞다
rush	돌진하다, 달려들다	**sigh**	한숨 쉬다, 탄식하다

PART II 동사

sightsee	관광하다		**sprain**	(발목 따위를) 삐다
simulate	~의 모의 실험을 하다		**spread**	뿌리다, 퍼지다, 벌리다
sink	가라앉다, 침몰하다		**sprinkle**	(액체 따위를) 뿌리다
skim	(수면을) 스쳐 지나가다		**sprint**	(단거리를) 역주하다
slap	찰싹 때리다		**sprout**	싹이 나다
slip	(찍) 미끄러지다		**squash**	으깨다, 으스러지다
snatch	와락 붙잡다, 잡아채다		**squeeze**	짜내다, 압착하다
sneak	몰래 움직이다		**stagger**	비틀거리다, 망설이다
sniff	코를 킁킁거리다		**stalk**	(병 등이) 퍼지다
snore	코를 골다		**standardize**	표준에 맞추다
soak	잠기다, 젖다, 스며들다		**stare**	응시하다, 빤히 보다
soar	높이 날다, 급등하다		**steer**	키를 잡다, 조종하다
sob	흐느껴 울다, 흐느끼다		**startle**	깜짝 놀라게 하다
solicit	간청하다, 구하다		**starve**	굶주리다, 굶어 죽다
solve	해결하다, 풀다		**stimulate**	자극하다
soothe	달래다, 위로하다		**stink**	악취를 풍기다
sow	씨를 뿌리다		**stir**	휘젓다, 움직이다
spare	절약하다, 아끼다		**stock**	비축하다, 저장하다
speculate	심사숙고하다, 사색하다		**stretch**	펴다, 뻗다, 늘이다
spell	철자를 쓰다		**strike**	치다, 때리다
spill	엎지르다, 흩뜨리다		**strive**	노력하다
spit	(침을) 뱉다, 토하다		**strip**	벗기다, 벌거벗다
split	쪼개다		**stumble**	비틀거리다
splash	튀기다, 더럽히다		**stun**	기절시키다
spoil	망치다, 손상하다		**subdue**	정복하다, 억제하다

DAY 31

submerge	물속에 잠그다 (잠기다)	**swear**	맹세하다, 선서하다
submit	제출하다, 항복하다	**sweep**	청소하다, 휩쓸다
subscribe	서명하다, (정기) 구독하다	**swell**	부풀다, 팽창하다
substitute	대체하다	**switch**	바꾸다
subtract	빼다, 공제하다	**symbolize**	상징하다
suck	빨다, 흡수하다	**tame**	길들이다, 다스리다
sue	고소하다	**tease**	집적거리다, 희롱하다
suffer	괴로워하다	**tempt**	유혹하다, 유도하다
suggest	암시하다, 제안하다	**tend**	경향이 있다, 돌보다
summon	소환하다, 소집하다	**testify**	증명하다, 증언하다
supervise	감독하다	**threaten**	위협하다, 겁주다
supplement	보충하다	**thrive**	번영하다, 잘 자라다
supply	공급하다, 보완하다	**throw**	(내)던지다, 팽개치다
suppose	상상하다, 가정하다	**thrust**	밀다, 찌르다
suppress	억압하다, 진압하다	**tickle**	간질이다, 기쁘게 하다
surge	밀어닥치다, 쇄도하다	**tilt**	기울이다
surpass	~보다 낫다, 능가하다	**tolerate**	관대히 다루다, 묵인하다
surrender	넘겨주다, 양도하다	**tow**	끌다, 견인하다
surround	에워싸다, 둘러싸다	**trace**	~의 자국을 밟다
survive	살아남다	**track**	추적하다, 뒤쫓다
suspect	의심하다	**trail**	(질질) 끌다, 뒤를 밟다
suspend	매달다, 중지하다	**transcend**	넘다, 초월하다
sustain	부양하다, 유지하다	**transfer**	옮기다, 갈아타다
swallow	들이키다, (꿀꺽) 삼키다	**translate**	번역하다, 해석하다
sway	흔들리다, 동요하다	**transmit**	보내다, 발송하다

transplant	옮겨 심다, 이주시키다
transport	수송하다, 운반하다
trap	(위험한 장소에) 가두다
tread	밟다, 걷다
tremble	떨다, 전율하다
trigger	발사하다, (일을) 일으키다
trim	정돈하다, 손질하다
triple	세 배로 만들다
tug	(세게) 당기다
tumble	넘어지다, 굴리다
twinkle	반짝반짝 빛나다
twlst	꼬다, 뒤틀리다
underestimate	과소평가하다, 경시하다
undergo	경험하다, 겪다
undermine	약화시키다
undertake	(일 · 책임을) 떠맡다
undo	원상태로 돌리다
unify	하나로 하다
unite	통합하다, 결합하다
urge	재촉하다, 주장하다
utter	발언하다, 말하다
vaccinate	예방 주사를 맞히다
vanish	사라지다, 자취를 감추다
vary	바꾸다, 변화하다
vend	팔다, 판매하다

violate	위반하다, 침해하다
vomit	토하다, 뿜어내다
vote	투표하다
vow	맹세하다, 서약하다
wander	떠돌아다니다, 헤매다
warn	경고하다
warrant	보증하다, 정당화하다
waste	낭비하다, 황폐하게 하다
weave	(천 · 직물을) 짜다, 뜨다
weep	눈물을 흘리다, 울다
whisper	속삭이다
withdraw	움츠리다, 철회하다
wither	시들다, 말라죽다
withhold	억누르다, 보류하다
withstand	저항하다, 잘 견디다
witness	목격하다
wonder	궁금해하다, 놀라다
worsen	악화시키다
worship	숭배하다, 존경하다
wreck	난파시키다, 파괴하다
wrestle	맞붙어 싸우다
yawn	하품하다
yearn	그리워하다, 갈망하다
yell	소리 지르다
yield	산출하다, 양보하다

abrupt	갑작스러운, 퉁명스러운	**atomic**	원자의
absolute	절대적인	**authentic**	믿을 만한, 확실한, 진짜의
abstract	추상적인	**available**	이용할 수 있는
absurd	불합리한, 어리석은	**aware**	~을 알고, 깨닫고
abundant	풍부한, 많은	**awesome**	굉장한, 아주 멋진, 무서운
accurate	정확한	**awful**	지독한, 무서운, 끔찍한
acid	신, 신랄한	**awkward**	서투른, 거북한, 어색한
acute	날카로운, 민감한, 심각한	**bankrupt**	파산한
additional	부가적인, 추가의	**barren**	불모의, 메마른
adequate	적절한, 적당한	**bilingual**	두 나라 말을 하는
admirable	칭찬할 만한, 훌륭한	**bitter**	쓴, 비통한, 쓰라린
adverse	역의, 거스르는, 불리한	**blunt**	무딘, 날 없는, 둔한
aesthetic	미의, 미적인	**bold**	대담한, 과감한
alert	방심 않는, 빈틈 없는	**botanical**	식물의, 식물성의
alternative	대체의	**brief**	짧은, 간단한
ambiguous	애매(모호)한	**brilliant**	빛나는, 훌륭한
annual	일 년의, 일 년마다의	**brutal**	잔인한
anonymous	익명의, 신원 불명의	**casual**	우연의, 무관심한
antique	골동의	**certain**	확신하는, 어떤
anxious	걱정하는, 갈망하는	**chronic**	만성의, 상습적인
appropriate	적절한, 적당한	**civilized**	문명화된
approximate	근사치인, 대략의	**clumsy**	솜씨 없는, 서투른
arctic	북극의, 북극 지방의	**coherent**	일관된, 분명히 말할 수 있는
artificial	인공적인	**common**	공통의, 보통의, 흔한
ashamed	부끄러운, 수치스러운	**compact**	조밀한, 견고한

PART Ⅲ 형용사

compatible	양립하는, 모순되지 않는	disabled	불구가 된, 무능력의
competent	유능한	disposable	(사용 후) 버릴 수 있는
competitive	경쟁의, 경쟁력 있는	distinct	별개의, 뚜렷한, 독특한
compulsive	강제적인, 억지로의	dizzy	현기증이 나는, 어지러운
concrete	구체적이, 유형의	domestic	국내의, 가정의
Confucian	공자의, 유교의	dramatic	극적인, 인상적인
constant	불변의, 일정한, 계속적인	drastic	과감한, 맹렬한
content	만족하는	dynamic	동적인, 힘찬
controversial	논쟁의	eager	열망하는
corporate	법인의, 회사의	economic	경제(학상)의
correct	정확한, 올바른	edible	먹을 수 있는
corrupt	부패한, 뇌물이 통하는	efficient	능률적인, 유능한
cosmic	우주의	elaborate	정교한, 공들인
critical	평론의, 비판적인, 중요한	elastic	탄력성이 있는
crucial	결정적인, 중대한	electronic	전자의
crude	가공하지 않은, 투박한	eligible	적격의, 적임의
cruel	잔혹한, 잔인한, 무정한	eloquent	웅변의, 설득력 있는
cynical	냉소적인, 비꼬는	eminent	저명한, 뛰어난
decent	기품 있는, 근사한	enormous	거대한, 막대한
deceptive	현혹시키는, 사기의	envious	부러워하는
deliberate	신중한, 의도적인	essential	필수적인, 본질적인
dense	밀집한, 조밀한, 짙은	eternal	영구한, 불변의
desperate	자포자기한, 필사적인	ethical	도덕상의, 윤리적인
deviant	(정상에서) 벗어난, 일탈적인	ethnic	인종의, 민족의
diligent	근면한, 부지런한	exquisite	절묘한, 정교한, 세련된

DAY 35

extensive	광대한, 넓은	frequent	빈번한
external	외부의, 표면의, 대외적인	fresh	새로운, 신선한
extraordinary	비범한, 놀라운, 특별한	fundamental	기초의, 근본적인, 중요한
extreme	극단의, 극도의	furious	성난, 사납게 몰아치는
fabulous	기막히게 좋은, 엄청난	gloomy	우울한, 음침한
fair	공정한, 공평한, 아름다운	gorgeous	호화로운, 찬란한, 멋진
fake	가짜의	grateful	감사하는, 고마운
familiar	친밀한, 잘 알려진	hard	굳은, 열심인, 어려운
famous	유명한	horrific	끔찍한, 무서운
fancy	멋진, 최고급의, 공상의	huge	거대한
fatal	치명적인, 운명의	humble	초라한, 겸손한
favorite	매우 좋아하는	humid	습기 있는, 눅눅한
federal	연방의, 동맹의, 연합의	illiterate	읽고 쓸 수 없는
feminine	여성의, 여성다운	immature	미숙한
fertile	비옥한, 기름진, 다산인	immediate	즉각적인, 직접적인
festive	축제의	immortal	죽지 않는, 불후의
fierce	사나운, 격렬한, 맹렬한	immune	면역성의, 면제받은
fit	꼭 맞는, 건강이 좋은	incidental	우연의, 부수적인
flat	편평한, 납작한	indifferent	무관심한, 중요치 않은
folk	민속의, 전통적인	indispensable	없어서는 안 되는, 필요한
following	다음의	inevitable	불가피한, 필연적인
fond	좋아하는, 애정 있는	infinite	무한한, 무수한
fragile	부서지기 쉬운, 연약한	inherent	본래부터의, 고유의
frank	솔직한	initial	처음의, 최초의
frantic	미친 듯 날뛰는, 광란의	intense	격렬한, 강렬한, 열심인

intent	집중된, 전념하고 있는	**mere**	단순한, 순진한
interior	안의, 안쪽의	**mighty**	강력한, 힘센
internal	내부의, 국내의	**migrant**	이주하는
intricate	뒤얽힌, 복잡한	**miserable**	비참한, 불쌍한
introverted	내향적인	**mobile**	움직이기 쉬운
jealous	질투심이 많은	**moderate**	중간의, 온화한, 적당한
keen	날카로운, 예민한, 열심인	**modern**	현대의, 현대적인
legal	법률의	**modest**	겸손한, 정숙한, 적당한
legitimate	정당한, 합법의	**moral**	도덕적인, 윤리의
liable	책임이 있는, ~하기 쉬운	**mortal**	죽어야 할 운명의
literal	글자 그대로의	**monotonous**	단조로운, 변화 없는
local	지방(지역)의	**multiple**	다수의, 다양한
loose	풀린, 헐거운	**mutual**	상호의, 공통의
lunar	달의	**naive**	순진한, 천진난만한
magnificent	장엄한, 훌륭한	**nasty**	불쾌한, 더러운
main	주요한, 주된	**natural**	자연의, 타고난
majestic	장엄한, 위엄 있는	**naughty**	장난(꾸러기)의, 버릇없는
managerial	경영의, 관리의	**negative**	부정적인
marine	바다의, 해양의	**nervous**	신경의, 불안한
masculine	남성의, 남자다운	**neutral**	중립의
mature	성숙한, 익은	**normal**	보통의, 평범한, 정상적인
medical	의학의, 의료의	**notable**	주목할 만한, 유명한
medieval	중세의	**nuclear**	(세포) 핵의, 원자핵의
melancholy	우울한	**numerous**	많은
mental	마음의, 지능의	**obedient**	순종하는

obscure	분명치 않은, 애매한	**polite**	예의 바른
optic	눈의, 시력의, 광섬유의	**political**	정치적인
optimal	최적의, 최상의	**portable**	들고 다닐 수 있는
oral	구두의, 입의	**positive**	긍정적인, 적극적인
ordinary	보통의, 평범한	**practical**	실용적인
original	원래의, 독창적인	**precious**	귀중한, 값비싼
outgoing	외향적인, 사교적인	**pregnant**	임신한
outrageous	너무나 충격적인	**prime**	제1의, 주요한
outstanding	눈에 띄는, 현저한	**primitive**	원시의, 원시적인
outward	밖을 향한, 외관의	**prior**	이전의, 앞의, 사전의
overall	전부의, 전반적인	**professional**	직업(상)의, 전문적인
overwhelming	압도적인, 굉장한	**prompt**	즉석의, 신속한
pale	창백한, 엷은	**prone**	경향이 있는
paradoxical	역설적인, 모순된	**proper**	적당한, 예의 바른
parallel	평행의, 서로 같은	**proud**	자랑스러워하는
particular	특별한, 특수한	**punctual**	시간을 잘 지키는
passive	수동적인	**pure**	순수한
peculiar	독특한, 기묘한	**quality**	고급의, 양질의
perfect	완벽한	**quick**	빠른, 즉석의
permanent	영구적인, 영속적인	**racial**	인종의, 종족의
perpetual	영구적인	**radiant**	빛나는, 밝은
personal	개인의, 개인적인	**radical**	근본적인, 급진적인
physical	육체의, 물질의	**radioactive**	방사능의, 방사성의
physiological	생리학의, 생리적인	**random**	닥치는 대로의, 임의의
plain	명백한, 솔직한, 평범한	**rapid**	빠른, 신속한

rational	이성적인, 합리적인	**solid**	고체의, 단단한
reactive	반응을 나타내는	**solitary**	고독한
realistic	현실적인	**sophisticated**	정교한, 세련된
reasonable	논리적인, 적당한	**sore**	아픈, 슬픔에 잠긴
regardless	무관심한, 개의치 않는	**sour**	시큼한, 신
regretful	후회하는, 유감으로 여기는	**spacious**	넓은, 광대한
relevant	관련된, 타당한	**specific**	명확한, 구체적인, 특별한
reluctant	꺼리는, 주저하는	**splendid**	화려한, 멋진
remote	(거리 · 시간적으로) 먼	**spontaneous**	자발적인, 자연스러운
rigid	단단한, 엄격한	**stale**	(음식이) 신선하지 않은
ripe	익은, 때가 무르익은	**steep**	가파른
rural	시골의, 전원의	**stiff**	뻣뻣한, 굳은
sacred	신성한, 성스러운	**stray**	길을 잃은, 빗나간
scared	겁먹은	**strenuous**	열심인, 격렬한
sarcastic	비꼬는, 풍자의	**strict**	엄격한, 정밀한
secure	안전한, 보장된	**stubborn**	완고한, 고집 센
senior	손위의, 상위의	**sturdy**	억센, 튼튼한
serious	진지한, 심각한	**subconscious**	잠재의식의, 무의식의
severe	엄격한, 심한	**subjective**	주관적인
shallow	얕은, 피상적인	**subsequent**	뒤의, 차후의
sharp	날카로운, 예민한, 급격한	**subtle**	미묘한, 민감한
simultaneous	동시에 일어나는, 동시의	**successive**	잇따른, 계속되는
slight	약간의, 사소한	**sufficient**	충분한, (~하기에) 족한
sociable	사교적인	**superb**	최고의, 훌륭한
solemn	엄숙한, 장엄한	**superficial**	표면상의, 피상적인

superior	뛰어난, 우수한	**upright**	(자세가) 똑바른, 올바른
supernatural	초자연의, 불가사의한	**upward**	위로 향한
supreme	최고의, 가장 중요한	**urban**	도시의
temperate	온화한, 중용의	**utmost**	최고의, 극도의
temporary	임시적인, 일시적인	**vacant**	공허한, 비어 있는
tender	부드러운, 상냥한	**vague**	어렴풋한, 애매한, 흐릿한
tense	긴장한, 팽팽한	**vain**	헛된, 허영심이 강한
thin	얇은, 여윈, 드문드문한	**valid**	유효한, 근거가 확실한
terrible	무서운, 무시무시한	**verbal**	언어의, 말로 된
terrific	굉장한, 멋진, 무서운	**vertical**	수직의, 세로의
thorough	철저한, 충분한	**vibrant**	떠는, 진동하는
timid	겁 많은, 두려워하는	**violent**	폭력적인, 격렬한
tough	강인한, 단단한	**virtual**	가상의, 사실상의
toxic	유독성의	**visible**	눈에 보이는, 명백한
transparent	투명한	**vital**	생명의, 극히 중대한
tremendous	굉장한, 무서운	**vivid**	생생한, 선명한
trivial	사소한, 하찮은	**voluntary**	자발적인, 임의적인
trustworthy	신뢰할 수 있는	**vulnerable**	취약한, 상처를 입기 쉬운
turbulent	몹시 거친, 격렬한	**weak**	약한
ultimate	최후의, 궁극의, 근본적인	**weird**	수상한, 이상한
underground	지하의	**wet**	젖은, 축축한
unexpected	예상치 못한	**whole**	전체의
unique	유일한, 독특한	**widespread**	광범위한, 널리 퍼진
universal	보편적인, 전 세계의	**willing**	기꺼이 하는
upcoming	다가오는, 이윽고 나타날	**worth**	가치가 있는, 가치

across	가로질러, 건너편에		**indeed**	실로, 정말로
actually	실제로, 사실		**indirectly**	간접적으로
afterward	후에, 나중에		**instead**	그 대신에
apart	떨어져서, 흩어져서		**likewise**	마찬가지로
apparently	명백하게, 외관상으로		**meanwhile**	그 동안에, 한편
arrogantly	거만하게, 무례하게		**moreover**	게다가
astray	길을 잃어, 타락하여		**mostly**	대개, 주로
automatically	자동적으로		**nearly**	거의
barely	겨우, 가까스로		**nevertheless**	그럼에도 불구하고
beneath	아래에		**nonetheless**	그럼에도 불구하고
besides	게다가		**obviously**	명백하게, 분명히
chiefly	주로, 대개		**otherwise**	만약 그렇지 않으면
con	반대하여		**perhaps**	아마도
consciously	의식적으로		**probably**	아마도 (~할 것이다)
definitely	분명히, 틀림없이		**profoundly**	깊이, 심오하게, 매우
elsewhere	다른 곳에, 다른 경우에		**rarely**	드물게, 좀처럼 ~하지 않는
entirely	완전히, 전적으로		**rather**	오히려, 어느 정도
especially	특히		**relatively**	상대적으로, 비교하여
eventually	결국, 마침내		**repeatedly**	반복하여, 되풀이하여
firsthand	직접, 바로		**seldom**	드물게, 좀처럼 ~않다
fortunately	운 좋게도, 다행히도		**similarly**	비슷하게, 마찬가지로
furthermore	게다가, 더욱이		**solely**	혼자서, 오로지
gradually	차차, 점차로		**thus**	이와 같이, 따라서
hardly	거의 ~ 않다		**triumphantly**	의기양양하게
hence	그러므로, 지금부터		**undoubtedly**	틀림없이, 확실히

SUMMA CUM LAU

KB062937

"수능 다빈출 2,000 단어와
  암기를 위한 워크북이 한 권에 !!"

- ➕ 표제어 2,000개
- ➕ 표제어 외의 주요 어휘 600개
- ➕ 수능 필수 IDIOMS 320개
- ➕ Daily TEST 40회
- ➕ 5일 누적 TEST 16회
- ➕ 단어시험 출제마법사 TEST

이룸이앤비로 통하는 **HOT LINE**

CALL	FAX	INTERNET	E-MAIL
02) 424 - 2410	02) 424 - 5006	www.erumenb.com	webmaster@erumenb.com

학습 교재의 새로운 신화! 이룸이앤비가 만듭니다!

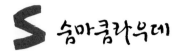

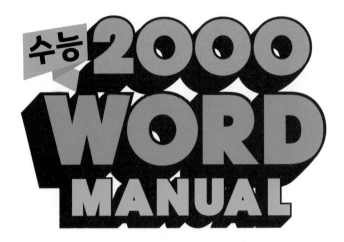

MINI 단어장

이룸이앤비
Education & Books

S 숨마쿰라우데

수능 2000 WORD MANUAL

이룸이앤비
Education & Books

SUMMA CUM LAUDE - ENGLISH

수능 2000 WORD MANUAL

COPYRIGHT

지은이 소개

송승환

런던대학교 석사과정
고려대학교 경영학과 졸업
전) 고려대학교 토익 강사
전) 한국외국어대학교 토익 강사
전) 이투스, 스카이에듀, 유웨이, 코리아에듀 방송 강사
현) 케이에듀테크 어학연구소 소장

1판 1쇄 발행일 2018년 9월 10일
펴낸이 이동준, 정재현
기획 및 편집 박희라, 안혜원
디자인 굿윌디자인

펴낸곳 (주)이룸이앤비
출판신고번호 제2009-000168호
주소 서울시 강남구 논현로 16길 4-3 이룸빌딩 (우 06312)
대표전화 02-424-2410
팩스 02-424-5006
홈페이지 www.erumenb.com
ISBN 978-89-5990-462-4

왜? 수능 2000 WORD MANUAL인가?

절대평가 수능영어에 최적화된 영단어장!

역대 시험에서 빈출되었던 영단어는 앞으로의 수능에서도 출제될 가능성이 매우 높습니다. 따라서 절대평가로 치러지는 수능영어에 효과적으로 대비하기 위해서는 빈출 영단어부터 우선 암기해야 합니다.

〈수능 2000 WORD MANUAL〉은 지난 94년부터 최근까지의 모든 수능시험과 평가원 모의고사, 전국연합학력평가 기출 단어를 데이터베이스화하여 빈출도가 가장 높은 2,000 단어를 선별 수록하였고, 암기한 단어를 주기적·반복적으로 점검할 수 있도록 3단계 TEST를 마련하였습니다. 수능영어를 처음 접하는 학생, 수능영어 기본기가 약한 학생, 수능영어 1등급을 받고 싶은 학생 모두에게 〈수능 2000 WORD MANUAL〉은 최고의 수능영어 대비서가 될 것입니다.

출제 횟수는 어떻게 나왔는가?

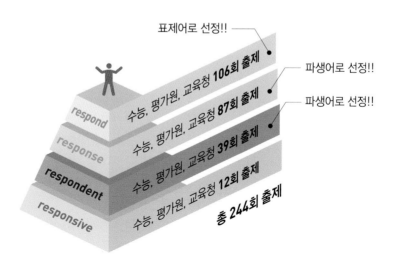

표제어로 선정!!

파생어로 선정!!

파생어로 선정!!

respond 수능, 평가원, 교육청 **106회 출제**

response 수능, 평가원, 교육청 **87회 출제**

respondent 수능, 평가원, 교육청 **39회 출제**

responsive 수능, 평가원, 교육청 **12회 출제**

총 **244회 출제**

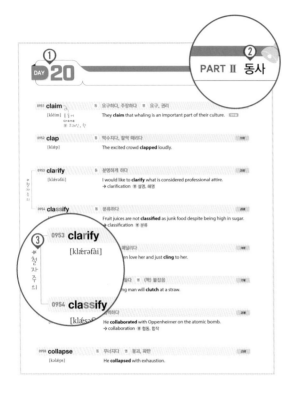

❶ **40일 학습 구성**

시험에 이미 출제 되었고, 다시 나올 가능성
이 높은 단어 2,000개를 40일 동안 학습할
수 있도록 구성하였습니다.

❷ **품사별 단어 분류**

품사별로 단어를 분류해 영어단어를 학습하
면서 동시에 영문법의 기초를 확립할 수 있습
니다.

❸ **사전식 단어 배열**

사전식으로 단어를 배열하고, 철자가 유사하
여 헷갈릴 수 있는 단어들은 함께 묶어 '철자
주의' 표시를 하거나 '혼동어' 표시를 하여 함
께 학습할 수 있게 하였습니다.

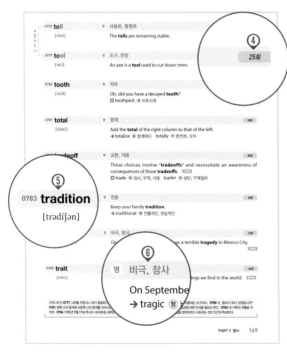

❹ **출제 횟수 표시**

94년 수능시험 도입 이후 최근까지의 수능,
평가원, 교육청 시험을 빅데이터로 분석하여
정확한 출제 횟수를 표시하였습니다. 시간이
촉박한 학생들은 다빈출 단어를 우선적으로
공부할 수 있습니다.

❺ **표제어**

같은 뿌리를 가진 단어 중에서 빈출도가 가장
높은 단어를 표제어로 선정하여, 시간 및 노
력 대비 효율적인 학습을 할 수 있습니다.

❻ **표제어의 뜻**

실제 시험에서 많이 쓰이는 기본적이고 정확
한 의미를 제시하였습니다.

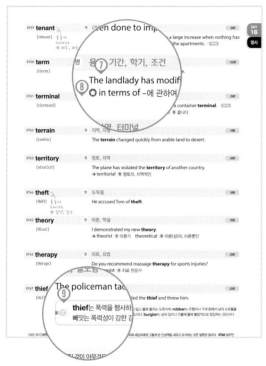

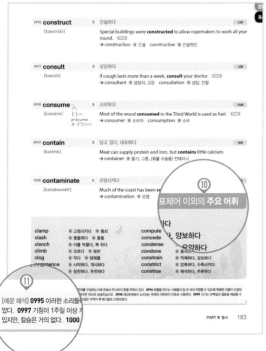

❼ 예문

해당 표제어 학습에 가장 효과적이고 적합한 문장을 선정하였습니다. 특히 수능, 평가원, 교육청 기출 예문을 적극 반영하여 각 단어의 출제 경향 및 실전 유형을 파악할 수 있습니다.

❽ 관련 어휘 및 숙어

파생어, 유의어, 반의어, 관련어, 주요 표현을 제공하여 확장성 있는 학습을 할 수 있습니다.

➔ 파생어 ➖ 유의어 ↔ 반의어

➕ 관련어 ✪ 주요 표현

❾ 암기 TIP

표제어의 어원 분석, 관련 어휘와의 비교 분석, 뉘앙스 등 암기에 도움이 되는 팁들을 제시하였습니다.

❿ 표제어 이외의 주요 어휘

출제 가능성이 큰 고난도 단어들을 정리하여 예상치 못한 단어의 돌발 출제에 대비할 수 있습니다.

⓫ 예문 해석

예문과 한글 해석을 따로 제시하여 표제어의 쓰임을 확인하고, 문맥을 통해 그 뜻을 자연스럽게 추론하는 연습을 할 수 있습니다.

⑫ 수능 필수 Daily IDIOMS

기출된 숙어 중 꼭 알아야 하는 숙어, 단어를 알아도 해석이 어려운 숙어 320개를 엄선하여 실제 시험에 나올 법한 예문과 함께 제시하였습니다.

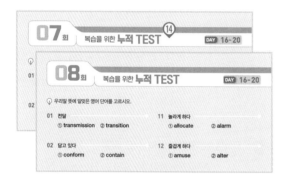

⑬ 암기를 위한 Daily TEST

학습한 어휘를 간단한 테스트를 통해 다시 한 번 점검함으로써 해당 날짜의 단어 학습 성취도를 스스로 파악할 수 있습니다.

⑭ 복습을 위한 누적 TEST

5일마다 2회에 걸친 누적 TEST를 통하여 그간 암기했던 단어를 확실하게 본인의 것으로 만들 수 있습니다. 누적 TEST를 구성하는 단어는 해당 일자에서 빈도순으로 추출한 것이므로 답이 되는 단어 외에 오답인 단어의 뜻도 유추해보면서 단어를 재점검해볼 수 있습니다.

별책부록 및 부가서비스

[미니 단어장] - 별책부록

한 손에 쏙 들어오는 미니 단어장으로 각 일차의 학습 어휘들을 언제 어디서나 예습·복습할 수 있습니다. 단어와 뜻만 제시하여 어휘의 의미를 집중적으로 학습할 수 있습니다.

[단어시험 출제마법사] 출제 범위, 문제 수, 문제 유형 등을 직접 정하여 나만의 문제지를 제작할 수 있습니다.

[학습 MP3 파일]
1. 영어 표제어·한글 뜻·예문 듣기 파일
2. 영어 표제어만 듣기 파일
3. 한글 뜻만 듣기 파일

※ [단어시험 출제마법사]와 [학습 MP3 파일]은 홈페이지(http://www.erumenb.com) 학습자료실에서 이용 가능합니다.

It is difficult to say what is impossible,
for the dream of yesterday is the hope of today
and reality of tomorrow.

Robert H. Goddard

CONTENTS 책의 차례

PART Ⅲ 형용사

PART Ⅳ 부사

단어학습은 이렇게!!

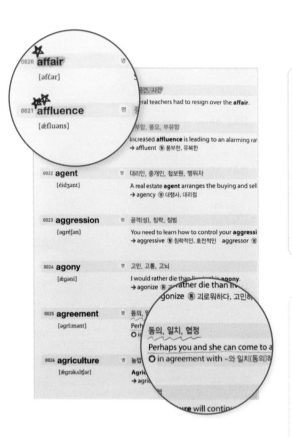

전략 ❶

쭉 훑어보며 모르는 단어에만 표시하기

1초 안에 뜻을 답하지 못한 단어는 모르는 단어입니다. 하루 암기 분량인 50개의 단어를 빠르게 훑어보면서, 모르는 단어에는 따로 표시해둡니다. 어설프게 아는 단어는 별 1개, 아예 모르는 단어는 별 2개와 같이 자신만의 방법으로 표시하는 것도 좋습니다.

전략 ❷

아는 단어는 예문 속에서 확인하기

아는 단어는 예문을 통해 실제 용법을 확인하고 단어 뜻을 적용하여 해석해봅니다. 예문 외에도 파생어, 유의어, 반의어, 관련어, 주요 표현, 혼동어를 꼼꼼히 살펴보면서, 표제어와 함께 관련 어휘도 학습합니다.

전략 ❸

모르는 단어만 따로 집중 암기하기

모르는 단어는 최소 2회독하는 것을 목표로 하여, 우선 표제어와 뜻만 중점적으로 암기합니다. 예문 및 관련 어휘는 단어장을 2회독할 때 학습하도록 합니다. '학습 MP3'를 들으면서 단어를 익숙해질 때까지 발음해보고, '미니 단어장'에도 모르는 단어를 표시하여 수시로 보도록 합니다.

반복학습은 이렇게!!

STEP 1

암기를 위한 Daily TEST

간단한 문제를 통해 어휘를 점검하고 틀린 단어와 헷갈리는 단어들은 표시해둡니다. 표시한 단어는 본문에서 재학습합니다.

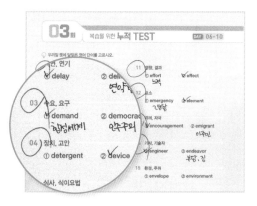

STEP 2

복습을 위한 누적 TEST

완벽하게 암기했던 단어도 시간이 지나면 잊어버리기 마련입니다. 5일마다 2회씩 제시된 누적 TEST를 통해 단어들을 다시 한 번 복습합니다. 해당되는 일자의 단어만으로 테스트를 구성하였으므로, 답이 아닌 나머지 단어 옆에도 뜻을 써보며 단어를 익히면 학습의 효과가 배가 됩니다.

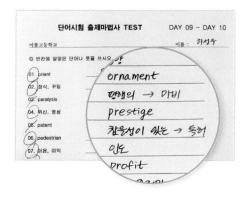

STEP 3

단어시험 출제마법사 TEST

하루에 배운 내용을 Daily TEST로 확인하고, 5일치 학습 내용을 누적 TEST로 점검한 후에는 '단어시험 출제마법사' 프로그램을 통해 나만의 시험지를 만들어 공부할 수 있습니다. 학습자가 프로그램으로 출제 범위·문제 수·문제 유형 등을 직접 정하여 시험지를 구성한 후 저장·출력할 수 있습니다.

8주 40일 학습 플래너

2,000 단어 8주 40일 완성 플래너입니다.
본 교재와 단어시험 출제마법사를 함께 이용하여 학습하세요.

1주	DAY 01	DAY 02	DAY 03	DAY 04	DAY 05	복습 DAY
	☐ 단어 50개 ☐ IDIOMS ☐ Daily TEST	☐ 단어 50개 ☐ IDIOMS ☐ Daily TEST	☐ 단어 50개 ☐ IDIOMS ☐ Daily TEST	☐ 단어 50개 ☐ IDIOMS ☐ Daily TEST	☐ 단어 50개 ☐ IDIOMS ☐ Daily TEST	☐ 누적 TEST 01-02회 ☐ 단어시험 출제마법사 TEST
	월 일	월 일	월 일	월 일	월 일	월 일

2주	DAY 06	DAY 07	DAY 08	DAY 09	DAY 10	복습 DAY
	☐ 단어 50개 ☐ IDIOMS ☐ Daily TEST	☐ 단어 50개 ☐ IDIOMS ☐ Daily TEST	☐ 단어 50개 ☐ IDIOMS ☐ Daily TEST	☐ 단어 50개 ☐ IDIOMS ☐ Daily TEST	☐ 단어 50개 ☐ IDIOMS ☐ Daily TEST	☐ 누적 TEST 03-04회 ☐ 단어시험 출제미법사 TEST
	월 일	월 일	월 일	월 일	월 일	월 일

3주	DAY 11	DAY 12	DAY 13	DAY 14	DAY 15	복습 DAY
	☐ 단어 50개 ☐ IDIOMS ☐ Daily TEST	☐ 단어 50개 ☐ IDIOMS ☐ Daily TEST	☐ 단어 50개 ☐ IDIOMS ☐ Daily TEST	☐ 단어 50개 ☐ IDIOMS ☐ Daily TEST	☐ 단어 50개 ☐ IDIOMS ☐ Daily TEST	☐ 누적 TEST 05-06회 ☐ 단어시험 출제마법사 TEST
	월 일	월 일	월 일	월 일	월 일	월 일

4주	DAY 16	DAY 17	DAY 18	DAY 19	DAY 20	복습 DAY
	☐ 단어 50개 ☐ IDIOMS ☐ Daily TEST	☐ 단어 50개 ☐ IDIOMS ☐ Daily TEST	☐ 단어 50개 ☐ IDIOMS ☐ Daily TEST	☐ 단어 50개 ☐ IDIOMS ☐ Daily TEST	☐ 단어 50개 ☐ IDIOMS ☐ Daily TEST	☐ 누적 TEST 07-08회 ☐ 단어시험 출제마법사 TEST
	월 일	월 일	월 일	월 일	월 일	월 일

5주	DAY 21	DAY 22	DAY 23	DAY 24	DAY 25	복습 DAY
	☐ 단어 50개 ☐ IDIOMS ☐ Daily TEST	☐ 단어 50개 ☐ IDIOMS ☐ Daily TEST	☐ 단어 50개 ☐ IDIOMS ☐ Daily TEST	☐ 단어 50개 ☐ IDIOMS ☐ Daily TEST	☐ 단어 50개 ☐ IDIOMS ☐ Daily TEST	☐ 누적 TEST 09-10회 ☐ 단어시험 출제마법사 TEST
	월 일	월 일	월 일	월 일	월 일	월 일

6주	DAY 26	DAY 27	DAY 28	DAY 29	DAY 30	복습 DAY
	☐ 단어 50개 ☐ IDIOMS ☐ Daily TEST	☐ 단어 50개 ☐ IDIOMS ☐ Daily TEST	☐ 단어 50개 ☐ IDIOMS ☐ Daily TEST	☐ 단어 50개 ☐ IDIOMS ☐ Daily TEST	☐ 단어 50개 ☐ IDIOMS ☐ Daily TEST	☐ 누적 TEST 11-12회 ☐ 단어시험 출제마법사 TEST
	월 일	월 일	월 일	월 일	월 일	월 일

7주	DAY 31	DAY 32	DAY 33	DAY 34	DAY 35	복습 DAY
	☐ 단어 50개 ☐ IDIOMS ☐ Daily TEST	☐ 단어 50개 ☐ IDIOMS ☐ Daily TEST	☐ 단어 50개 ☐ IDIOMS ☐ Daily TEST	☐ 단어 50개 ☐ IDIOMS ☐ Daily TEST	☐ 단어 50개 ☐ IDIOMS ☐ Daily TEST	☐ 누적 TEST 13-14회 ☐ 단어시험 출제마법사 TEST
	월 일	월 일	월 일	월 일	월 일	월 일

8주	DAY 36	DAY 37	DAY 38	DAY 39	DAY 40	복습 DAY
	☐ 단어 50개 ☐ IDIOMS ☐ Daily TEST	☐ 단어 50개 ☐ IDIOMS ☐ Daily TEST	☐ 단어 50개 ☐ IDIOMS ☐ Daily TEST	☐ 단어 50개 ☐ IDIOMS ☐ Daily TEST	☐ 단어 50개 ☐ IDIOMS ☐ Daily TEST	☐ 누적 TEST 15-16회 ☐ 단어시험 출제마법사 TEST
	월 일	월 일	월 일	월 일	월 일	월 일

수능 2000 WORD MANUAL

수능 핵심 어휘 2,000개
40일 완성!!

Daily ➡ 5일 누적 ➡ 단어시험 출제마법사
3단계 반복 TEST를 통한 완벽 암기

0001 abdomen 명 배, 복부 10회
[ǽbdəmən]
The pain is in my lower **abdomen**.
→ abdominal 형 복부의

0002 ability 명 능력, 재능 160회
[əbíləti]
Women tend to show better **ability** in using languages. 대수능
◎ be able to+V ~할 수 있다

> **ability**는 지적, 육체적 능력, **capacity**는 수용력, 이해력, **talent**는 보통 어떤 특수한 것에 대한 선천적 능력을 말한다.

0003 access 명 접근(권한) 동 접근하다 68회
[ǽkses]
He gained complete **access** to the patient's record.
→ accessible 형 접근하기 쉬운

0004 accident 명 사건, 사고, 우연 57회
[ǽksidənt]
Most bike **accidents** are due to equipment failure. 대수능
→ accidental 형 우연한 ◎ by accident 우연히

0005 accomplishment 명 성취, 완성, 수행 57회
[əkámpliʃmənt]
My parents were proud of my **accomplishments**. 대수능
→ accomplish 동 완성하다

0006 accord 명 합의, 협정, 일치, 조화 동 일치시키다 153회
[əkɔ́ːrd]
Greece and Macedonia signed an **accord** to lift the economic blockade.
◎ according to ~에 따라, ~에 의하면

0007 account 명 계좌, 거래, 계정 동 설명하다 77회
[əkáunt]
Your **account** is now marked paid in full. 대수능
◎ account for ~을 설명하다, ~의 비율을 차지하다 on account of ~ 때문에

0008 action 명 행동, 조치, 소송 10회
[ǽkʃən]
The general put his idea into **action**.

[예문 해석] **0001** 아랫배에 통증이 느껴진다. **0002** 여자들은 언어를 사용하는 데 있어서 더 좋은 능력을 보여주는 경향이 있다. **0003** 그는 그 환자의 기록을 볼 수 있는 완전한 권한을 얻었다. **0004** 대부분의 자전거 사고들은 장비 결함 때문이다. **0005** 나의 부모님은 나의 성취를 항상 자랑스러워하셨다. **0006** 그리스와 마케도니아는 경제 봉쇄를 해제하기 위한 협정에 서명했다. **0007** 당신의 계좌는 지금 지불완납으로 표시되어 있습니다. **0008** 그 장군은 자신의 생각을 실행에 옮겼다.

0009 **activity** 　명 활동　250회

[æktívəti]

Tanning was promoted by doctors as a healthful **activity**. 대수능
→ active 형 활동적인　activate 동 활동적으로 하다

0010 **addict** 　명 중독자　동 탐닉시키다, 몰두시키다　121회

[ǽdikt]

She is a TV **addict**.
→ addiction 명 중독, 탐닉　addictive 형 중독성인, 습관성인

0011 **addition** 　명 부가, 덧셈　120회

[ədíʃən]

혼동어
edition
명 (간행물의) 판

In **addition** to this difference, written language differs from spoken language. 대수능
✪ in addition to ~에 더하여, ~ 외에 또

0012 **address** 　명 주소, 연설　동 연설하다　45회

[ǽdres]

The back was divided to contain room enough for an **address** and a stamp. 대수능
→ addressee 명 수신인　addresser 명 발신인

0013 **admirer** 　명 숭배자, 찬미자, 추종자　20회

[ædmáiərər]

I'm a true **admirer** of Hangeul.

0014 **adolescence** 　명 사춘기　16회

[ædəlésns]

In **adolescence** they'll argue with their parents about anything. 대수능
→ adolescent 형 사춘기의, 청소년기의

0015 **advantage** 　명 이점　85회

[ədvǽntidʒ]

Out in the backyard I'm taking **advantage** of this beautiful morning. 대수능
✪ take advantage of ~을 이용하다

0016 **advent** 　명 도래, 출현　11회

[ǽdvent]

Since the **advent** of jet aircraft, travel has been sped up.

0017 **adventure** 　명 모험, 모험담, 예사롭지 않은 사건　23회

[ædvéntʃər]

The young man is looking for **adventure**. 대수능

[예문 해석] **0009** 선탠은 건강에 좋은 활동으로 의사들에 의해서 장려되었다. **0010** 그녀는 TV를 너무 좋아한다. **0011** 이러한 차이점 외에도, 문어체 언어는 구어체 언어와 다르다. **0012** 뒷면은 주소 그리고 우표를 위한 충분한 공간을 담도록 나누어져 있었다. **0013** 나는 진정한 한글의 찬미자이다. **0014** 사춘기에 그들은 모든 것에 대해서 그들의 부모들과 논쟁할 것이다. **0015** 마당 밖에서 나는 이 아름다운 아침을 즐기고 있다. **0016** 제트기의 출현 이후 여행이 가속화되었다. **0017** 그 젊은이는 모험을 찾고 있다.

0018 advice 　명 충고, 조언　　　　　　　　　　　　　　　　　　107회

[ædváis] 품사주의
advise
동 충고하다

Best **advice**: Take a good look at your weekly plan. 대수능
→ adviser 명 충고자, 조언자

0019 advocate 　명 옹호자, 변호사　동 옹호하다, 주장하다　　　　　　13회

[ǽdvəkèit]

She is an **advocate** for the poor.
✪ an advocate of peace 평화론자

0020 affair 　명 일, 용건, 사건　　　　　　　　　　　　　　　　　　22회

[əfέər]

Several teachers had to resign over the **affair**.

0021 affluence 　명 풍부함, 풍요, 부유함　　　　　　　　　　　　　　7회

[ǽfluəns]

Increased **affluence** is leading to an alarming rate of obesity.
→ affluent 형 풍부한, 유복한

0022 agent 　명 대리인, 중개인, 첩보원, 행위자　　　　　　　　　　46회

[éidʒənt]

A real estate **agent** arranges the buying and selling of houses. 대수능
→ agency 명 대행사, 대리점

0023 aggression 　명 공격(성), 침략, 침범　　　　　　　　　　　　　29회

[əgréʃən]

You need to learn how to control your **aggression**.
→ aggressive 형 침략적인, 호전적인　aggressor 명 침략자(국)

0024 agony 　명 고민, 고통, 고뇌　　　　　　　　　　　　　　　　　4회

[ǽgəni]

I would rather die than live in this **agony**.
→ agonize 동 괴로워하다, 고민하다

0025 agreement 　명 동의, 일치, 협정　　　　　　　　　　　　　　　109회

[əgríːmənt]

Perhaps you and she can come to an **agreement**. 대수능
✪ in agreement with ~와 일치(동의)하여, ~에 따라서

0026 agriculture 　명 농업　　　　　　　　　　　　　　　　　　　18회

[ǽgrəkʌltʃər]

Agriculture will continue to develop in three main ways. 대수능
→ agricultural 형 농업의

[예문 해석] **0018** 최고의 조언은 한 주간의 계획을 잘 보라는 것이다. **0019** 그녀는 가난한 사람들을 위한 옹호자이다. **0020** 몇몇 선생님들이 그 사건으로 사임해야만 했다. **0021** 증가된 부는 놀랄 만한 비만율에 이르게 하고 있다. **0022** 부동산 중개인은 집들을 사고파는 것을 주선한다. **0023** 너는 너의 공격성을 다스리는 법을 배워야 한다. **0024** 이런 고통 속에서 사느니 차라리 죽는 편이 낫다. **0025** 아마도 당신과 그녀는 합의에 이를 수 있을 것이다. **0026** 농업은 세 가지 주된 방식들로 계속 발전할 것이다.

★ 철자 주의

| 0027 **aid** | 명 도움 동 돕다 | 26회 |

[éid]

He had to learn to walk first without the **aid** of crutches. 대수능
❂ with the aid of ~의 도움으로

| 0028 **aim** | 명 목표 동 겨누다 | 34회 |

[éim]

The **aims** of government should be three: security, justice, and conservation. 대수능

| 0029 **alchemy** | 명 연금술 | 4회 |

[ǽlkəmi]

Pity changed her feeling as if by **alchemy**.
➔ alchemist 명 연금술사

★ 철자 주의

| 0030 **alley** | 명 뒷골목, 좁은 길, 오솔길 | 10회 |

[ǽli]

The brook is trickling along the **alley**.
❂ strike into another alley 말머리를 돌리다, 화제를 바꾸다

| 0031 **ally** | 명 동맹국 동 동맹시키다 | 4회 |

[ǽlai]

Some of the **allies** were unhappy over this decision. 대수능
➔ alliance 명 동맹, 결연 allied 형 동맹한

| 0032 **altitude** | 명 고도, 높이 | 16회 |

[ǽltətjùːd] 혼동어
attitude
명 태도

Our plane is flying at an **altitude** of 35,000 feet.

| 0033 **altruism** | 명 애타(이타)주의, 이타심 | 7회 |

[ǽltruːìzm]

Altruism is unselfish concern for other people's happiness. 대수능
➔ altruistic 형 이타주의의, 애타적인 altruist 명 이타주의자

| 0034 **ambition** | 명 야망, 대망 | 16회 |

[æmbíʃən]

He had an **ambition** to become a rock climber.
➔ ambitious 형 야심적인

| 0035 **amount** | 명 양, 액수 | 170회 |

[əmáunt]

Our generation has a tremendous **amount** of experience in common. 대수능
❂ an amount of 상당한 (양의)

[예문 해석] **0027** 그는 목발의 도움 없이 걷는 방법을 첫 번째로 배워야 했다. **0028** 정부의 목표는 안보, 정의, 그리고 보전 세 가지여야 한다. **0029** 연금술에 의한 것이기라도 하듯 연민의 정이 그녀의 기분을 바꿔 놓았다. **0030** 시냇물이 오솔길을 따라 졸졸 흐르고 있다. **0031** 동맹국들의 일부가 이 결정에 불만족해했다. **0032** 우리 비행기는 35,000피트의 고도로 비행 중이다. **0033** 이타심이란 다른 사람들의 행복에 대한 이기적이지 않은 관심이다. **0034** 그는 암벽 등반가가 되기 위한 야망을 가지고 있었다. **0035** 우리의 세대는 공통적으로 엄청난 양의 경험을 가지고 있다.

0036 analogy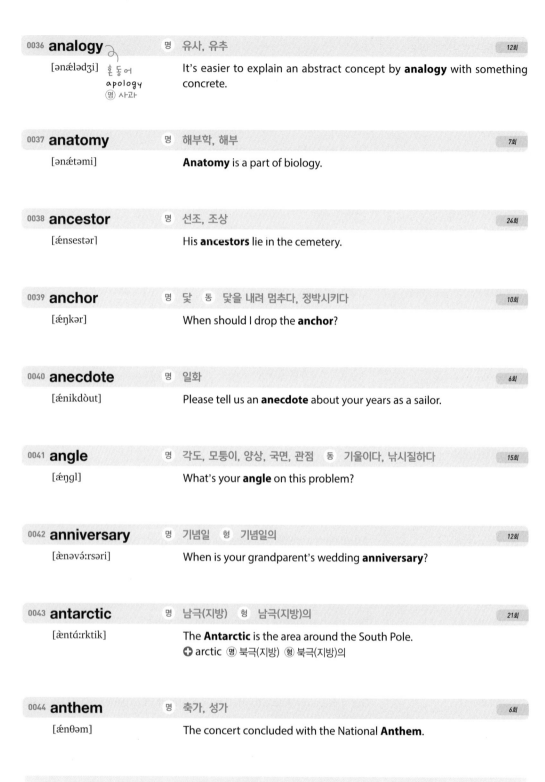
[ənǽlədʒi]
혼동어
apology
명 사과

명 유사, 유추   12회

It's easier to explain an abstract concept by **analogy** with something concrete.

0037 anatomy
[ənǽtəmi]

명 해부학, 해부   7회

Anatomy is a part of biology.

0038 ancestor
[ǽnsestər]

명 선조, 조상   24회

His **ancestors** lie in the cemetery.

0039 anchor
[ǽŋkər]

명 닻   동 닻을 내려 멈추다, 정박시키다   10회

When should I drop the **anchor**?

0040 anecdote
[ǽnikdòut]

명 일화   6회

Please tell us an **anecdote** about your years as a sailor.

0041 angle
[ǽŋgl]

명 각도, 모퉁이, 양상, 국면, 관점   동 기울이다, 낚시질하다   15회

What's your **angle** on this problem?

0042 anniversary
[æ̀nəvə́:rsəri]

명 기념일   형 기념일의   12회

When is your grandparent's wedding **anniversary**?

0043 antarctic
[æ̀ntá:rktik]

명 남극(지방)   형 남극(지방)의   21회

The **Antarctic** is the area around the South Pole.
➕ arctic 명 북극(지방) 형 북극(지방)의

0044 anthem
[ǽnθəm]

명 축가, 성가   6회

The concert concluded with the National **Anthem**.

[예문 해석] **0036** 추상적인 개념은 구체적인 것에서 유추하면 보다 쉽게 설명할 수 있다. **0037** 해부학은 생물학의 일부이다. **0038** 그의 조상들은 공동묘지에 묻혀 있다. **0039** (배의) 닻을 언제 내려야 하나요? **0040** 당신이 선원이었을 때의 일화를 들려주세요. **0041** 이 문제에 대한 당신의 관점은 무엇입니까? **0042** 네 조부모님의 결혼기념일은 언제이니? **0043** 남극지방은 남극 주위의 지역이다. **0044** 그 음악회는 국가 연주로 막을 내렸다.

0045 anthropology 　명　인류학　　　　　　　　　　　　　20회

[æ̀nθrəpálədʒi]

Every university has the department of **anthropology**.
→ anthropologist 　명　인류학자

0046 antibiotic 　명　항생물질　형　항생의, 항생물질의　　12회

[æ̀ntibaiátik]

We can't sell those **antibiotics** over the counter.
→ antibody 　명　항체

0047 anxiety 　명　걱정, 불안, 갈망　　　　　　　　　45회

[æ̀ŋzáiəti]

Babies experience **anxiety** when they see strangers. 　대수능

→ anxious 　형　걱정하는, 갈망하는

0048 apparatus 　명　(한 벌의) 장치, 기계, 기구(류)　　　7회

[æ̀pərǽtəs]
혼동어
apparent
형 분명한

In these civilized days the telephone is a most necessary **apparatus**.

0049 appetite 　명　식욕, 욕구　　　　　　　　　　13회

[ǽpətàit]

Everybody has a good **appetite** in autumn.
→ appetizer 　명　식욕을 돋우는 음식, 전채

0050 appliance 　명　가전제품, 기구　　　　　　　　　20회

[əpláiəns]

Don't use the electric **appliances** with wet hands. 　대수능

표제어 이외의 **주요 어휘**

ache	명 통증, 아픔　동 쑤시다	aisle	명 통로, 복도
acre	명 에이커	allegory	명 풍유, 비유, 우화
admiral	명 해군 대장, 해군 장성	amenity	명 기분 좋음, 쾌적함, 편의 시설
adult	명 성인, 어른	anarchy	명 무정부 상태
affiliate	명 계열회사, 지점, 지부	anguish	명 고통, 고뇌
agenda	명 의제, 안건, 비망록	antagonist	명 적수, 반대자
aircraft	명 항공기	antipathy	명 반감, 혐오

[예문 해석] **0045** 모든 대학에 인류학과가 있다. **0046** 그런 항생제는 처방전 없이 팔 수 없다. **0047** 아기들은 낯선 사람들을 볼 때 불안감을 경험한다. **0048** 문명화된 오늘날 전화는 가장 필수적인 기계이다. **0049** 가을에는 누구나 식욕이 좋아진다. **0050** 젖은 손으로 전자제품들을 사용하지 마시오.

DAY 01 수능 필수 Daily IDIOMS

a great deal of
상당한, (양이) 많은

We expended **a great deal of** time in doing the work.
우리는 그 일을 하는 데 많은 시간을 소비했다.

a large number of
(수가) 많은

We received **a large number of** recommendations for Teacher of the Year.
우리는 올해의 교사상을 위한 많은 추천서를 받았다.

a variety of
다양한

You will see **a variety of** plants and animals there.
당신은 그곳에서 다양한 동식물들을 보게 될 것이다.

a wide range of
광범위한

He has **a wide range of** knowledge.
그는 광범위한 지식을 갖고 있다.

according to + N
~에 따르면

According to the weather forecast, it will snow tomorrow.
일기예보에 따르면, 내일 눈이 올 것이다.

accuse A of B
A를 B로 고소(비난)하다

They **accused** the man **of** taking bribes.
그들은 그가 뇌물을 받았다고 고소했다.

adhere to + N
~을 고수하다

You need not **adhere to** your original plan.
당신은 원래의 계획을 고수할 필요가 없다.

agree with
~에 동의하다

To some extent I **agree with** you.
나는 어느 정도 너에게 동의한다.

DAY 01 암기를 위한 Daily TEST

맞은 개수 ◯ / 50문항

💡 빈칸에 알맞은 단어나 뜻을 쓰시오.

01. abdomen
02. ability
03. access
04. 사건, 사고
05. 성취, 완성
06. accord
07. account
08. action
09. 활동
10. addict
11. addition
12. address
13. 숭배자, 찬미자
14. adolescence
15. advantage
16. advent
17. 모험, 모험담
18. advice
19. advocate
20. affair
21. 풍부함, 풍요
22. agent
23. aggression
24. agony
25. 동의, 일치

26. agriculture
27. aid
28. aim
29. 연금술
30. alley
31. ally
32. altitude
33. altruism
34. 야망, 대망
35. 양, 액수
36. analogy
37. anatomy
38. ancestor
39. 닻
40. anecdote
41. 각도, 모퉁이
42. anniversary
43. antarctic
44. 축가, 성가
45. 인류학
46. antibiotic
47. anxiety
48. apparatus
49. 식욕, 욕구
50. 가전제품, 기구

0051 approval 명 승인, 시인, 허가 15회
[əprúːvəl]
Children need spoken assurances of love and **approval**. 대수능
→ approve 동 시인하다, 찬성하다   approved 형 승인된

0052 archaeology 명 고고학 15회
[àːrkiáləʤi]
I have an idea in **archaeology**.
→ archaeologist 명 고고학자   archaeological 형 고고학적인

0053 architect 명 건축가 18회
[áːrkitèkt]
He is known as one of the leading **architects** of the day.
→ architecture 명 건축술, 건축물   architectural 형 건축의

0054 armor 명 갑옷과 투구 10회
[áːrmər]
The man is wearing **armor**.

0055 article 명 기사, 조항, 물건 47회
[áːrtikl]
The news **article** reported only the tip of the iceberg.
✪ article by article 조목조목

0056 aspect 명 면, 양상 57회
[æspekt]
The phrase focuses on the **aspect** of wind as an energy resource. 대수능
✪ from every aspect 모든 견지에서

0057 aspiration 명 열망, 포부, 동경 14회
[æspəréiʃən] 혼동어
inspiration
명 영감
His **aspiration** to attain the ideal has been realized.
→ aspire 동 열망하다, 포부를 갖다

0058 assembly 명 모임, 집합, 의회, (자동차 등의) 조립 16회
[əsémbli]
School **assembly** will begin at 10 o'clock.
✪ assembly line 조립 라인   assembly plant 조립 공장

[예문 해석] **0051** 아이들은 말로 표현되는 사랑과 허락의 다짐을 필요로 한다. **0052** 나는 고고학에 대한 생각이 있다. **0053** 그는 현대의 주요 건축가 중 한 명으로 알려져 있다. **0054** 그 남자는 갑옷을 입고 있다. **0055** 그 뉴스 기사는 빙산의 일각만 보도했다. **0056** 그 어구는 에너지의 원천으로서의 바람의 측면에 집중하고 있다. **0057** 이상을 달성하려는 그의 염원은 이루어졌다. **0058** 학교 회의는 10시에 시작할 것이다.

0059 assumption 명 가정, 가설, 인수 24회

[əsʌ́mpʃən]

This is an expression of shared **assumptions**. 대수능
→ assume 통 가정하다, 추정하다, ~인 체하다

0060 astronomer 명 천문학자 34회

[əstrάnəmər]

Astronomers have seen some clusters of stars a million light-years away.
→ astronomy 명 천문학   astronaut 명 우주비행사

0061 athlete 명 운동선수 47회

[ǽθliːt]

This year, about twenty-five thousand **athletes** will participate. 대수능

0062 atmosphere 명 대기, 환경, 분위기 38회

[ǽtməsfiər]

We are pumping huge quantities of CO_2 into the **atmosphere**. 대수능

0063 attention 명 주의, 주목 169회

[əténʃən]

I regret having paid little **attention** to him. 대수능
✪ pay attention to ~에 주의하다, ~에 주목하다

0064 attitude 명 태도, 자세 106회

[ǽtitjùːd]   혼동어
altitude
명 고도

A company may be able to teach you what you need to know to succeed, but it cannot teach **attitude**. 대수능

0065 attorney 명 대리인, 변호사, 검사 11회

[ətə́ːrni]

He worked briefly as an **attorney** before joining the government.
✪ attorney general 법무부 장관

0066 audience 명 청중, 접견 83회

[ɔ́ːdiəns]

Find out everything you can about your **audience**. 대수능

[audi(=hear)+ence(명사어미)] audi는 '듣다, 음향의, 청중의'의 의미이다.

★철자주의

0067 audition 명 음성 테스트, 오디션 동 음성 테스트를 하다 18회

[ɔːdíʃən]

Auditions will start each night at 7:00 and will last for two hours.
→ auditorium 명 강당, 청중석

[예문 해석] **0059** 이것은 공유된 가정의 표현이다. **0060** 천문학자들은 100만 광년 떨어져 있는 별무리 몇 개를 관측해왔다. **0061** 올해에는 약 25,000명의 선수들이 참여할 것이다. **0062** 우리는 대기 중으로 막대한 양의 이산화탄소를 배출하고 있다. **0063** 나는 그에게 별 관심을 주지 않았던 것을 후회한다. **0064** 회사는 당신에게 성공하기 위해서 무엇을 알아야 하는지를 알려줄 수 있을 것이지만 태도를 알려줄 수는 없다. **0065** 그는 정부에서 일하기 전에 잠시 변호사로 활동했다. **0066** 당신의 청중에 대해서 당신이 알아낼 수 있는 모든 것을 알아내시오. **0067** 오디션은 매일 밤 7시에 시작되며 2시간 동안 계속될 것이다.

0068 author ⟨명⟩ 저자 59회

[ɔ́:θər]

When you're reading, don't limit yourself to simply understanding an **author**'s ideas. 〈대수능〉

0069 authority ⟨명⟩ 권위, 당국 40회

[əθɔ́:riti]

Blacknell obtains local **authority** approval and gets your extension built with a guarantee of satisfaction. 〈대수능〉
→ authorize ⟨동⟩ 인가하다   authorization ⟨명⟩ 권한 부여, 공인

0070 autobiography ⟨명⟩ 자서전 12회

[ɔ́:toubaiágrəfi]

This book falls into the category of **autobiography**.

0071 autograph ⟨명⟩ (기념으로 하는) 서명, (유명인의) 사인 15회

[ɔ́:təgræf]

The girl asked the violinist for his **autograph**. 〈대수능〉

0072 average ⟨명⟩ 평균 ⟨형⟩ 평균의, 보통의 114회

[ǽvəridʒ]   혼동어 coverage ⟨명⟩ 적용 범위

People spend an **average** of 1.1 hours on the road each day. 〈대수능〉
✪ on an average 평균적으로

0073 backbone ⟨명⟩ 등뼈, 척추 10회

[bǽkbòun]

All mammals have the **backbone**.
✚ background ⟨명⟩ 배경   backpack ⟨명⟩ 등짐, 가방   backward ⟨형⟩ 뒤로의
backache ⟨명⟩ 등의 아픔, 요통   backup ⟨명⟩ 지원

0074 balance ⟨명⟩ 균형 ⟨동⟩ 균형을 잡다 70회

[bǽləns]

Man has destroyed nature's **balance** by trying to help the deer. 〈대수능〉

0075 ballot ⟨명⟩ 투표 용지, 투표수, 비밀투표 12회

[bǽlət]

The man is casting a **ballot**.

0076 ban ⟨명⟩ 금지령, 금지 ⟨동⟩ 금지하다 14회

[bǽn]

The summit conference broke down over the nuclear test **ban**.

[예문 해석] **0068** 독서를 할 때, 단순히 저자의 생각들을 이해하는 데 자신을 한정시키지 마십시오. **0069** Blacknell은 지역 당국의 승인을 얻어주고, 만족을 보증하면서 당신의 건물을 확장 건설해준다. **0070** 이 책은 자서전 부류에 속한다. **0071** 소녀는 그 바이올리니스트에게 사인을 요청했다. **0072** 사람들은 평균 1.1시간을 매일 도로 위에서 보낸다. **0073** 모든 포유동물은 등뼈가 있다. **0074** 인간은 사슴을 도우려다가 자연의 균형을 파괴했다. **0075** 남자가 투표를 하고 있다. **0076** 정상회담은 핵 실험 금지 문제로 결렬되었다.

0077 band 〜
[bǽnd] 혼동어
bend
동 굽히다

명 그룹, 무리, 악대, 끈　동 단결시키다　43회

The club has a **band**, who are all excellent musicians.

0078 barbarism　명 야만, 미개　16회
[bá:rbərìzm]

"I consider it **barbarism**," I said. 대수능
→ barbarian 명 야만인　barbarous 형 야만스러운

0079 bargain　명 할인 판매, 특가품　31회
[bá:rgən]

The goods are for sale at **bargain** prices. 대수능
◯ into(in) the bargain 게다가, 덤으로

0080 barrier　명 장벽　21회
[bǽriər]

Loneliness can be uprooted and expelled only when these **barriers** are lowered. 대수능

0081 barter　명 물물교환　동 물물교환하다　10회
[bá:rtər]

Mankind used the **barter** system of trading objects for other objects. 대수능

0082 basis　명 기초, 기저, 토대　106회
[béisis]

The **basis** of their friendship was a common interest in sports.

0083 bay　명 만, 궁지　10회
[béi]

The sailboats are crossing the **bay**.

0084 beast 〜
[bí:st] 혼동어
breast
명 가슴

명 야수, 짐승　13회

As men and **beasts** get used to each other, understanding may slowly develop on one side, trust on the other. 대수능

0085 behalf　명 측, 편, 이익　12회
[bihǽf]

On **behalf** of the General Manager, I would like to inform you that your appointment with him has been cancelled.
◯ on behalf of ~을 대표하여　in behalf of ~을 위하여

[예문 해석] **0077** 그 클럽에는 밴드가 있는데 모두가 뛰어난 음악가들이다. **0078** "나는 그것을 야만주의라고 생각한다."라고 말했다. **0079** 그 상품은 할인 판매 중이다. **0080** 외로움은 이러한 장벽이 낮아질 때에만 뿌리 뽑히고 추방될 수 있다. **0081** 인류는 물건을 다른 물건과 교환하는 물물교환 제도를 사용했다. **0082** 그들 우정의 기초는 스포츠에 대한 공통된 관심이었다. **0083** 돛단배들이 만을 횡단하고 있다. **0084** 인간과 짐승이 서로에게 익숙해짐에 따라, 한 쪽에서는 이해가, 다른 쪽에서는 신뢰가 천천히 생길지 모른다. **0085** 총무국장님을 대신하여, 그분과 귀하간의 약속이 취소되었음을 알려드리고자 합니다.

0086 behavior 〔명〕 행동 176회

[bihéivjər]

To these may be added your recent offensive and insulting **behavior** in the Accounting Office. 〔대수능〕

→ behave 〔동〕 행동하다

0087 belief 〔명〕 신념 27회

[bilíːf]

Our **beliefs** and the languages we speak are also part of our nonmaterial culture. 〔대수능〕

→ believe 〔동〕 믿다   believable 〔형〕 믿을 수 있는

0088 benefit 〔명〕 이익 188회

[bénəfit]

For their own **benefit**, companies have various ways of offering lower prices. 〔대수능〕

0089 beverage 〔명〕 마실 것, 음료 20회

[bévəridʒ]

혼동어
average
〔명〕 평균

Anyone buying alcoholic **beverages** must present a valid ID.

0090 bias 〔명〕 선입관, 편견, 사선 23회

[báiəs]

Mr. Kim has an emotional **bias** toward me.

→ biased 〔형〕 치우친, 편견을 가진

0091 bid 〔명〕 입찰 〔동〕 ~에게 명하다, 입찰하다 11회

[bíd]

We look forward to receiving your **bids**.

0092 bill 〔명〕 청구서, 지폐, 법안 63회

[bíl]

Thank you for sending your check in payment of your July **bill**. 〔대수능〕

0093 biology 〔명〕 생물학 62회

[baiɑ́lədʒi]

They suggest medicine, but I hate **biology**. 〔대수능〕

0094 blast 〔명〕 폭발, 한바탕의 바람 13회

[blǽst]

Concentrated **blasts** of steam dissolve stubborn stains.

✪ blast-off 〔명〕 발사

[예문 해석] **0086** 여기에 회계부서에서의 당신의 최근의 공격적이고 모욕적인 행위가 추가될지도 모릅니다. **0087** 우리의 신념들과 우리가 말하는 언어들은 또한 우리의 비물질적인 문화의 일부이다. **0088** 그들 자신의 이익을 위해, 회사들은 더 낮은 가격을 제공하는 다양한 방법들을 가지고 있다. **0089** 알코올 음료를 구입하는 사람은 누구나 합법적인 신분증을 제시해야 한다. **0090** 김 선생님은 나에 대해 감정적인 편견을 가지고 있다. **0091** 우리는 귀사의 입찰을 받기를 고대합니다. **0092** 당신의 7월 청구서에 대한 지불금으로 수표를 보내주셔서 감사합니다. **0093** 그들은 의학을 제안하지만, 나는 생물학을 싫어한다. **0094** 응축된 증기의 분출이 찌든 얼룩을 용해시킨다.

★청자주의

0095 blade 명 (풀의) 잎, 칼날 11회

[bléid]

The penknife has several different **blades**.
❂ two-bladed knife 양날의 칼

> 📢 **blade**는 가늘고 긴 잎을 말하며, 나뭇잎은 **leaf**, 그리고 바늘과 같은 잎은 **needle**이라고 한다.

0096 blaze 명 불길, 번쩍거림, 확 타오름 동 타오르다, 빛나다, 말을 퍼뜨리다 12회

[bleiz]

The **blaze** erupted at about 11:50 p.m.

0097 bliss 명 행복, 축복 15회

[blís]

Ignorance is **bliss**. 〔대수능〕
→ blissful 형 행복한

0098 blueprint 명 청사진, (상세한) 계획 12회

[blú:prìnt]

Our self-image is the **blueprint** which determines how we see the world.
〔대수능〕

0099 blunder 명 큰 실수 12회

[blʌ́ndər]

She was very careful not to commit a **blunder**. 〔대수능〕
❂ make(commit) a blunder 큰 실수를 저지르다

0100 bond 명 유대, 결속, 묶는 것 27회

[bánd]

There should be a **bond** of affection between the members of a family.

표제어 이외의 **주요 어휘**

asset	명 자산	baggage	명 수화물
attic	명 다락방	banner	명 깃발, 현수막
aviation	명 비행, 항공, 항공기	banquet	명 연회, 향연
ambassador	명 대사, 사절, 특사	barbershop	명 이발소
antonym	명 반의어, 반대말	barometer	명 기압계, 고도계
area	명 범위, 지역, 면적	barrel	명 통, 배럴(약 159리터)
ash	명 재, 화산재	basement	명 지하층, 지하실
assay	명 분석 (평가), 시금(試金)	battlefield	명 싸움터
asthma	명 천식	beacon	명 횃불, 봉화, 신호소, 표지
Atlantic	명 대서양	beast	명 야수, 짐승
auction	명 경매, 공매	belly	명 배, 복부, 위
auditorium	명 청중석, 방청석, 강당	biochemistry	명 생화학
autonomy	명 자치, 자치권	biography	명 전기, 일대기
avenue	명 가로수길, 큰 거리	bit	명 작은 조각, 소량

[예문 해석] **0095** 그 주머니칼에는 여러 개의 다른 칼날이 있다. **0096** 화재는 밤 11시 50분경에 발생했다. **0097** 모르는 게 축복이다. **0098** 우리의 자아상은 우리가 세상을 어떻게 보는지를 결정하는 청사진이다. **0099** 그녀는 큰 실수를 하지 않도록 무척 조심했다. **0100** 가족 구성원 간에는 애정의 결속이 있어야 한다.

DAY 02 수능 필수 Daily IDIOMS

all across
전역에서

We're looking at a chilly and wet start to the day **all across** the city.
오늘은 시 전역이 쌀쌀하고 습기 찬 날씨로 하루를 시작할 것 같습니다.

all in all
일반적으로, 대체로

All in all, it was a nice trip.
대체로 좋은 여행이었다.

all the time
내내, 언제나

Examinations weigh on my mind **all the time**.
시험은 언제나 마음에 걸린다.

all walks of life
각계각층

Millions of people from **all walks of life** call the institute to get advice.
조언을 구하기 위해 각계각층의 수백만의 사람들이 그 기관에 전화를 한다.

apart from
~은 차치하고, ~은 별문제로 하고

Apart from the question of money, such a trip would be very tiring.
비용 문제는 차치하고라도 그런 여행은 굉장히 피곤할 것이다.

appeal to + N
~에 호소하다

Advertisers change people's thinking by using language which **appeals to** emotions.
광고주들은 감정에 호소하는 언어를 사용함으로써 사람들의 생각을 바꾼다.

apply for
지원하다

When you **apply for** a job, you should always put your best foot forward.
직장에 지원할 때는 언제나 한껏 좋은 점을 피력해야 한다.

apply to + N
적용되다

That only **applies to** large orders.
그것은 대량 주문할 때만 해당된다.

DAY 02 암기를 위한 Daily TEST

맞은 개수 ◯ / 50문항

💡 빈칸에 알맞은 단어나 뜻을 쓰시오.

01.	approval	26.	ban
02.	고고학	27.	band
03.	건축가	28.	야만, 미개
04.	armor	29.	bargain
05.	article	30.	barrier
06.	aspect	31.	물물교환
07.	열망, 포부	32.	basis
08.	모임, 집합	33.	bay
09.	가정, 가설	34.	야수, 짐승
10.	천문학자	35.	behalf
11.	athlete	36.	행동
12.	대기, 환경	37.	belief
13.	attention	38.	이익
14.	attitude	39.	beverage
15.	attorney	40.	선입관, 편견
16.	audience	41.	bid
17.	audition	42.	청구서, 지폐
18.	author	43.	biology
19.	authority	44.	blast
20.	자서전	45.	blade
21.	서명, 사인	46.	blaze
22.	average	47.	행복, 축복
23.	backbone	48.	blueprint
24.	균형	49.	blunder
25.	ballot	50.	bond

PART I 명사

0101 bone 명 뼈 　　　　32회

[bóun]

They are usually made of several materials such as **bone** or wood.

0102 border 명 경계 동 접하다 　　　　11회

[bɔ́:rdər]

There was friction between the two countries over the **border** dispute.
➕ borderland 명 국경지내　borderline 명 국경선

0103 branch 명 나뭇가지, 자회사 　　　　30회

[bræntʃ]
혼동어
brunch
명 아침 겸 점심

We are about to open a new **branch** in your area.

0104 breakdown 명 고장, 파손, 쇠약, 몰락 　　　　13회

[bréikdàun]

His nervous **breakdown** is due to want of sleep.

0105 breakthrough 명 돌파구, 새로운 발견, 획기적 발전 　　　　15회

[bréikθrú]

3D printing was a major technological **breakthrough**.

0106 breeze 명 산들바람, 미풍 　　　　12회

[brí:z]

The leaves of the garden trees rustled in the spring **breeze**.
→ breezy 형 산들바람이 부는

0107 broadcast 명 방송 동 방송하다 　　　　12회

[brɔ́:dkæ̀st]

Baseball is one of the most popular sports frequently **broadcast** on TV. 평가원

0108 broker 명 중개인, 브로커 　　　　77회

[bróukər]

She introduced me to her family as a stock **broker**.

[예문 해석] **0101** 그것들은 일반적으로 뼈 또는 나무 같은 다양한 재료로 만들어진다.　**0102** 국경 분쟁에 관한 두 나라 간의 마찰이 있었다.　**0103** 우리는 당신의 지역에 새로운 지점을 개설하려고 한다.　**0104** 그의 신경 쇠약은 수면 부족이 원인이다.　**0105** 3D 프린팅은 과학 기술에 있어서 중대한 발견이었다.　**0106** 정원의 나뭇잎이 봄바람에 살랑살랑 나부꼈다.　**0107** 야구는 텔레비전에서 자주 방송되는 가장 인기 있는 스포츠들 중 하나이다.　**0108** 그녀는 나를 그녀의 가족에게 주식 중개인으로 소개했다.

| 0109 **bud** | 명 | 싹, 봉오리 | 11회 |

[bʌd]

The roses are still in **bud**.

| 0110 **budget** | 명 | 예산 | 29회 |

[bʌ́dʒit]

I'm on a tight **budget** this month. 평가원

| 0111 **buildup** | 명 | 강화, 증강, 조성 | 9회 |

[bíldʌp]

Saturated fats can contribute to the **buildup** of plaque inside arteries and raise blood cholesterol levels.
➕ builder 명 건축가

| 0112 **bulletin** | 명 | 게시(판), 고시 | 11회 |

[búlətin]

She is looking at something on the **bulletin** board.
✪ bulletin board 게시판

| 0113 **bunch** | 명 | 다발, 송이, 일단 | 14회 |

[bʌ́ntʃ]

She has a **bunch** of pretty flowers.

> 💡 **bunch**는 같은 종류의 것을 묶은 것을 말하고, **bundle**은 많은 것을 운반이나 저장하기 위해 묶은 것을 말한다.

| 0114 **bundle** | 명 | 묶음, 꾸러미 | 11회 |

[bʌ́ndl]

He came in carrying a **bundle** of sticks for the fire.

| 0115 **burden** | 명 | 짐, 부담 | 18회 |

[bə́:rdn]

Have you ever thought of how great a **burden** those things became? 대수능
→ burdensome 형 짐이 되는, 무거운, 귀찮은

| 0116 **burglar** | 명 | 강도, 도둑 | 11회 |

[bə́:rglər] 혼동어
vulgar
형 저속한, 천박한

The **burglar** was frightened away by the barking of the dog.
→ burglary 명 강도질   burgle 통 강도질하다

| 0117 **by-product** | 명 | 부산물, 부작용 | 15회 |

[baiprádʌkt]

The combustion of fossil fuel produces dangerous **by-products**.

[예문 해석] **0109** 장미꽃은 아직 봉오리 상태다. **0110** 이번 달 예산이 빠듯하다. **0111** 포화 지방은 동맥 내벽에 플라그를 형성시켜 혈중 콜레스테롤 수치를 높일 수 있다. **0112** 그녀는 게시판 위의 무엇인가를 바라보고 있다. **0113** 그녀는 예쁜 꽃 한 다발을 갖고 있다. **0114** 그는 불을 지필 막대기를 한 묶음 들고 들어왔다. **0115** 당신은 그러한 것들이 얼마나 큰 짐이 되었는지 생각해 본 적이 있습니까? **0116** 도둑은 개가 짖자 놀라서 달아났다. **0117** 화석연료는 연소할 때 위험한 부산물을 만들어낸다.

0118 canal　명 운하, 수로　9회

[kənǽl]

Canals were the main method of transporting goods until then.

0119 cancer　명 암　36회

[kǽnsər]

Your contribution will help in the fight against diseases such as **cancer**.

0120 candidate　명 후보자, 지원자　15회

[kǽndidèit]

Each **candidate** must be nominated by his or her homeroom teacher.　평가원

0121 canyon　명 깊은(큰) 협곡　12회

[kǽnjən]

I received a postcard with a view of the Grand **Canyon** from her.

> **valley**는 산 사이에 움푹 들어간 곳을 말하며, **canyon**은 **valley**보다 큰 것을 말한다.

0122 capability　명 가능성, 능력　36회

[kèipəbíləti]

The technical **capabilities** of the software provide much greater security.
→ capable 형 유능한, ~할 능력이 있는

0123 capacity　명 수용력, 용량, 능력　52회

[kəpǽsəti]

The **capacity** to store information has increased through the use of computers.　대수능
→ capacious 형 넓은　◐ to capacity 최대한으로

0124 capital　명 수도, 자본, 대문자　18회

[kǽpətl]　혼동어
capitol
명 국회의사당

There is another side to this great city — its rich past as the **capital** of the Ottoman Empire.　대수능
→ capitalism 명 자본주의　capitalist 명 자본주의자

0125 captain　명 선장, 주장, 우두머리　12회

[kǽptən]

The fire **captain** directed the people to get out of the building.

0126 carbohydrate　명 탄수화물　12회

[kàːrbouháidreit]

Calories are obtained from three possible sources: protein, **carbohydrates**, and fat.

[예문 해석] **0118** 그때까지는 운하가 상품 수송의 주된 방법이었다.　**0119** 당신의 기부금은 암과 같은 질병과 싸우는 데 도움이 될 것이다.　**0120** 각각의 지원자는 담임 선생님에 의해 추천을 받아야 합니다.　**0121** 나는 그녀에게서 그랜드 캐니언의 경치가 있는 엽서를 받았다.　**0122** 소프트웨어의 기술적인 성능은 안전성을 훨씬 더 높여준다. **0123** 정보를 저장하는 능력은 컴퓨터의 사용을 통해 증가해왔다.　**0124** 이 거대한 도시에는 또 다른 면, 즉 Ottoman 제국의 수도로서 번창했던 과거가 있다.　**0125** 소방대장은 사람들에게 건물 밖으로 나가라고 지시했다.　**0126** 열량은 단백질, 탄수화물, 지방의 세 가지 공급원에서 얻어진다.

| 0127 **carbon** | 명 | 탄소 | 25회 |

[káːrbən]

Plants absorb **carbon** from the atmosphere during photosynthesis.

| 0128 **care** | 명 걱정, 관심   동 걱정하다, 돌보다 | | 193회 |

[kéər]

I want to take **care** of the matter before it attracts public attention.
✪ take care of ~을 돌보다, ~을 처리하다

| 0129 **career** | 명 | 경력, 이력, 직업 | 74회 |

[kəríər] 혼동어
carrier
명 운수회사

We're sorry to see you leave, but it's a good **career** opportunity for you.
✪ make(take) a career 출세하다

| 0130 **carriage** | 명 | 탈 것, 마차, 몸가짐 | 14회 |

[kǽridʒ]

Carriages wait at the exit of the theater.

| 0131 **cart** | 명 | 수레, 카트 | 14회 |

[káːrt]

Pushing your shopping **cart**, you will hear soft music in the supermarket. 대수능

| 0132 **carton** | 명 | (두꺼운 판지로 만든) 상자, (우유) 용기 | 11회 |

[káːrtn]

A woman is packing a shipping **carton**.

| 0133 **category** | 명 | 범주, 부류, 종류 | 56회 |

[kǽtəgɔ̀ːri]

There are borderline cases that fit partly into one **category** and partly into another. 대수능
→ categorize 동 분류하다

★ 철자주의

| 0134 **castle** | 명 | 성, 성곽 | 15회 |

[kǽsl]

Castles were built by kings for protection during wars.
✪ build a castle in the air 공상에 잠기다

| 0135 **cattle** | 명 | 소 | 12회 |

[kǽtl]

The farmer began to raise **cattle** for their meat, milk, and leather.

cattle은 항상 복수로 취급하는 집합명사이다.

[예문 해석] **0127** 식물은 광합성을 하는 동안 대기 중의 탄소를 흡수한다. **0128** 나는 그 일이 대중적 관심을 끌기 전에 그것을 처리하고 싶다. **0129** 당신이 그만둬서 섭섭하지만 경력 쌓는 데는 좋은 기회가 될 것입니다. **0130** 마차들이 극장의 출구에서 기다리고 있다. **0131** 쇼핑 카트를 밀고 다니면서, 당신은 슈퍼마켓에서 부드러운 음악을 들을 것이다. **0132** 한 여자가 선적용 상자를 포장하고 있다. **0133** 일부는 하나의 범주에 어울리고 일부는 다른 범주에도 어울리는 이것도 저것도 아닌 경우가 존재한다. **0134** 성 곽은 전쟁 중에 보호를 위해 왕에 의해서 건설되었다. **0135** 그 농장주는 고기, 우유, 가죽을 얻기 위해서 소를 기르기 시작했다.

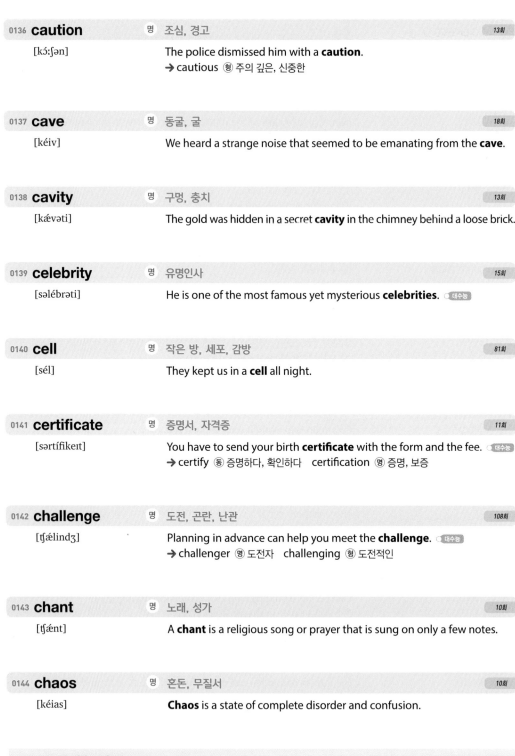

0136 caution 명 조심, 경고 13회

[kɔ́ːʃən]

The police dismissed him with a **caution**.

→ cautious 형 주의 깊은, 신중한

0137 cave 명 동굴, 굴 18회

[kéiv]

We heard a strange noise that seemed to be emanating from the **cave**.

0138 cavity 명 구멍, 충치 13회

[kǽvəti]

The gold was hidden in a secret **cavity** in the chimney behind a loose brick.

0139 celebrity 명 유명인사 15회

[səlébrəti]

He is one of the most famous yet mysterious **celebrities**. 대수능

0140 cell 명 작은 방, 세포, 감방 81회

[sél]

They kept us in a **cell** all night.

0141 certificate 명 증명서, 자격증 11회

[sərtífikeɪt]

You have to send your birth **certificate** with the form and the fee. 대수능

→ certify 동 증명하다, 확인하다   certification 명 증명, 보증

0142 challenge 명 도전, 곤란, 난관 108회

[tʃǽlindʒ]

Planning in advance can help you meet the **challenge**. 대수능

→ challenger 명 도전자   challenging 형 도전적인

0143 chant 명 노래, 성가 10회

[tʃǽnt]

A **chant** is a religious song or prayer that is sung on only a few notes.

0144 chaos 명 혼돈, 무질서 10회

[kéias]

Chaos is a state of complete disorder and confusion.

[예문 해석] **0136** 경찰은 그를 훈방했다. **0137** 우리는 동굴로부터 나오는 것 같은 이상한 소음을 들었다. **0138** 금은 느슨하게 빠져 있는 벽돌 뒤 굴뚝 속의 비밀 구멍 속에 감추어져 있었다. **0139** 그는 가장 유명하지만 신비스러운 유명인사들 중 한 명이다. **0140** 그들은 우리를 밤새 감방에 처박아 두었다. **0141** 당신은 출생증명서를 서류 및 수수료와 함께 제출해야 한다. **0142** 미리 계획을 하는 것은 당신이 난관에 대처하는 데 도움을 줄 수 있다. **0143** 성가는 몇 개의 음만으로 불려지는 종교적인 노래나 기도이다. **0144** 혼돈은 완전한 무질서와 혼란의 상태이다.

0145 character 명 성격, 특성, 등장인물 145회

[kǽriktər]
Its color will perfectly match the **character's** cheerful personality. 평가원
→ characteristic 형 특유한, 독특한   characterize 동 특징짓다

0146 charm 명 매력 동 매혹하다 11회

[tʃáːrm]
Her **charm** is beyond description.
→ charming 형 매력적인

0147 chef 명 주방장, 요리사 13회

[ʃéf]
Novice **chefs** should try to follow the recipe as much as possible.
⚙ the chef's special 주방장 추천요리

0148 chemistry 명 화학 85회

[kéməstri]
Scientists have made great advances in agricultural **chemistry**, greatly
increasing our food supply. 대수능
→ chemist 명 화학자   chemical 형 화학의

0149 chill 명 냉기, 한기, 으스스함 11회

[tʃíl]
The bad news threw a **chill** upon the merry-making party.
⚙ throw a chill upon 흥을 깨뜨리다

0150 choir 명 합창단, 성가대 8회

[kwáiər] 혼동어
chore
명 허드렛일, 가사

I used to sing in the church **choir**.

표제어 이외의 **주요 어휘**

bottom	명 바닥	butcher	명 고깃간 주인
boundary	명 경계선, 한계	cabinet	명 내각(정치), 장식장
breadth	명 폭, 너비	calligrapher	명 달필가, 서예가
breast	명 가슴	cargo	명 화물, 뱃짐
bronze	명 청동	carpenter	명 목수
bulb	명 구근, 전구	catastrophe	명 대참사, 큰 재앙
bureau	명 사무소, 사무국	censorship	명 검열

[예문 해석] **0145** 그 색깔은 등장인물의 명랑한 성격과 완벽하게 어울릴 것이다. **0146** 그녀의 매력은 말로 표현할 수 없다. **0147** 초보 주방장은 가능한 한 조리법을 충실하게 따르려고 노력해야 한다. **0148** 과학자들은 우리의 식량 공급을 엄청나게 증가시키면서 농화학 분야에 있어 큰 진보를 이루었다. **0149** 그 나쁜 소식은 흥거운 파티의 흥을 깨버렸다. **0150** 나는 교회 성가대에서 노래하곤 했다.

DAY 03 수능 필수 **Daily IDIOMS**

as a matter of fact
사실

As a matter of fact, I went to his office.
사실, 나는 그의 사무실로 갔었다.

as a result
그 결과, 결론적으로

As a result, environmental pollution brought us a serious weather change.
그 결과, 환경오염으로 심각한 기상 변화가 일어났다.

as a whole
전체로서, 하나로서

The works should be considered **as a whole**.
이 작품들은 전체로 고찰되어져야 한다.

as soon as
~하자마자

He went home **as soon as** he heard the news.
그는 그 소식을 듣자마자 집으로 갔다.

as well
또한, 역시

Make sure you get enough sleep **as well**.
또한 잠도 충분히 주무셔야 함을 명심하십시오.

ascribe A to B(N)
A를 B의 탓으로 돌리다

The police **ascribed** the automobile accident **to** fast driving.
경찰은 자동차 사고의 원인을 과속 운전으로 보았다.

at any rate
어쨌든

At any rate, go and have a look at it.
어쨌든 가서 그것을 봐라.

at least
적어도

I usually walk for **at least** 30 minutes.
나는 보통 적어도 30분 동안 걷는다.

DAY 03 암기를 위한 Daily TEST

💡 빈칸에 알맞은 단어나 뜻을 쓰시오.

01. 뼈		26. 탄수화물	
02. border		27. carbon	
03. branch		28. care	
04. 고장, 파손		29. 경력, 이력	
05. 돌파구, 새로운 발견		30. 탈 것, 마차	
06. breeze		31. 수레, 카트	
07. broadcast		32. carton	
08. 중개인, 브로커		33. category	
09. 싹, 봉오리		34. castle	
10. 예산		35. cattle	
11. buildup		36. 조심, 경고	
12. bulletin		37. 동굴, 굴	
13. 다발, 송이		38. cavity	
14. bundle		39. celebrity	
15. burden		40. cell	
16. burglar		41. certificate	
17. by-product		42. challenge	
18. 운하, 수로		43. 노래, 성가	
19. cancer		44. chaos	
20. candidate		45. character	
21. canyon		46. charm	
22. capability		47. 주방장, 요리사	
23. 수용력, 용량		48. chemistry	
24. 수도, 자본		49. chill	
25. captain		50. 합창단, 성가대	

PART I 명사

0151 chore
[tʃɔ́ːr]
명 지루한 일, (pl.) (가정의) 잡일   13회
Teenagers and parents argue over small matters such as house **chores**.

0152 circuit
[sə́ːrkit]
명 순회, 우회, 회로   35회
The earth's **circuit** of the sun takes about 365 days.
✪ short circuit 누전, 합선

0153 circumstance
[sə́ːrkəmstæns]
명 상황, 환경, 주위의 사정   45회
That depends upon **circumstances**.
✪ the whole circumstances 자초지종

0154 citizen
[sítəzən]
명 시민   23회
Many senior **citizens** are suffering from financial hardship. 교육청
→ citizenship 명 시민권

0155 client
[kláiənt]
명 고객, 소송 의뢰인   45회
I have a meeting with a **client**. 평가원

0156 climate
[kláimit]
명 기후   35회
What causes **climate** change? 평가원

💡 **climate**는 한 지방의 연간에 걸친 평균적인 기후를 말하며, **weather**는 특정한 때, 장소에서의 날씨를 말한다.

0157 clown
[kláun]   혼동어
crown
명 왕관
명 어릿광대   12회
The man is dressed like a **clown**.

0158 clue
[klúː]
명 단서, 실마리   22회
We must rely on other **clues** to understand the sequence of events. 대수능
✪ have no clue 전혀 이해 못하다, 능력이 없다

[예문 해석] **0151** 십대들과 부모는 집안일 같은 사소한 일로 다툰다. **0152** 지구가 태양 주위를 일주하는 데는 약 365일이 걸린다. **0153** 그것은 사정에 따라 달라진다. **0154** 많은 노인들이 재정적인 어려움으로 인해 고통 받고 있다. **0155** 나는 고객과 회의가 있다. **0156** 무엇이 기후 변화를 일으키는가? **0157** 그 남자는 광대 차림을 하고 있다. **0158** 우리는 사건의 순서를 이해하기 위해서 다른 단서들에 의존해야만 한다.

0159 code 명 규약, 규정, 암호, 법전 _{38회}

[kóud] 혼동어
cope
동 대처하다

Recently new building **codes** came into effect in our city. 대수능

0160 cognition 명 인식, 인지 _{29회}

[kagníʃən]

Cognition is the mental process involved in knowing, learning, and understanding things.
→ cognitive 형 인식의, 인식력이 있는

🔊 [**cogn**(=**know**)+**tion**(명사어미)] cogn은 '알다'의 의미이다.

0161 coincidence 명 우연의 일치, 동시 발생 _{15회}

[kouínsidəns]

What a **coincidence** to meet in New York!

0162 colleague 명 (같은 직장·조직의) 동료, 동업자 _{31회}

[káli:g]

He's discussing the suit with his **colleague**.

0163 collection 명 수집, 소장품, 모금 _{32회}

[kəlékʃən]

I have all the other stamps from the series, and these will complete my **collection**. 대수능

0164 colony 명 식민지 _{27회}

[káləni]

We already sent our spaceship to start the first **colony** on Mars. 대수능

0165 combat 명 전투 _{16회}

[kámbæt]

Combat is the ultimate experience that allows him to find his true self.

0166 comet 명 혜성 _{13회}

[kámit]

The orbit of this **comet** intersects the orbit of the Earth.

0167 comfort 명 위로, 위안, 안락 _{118회}

[kámfərt]

The hotel offers a high standard of **comfort** and service. 대수능
→ comfortable 형 편안한 comfortably 부 편안하게
✪ words of comfort 위로의 말

[예문 해석] **0159** 최근에 새로운 건축 규제가 우리 시에 실행되었다. **0160** 인지는 사물을 알고, 배우고 그리고 이해하는 데 관련된 정신적 과정이다. **0161** 뉴욕에서 이렇게 우연히 만나다니! **0162** 그는 그의 동료와 소송에 대해 이야기하고 있다. **0163** 그 시리즈의 나머지 우표는 모두 있고, 이것들이 있어야 제 수집품이 완성될 겁니다. **0164** 우리는 벌써 화성에 첫 번째 식민지를 개척하기 위해서 우리의 우주선을 보냈다. **0165** 전투는 자신의 진정한 자아를 찾게 해주는 궁극적 체험이다. **0166** 이 혜성의 궤도가 지구 궤도를 가로지른다. **0167** 이 호텔은 수준 높은 안락함과 서비스를 제공한다.

0168 command 명 명령 동 명령하다 26회

[kəmænd] 혼동어
commend
동 칭찬하다,
추천하다

"Come on, we can beat them," shouted someone in **command**. 대수능
→ commander 명 지휘자 commandant 명 사령관, 지휘관

[com(=completely)+mand(=order)] mand는 '명령하다, 지시하다'의 의미이다.

0169 commercial 명 상업광고 형 상업의 40회

[kəmə́ːrʃəl]
I saw a **commercial** for this on television. 평가원

0170 commission 명 위원회, 임무, 중개수수료 13회

[kəmíʃən]
The government set up a **commission** to investigate the problem of inner city violence.

0171 commodity 명 상품, 일용품 14회

★철자주의

[kəmádəti]
The shipping of **commodities** by air began in the 1920s.
✪ a basic commodity 기본 필수품

0172 community 명 사회, 공동체 138회

[kəmjúːnəti]
Schools should stick to academics, leaving moral education to the parents and the **community**. 대수능
✪ community center 마을 회관

0173 companion 명 친구 21회

★철자주의

[kəmpǽnjən]
Books, like friends, must be carefully chosen, for bad books do more harm than bad **companions**. 대수능

0174 compassion 명 동정, 연민, 불쌍히 여김 16회

[kəmpǽʃən]
The suffering of the Cubans aroused their **compassion**.

0175 competition 명 경쟁, 대회, 시합 63회

[kàmpətíʃən] 혼동어
petition
명 탄원, 청원

Competition provides customers with plenty of choices and reasonable prices.

0176 compliment 명 경의, 칭찬, 아첨 32회

[kámpləmənt] 혼동어
complement
명 보충물

You don't have to make such transparent **compliments**.
→ complimentary 형 칭찬의, 찬사의, 우대의

[예문 해석] **0168** "이보게들, 우리는 그들을 이길 수 있다고."라고 누군가가 명령조로 소리쳤다. **0169** 텔레비전에서 이것에 대한 광고를 봤어. **0170** 정부는 도시 내부의 폭력 문제를 조사하는 위원회를 설립했다. **0171** 상품을 항공편으로 수송하기 시작한 것은 1920년대부터였다. **0172** 학교는 도덕교육을 부모들과 사회 공동체에 맡기고 학업에 충실해야 한다. **0173** 나쁜 책들은 나쁜 친구보다 더 큰 해를 끼칠 수 있기 때문에 책들은 친구처럼 신중하게 선택되어야 한다. **0174** 쿠바 사람들의 고통이 그들의 동정심을 불러 일으켰다. **0175** 경쟁은 소비자들에게 선택 가능한 많은 것들과 합리적인 가격을 제공한다. **0176** 너는 그렇게 속이 빤히 들여다보이는 칭찬을 할 필요가 없다.

0177 component 명 성분, 구성 요소 *34회*

[kəmpóunənt]

The following **components** will be installed.
→ compose 동 구성하다, 작곡하다

0178 composite 명 합성물, 혼합물 형 혼성의, 합성의 *19회*

[kəmpázit]

All images in the **composite** will be printed.

0179 compromise 명 타협, 화해, 양보 *15회*

[kámprəmàiz]

They reached a satisfactory **compromise**.

0180 concern 명 관계, 관심, 염려 동 관계하다, 관심 갖다, 염려하다 *118회*

[kənsə́:rn]

Any **concerns** you have can be directed to our public affairs committee.
→ concerned 형 걱정하는, 염려하는 concerning 전 ~에 관하여

0181 condition 명 조건, 상태, 병 *129회*

[kəndíʃən]

Now his **condition** is changing for the worse. 대수능
✪ on condition that ~라는 조건으로, ~라는 조건이라면

0182 conduct 명 행위, 처리 동 지휘하다 *50회*

[kándʌkt]

Competition implies a set of rules that govern the **conduct** of the opposed parties. 대수능
→ conductor 명 안내자, 지휘자, 전도체

0183 conference 명 회의 *27회*

[kánfərəns] 혼동어
reference
명 참고, 언급

Mr. Newell will appear as a special guest speaker at the Second International Tourism **Conference**. 대수능

0184 confidence 명 자신감, 신임, 신뢰 *70회*

[kánfədəns]

Working in a group will give you a bit more **confidence**. 대수능
→ confident 형 자신이 있는 confidential 형 기밀의, 비밀의

0185 conflict 명 투쟁 동 싸우다 *76회*

[kánflikt]

When such role **conflicts** occur, you need to do more important things first. 대수능

🔊 [con(=together)+flict(=strike)] flict는 '치다, 때리다'의 의미이다.

[예문 해석] **0177** 다음 구성 요소가 설치될 것입니다. **0178** 합성 이미지의 모든 이미지가 인쇄됩니다. **0179** 그들은 만족할 만한 타협을 보았다. **0180** 귀하의 고충이 어떤 것이든 저희 대민 업무 위원회로 보내주십시오. **0181** 지금 그의 상태는 더욱 악화되고 있다. **0182** 경쟁은 반대편의 행동을 통제하는 일련의 규칙들을 의미한다. **0183** Newell 씨가 제2차 국제 관광업 회의에 특별 객원연사로 나타날 것입니다. **0184** 사람들 속에서 일하는 것은 당신에게 좀 더 많은 자부심을 줄 것이다. **0185** 그러한 역할 분쟁들이 생길 때, 당신은 더 중요한 일을 먼저 해야 한다.

0186 congestion 명 혼잡, 정체 15회

[kəndʒéstʃən]

Unless we take action, traffic **congestion** will get worse and worse. 대수능
→ congest 동 혼잡하게 하다

> [con(=with)+gest(=carry)+ion(명사어미)] **gest**는 '나르다'의 의미이다.

0187 congratulation 명 축하 30회

[kəngrætʃuléiʃən]

Congratulations! You did a good job. 대수능
→ congratulate 동 축하하다

0188 congress 명 회의, 의회, 국회 15회

[káŋgris]

Congress has the power of legislation.
➕ Congressman 명 (미국의) 하원 의원

0189 conscience 명 양심, 도의심 18회

[kánʃəns]

He has not an atom of **conscience** in him.
✪ in conscience 마음에 걸려서

0190 consensus 명 일치, 합의, 여론의 일치 18회

[kənsénsəs]

The **consensus** among the students was that the professor should be dismissed.
✪ national consensus 국민적 합의

0191 consequence 명 결과, 중요성 73회

[kánsəkwèns]

We need to be aware of the **consequences** of computer failure. 대수능
✪ in consequence of ~의 결과로서

0192 conservation 명 보호, 관리, 보존 30회

[kànsərvéiʃən]

Concern for wildlife has led to numerous international **conservation** programs.
→ conserve 동 보존하다   conservative 형 보수적인, 보수주의의

★철자주의

0193 contact 명 접촉 동 접촉하다 94회

[kántækt]

You could make person-to-person **contact** with your audience. 대수능

0194 contract 명 계약, 약정 동 계약하다 26회

[kántrækt]

I think this **contract** is self-contradictory.
→ contractor 명 계약자

[예문 해석] **0186** 우리가 조치를 취하지 않으면, 교통 혼잡은 더욱 더 심해질 것이다. **0187** 축하해! 잘 했어. **0188** 의회는 입법권을 가진다. **0189** 그는 양심이라고는 손톱만치도 없다. **0190** 학생들 간의 공통된 의견은 교수를 해임시켜야 한다는 것이었다. **0191** 우리는 컴퓨터 고장의 결과들을 알고 있어야 한다. **0192** 야생생물에 대한 우려로 수많은 국제적인 보호 프로그램이 생겼다. **0193** 당신은 당신의 청중과 일대일 접촉을 할 수 있을 것이다. **0194** 이 계약서는 잘못되었다고 생각한다.

0195 contagion 명 (접촉) 전염, (접촉) 전염병   17회

[kəntéidʒən]

Cholera spreads by **contagion**.

→ contagious 형 (접촉) 전염성의, 만연하는

0196 contraction 명 수축, (말 따위의) 축약   18회

[kəntrǽkʃən]

Cold causes **contraction** of liquids.

★ 철자 주의

0197 contrary 명 반대, 모순   37회

[kántreri]

On the **contrary**, they are far more likely to be viewed with pity or even anger. 대수능

✪ on the contrary 반대로

0198 contrast 명 대조, 차이   동 대조하다   119회

[kántræst]

Contrasts between physical and mental growth 대수능

✪ in contrast with ~와 대조적으로

> 📢 **contrast**는 각각이 가진 차이점을 뚜렷하게 대비시키는 의미로 쓰인다.

0199 convenience 명 편리함   42회

[kənvíːnjəns]

How many of us would be willing to give up some **convenience**? 대수능

→ convenient 형 편리한 ✪ convenience store 편의점

0200 convention 명 집회, 협정, 관습   29회

[kənvénʃn]

My partner and I will be attending the **convention**.

→ conventional 형 전통적인, 관습적인, 상투적인

표제어 이외의 **주요 어휘**

chronicle	명 연대기	combustion	명 연소
chunk	명 (빵 등의) 큰 덩어리	commune	명 생활공동체
clause	명 조항, [문법] 절	complement	명 보충물, [문법] 보어
cliff	명 낭떠러지, 벼랑	contemporary	명 같은 시대의 사람
clump	명 수풀, 덤불	contempt	명 경멸, 모욕
cluster	명 송이, 한 덩어리	context	명 (문장의) 문맥, 상황
coexistence	명 공존	continent	명 대륙
column	명 기둥, (신문의) 칼럼	contour	명 윤곽, 외형

[예문 해석] **0195** 콜레라는 접촉 전염으로 퍼진다. **0196** 냉기는 액체의 수축을 일으킨다. **0197** 반대로, 그것들은 연민이나 심지어 분노에 의해서 훨씬 더 관찰되어지기 쉽다. **0198** 신체 성장과 정신 성장 사이의 차이 **0199** 우리들 중 얼마나 많은 사람들이 어떤 편리함을 기꺼이 포기하려고 하겠는가? **0200** 내 동업자와 나는 그 집회에 참석할 것이다.

DAY 04 수능 필수 Daily IDIOMS

at the same time
동시에

At the same time the lights went out.
동시에 전등이 나갔다.

as well as
뿐만 아니라

As well as helping the environment, energy conservation reduces your fuel bills.
에너지 보존은 환경을 도울 뿐 아니라 연료비를 감소시킨다.

be about to + V
막 ~하려고 하다

They **were about to** go to school when the accident happened.
그 사건이 일어났을 때 그들은 막 학교를 가려고 하고 있었다.

be absorbed in
~에 열중하다

She **is absorbed in** reading a book.
그녀는 독서에 열중해 있다.

be(get) accustomed to + N
~에 익숙해지다

I'm not **accustomed to** making a speech in public.
나는 사람들 앞에서 이야기하는 데에 익숙하지 않다.

be advised to + V
~하도록 조언을 받다, ~해야 한다

Cyclists **are advised to** wear helmets to reduce the risk of head injury.
자전거를 타는 사람들은 머리 부상의 위험을 줄이기 위해 헬멧을 쓰라는 권고를 받는다.

be allowed to + V(N)
~해도 좋다, ~에게 허용되다(N이 올 때)

You will not **be allowed to** travel with the group.
당신은 그 그룹과 함께 여행하지 못하게 될 것이다.

be amazed at
~에 놀라다

He **was amazed at** the sight.
그는 그 광경에 놀랐다.

DAY 04 암기를 위한 Daily TEST

💡 빈칸에 알맞은 단어나 뜻을 쓰시오.

01. chore

02. circuit

03. 상황, 환경

04. 시민

05. client

06. 기후

07. clown

08. clue

09. 규약, 규정

10. cognition

11. coincidence

12. colleague

13. collection

14. colony

15. 전투

16. 혜성

17. comfort

18. 명령

19. 상업광고

20. 위원회, 임무

21. commodity

22. 사회, 공동체

23. companion

24. 동정, 연민

25. competition

26. 경의, 칭찬

27. 성분, 구성 요소

28. composite

29. compromise

30. concern

31. 조건, 상태

32. 행위, 처리

33. conference

34. confidence

35. conflict

36. 혼잡, 정체

37. 축하

38. congress

39. 양심, 도의심

40. consensus

41. 결과, 중요성

42. 보호, 관리

43. contact

44. 계약, 약정

45. contagion

46. contraction

47. 반대, 모순

48. contrast

49. 편리함

50. 집회, 협정

0201 conversation 명 대화 90회

[kànvərséiʃən]

He does not belong in the **conversation**.
→ converse 통 대화를 나누다

0202 cooperation 명 협력 69회

[kouápəréiʃən]

We should achieve security through global **cooperation**. 대수능
→ cooperator 명 협력자   cooperate 통 협력하다

0203 copper 명 구리, 동 18회

[kápər]

The price of **copper** is very high.

0204 copy 명 사본, 원고 49회

[kápi]

To save a **copy** of the agreement on your computer, click Save Copy.

★ 철자 주의

0205 cord 명 새끼, 끈, (전기) 코드 19회

[kɔ:rd]

The electrical **cords** have been plugged in.

0206 core 명 핵심, 응어리, 중심 15회

[kɔ:r]

The company's **core** business is automotive mirrors.
○ to the core 속속들이, 철두철미하게

0207 correlation 명 상호 관련, 상호(의존)관계 17회

[kɔ̀:rəléiʃən]

There is close **correlation** between climate and crops.

0208 cosmetic 명 (pl.) 화장품 30회

[kazmétik]

The new **cosmetics** line is scheduled to be on shelves in time for the holidays.

[예문 해석] **0201** 그는 대화에 참여하지 않는다. **0202** 우리는 국제적인 협력을 통해 안보를 이루어야 한다. **0203** 구리 가격은 매우 비싸다. **0204** 계약서 사본을 컴퓨터에 저장하려면 복사본 저장을 클릭해라. **0205** 전기 코드가 끼워져 있었다. **0206** 그 회사의 핵심 사업은 자동차용 거울이다. **0207** 기후와 농작물 사이에는 밀접한 상호관계가 있다. **0208** 신제품 화장품 라인은 연휴 기간에 맞춰 출시될 예정이다.

| 0209 | **cosmopolitan** | 명 | 세계인, 세계주의자 | 형 | 세계적인, 국제적인 | 14회 |

[kàzməpálətn]

A **cosmopolitan** does not feel any strong connection with his own country.

| 0210 | **costume** | 명 | 복식, 복장 | 23회 |

[kástjuːm]

In our play I wore a king's **costume**.

| 0211 | **cottage** | 명 | 오두막집 | 15회 |

[kátidʒ]

She was alone in her **cottage** waiting for her son to come from school. 대수능

| 0212 | **cotton** | 명 | 면, 솜 | 15회 |

[kátn]

"No, no," the man said, "it is also the same color as **cotton** or wool."

| 0213 | **couch** | 명 | 침상, 소파 | 62회 |

[káutʃ]

Two people are on the **couch**.
◎ couch potato 게으르고 비활동적인 사람

★ 철자 주의

| 0214 | **council** | 명 | 회의, 지방 의회 | 19회 |

[káunsəl]

The **council** is committed to the programme of urban regeneration.
→ councilor 명 (지방 의회의) 의원

| 0215 | **counsel** | 명 | 조언, 충고 | 동 | 조언하다, 권하다 | 19회 |

[káunsəl]

Listen to the **counsel** of your elders.

| 0216 | **county** | 명 | [행정구역] 군 | 16회 |

[káunti]

Which of the following **counties** does not have a flood warning?

| 0217 | **courage** | 명 | 용기 | 27회 |

[kə́ːridʒ]

What matters is the **courage** of one's convictions. 대수능

[예문 해석] **0209** 세계주의자는 그 자신의 나라와 어떤 강력한 유대감 같은 것을 느끼지 않는다. **0210** 연극에서 나는 임금 복장을 했다. **0211** 그녀는 그녀의 아들이 학교에서 돌아오기를 기다리며 오두막에 홀로 있었다. **0212** 그 남자는 "아니, 아니, 이것은 또한 면이나 울과 같은 색깔이야."라고 말했다. **0213** 소파에 두 사람이 있다. **0214** 그 지방 의회는 도시 쇄신 프로그램에 전념하고 있다. **0215** 연장자들의 조언에 귀를 기울여라. **0216** 다음 중 홍수 경보가 발효되지 않은 군은 어디인가? **0217** 중요한 것은 사람의 확신에 찬 용기이다.

## 0218 **courtesy** 	명 예의, 공손 	9회

[kə́:rtəsi]

There were rules of **courtesy** towards all adults. [대수능]
→ courteous 형 예의 바른

## 0219 **cousin** 	명 사촌 	75회

[kʌ́zn]

His **cousin** is an automobile mechanic.

## 0220 **coward** 	명 겁쟁이, 비겁한 자 	18회

[káuərd]

We scorn **cowards** and liars.
→ cowardly 형 겁이 많은, 비겁한

## 0221 **cradle** 	명 요람 	33회

[kréidl]

In Scandinavia the welfare state has earned the famous characterization "from **cradle** to grave." [대수능]
○ from the cradle 어린 시절부터

## 0222 **craft** 	명 공예, 기술, 재주 	17회

[kræft]

Fijians have developed their shell **crafts** into tourist businesses. [평가원]
○ craftsman 명 숙련공   craftsmanship 명 (장인의) 솜씨, 기능

## 0223 **crash** 	명 고장, 충돌 	동 충돌하다 	15회

[kræʃ]
혼동어
crush
동 눌러 부수다

"Everyone knows about the computer **crash**." [평가원]
○ crash-land 동 불시착하다

## 0224 **credential** 	명 자격 증명서, 성적 증명서 	17회

[kridénʃəl]

He is a botanist with splendid **credentials**.

## 0225 **credit** 	명 신용, 명성, 외상 	43회

[krédit]

The Bank offers a protection plan for lost or stolen **credit** cards. [대수능]

## 0226 **crew** 	명 탑승원, 승무원 	21회

[krú:]

The man is inspecting the **crew** of the ship.
○ crewman 명 탑승원, 부대원

[예문 해석] **0218** 모든 어른들에 대한 예의범절의 규칙이 있었다. **0219** 그의 사촌은 자동차 수리공이다. **0220** 우리는 비겁자와 거짓말쟁이를 경멸한다. **0221** 스칸디나비아의 복지 국가는 '요람에서 무덤까지'라는 유명한 평가를 얻었다. **0222** 피지 제도 사람들은 그들의 조개껍질 공예를 관광 사업으로 발전시켰다. **0223** 모든 사람들이 컴퓨터의 갑작스런 고장에 대해서 알고 있어요. **0224** 그는 찬란한 자격 증명서들을 가진 식물학자이다. **0225** 은행은 분실되거나 도난당한 신용카드들을 위한 보호 정책을 제공하고 있다. **0226** 그 남자는 그 배의 선원들을 조사하고 있다.

0227 **crime**

[kráim] 혼동어
prime
형 주요한

명 (법률상의) 죄, 범죄

44회

He is a member of an underground **crime** network.
→ criminal 형 범죄의, 형사상의 명 범인

0228 **crisis**

[kráisis]

명 위기, 고비

21회

These events may hasten the occurrence of a **crisis**. 대수능
✪ pass the crisis 고비를 넘기다, 위기를 벗어나다

0229 **criteria**

[kraitíəriə]

명 기준(들)

15회

These essays were then evaluated according to the **criteria** of purity, truthfulness, elegance, and propriety. 대수능
✪ evaluation criteria 평가 기준

0230 **crosswalk**

[kráswàk]

명 횡단보도

42회

The accident took place on the **crosswalk**. 대수능
✪ crossroad 명 교차로   sidewalk 명 인도

0231 **crumb**

[krʌ́m]

명 작은 조각, 빵가루, 소량

12회

She dusted the biscuit **crumbs** from her fingers.
✪ crumble 동 빻다, 가루로 만들다

0232 **cuddle**

[kʌ́dl] 혼동어
puddle
명 물웅덩이

명 꼭 껴안음, 포옹   동 꼭 껴안다, 부둥키다

13회

Come on, let's have a **cuddle**.

0233 **cue**

[kjúː]

명 신호, 단서

30회

That was the **cue** for our departure.

0234 **cuisine**

[kwizíːn]

명 요리, 요리법, 요리 솜씨

13회

This is nowhere near the taste of real French **cuisine**.

0235 **curator**

[kjuəréitər]

명 (박물관 따위의) 관리자, 관장

13회

The Museum is seeking a **curator**.

[예문 해석] **0227** 그는 비밀 범죄 조직의 일원이다. **0228** 이러한 사건들은 위기의 발생을 재촉할지 모른다. **0229** 그리고 나서 이러한 에세이들은 순수함, 진실함, 우아함 그리고 적절함의 기준들에 따라 평가되었다. **0230** 그 사고는 횡단보도에서 일어났다. **0231** 그녀는 손가락에서 비스킷 조각들을 털어냈다. **0232** 자, 이리 온. 안아보자. **0233** 그것은 우리의 출발 신호였다. **0234** 이것은 진짜 프랑스 요리 맛과는 거리가 멀다. **0235** 박물관에서는 관장을 구하고 있다.

0236 curb 명 (인도와 차도 사이의) 연석, 재갈, 구속 14회

[kə́:rb] Trash is sitting on the **curb**.

★ 철자 주의

0237 currency 명 통화, 유통 82회

[kə́:rənsi] When we think of money, we think of **currency**, or coins and bills. 대수능

0238 current 명 흐름, 조류, 전류 형 유행의, 현재의 17회

[kə́:rənt] The **currents** twist and flow around the oceans in huge circles.

0239 curriculum 명 교육과정 37회

[kəríkjuləm] French is included in the **curriculum**.

★ 철자 주의

0240 custom 명 습관, 관습 20회

[kʌ́stəm] It is a **custom** handed down to us from ancient times.
→ customs 명 관세, 세관

■⧁ **custom**에 복수화 접미사 **-s**를 붙인다고 모두 관세나 세관의 의미가 되는 것은 아니다.

0241 customer 명 고객 134회

[kʌ́stəmər] She got up early in the morning to deliver the newspapers to her **customers**.
대수능
→ customize 동 개인의 취향에 맞추다

■⧁ **customer**는 상점 등에서 물건을 사는 사람을 말하며, **client**는 전문가로부터 서비스를 제공받는 사람을 말한다.

0242 dairy 명 낙농장, 낙농업 13회

[déəri] 혼동어 Are you staying away from **dairy** products?
diary 명 일기

0243 damage 명 손상, 손해 79회

[dǽmidʒ] A young female composer suffered **damage** to the right brain. 대수능

■⧁ **damage**는 물건의 손상을 나타내며, **injury**는 사람이나 동물의 손상을 나타낸다.

0244 dawn 명 새벽 20회

[dɔ́:n] 혼동어 The birds start singing at **dawn**.
down 부 아래로

[예문 해석] **0236** 쓰레기가 도로변에 놓여 있다. **0237** 돈을 생각할 때, 우리는 동전이나 지폐와 같은 통화를 생각한다. **0238** 조류는 거대한 원 형태로 바다 주위를 굽이치고 흐른다. **0239** 교육과정에는 프랑스어가 있다. **0240** 그것은 옛날부터 우리에게 전해온 풍속이다. **0241** 그녀는 고객들에게 신문을 배달하기 위해서 아침 일찍 일어났다. **0242** 당신은 유제품은 안 먹어요? **0243** 어떤 젊은 여성 작곡가는 오른쪽 두뇌에 손상을 입었다. **0244** 새들은 새벽에 노래부르기 시작한다.

0245 death 명 죽음 52회

[déθ]

An illness may itself be caused by an emotional crisis like the **death**. 대수능

0246 debris 명 부스러기, 파편 14회

[dəbrí:]

Debris is scattered on the shore.

0247 debt 명 빚, 부채 15회

[dét]

He is heavily in **debt**.

0248 decade 명 10년, 10개 35회

[dékeid]

The population of pandas has been falling for **decades**. 교육청

0249 deceit 명 속임, 사기, 기만 16회

[disí:t]

She was too honest to be capable of **deceit**.

0250 decline 명 하락, 쇠퇴 동 쇠퇴하다, 거절하다 49회

[dikláin]

혼동어
incline
동 ~하는 경향이
있다

The **decline** in wine consumption is a by-product of the emergence of the faster, on-the-go lifestyle. 평가원
✪ be on the decline 쇠퇴하다

표제어 이외의 **주요 어휘**

cop	명 경찰, 순경	crust	명 빵 껍질, 딱딱한 외피
corn	명 옥수수, 낟알	crutch	명 목발, 목다리
coronation	명 대관식, 즉위식	cube	명 입방체, 정육면체
corps	명 군단, 부대	cuff	명 소맷부리, 수갑
coup	명 (불시의) 일격, 대히트	dagger	명 단도, 칼
cramp	명 (손발 등의) 경련	dean	명 학장, 수석 사제
creek	명 시내, 샛강	deck	명 갑판
crop	명 수확, 농작물	decree	명 법령, 칙령, 판결

[예문 해석] **0245** 병 그 자체는 죽음과 같은 감정적인 위기에 의해서 발생될지 모른다. **0246** 물가에 잔해가 흩어져 있다. **0247** 그는 빚이 엄청나게 많다. **0248** 수십 년간 판다의 수가 줄어들고 있습니다. **0249** 그녀는 너무 정직해서 사기를 칠 수 없었다. **0250** 포도주 소비의 감소는 더 빠르고 분주한 생활 방식의 출현의 부산물이다.

 **DAY 05** 수능 필수 **Daily IDIOMS**

be ashamed of
~을 부끄러워하다

The poor girl **was ashamed of** her ragged dress.
그 가난한 소녀는 자신의 누더기 드레스를 부끄러워했다.

be aware of
~을 인식하다, 알다

He **was** not **aware of** the deviation of his car from its lane.
그는 자신의 차가 차선을 벗어난 것을 알아차리지 못했다.

be bound for
~로 향하다

This train **is bound for** New York City.
이 열차는 뉴욕 행입니다.

be bound to + V
~해야 한다, ~할 운명이다

We **are bound** by our agreement **to** wait ninety days.
계약에 의하면 우리는 90일 동안 기다려야 한다.

be charged with
~으로 가득 차다

This wire **is charged with** electricity.
이 전선에는 전기가 통해 있다.

be compelled to + V
~하도록 강요당하다

I **was compelled to** resign.
나는 타의에 의해서 퇴직해야 했다.

be concerned about
~에 대해 걱정하다

Many people **are** very **concerned about** the destruction of the rainforests.
많은 사람들이 열대우림의 파괴에 대해 몹시 우려하고 있다.

be concerned with
~와 관계되다

I **am** not **concerned with** such trivial matters.
나는 그런 하찮은 문제와 관계가 없다.

DAY 05 암기를 위한 Daily TEST

맞은 개수 ( ) / 50문항

💡 빈칸에 알맞은 단어나 뜻을 쓰시오.

01. 대화
02. 협력
03. copper
04. 사본, 원고
05. 새끼, 끈
06. 핵심, 응어리
07. correlation
08. cosmetic
09. cosmopolitan
10. costume
11. 오두막집
12. cotton
13. couch
14. council
15. counsel
16. county
17. 용기
18. courtesy
19. cousin
20. coward
21. cradle
22. 공예, 기술
23. crash
24. credential
25. 신용, 명성
26. 탑승원, 승무원
27. crime
28. crisis
29. criteria
30. crosswalk
31. crumb
32. 꼭 껴안음, 포옹
33. 신호, 단서
34. cuisine
35. curator
36. curb
37. 통화, 유통
38. current
39. curriculum
40. custom
41. customer
42. 낙농장, 낙농업
43. damage
44. 새벽
45. death
46. debris
47. debt
48. decade
49. deceit
50. decline

우리말 뜻에 알맞은 영어 단어를 고르시오.

01 능력, 재능
① ability ② abdomen

11 이점
① advantage ② agent

02 접근
① adolescence ② access

12 충고, 조언
① agony ② advice

03 사건, 사고
① accident ② admirer

13 동의, 일치
① agreement ② agriculture

04 성취, 완성
① address ② accomplishment

14 양, 액수
① aid ② amount

05 합의, 협정
① accord ② advent

15 면, 양상
① aspect ② aim

06 계좌, 거래
① adventure ② account

16 주의, 주목
① alchemy ② attention

07 행동, 조치
① advocate ② action

17 태도, 자세
① attitude ② armor

08 활동
① activity ② affair

18 청중, 접견
① audience ② alley

09 중독자
① affluence ② addict

19 저자
① author ② altruism

10 부가, 덧셈
① addition ② aggression

20 평균
① ambition ② average

21 균형
① balance   ② backbone

22 할인 판매, 특가품
① bargain   ② ballot

23 기초, 기저
① barbarism   ② basis

24 행동
① barter   ② behavior

25 이익
① benefit   ② beast

26 청구서, 지폐
① bay   ② bill

27 생물학
① blade   ② biology

28 중개인
① broker   ② breeze

29 수용력, 용량
① capacity   ② canyon

30 걱정, 관심
① cattle   ② care

31 경력, 이력
① career   ② carriage

32 범주, 부류
① carton   ② category

33 작은 방, 세포
① cell   ② cave

34 도전, 곤란
① certificate   ② challenge

35 성격, 특성
① character   ② charm

36 화학
① chemistry   ② chill

37 위로, 위안
① comet   ② comfort

38 사회, 공동체
① commodity   ② community

39 관계, 관심
① clown   ② concern

40 조건, 상태
① condition   ② coincidence

복습을 위한 누적 TEST

01회

💡 우리말 뜻에 알맞은 영어 단어를 고르시오.

01 자신감, 신임
① confidence　② conference

02 투쟁
① conflict　② compromise

03 행위, 처리
① companion　② conduct

04 결과, 중요성
① consequence　② congestion

05 접촉
① contract　② contact

06 대조, 차이
① contrast　② contraction

07 대화
① convenience　② conversation

08 협력
① cooperation　② copper

09 통화, 유통
① current　② currency

10 고객
① customer　② custom

11 손상, 손해
① damage　② dawn

12 죽음
① death　② debris

13 주소, 연설
① advantage　② address

14 숭배자, 찬미자
① agony　② admirer

15 모험, 모험담
① adventure　② advent

16 공격(성), 침략
① agreement　② aggression

17 도움
① ally　② aid

18 목표
① alley　② aim

19 선조, 조상
① ancestor　② anecdote

20 인류학
① anthropology　② antibiotic

21 걱정, 불안
① apparatus   ② anxiety

22 기사, 조항
① article   ② armor

23 가정, 가설
① assembly   ② assumption

24 천문학자
① astronomer   ② aspiration

25 운동선수
① athlete   ② attorney

26 대기, 환경
① audition   ② atmosphere

27 권위, 당국
① authority   ② author

28 그룹, 무리
① ban   ② band

29 장벽
① barrier   ② barter

30 선입관, 편견
① bias   ② bid

31 유대, 결속
① border   ② bond

32 뼈
① bone   ② blunder

33 나뭇가지, 자회사
① breakdown   ② branch

34 예산
① burden   ② budget

35 암
① canal   ② cancer

36 가능성, 능력
① capability   ② candidate

37 순회, 우회
① chore   ② circuit

38 상황, 환경
① circumstance   ② citizen

39 고객
① client   ② climate

40 단서, 실마리
① clown   ② clue

복습을 위한 누적 TEST

02회

0251 deed
[díːd]
명 행위, 실행, 공적
16회

He is a man of words, and not of **deeds**.

0252 defect
[díːfekt] 혼동어
detect
동 발견하다
명 결점, 결함
15회

Some were in very good condition but others had small **defects**. 대수능
→ defective 형 결점이 있는, 불완전한

0253 deficiency
[difíʃənsi]
명 부족, 결핍, 결여
12회

Vitamin **deficiency** can lead to illness.
→ deficient 형 부족한, 불충분한

0254 degree
[digríː]
명 정도, 각도, 학위
68회

This job demands a high **degree** of skill.
✪ to a degree 어느 정도는

0255 delay
[diléi]
명 지연, 연기 동 미루다, 연기하다
41회

Inquiries as to the reason for the **delay** were met with silence.

0256 delicacy
[délikəsi]
명 섬세함, 민감, 맛있는 것
15회

Surprise your family with freshly baked **delicacies** at 40% off the regular price.

0257 demand
[dimǽnd]
명 수요, 요구 동 요구하다
117회

The **demand** for them will increase as we prosper. 대수능

🔊 **demand**가 명사일 때는 뒤에 전치사 **for**가 오지만, 동사로 쓰일 때는 **for**를 쓰지 않는다.

0258 democracy
[dimákrəsi]
명 민주주의
18회

We have the good fortune to live in a **democracy**. 대수능

🔊 [**demo**(=**people**)+**cracy**(=**rule**)] demo는 '사람, 민중, 대중'의 의미이고 **cracy**는 '규칙'의 의미이다.

[예문 해석] **0251** 그는 말뿐이지 실행이 없는 사람이다. **0252** 일부는 매우 좋은 상태에 있었으나 일부는 작은 결점들을 가지고 있었다. **0253** 비타민 결핍은 질병의 원인이 될 수 있다. **0254** 이 일은 고도의 기술을 필요로 한다. **0255** 연착 이유를 묻는 질문에 대해서는 묵묵부답이었다. **0256** 정규 가격의 40% 할인가에 막 구워낸 진미 제과들로 여러분의 가족을 놀라게 해주십시오. **0257** 그것들에 대한 요구는 우리가 번영함에 따라 증가할 것이다. **0258** 우리는 민주주의 사회에서 살 수 있는 행운을 가지고 있다.

0259 dentist 명 치과의사 12회

[déntist]

In 1892, a **dentist** had the idea of putting toothpaste in tubes.

0260 deposit 명 예금, 보증금 동 예금하다, 맡기다 14회

[dipázit]

You'll get the **deposit** back when you leave.

0261 despair 명 절망, 자포자기 동 절망하다, 단념하다 12회

[dispéər]

He always found some fault with ponies, leaving me in **despair**. 평가원
→ desperate 형 자포자기의, 필사적인   desperation 명 필사적임, 절망

0262 destiny 명 운명 17회

[déstəni]

Many of them accepted their **destiny**. 대수능
→ destine 동 예정하다, 운명으로 정해지다

0263 detergent 명 합성세제 형 세정하는 13회

[ditə́:rdʒənt]

This synthetic **detergent** washes out dirt very well.

0264 device 명 장치, 고안 64회

[diváis]   품사주의
devise
동 고안하다, 발명하다

Choose the **device** you want to configure.

0265 devotion 명 헌신, 전념 32회

[divóuʃən]

My **devotion** to making the world a better place will continue. 대수능
→ devote 동 바치다, 헌신하다 ✪ devote oneself to ~에 열중하다

0266 diet 명 식사, 식이요법 58회

[dáiət]

The most effective way to lose weight is to stay on a balanced **diet**. 대수능

0267 difficulty 명 곤란, 어려움 58회

[dífikʌ̀lti]

Most people have **difficulty** in remembering even the names they heard the day before. 대수능

'~하는 데 어려움을 겪다'의 표현인 **have difficulty (in) ~ing**를 **have difficulty to+V**로 쓰지 않도록 주의해야 한다.

[예문 해석] **0259** 1892년에 어떤 치과의사가 튜브 속에 치약을 넣는 생각을 해냈다. **0260** 나갈 때 보증금은 다시 받으실 겁니다. **0261** 그는 늘 조랑말들에게서 어떤 결점을 찾아내서 나를 절망에 빠지게 했다. **0262** 많은 사람들이 그들의 운명을 받아들였다. **0263** 이 합성세제는 더러운 것들을 잘 씻어낸다. **0264** 구성하고 싶은 장치를 선택하십시오. **0265** 세상을 더 좋은 곳으로 만들려는 나의 헌신은 계속될 것이다. **0266** 살을 빼는 가장 효과적인 방법은 균형 잡힌 식사를 유지하는 것이다. **0267** 대부분의 사람들은 심지어 그 전날 들었던 이름을 기억하는 데도 어려움을 겪는다.

| 0268 **dignity** | 명 | 존엄, 위엄 | 16회 |

[dígnəti]

Laws should be enacted from the standpoint of individual **dignity**.

| 0269 **dimension** | 명 | 치수, 크기, 차원 | 17회 |

[diménʃən]

What are the **dimensions** of a full-page ad?

| 0270 **diploma** | 명 | 졸업 증서, 학위 수여증 | 14회 |

[diplóumə]

A **diploma** is the hallmark of capacity.
✪ get one's diploma 대학을 졸업하다

| 0271 **disadvantage** | 명 | 손해, 불이익 | 29회 |

[dìsədvǽntidʒ]

Each advantage has its own **disadvantage**.

| 0272 **disaster** | 명 | 재난, 재앙 | 41회 |

[dizǽstər]

Losing it was a **disaster**, not looking for another one, a shame. 대수능

| 0273 **discipline** | 명 | 훈련, 교육   동   훈련하다, 교육하다 | 29회 |

[dísəplin]

Children must have guidance and consistent **discipline** to become sound citizens. 대수능

| 0274 **disease** | 명 | 질병 | 57회 |

[dizíːz]
혼동어
decease
명 사망

At first, people were worried it would carry **diseases**. 대수능
➕ diseased part 환부

💬 [**dis**(=not)+**ease**] ease는 '편안한 것, 안락함, 평이한 것'의 의미이다.

| 0275 **disgrace** | 명 | 치욕, 불명예, 망신 | 38회 |

[disgréis]

The condition of the subway is a **disgrace** to this city. 대수능
→ disgraceful 형 수치스러운   disgracefully 부 수치스럽게

💬 [**dis**(=not)+**grace**] grace는 '우아함, 고결함, 고귀함'의 의미이다.

| 0276 **disguise** | 명 | 변장, 위장, 가장   동   변장하다, 감추다 | 16회 |

[disgáiz]

He may be a personage in **disguise**.
→ disguised 형 변장한, 속임수의

[예문 해석] **0268** 법률은 개개인의 존엄성에 입각하여 제정되어야 한다. **0269** 전면 광고는 크기가 어떻게 되죠? **0270** 졸업 증명서는 능력을 증명하는 보증서이다. **0271** 일장일단이 있다. **0272** 그것을 잃어버리는 것은 재앙이었고 또 다른 것을 찾지 않는 것은 부끄러운 짓이었다. **0273** 아이들은 건전한 시민이 되기 위해서 지도와 끊임없는 훈육을 받아야 한다. **0274** 처음에 사람들은 그것이 질병들을 옮길까봐 두려워했다. **0275** 지하철의 상태는 이 도시의 수치거리이다. **0276** 그는 위장을 하고 있는 명사일지도 모른다.

0277 **dismay**

[disméi]

명 낙담, 경악, 공포　동 낙담시키다　　12회

To my **dismay**, the other team scored three runs. 대수능
✪ to one's dismay 낭패스럽게도, 놀랍게도

0278 **dispute**

[dispjúːt]

명 논쟁, 분쟁　동 논쟁하다, 다투다　　13회

A **dispute** arose between the management and the employees.
✪ in dispute 논의 중인

0279 **distance**

[dístəns]

혼동어
instance
명 사례, 경우

명 거리, 떨어짐　　105회

Mike had no increase in the **distance** he walked from week 2 to week 3.
➔ distant 형 떨어진, 먼　대수능

0280 **distress**

[distrés]

명 고통, 괴로움　　13회

He is callous about the **distress** of his neighbors.
➔ distressed 형 고뇌에 지친

0281 **document**

[dákjumənt]

명 서류, 문서　　41회

Most readers are reading the **documents** because they are interested in the subject. 대수능

0282 **dominance**

[dámənəns]

명 지배, 우세　　28회

Korean electronics firms are feeling growing pressure to retain **dominance** in major IT markets.

0283 **doom**

[dúːm]

혼동어
boom 명 호황, 인기

명 운명　　5회

Her **doom** was inevitable.

0284 **dormitory**

[dɔ́ːrmətɔ̀ːri]

명 기숙사　　20회

I lay in bed in the **dormitory** crying under the sheet. 대수능

0285 **doubt**

[dáut]

명 의심　동 의심하다　　37회

There is no **doubt** that our education does not meet high standards. 대수능

[예문 해석] **0277** 낭패스럽게도 다른 팀이 3점을 올렸다. **0278** 경영주와 종업원 간에 쟁의가 일어났다. **0279** Mike는 2주차부터 3주차까지는 걷는 거리를 증가시키지 않았다. **0280** 그는 이웃 사람의 고통에 대하여 무신경하다. **0281** 대부분의 독자들은 그 주제에 흥미가 있기 때문에 그 문서를 읽고 있다. **0282** 한국의 전기 회사들은 우위를 확보하고 있는 주요 IT 시장에서 증가하는 압력을 느끼고 있다. **0283** 그녀의 운명은 피할 수 없는 것이었다. **0284** 나는 기숙사의 침대 시트 아래에서 누워 울고 있다. **0285** 우리의 교육이 수준 높은 표준에 도달하지 못하고 있다는 것은 의심할 여지가 없다.

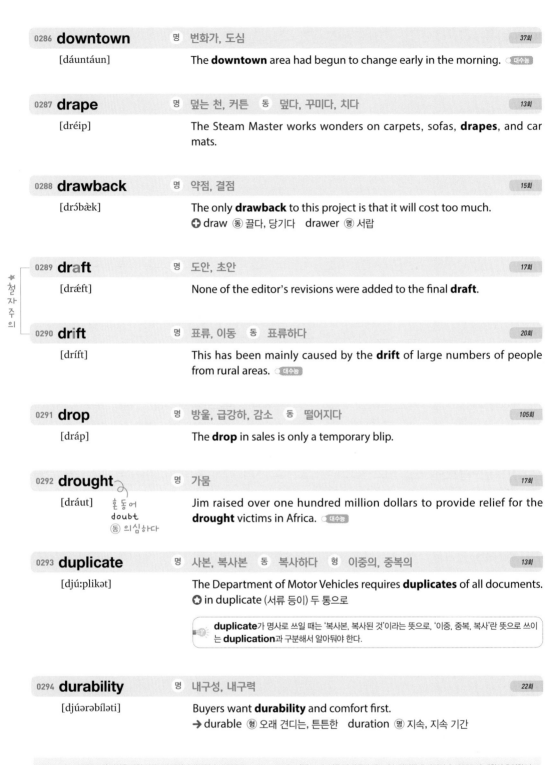

0286 downtown 　명　번화가, 도심　　37회

[dáuntáun]

The **downtown** area had begun to change early in the morning. 〔대수능〕

0287 drape 　명　덮는 천, 커튼　동　덮다, 꾸미다, 치다　　13회

[dréip]

The Steam Master works wonders on carpets, sofas, **drapes**, and car mats.

0288 drawback 　명　약점, 결점　　15회

[drɔ́bæ̀k]

The only **drawback** to this project is that it will cost too much.
➕ draw 　동　끌다, 당기다　　drawer 　명　서랍

★철자주의

0289 draft 　명　도안, 초안　　17회

[dræft]

None of the editor's revisions were added to the final **draft**.

0290 drift 　명　표류, 이동　동　표류하다　　20회

[dríft]

This has been mainly caused by the **drift** of large numbers of people from rural areas. 〔대수능〕

0291 drop 　명　방울, 급강하, 감소　동　떨어지다　　105회

[dráp]

The **drop** in sales is only a temporary blip.

0292 drought 　명　가뭄　　17회

[dráut]

혼동어
doubt
동 의심하다

Jim raised over one hundred million dollars to provide relief for the **drought** victims in Africa. 〔대수능〕

0293 duplicate 　명　사본, 복사본　동　복사하다　형　이중의, 중복의　　13회

[djú:plikət]

The Department of Motor Vehicles requires **duplicates** of all documents.
✪ in duplicate (서류 등이) 두 통으로

> 💡 **duplicate**가 명사로 쓰일 때는 '복사본, 복사된 것'이라는 뜻으로, '이중, 중복, 복사'란 뜻으로 쓰이는 **duplication**과 구분해서 알아둬야 한다.

0294 durability 　명　내구성, 내구력　　22회

[djúərəbíləti]

Buyers want **durability** and comfort first.
→ durable 　형　오래 견디는, 튼튼한　　duration 　명　지속, 지속 기간

[예문 해석] **0286** 도심 지역은 아침 일찍부터 변하기 시작했다. **0287** Steam Master는 카펫, 소파, 커튼 및 자동차 매트에 놀랄만큼 효과적이다. **0288** 이 계획의 유일한 난점은 비용이 너무 많이 들 거라는 것이다. **0289** 편집자의 교열 내용이 최종 원고에 하나도 첨가되지 않았다. **0290** 이것은 시골 지역에서부터의 많은 사람들의 이동에 의해 주로 발생되었다. **0291** 매출 감소는 일시적 현상일 뿐이다. **0292** Jim은 아프리카의 가뭄 피해자들을 위한 구호를 제공하기 위해 1억 달러 이상을 모았다. **0293** 자동차 관리국은 모든 서류들의 사본을 요구한다. **0294** 구매자들은 우선 견고함과 편안함을 원한다.

0295 dye 〜

[dái] 혼동어
die
동 죽다

명 염료, 물감 동 염색하다, 물들이다 24회

She applied the **dye** to her hair.

0296 earthquake

[ɔ́:rθkwèik]

명 지진 25회

The village was destroyed by an **earthquake**.

0297 ecology

[ikálədʒi]

명 생태학 21회

There is an axiom in **ecology** that 'complete competitors cannot coexist.' 〔평가원〕
→ ecologist 명 생태학자 ecological 형 생태학적인

0298 ecosystem

[í:kousìstəm]

명 생태계 40회

An **ecosystem**, such as a tropical rainforest, does not suddenly appear overnight. 〔대수능〕

0299 edge

[édʒ]

명 가장자리, 모서리 43회

The **edge** of the sea is a strange and beautiful place. 〔대수능〕
✪ on the edge of ~의 가장자리에

0300 effect 〜

[ifékt] 혼동어
affect
동 영향을 주다

명 영향, 결과, 효과 314회

Some companies use different smells to produce different **effects** in their workers according to the time of day.
→ effective 형 효과적인, 유효한

표제어 이외의 **주요 어휘**

department	명 과, 부서	discussion	명 토론
depth	명 깊이, 깊은 곳	district	명 지역, 구역
destination	명 목적지	division	명 분할, 분배
detour	명 우회, 우회도로	divorce	명 이혼, 분리
diagnosis	명 진단	dosage	명 투약, 조제
dialect	명 방언, 사투리	dough	명 가루 반죽
dictionary	명 사전	drug	명 약, 마약
diplomacy	명 외교, 외교술	duty	명 의무, 임무

[예문 해석] **0295** 그녀는 머리에 염색약을 발랐다. **0296** 그 마을은 지진으로 파괴되었다. **0297** 생태학에는 '완벽한 경쟁자들은 공존할 수 없다'는 원리가 있다. **0298** 열대 우림과 같은 생태계는 하룻밤 사이에 갑작스럽게 나타나는 것이 아니다. **0299** 바다의 가장자리는 이상하지만 아름다운 장소이다. **0300** 일부 회사들은 하루의 시간대에 따라 근무자들에게 다른 효과를 주기 위해서 여러 가지 냄새를 사용한다.

DAY 06 수능 필수 Daily IDIOMS

be content with
~에 만족하다

Today a man can't **be content with** just earning a living.
오늘날 사람들은 생계비를 버는 것만으로는 만족할 리가 없다.

be devoted to + N
~에 헌신하다, 바치다

The professor **is devoted to** astronomy.
그 교수는 천문학에 전념하고 있다.

be different from
~와 다르다

The animals' way of living **is different from** that of humans.
동물들의 삶의 방식은 인간의 삶의 방식과 다르다.

be due to + V
~할 예정이다

He **is due to** speak tonight.
그는 오늘 밤에 연설할 예정이다.

be engaged in
~에 종사하다

He **is engaged in** newspaper work.
그는 신문 업무에 종사하고 있다.

be equal to + N
~와 같다, ~에 필적하다

One kilometer **is equal to** 1,000 meters.
1킬로미터는 1,000미터다.

be expected to + V
~할 것으로 예측되다, ~할 예정이다

She **is expected to** give birth to a child next month.
그녀는 내달에 출산할 예정이다.

be fond of
~을 좋아하다

He **is** too **fond of** drink.
그는 음주를 너무 좋아한다.

DAY 06 암기를 위한 Daily TEST

💡 빈칸에 알맞은 단어나 뜻을 쓰시오.

01. 행위, 실행
02. defect
03. deficiency
04. 정도, 각도
05. delay
06. delicacy
07. 수요, 요구
08. democracy
09. dentist
10. deposit
11. despair
12. destiny
13. detergent
14. 장치, 고안
15. devotion
16. 식사, 식이요법
17. difficulty
18. dignity
19. dimension
20. diploma
21. disadvantage
22. 재난, 재앙
23. discipline
24. disease
25. disgrace

26. disguise
27. dismay
28. dispute
29. 거리, 떨어짐
30. distress
31. document
32. dominance
33. 운명
34. dormitory
35. 의심
36. 번화가, 도심
37. drape
38. drawback
39. draft
40. 표류, 이동
41. 방울, 급강하
42. drought
43. duplicate
44. durability
45. 염료, 물감
46. earthquake
47. ecology
48. ecosystem
49. 가장자리, 모서리
50. 영향, 결과

0301 effort 명 노력   133회

[éfərt]

He must accept his errors and make an **effort** to obtain forgiveness. 대수능

→ effortless 형 쉬운 ✪ make an effort 노력하다

0302 element 명 요소   76회

[éləmənt]

Their model consisted of 5 main **elements**. 대수능

0303 embassy 명 대사관   23회

[émbəsi]

He is a diplomat in the Korean **Embassy** in New York.

0304 emergency 명 비상사태, 위급   27회

[imə́:rdʒənsi]

Do not contact me unless it is an **emergency**.

0305 emigrant 명 (다른 나라로 가는) 이주민   형 (다른 나라로) 이주하는   23회

[émigrənt] 혼동어

immigrant
명 (다른 나라로 온)
이민자

The number of **emigrants** is increasing.

→ emigrate 동 (타국으로) 이주하다   emigration 명 이주, 이민

0306 emission 명 (빛·열·가스 등의) 배출, 배출물   37회

[imíʃən]

We should decrease the **emissions** of carbon dioxide.

0307 emphasis 명 강조, 강세, 역설   27회

[émfəsis]

Too much **emphasis** is being placed on basic research. 대수능

→ emphasize 동 강조하다

0308 encouragement 명 격려, 자극   159회

[inkə́:ridʒmənt]

Tom gave her some **encouragement**. And Mary thanked him. 대수능

→ encourage 동 격려하다   encouraging 형 격려하는

[예문 해석] **0301** 그는 자신의 잘못을 솔직히 받아들이고 용서를 구하기 위한 노력을 해야 한다. **0302** 그들의 모델은 5가지의 주요한 요소들로 구성되었다. **0303** 그는 뉴욕 주재 한국 대사관의 외교관이다. **0304** 비상사태가 아니면 내게 연락하지 마시오. **0305** 이주민의 수가 증가하고 있다. **0306** 우리는 이산화탄소의 배출을 줄여야 한다. **0307** 기본적인 연구를 너무 많이 강조하고 있다. **0308** Tom은 그녀에게 약간의 격려를 해주었다. 그리고 Mary는 그에게 고마워했다.

0309 **endeavor**	명 노력, 시도, 애씀 동 노력하다, 애쓰다	22회
[indévər]	His **endeavors** were in vain.	

0310 **enemy**	명 적, 적군	38회
[énəmi]	The garden in which he painted the *Satyr* was in the middle of the **enemy**'s camp. 대수능	
	✪ make an enemy of ~을 적으로 만들다	

0311 **engineer**	명 기사, 기술자	49회
[èndʒiníər]	The man is working with an **engineer**.	
	→ engineering 명 공학	

0312 **enlightenment**	명 계발, 계몽, 깨달음	16회
[inláitnmənt]	In Buddhism, **enlightenment** is a final spiritual state in which everything is understood.	
	→ enlighten 동 계몽하다 enlightened 형 계발된, 계몽된	

0313 **enrollment**	명 등록	22회
[inróulmənt]	Some examples are a child's first **enrollment** in school or his transfer at a later age to a new school. 대수능	
	→ enroll 동 명부에 올리다, 등록시키다	

0314 **enterprise**	명 기업, 사업, 기획	17회
[éntərpràiz]	The issue of this **enterprise** affects the very existence of the company.	
	→ enterprising 형 진취적인, 모험심이 왕성한 enterpriser 명 기업인	

0315 **enthusiasm**	명 열심, 열중, 의욕	34회
[inθú:ziæzm]	He has a great **enthusiasm** for reading.	
	→ enthusiastic 형 열심인, 열광적인	

0316 **envelope**	명 봉투	21회
[énvəlòup] 품사주의	You should write your address on the **envelope**.	
envelop 동 봉하다, 싸다		

0317 **environment**	명 환경, 주위	226회
[inváiərənmənt]	People fear that digging into the tundra will be harmful to the **environment**. 교육청	

[예문 해석] **0309** 그의 노력은 허사였다. **0310** 그가 'Satyr'를 그린 정원은 적의 막사 한가운데에 있었다. **0311** 그 남자는 기술자와 함께 작업을 하고 있다. **0312** 불교에서 깨달음은 모든 것이 이해되는 마지막 정신적인 상태이다. **0313** 몇 가지 예는, 어린이가 처음으로 학교에 입학하는 것, 나중에 새 학교로 전학하는 것들이다. **0314** 이 기업의 사안은 회사의 사활을 좌우한다. **0315** 그는 대단한 독서광이다. **0316** 너는 봉투에 네 주소를 써야 한다. **0317** 사람들은 툰드라를 파는 것이 환경에 해가 될 것을 우려한다.

0318 epidemic

[èpədémik]

혼동어
academic
형 학업의

명 유행병, 전염병

13회

The **epidemic** swept the town.

> 보통 **epidemic**은 '광범한 지역으로 퍼지는 전염병'을, **plague**는 '한정된 지역에서의 전염병'을 말한다.

0319 epoch

[épək]

명 시대, 신기원, 획기적인 사건

14회

Einstein's theory marked a new **epoch** in physics.

0320 equation

[ikwéiʒən]

명 방정식

19회

This **equation** has many possible solutions. 내수능

0321 era

[íərə]

명 기원, 시대

15회

Before the Christian **era**, the Romans used the golden figure of an eagle as a symbol of their army. 대수능
✪ the colonial era 식민지 시대

0322 errand

[érənd]

명 심부름, 용건

14회

Could I use your car to run an **errand**?

0323 estate

[estéit]

명 토지, 재산, 사유지

17회

He left his entire **estate** to a charity.

0324 evidence

[évədəns]

명 증거

103회

Scientists have good **evidence** that this apparent difference is real. 대수능

0325 example

[igzǽmpəl]

명 예, 모범

461회

For **example**, in the morning they use the smell of lemon to wake people up. 대수능
✪ for example 예를 들면

0326 excess

[iksés]

명 초과, 과잉

23회

Drinking is all right as long as you don't do it to **excess**.
→ excessive 형 과도한, 과대한   excessively 부 과도하게

[예문 해석] **0318** 유행병이 그 마을을 휩쓸었다. **0319** Einstein의 이론은 물리학의 신기원을 이룩했다. **0320** 이 방정식에는 가능한 해답들이 많이 있다. **0321** 기원전에 로마인들이 황금 독수리 모양을 그들 군대의 상징으로 사용했다. **0322** 심부름 가는 데 당신 차 좀 써도 돼요? **0323** 그는 자신의 전 토지를 자선단체에 남겼다. **0324** 과학자들은 이 겉으로 보이는 차이가 진짜라는 좋은 증거를 갖고 있다. **0325** 예를 들어, 아침에 그들은 사람들을 깨우기 위해서 레몬 냄새를 사용한다. **0326** 무리하지 않는 한 음주는 괜찮다.

0327 exploit 명 공훈, 공적, 공 동 착취하다, 이용하다 13회

[éksplɔit] 혼동어
explore
동 탐사하다

This book contains various **exploits** of the explorers.

0328 extinction 명 멸종, 소멸 17회

[ikstíŋkʃən]

The Foundation helped whales because they were in great danger of **extinction**. 대수능
→ extinct 형 멸종된, 꺼진

0329 extrovert 명 외향적인 사람 18회

[ékstrəvə̀:rt]

If, however, you are an **extrovert**, you are quite likely to enjoy it.
↔ introvert 명 내향적인 사람

0330 fable 명 우화, 교훈적 이야기 20회

[féibl] 혼동어
fiber
명 섬유, 섬유질

A **fable** is a story which teaches a moral lesson.
✪ Aesop's Fables 이솝 우화

0331 facility 명 용이함, 설비 33회

[fəsíləti]

In the first place, there are many excellent **facilities** in a large city. 대수능
→ facilitate 동 촉진하다 ✪ with facility 쉽게, 용이하게

0332 failure 명 실패 104회

[féiljər]

For instance, we may even look at a **failure** in a bright light if we are confident in ourselves. 대수능
→ fail 동 실패하다

0333 fairy 명 요정 22회

[fɛ́əri]

The **fairy** transformed the pumpkin into a carriage.
✪ fairy tale 동화

철자주의

0334 faith 명 신념, 믿음 18회

[féiθ]

According to Oriental Medical theory, this is not 'blind **faith**.' 대수능
→ faithful 형 충실한 faithfully 부 충실하게 faithfulness 명 충실함

0335 fame 명 명성, 명예, 평판 19회

[féim] 혼동어
flame 명 불꽃

His work obtained him great **fame**.

[예문 해석] **0327** 이 책에는 탐험가들의 다양한 위업이 수록되어 있다. **0328** 그 재단은 고래가 심각한 멸종 위기에 처해 있었기 때문에 고래를 도왔다. **0329** 그러나 만약 당신이 외향적이라면, 당신은 이것을 즐기기가 훨씬 쉬울 것이다. **0330** 우화란 도덕적 교훈을 가르쳐주는 이야기이다. **0331** 우선, 큰 도시에는 많은 훌륭한 시설들이 있다. **0332** 예를 들어, 우리가 우리 자신을 확신한다면 긍정적인 측면에서 실패를 볼 수 있을지도 모른다. **0333** 요정은 호박을 마차로 둔갑시켰다. **0334** 동양 의학 이론에 따르면, 이것은 맹목적인 신념은 아니다. **0335** 그 연구로서 그는 대단한 명성을 얻었다.

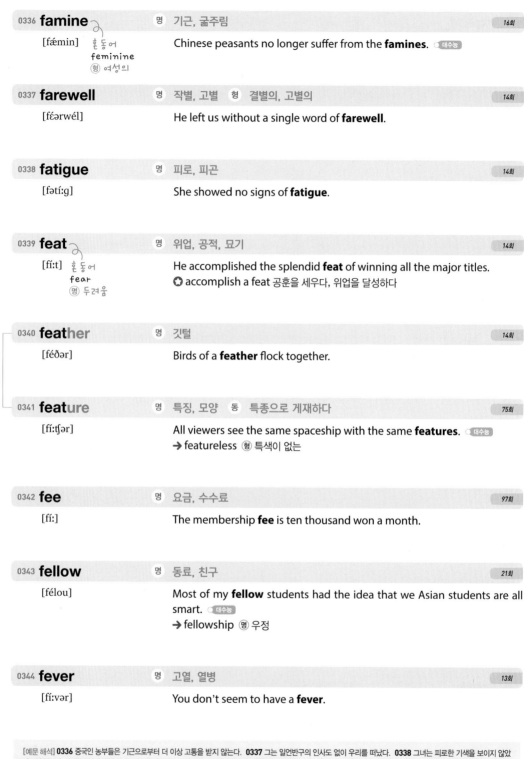

0336 famine 명 기근, 굶주림 16회
[fǽmin] 혼동어 feminine 형 여성의
Chinese peasants no longer suffer from the **famines**. 대수능

0337 farewell 명 작별, 고별 형 결별의, 고별의 14회
[fɛ́ərwél]
He left us without a single word of **farewell**.

0338 fatigue 명 피로, 피곤 14회
[fətíːg]
She showed no signs of **fatigue**.

0339 feat 명 위업, 공적, 묘기 14회
[fíːt] 혼동어 fear 명 두려움
He accomplished the splendid **feat** of winning all the major titles.
✪ accomplish a feat 공훈을 세우다, 위업을 달성하다

0340 feather 명 깃털 14회
[féðər]
Birds of a **feather** flock together.

0341 feature 명 특징, 모양 동 특종으로 게재하다 75회
[fíːtʃər]
All viewers see the same spaceship with the same **features**. 대수능
→ featureless 형 특색이 없는

0342 fee 명 요금, 수수료 97회
[fíː]
The membership **fee** is ten thousand won a month.

0343 fellow 명 동료, 친구 21회
[félou]
Most of my **fellow** students had the idea that we Asian students are all smart. 대수능
→ fellowship 명 우정

0344 fever 명 고열, 열병 13회
[fíːvər]
You don't seem to have a **fever**.

*철자주의

[예문 해석] **0336** 중국인 농부들은 기근으로부터 더 이상 고통을 받지 않는다. **0337** 그는 일언반구의 인사도 없이 우리를 떠났다. **0338** 그녀는 피로한 기색을 보이지 않았다. **0339** 그는 모든 메이저 대회에서 선수권을 획득하는 쾌거를 이룩했다. **0340** 깃털이 같은 새는 끼리끼리 모인다(유유상종). **0341** 모든 시청자들은 똑같은 모습의 똑같은 우주선을 본다. **0342** 회비는 한 달에 10,000원이다. **0343** 대부분의 나의 동료 학생들이 우리 아시아 학생들은 모두 똑똑하다는 생각을 가지고 있다. **0344** 넌 열은 없는 것 같다.

| 0345 **fiber** | 명 | 섬유, 실, 기질 | 29회 |

[fáibər]

There are two primary types of **fiber**.

| 0346 **fiction** | 명 | 소설 | 123회 |

[fíkʃən] 혼동어
friction
명 마찰

One summer evening I was sitting by the open window, reading a good science **fiction**. 대수능

| 0347 **figure** | 명 | 모양, 인물, 숫자, 도형 | 38회 |

[fígjər]

If your **figures** have large ears, you might be very sensitive to criticism. 대수능

| 0348 **filter** | 명 | 여과기 | 23회 |

[fíltər]

They make the water a little safer by passing it through a water **filter**. 대수능

| 0349 **finance** | 명 | 금융, 재정, 자금 (조달) | 61회 |

[fínǽns]

Obtaining **finance** from him may be vital to the whole enterprise. 대수능
→ financial 형 재정(상)의   financially 부 재정상으로

| 0350 **firm** | 명 회사 형 굳은, 단단한 | 52회 |

[fə́:rm] 혼동어
film
명 영화

A newly established law **firm** is seeking qualified office personnel.
→ firmly 부 굳게, 단단히   firmness 명 견고, 견실, 확고

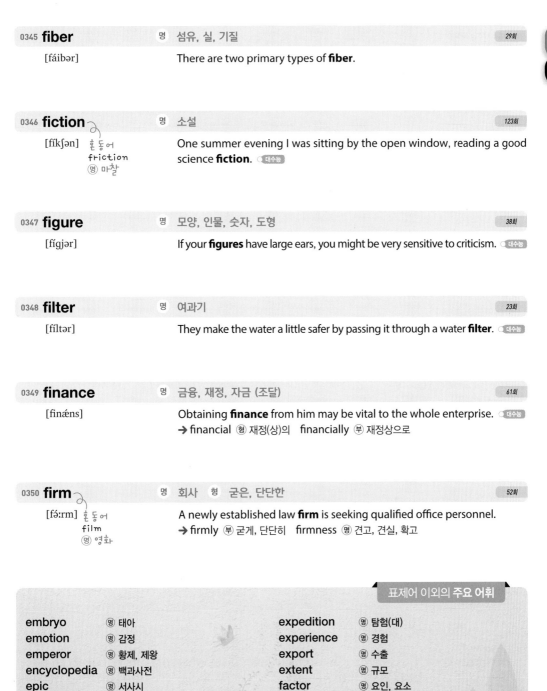

표제어 이외의 **주요 어휘**

embryo	명 태아	expedition	명 탐험(대)
emotion	명 감정	experience	명 경험
emperor	명 황제, 제왕	export	명 수출
encyclopedia	명 백과사전	extent	명 규모
epic	명 서사시	factor	명 요인, 요소
evergreen	명 상록수	fault	명 과실, 결점
existence	명 존재	fear	명 두려움
expanse	명 광활한 공간	fence	명 울타리, 담

[예문 해석] **0345** 두 가지 주요한 섬유 종류가 있다. **0346** 어느 여름 저녁 나는 재미있는 공상 과학 소설을 읽으면서 열린 창문 옆에 앉아 있었다. **0347** 만약 당신이 큰 귀를 가지고 있는 모습이라면, 당신은 비난에 매우 민감할지 모른다. **0348** 그들은 물을 여과기에 통과시킴으로써 그 물을 더 안전하게 만든다. **0349** 그로부터 자금을 얻어내는 것은 전체 기업에 중요할지 모른다. **0350** 새로 개업한 법률 회사에서 능력 있는 사무직원을 찾고 있다.

DAY 07 수능 필수 **Daily IDIOMS**

be forced to + V
~해야 한다

Promoters of the event **were forced to** postpone it.
그 행사의 주최자들은 행사를 연기해야만 했다.

be good at
~에 능숙하다, ~을 잘하다

You should **be good at** math to study computers.
컴퓨터를 배우려면 수학을 잘해야 한다.

be in control of
~을 관리하고 있다

Who'**s in control of** the project?
누가 그 사업을 관리하고 있나요?

be inclined to + V
~하고 싶어하다

For all your words, I **am** not **inclined to** hire her.
네가 무슨 말을 해도 난 그녀를 채용하고 싶지 않다.

be interested in
~에 관심이 있다

He **is interested in** applied math.
그는 응용수학에 관심이 있다.

be involved in
~에 관련되다

I really did not want to **be involved in** such a game.
나는 정말 이런 게임에 관여하고 싶지 않았다.

be likely to + V
~하는 경향이 있다, ~하기 쉽다

Go to a fairly quiet place where you **are** not **likely to** be disturbed.
당신이 방해받지 않을 것 같은 아주 조용한 장소로 가라.

be made up of
~로 구성되다

The flag of Australia **is made up of** three colors.
호주의 국기는 세 가지 색깔로 이루어져 있다.

DAY 07 암기를 위한 Daily TEST

💡 빈칸에 알맞은 단어나 뜻을 쓰시오.

01. 노력
02. element
03. embassy
04. emergency
05. emigrant
06. emission
07. emphasis
08. 격려, 자극
09. endeavor
10. enemy
11. engineer
12. enlightenment
13. enrollment
14. enterprise
15. enthusiasm
16. envelope
17. environment
18. epidemic
19. 시대, 신기원
20. equation
21. 기원, 시대
22. 심부름, 용건
23. 토지, 재산
24. evidence
25. 예, 모범

26. excess
27. exploit
28. extinction
29. extrovert
30. 우화
31. 용이함, 설비
32. failure
33. 요정
34. 신념, 믿음
35. 명성, 명예
36. famine
37. farewell
38. fatigue
39. 위업, 공적
40. feather
41. feature
42. 요금, 수수료
43. fellow
44. fever
45. 섬유, 실
46. fiction
47. figure
48. 여과기
49. finance
50. 회사, 굳은

0351 flash
 [flǽʃ] 혼동어 <br> flesh
 명 살, 고기
 명 플래시, 번쩍임   동 번쩍이다, 번개처럼 스치다   16회

We saw occasional **flashes** of lightning in the northern sky. 대수능
❂ in a flash 눈 깜짝할 사이에, 순식간에

0352 flavor
 [fléivər] 혼동어 <br> favor
 명 호의
 명 맛, 풍미   동 맛을 내다   35회

The way apples are handled and stored has a big effect on their **flavor**.

0353 flaw
 [flɔ́:] 혼동어 <br> flew <br> fly의 과거
 명 결점, 흠   15회

Pride was the greatest **flaw** in his personality.
→ flawless 형 흠 없는, 완벽한

0354 fleck
 [flék]
 명 반점, 주근깨   16회

Flecks are small marks on a surface, or objects that look like small marks.

0355 flexibility
 [flèksəbíləti]
 명 유연성, 융통성   24회

A need for **flexibility** in the matter was recognized early on.
→ flexible 형 구부리기 쉬운, 유연성이 있는

0356 flight
 [fláit] 혼동어 <br> fight
 동 싸우다
 명 비행   55회

Life is like the **flight** of an airplane. 대수능

0357 flood
 [flʌd] 혼동어 <br> floor
 명 층, 마루
 명 홍수, 범람, 만조   36회

The **flood** has destroyed the railroad track.

0358 fluency
 [flú:ənsi]
 명 유창성, 능변   14회

He speaks English with surprising **fluency**.
→ fluent 형 유창한, 능변의   fluently 부 유창하게

[예문 해석] **0351** 우리는 번갯불이 북쪽 하늘에서 가끔 번쩍거리는 것을 보았다. **0352** 사과를 처리하고 저장하는 방법에 따라 사과 맛이 크게 달라진다. **0353** 교만이 그의 인격에서 가장 큰 결함이었다. **0354** 반점은 표면 위의 작은 얼룩 또는 작은 얼룩처럼 보이는 물체이다. **0355** 그 문제에 융통성 있게 대처할 필요성이 일찍부터 인식되었다. **0356** 인생은 비행기의 비행과 같다. **0357** 홍수로 철도 선로가 파괴되었다. **0358** 그는 놀랄 만큼 유창하게 영어를 말한다.

0359 fluid 명 액체, 유동체 형 유동성의 *16회*

[flú:id]

Water and mercury are **fluids**.

0360 forecast 명 예상, 예보 동 예상하다, 예보하다 *28회*

[fɔ́rkæst]

Revenues for the first quarter were $2.5 million lower than **forecast**.

0361 form 명 형식, 양식 동 형성하다, 만들다 *249회*

[fɔ́:rm] 혼동어
from
전 ~에서(부터)

Please fill out the **form** below and return it to us with your donation. 대수능
→ formation 명 형성, 조직 formal 형 형식상의, 정식의

0362 formula 명 형식적 문구, 공식, 처방서 *12회*

[fɔ́:rmjulə]

The teacher banged the **formula** into his pupils' head.
→ formulate 동 공식화하다, 처방하다 formulation 명 공식화

0363 fort 명 요새, 성채 *14회*

[fɔ́:rt]

In hilltop **forts** they held regal feasts and in sacred oak groves they offered human sacrifice.
→ fortify 동 요새화하다, 강하게 하다 fortress 명 요새, 성채

0364 fossil 명 화석 *10회*

[fásl]

Scientists are still debating whether the **fossil** represents a new species, or not.
✪ fossil fuel 화석 연료

0365 fountain 명 분수, 샘 *15회*

[fáuntin]

There is a **fountain** in the inner court.

0366 fraction 명 파편, [수학] 분수 *13회*

[frǽkʃən]

He had done only a **fraction** of his homework.

0367 fragment 명 파편, 조각, 단편 *13회*

[frǽgmənt]

A plane was crushed to **fragments** against the mountain.

[예문 해석] **0359** 물과 수은은 액체다. **0360** 1분기 수익은 예상보다 낮은 2백 5십만 달러였다. **0361** 아래의 양식을 작성해서 기부금과 함께 우리에게 보내주십시오. **0362** 선생님은 학생들의 머리에 그 공식을 주입시켰다. **0363** 그들은 언덕 위 요새에서 호화로운 연회를 베풀고 성스러운 참나무 숲에서는 인간을 제물로 제사를 지냈다. **0364** 과학자들은 그 화석이 새로운 종을 나타내는지, 아닌지를 아직도 논쟁하고 있다. **0365** 안마당에 분수가 있다. **0366** 그는 숙제를 조금밖에 하지 않았다. **0367** 비행기가 산에 부딪혀 산산이 부서졌다.

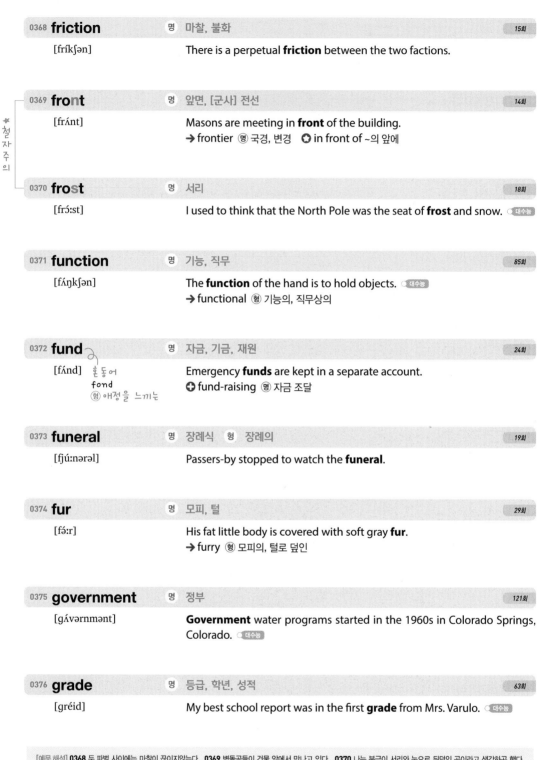

0368 friction
[fríkʃən]
명 마찰, 불화
15회

There is a perpetual **friction** between the two factions.

0369 front
[fránt]
명 앞면, [군사] 전선
14회

Masons are meeting in **front** of the building.
→ frontier 명 국경, 변경　◎ in front of ~의 앞에

0370 frost
[frɔ́:st]
명 서리
18회

I used to think that the North Pole was the seat of **frost** and snow. 대수능

0371 function
[fʌ́ŋkʃən]
명 기능, 직무
85회

The **function** of the hand is to hold objects. 대수능
→ functional 형 기능의, 직무상의

0372 fund
[fʌ́nd]
명 자금, 기금, 재원
24회

혼동어
fond
형 애정을 느끼는

Emergency **funds** are kept in a separate account.
◎ fund-raising 명 자금 조달

0373 funeral
[fjú:nərəl]
명 장례식　형 장례의
19회

Passers-by stopped to watch the **funeral**.

0374 fur
[fə́:r]
명 모피, 털
29회

His fat little body is covered with soft gray **fur**.
→ furry 형 모피의, 털로 덮인

0375 government
[gʌ́vərnmənt]
명 정부
121회

Government water programs started in the 1960s in Colorado Springs, Colorado. 대수능

0376 grade
[gréid]
명 등급, 학년, 성적
63회

My best school report was in the first **grade** from Mrs. Varulo. 대수능

[예문 해석] **0368** 두 파벌 사이에는 마찰이 끊이지않는다. **0369** 벽돌공들이 건물 앞에서 만나고 있다. **0370** 나는 북극이 서리와 눈으로 뒤덮인 곳이라고 생각하곤 했다. **0371** 손의 기능은 물건을 잡는 것이다. **0372** 비상금은 별도의 계좌에 넣어둔다. **0373** 행인들은 그 장례식을 보기 위해 멈춰 섰다. **0374** 그의 통통하고 작은 몸은 부드러운 회색 털로 덮여 있다. **0375** 정부 물 프로그램은 Colorado 주의 Colorado Springs에서 1960년대에 시작되었다. **0376** 나의 최고의 성적표는 Varulo 선생님으로부터 1학년 때 받은 것이었다.

0377 **graduate**	명 졸업생 동 졸업하다	45회
[grǽdʒuət]	I'm a **graduate** in history.	

0378 **grant**	명 수여, 허가, 보조금 동 수여하다, 허가하다	25회
[grǽnt] 혼동어 grand (형) 웅장한	They receive the state **grants** for the university. 대수능	

0379 **grave**	명 무덤	10회
[gréiv]	There were flowers on the **grave**. 교육청	

0380 **greed**	명 탐욕, 지나친 욕심	10회
[gríːd] 혼동어 greet (동) 인사하다	There is a lot of materialism and **greed** behind the public scandals. 대수능	

→ greedy (형) 탐욕스러운

💡 **greed**는 돈이나 먹을 것에 대한 욕심을 뜻할 때 주로 사용한다.

0381 **grief**	명 슬픔, 비탄	17회
[gríːf]	She tried to conceal her **grief** behind a forced smile.	

→ grieve (동) 슬프게 하다, 몹시 슬퍼하다

0382 **guide**	명 안내자 동 안내하다	34회
[gáid]	Before I became a tour **guide**, I used to work at a motor company as a car salesman. 대수능	

0383 **guilt**	명 유죄, 죄	14회
[gílt]	Her silence was taken as an admission of **guilt**.	

→ guilty (형) 유죄의, 죄를 범한

0384 **habitat**	명 거주지, 서식지, 환경	42회
[hǽbitæt]	Several years of very low rainfall have destroyed much of the crocodile's **habitat**.	

→ habitation (명) 주소, 주택, 거주   habitant (명) 주민, 거주자

0385 **haze**	명 아지랑이, 안개	12회
[héiz]	**Haze** is formed by small solid particles in the atmosphere.	

→ hazy (형) 흐릿한, 안개 낀

💡 **haze**는 열에 의해 발생하는 것이고, **smog**는 공해에 의해 발생하는 것이다. 유사 어휘로 **fog**는 **mist**보다 더 짙은 일반적 안개를 말한다.

[예문 해석] **0377** 나는 역사 전공 졸업생이다. **0378** 그들은 대학 진학을 위한 정부 보조금을 받는다. **0379** 그 무덤에 꽃이 놓여 있었다. **0380** 공개적인 추문 뒤에는 많은 물질주의와 탐욕이 존재한다. **0381** 그녀는 억지로 웃으며 슬픔을 숨기려고 했다. **0382** 나는 관광 안내원이 되기 전에 자동차 세일즈맨으로서 자동차 회사에서 일을 했었다. **0383** 그녀의 침묵은 죄를 인정하는 것으로 여겨졌다. **0384** 몇 년 동안 극심한 강우량 부족으로 악어 서식지가 황폐해졌다. **0385** 아지랑이는 대기 중의 미세한 고체 입자들에 의해 생긴다.

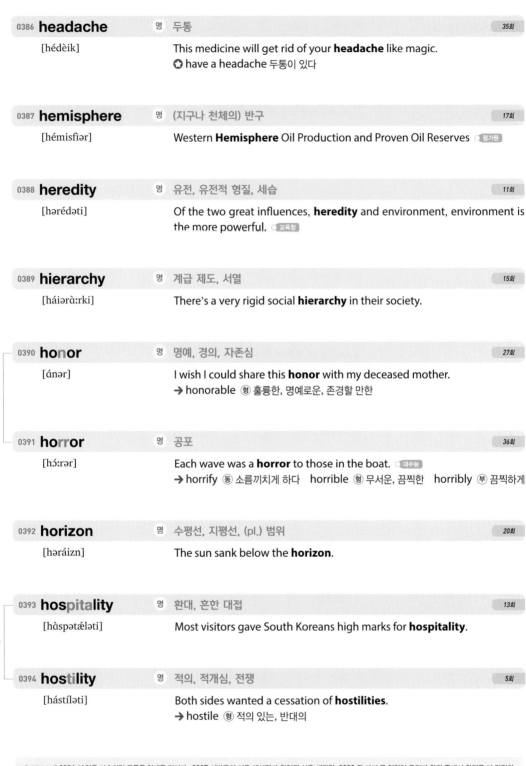

0386 headache 명 두통 *35회*

[hédèik]

This medicine will get rid of your **headache** like magic.
○ have a headache 두통이 있다

0387 hemisphere 명 (지구나 천체의) 반구 *17회*

[hémisfìər]

Western **Hemisphere** Oil Production and Proven Oil Reserves *평가원*

0388 heredity 명 유전, 유전적 형질, 세습 *11회*

[hərédəti]

Of the two great influences, **heredity** and environment, environment is the more powerful. *교육청*

0389 hierarchy 명 계급 제도, 서열 *15회*

[háiərà:rki]

There's a very rigid social **hierarchy** in their society.

0390 honor 명 명예, 경의, 자존심 *27회*

[ánər]

I wish I could share this **honor** with my deceased mother.
→ honorable 형 훌륭한, 명예로운, 존경할 만한

철자주의 ★

0391 horror 명 공포 *36회*

[hɔ́:rər]

Each wave was a **horror** to those in the boat. *대수능*
→ horrify 동 소름끼치게 하다 horrible 형 무서운, 끔찍한 horribly 부 끔찍하게

0392 horizon 명 수평선, 지평선, (pl.) 범위 *20회*

[həráizn]

The sun sank below the **horizon**.

철자주의 ★

0393 hospitality 명 환대, 흔한 대접 *13회*

[hàspətǽləti]

Most visitors gave South Koreans high marks for **hospitality**.

0394 hostility 명 적의, 적개심, 전쟁 *5회*

[hàstíləti]

Both sides wanted a cessation of **hostilities**.
→ hostile 형 적의 있는, 반대의

[예문 해석] **0386** 이 약은 마술처럼 두통을 없애줄 것이다. **0387** 서반구의 석유 생산량과 확인된 석유 매장량 **0388** 두 가지 큰 영향인 유전과 환경 중에서 환경은 더 강력하다. **0389** 그들의 사회에는 매우 엄격한 사회 계급 제도가 있다. **0390** 이 영예를 돌아가신 어머님과 나누고 싶습니다. **0391** 각각의 파도는 보트 안의 모든 사람들에게 공포였다. **0392** 해가 수평선 아래로 졌다. **0393** 대부분의 방문객들은 한국 국민들의 환대에 높은 점수를 주었다. **0394** 양측은 적대 행위의 중지를 원했다.

0395 household 명 가정, 가족 21회

[háushòuld]

Inflation makes it difficult for **households** to plan ahead. 평가원
➕ housewife 명 가정주부   housework 명 가사   housewarming 명 집들이
housekeeper 명 주부, 가정부   housing 명 주택

0396 humanity 명 인간성, 인간 41회

[hju:mǽnəti]

Science has provided much for **humanity**. 대수능
→ human 형 인간의 명 인간

0397 hunger 명 배고픔, 굶주림 24회

[hʌ́ŋgər]

"Nothing of the sort, sir, it is **hunger**," — and I ate. 대수능
→ hungry 형 배고픈, 갈망하는   ➕ hunger strike 단식투쟁

0398 hybrid 명 잡종, 혼혈아, 혼성물 15회

[háibrid]

The singer's style was a blend, a **hybrid** of all she had been playing and
listening to.

0399 hydrogen 명 수소 37회

[háidrədʒən]

Water can be analyzed into oxygen and **hydrogen**.

0400 hygiene 명 위생학, 위생 상태 24회

[háidʒi:n]

He doesn't care much about personal **hygiene**.
→ hygienic 형 위생상의

표제어 이외의 주요 어휘

forest	명 산림	glacier	명 빙하
fragrance	명 향기, 방향	glance	명 흘긋 봄
frame	명 틀, 구조	gravitation	명 중력, 인력
gadget	명 (기계의 간단한) 장치	grocery	명 식료품
garment	명 의복	growth	명 성장, 발달
gender	명 성, 성별	gust	명 돌풍, 질풍
generation	명 세대	habit	명 습관, 버릇
germ	명 세균, 미생물	harvest	명 수확, 추수

[예문 해석] **0395** 인플레이션은 가정이 장래의 계획을 세우는 것을 어렵게 만든다. **0396** 과학은 인류에게 많은 것을 제공해 주었다. **0397** "그런 종류의 것은 아닙니다. 이것은 배고픔입니다."라고 말하고 나는 밥을 먹었다. **0398** 그 가수의 스타일은 그녀가 연주하고 들어왔던 모든 것들의 혼성물이었다. **0399** 물은 산소와 수소로 분해될 수 있다. **0400** 그는 개인위생에 대하여 별로 신경 쓰지 않는다.

수능 필수 **Daily IDIOMS**

be obliged to + V
~해야 한다

He **was obliged to** leave school.
그는 마지못해 학교를 그만두었다.

be reluctant to + V
~하는 것을 꺼리다, 마지못해 ~하다

She **was reluctant to** admit the truth.
그녀는 그 사실을 인정하기를 꺼려했다.

be short of + N
~이 부족해지다

I'**m short of** money this week. Can you lend me some?
이번 주에는 돈이 모자라. 내게 좀 빌려주겠니?

be stocked with
~로 가득 차다

The store **is** well **stocked with** excellent goods.
그 상점에는 좋은 물품이 풍부하게 갖추어져 있다.

be subject to + N
~ 당하기 쉽다, ~을 겪기 쉽다

This mountain **is subject to** extreme climatic change.
이 산은 기후의 변화가 매우 심하다.

be supposed to + V
~하기로 되어 있다, ~해야 한다

As an impartial observer my analysis **is supposed to** be objective.
공정한 관찰자로서 나의 분석은 객관적이어야 한다.

be tied to + N
~에 묶여 있다

He **is tied to** his wife's apron strings.
그는 완전히 공처가이다.

be to blame for
~에 대한 책임이 있다

He **was** only partially **to blame for** the accident.
그는 그 사고에 대해 부분적으로만 책임이 있었다.

DAY 08 암기를 위한 Daily TEST

💡 빈칸에 알맞은 단어나 뜻을 쓰시오.

01. flash	26. 등급, 학년
02. flavor	27. graduate
03. 결점, 흠	28. 수여, 허가
04. fleck	29. 무덤
05. flexibility	30. 탐욕, 지나친 욕심
06. 비행	31. grief
07. 홍수, 범람	32. 안내자
08. fluency	33. 유죄, 죄
09. 액체, 유동체	34. habitat
10. forecast	35. 아지랑이, 안개
11. 형식, 양식	36. headache
12. formula	37. hemisphere
13. 요새, 성채	38. heredity
14. fossil	39. hierarchy
15. fountain	40. 명예, 경의
16. fraction	41. horror
17. fragment	42. horizon
18. friction	43. hospitality
19. 앞면, [군사] 전선	44. hostility
20. 서리	45. household
21. function	46. humanity
22. 자금, 기금	47. hunger
23. funeral	48. hybrid
24. 모피, 털	49. hydrogen
25. government	50. hygiene

0401 hypothesis 명 가설, 가정　11회

[haipɑ́θəsis]

Let's start with this **hypothesis**.
→ hypothetical 형 가설의

0402 identity 명 정체, 신원, 동일성　71회

[aidéntəti]

The clues he left did not establish his **identity**. 대수능
→ identify 동 동일시하다　identical 형 동일한
✪ establish one's identity ~의 신원을 밝히다

0403 infrastructure 명 사회 기반 시설　38회

[ínfrəstrὰktʃər]

We should invest more in **infrastructure** projects.

0404 illusion 명 환영, 착각　18회

[ilúːʒən]

The boss is laboring under the **illusion** that the project will be completed on time.

0405 imagination 명 상상(력)　77회

[imὰdʒənéiʃən]

A famous golfer never takes a golf shot without practicing it in his **imagination**. 대수능
→ imagine 동 상상하다　imaginative 형 상상력이 풍부한

★철자주의

0406 impact 명 충돌, 충격, 영향　83회

[ímpækt]

Trade disputes have had a negative **impact** on sales.

0407 import 명 수입, 수입품　동 수입하다　27회

[ímpɔːrt]

The objective of some taxes on foreign **imports** is to protect an industry. 대수능

0408 impulse 명 추진력, 충격, 자극, 충동　16회

[ímpʌls]

She felt an **impulse** to cry.
→ impulsive 형 충동적인, 추진적인

[예문 해석] **0401** 이 가설에서부터 시작합시다. **0402** 그가 남긴 단서들로는 그의 신원을 확인할 수 없었다. **0403** 우리는 기반 시설 계획에 투자를 더 해야 한다. **0404** 사장은 그 계획이 정해진 시간에 끝나리라는 환상을 갖고 있다. **0405** 유명한 골퍼는 그의 상상 안에서 그것을 연습하지 않고서는 절대 골프 샷을 하지 않는다. **0406** 무역 분쟁은 매출에 나쁜 영향을 미쳤다. **0407** 외국 수입품에 붙이는 일부 세금의 목적은 산업을 보호하려는 것이다. **0408** 그녀는 울고 싶은 충동을 느꼈다.

| 0409 **incentive** | 명 | 유발 요인, 자극, 장려책 | 25회 |

[inséntiv]

There is no **incentive** for people to save water. 〔대수능〕
❂ give an incentive 장려금을 주다

| 0410 **income** | 명 | 수입, 소득 | 31회 |

[ínkʌm]
혼동어
outcome 명 결과

Fijians earn additional **income** by performing folk dances. 〔평가원〕

| 0411 **individualism** | 명 | 개인주의 | 156회 |

[ìndəvídʒuəlìzm]

A friend of mine said, "You Americans always speak of **individualism** as being good." 〔대수능〕

| 0412 **infant** | 명 | 유아 | 35회 |

[ínfənt]

We begin life as an **infant**, totally dependent on others. 〔대수능〕

| 0413 **influence** | 명 | 영향 | 148회 |

[ínfluəns]

If a sociologist would list some of the most important **influences** on our generation, television would top the list. 〔대수능〕
→ influential 형 유력한, 영향을 미치는

| 0414 **ingredient** | 명 | 성분, 재료, 구성 요소 | 21회 |

[ingríːdiənt]

Many of the **ingredients** for antiseptics come from the rainforests.

| 0415 **innocence** | 명 | 순결, 청정, 순진 | 15회 |

[ínəsəns]

His assertion of his **innocence** was believed by the jury.
→ innocent 형 순결한, 결백한, 순진한

| 0416 **innovation** | 명 | (기술) 혁신, 쇄신 | 43회 |

[ìnəvéiʃən]
혼동어
renovation
명 개조[보수]

They expect technological **innovations** to increase energy production.

| 0417 **input** | 명 | 투입, 입력, 정보 | 15회 |

[ínpùt]
혼동어
output
명 생산, 산출

Developing new products requires **input** from many people with a variety of skills and expertise.

[예문 해석] **0409** 사람들이 물을 아끼게 하는 장려정책은 없다. **0410** 피지 제도에 사는 사람들은 민속춤 공연을 함으로써 추가적인 소득을 얻고 있다. **0411** 나의 친구 한 명이 "너희 미국인들은 항상 개인주의를 좋은 것이라고 말해."라고 말했다. **0412** 우리는 남들에게 전적으로 의존하면서 유아로서 삶을 시작한다. **0413** 사회학자가 우리 세대에 끼친 가장 중요한 영향력들의 일부를 목록으로 만든다면 텔레비전이 아마도 목록의 1등을 차지할 것이다. **0414** 방부제의 많은 성분이 열대우림에서 얻어진다. **0415** 자신은 결백하다는 그의 주장을 배심원단이 믿었다. **0416** 그들은 기술 혁신으로 연료 생산량이 증가할 것으로 예상하고 있다. **0417** 새로운 제품을 개발하는 것은 다양한 기술들과 전문지식을 가진 많은 사람들로부터의 정보를 요구한다.

0418 insight 명 통찰력 33회

[ínsàit]

He will return home with little or no new **insights** into another culture. 대수능

0419 inspiration 명 영감, 고취, 영감을 주는 사람(것) 34회

[ìnspəréiʃən]

Genius is one percent **inspiration** and ninety-nine percent perspiration.
→ inspire 동 고무하다, 격려하다, 영감을 주다

> 💡 **inspiration**은 '영감'의 뜻 외에 수상 소감 등의 말에서 '격려해준 사람'의 뜻으로 많이 사용되고,
> **inspirational**은 영화나 소설이 아주 감동적임을 나타낼 때 많이 쓴다.

0420 intermediary 명 매개자, 중개자 14회

[ìntərmí:dièri]

A spirit figure serves as an **intermediary** between men and the gods.
→ intermediate 형 중간의, 중급의

0421 interval 명 간격, 틈, 휴식 시간 17회

[íntərvəl] 혼동어
internal
형 내부의

Intervals of sunshine are likely, but there is also a high probability of an
evening thunderstorm.

0422 intimacy 명 친밀함, 절친함 17회

[íntəməsi]

Intimacy is a close personal relationship.
→ intimate 형 친밀한, 절친한, 깊은

0423 issue 명 문제 동 발행하다 41회

[íʃu:]

Knowledge of the world is one thing; its uses create a separate **issue**. 대수능

0424 itch 명 가려움, 갈망, 욕망 13회

[ítʃ]

Scientists have found that certain spinal cord neurons are responsible
for feeling **itches**.
→ itchy 형 가려운

0425 journal 명 신문, 일지, 잡지 18회

[dʒə́:rnl]

Nuttall was a researcher who carved a career for herself by publishing in
scholarly **journals**. 평가원
→ journalist 명 신문기자, 언론인 journalism 명 신문업, 언론

0426 junk 명 폐물, 쓰레기 22회

[dʒʌ́ŋk]

Junk yards are filled with still-usable items. 대수능

[예문 해석] **0418** 그는 다른 문화에 대한 새로운 통찰력을 거의 가지지 못하고 고향으로 돌아올 것이다. **0419** 천재는 1퍼센트의 영감과 99퍼센트의 노력으로 이루어진다.
0420 정신적인 인물은 인간들과 신들 사이에서 중간자의 역할을 한다. **0421** 간간이 해가 날 것 같지만, 저녁에는 역시 심한 뇌우도 예상된다. **0422** 친밀함은 밀접한 개인적
인 관계이다. **0423** 세상의 지식과 그 사용은 별개의 문제이다. **0424** 감각현상연구소의 과학자들은 척수에 위치한 특정 신경 세포가 가려움을 유발한다는 사실을 밝혀냈다.
0425 Nuttall은 학술지에 발표함으로써 자력으로 출셋길을 개척한 연구원이었다. **0426** 쓰레기장은 여전히 사용 가능한 물건들로 가득 차 있다.

0427 jury 　명 배심, 심사원 　17회

[dʒúəri]

The **jury** brought in a verdict of guilty.
→ juror 명 배심원

0428 laboratory 　명 실험실, 연구소 　16회

[lǽbərətɔ̀ːri]

The botanist works 12 hours per day at his **laboratory**.

0429 landscape 　명 경치 　38회

[lǽndskèip]

The smiling **landscape** of last summer is gone. 대수능

0430 latitude 　명 위도 　16회

[lǽtətjùːd] 혼동어
longitude
명 경도

The temperature never drops below freezing at that **latitude**.
✪ the 38th parallel of latitude 38선

0431 law 　명 법, 법률 　41회

[lɔ́ː]

All men are equal in the eyes of the **law**.
→ lawful 형 합법적인, 법적인

0432 leak 　명 누출, 샘 　동 새다, 새어 나오다 　15회

[líːk]

He detected a gas **leak**.

0433 lease 　명 임대차 계약 　동 임대하다 　23회

[líːs]

The **lease** has been renewed three times. 대수능

0434 leather 　명 가죽 　35회

[léðər]

We have fur, paper, and **leather** cover diaries. 평가원
→ leathery 형 가죽 같은

0435 legend 　명 전설 　19회

[lédʒənd]

When he was through with baseball, he had become a **legend**. 평가원
→ legendary 형 전설의, 전설적인

> **legend**는 입으로 전해진 이야기로 역사적인 근거가 있기도 하고 없기도 하다. **myth**는 신에 관한 이야기이며, **anecdote**는 유명인의 숨은 일면을 나타내는 행위나 사건을 말한 짧은 이야기이다.

[예문 해석] **0427** 배심원들은 유죄 평결을 내렸다. **0428** 그 식물학자는 자기 실험실에서 매일 12시간씩 연구한다. **0429** 작년 여름의 미소 짓는 듯한 경치는 사라지고 없다. **0430** 그 위도에서 기온은 결코 영하로 떨어지지는 않는다. **0431** 모든 사람은 법의 입장에서 보면 똑같다. **0432** 그는 가스가 새는 것을 탐지했다. **0433** 임대차 계약은 세 번 갱신되었다. **0434** 저희는 모피, 종이, 가죽 표지의 다이어리를 갖추고 있습니다. **0435** 야구를 그만두었을 때쯤 그는 전설적인 인물이 되어 있었다.

| 0436 **length** | 명 | 길이, 기간 | 44회 |

[léŋkθ]

The total **length** of this river is 2,400 kilometers.

| 0437 **liberty** | 명 | 자유 | 13회 |

[líbərti]

The Statue of **Liberty** is in New York.
✪ at liberty 자유로이, 마음대로

| 0438 **license** | 명 | 면허(증) | 29회 |

[láisəns]

When she applied for a driver's **licence**, a police officer hastily thrust a paper. (대수능)

| 0439 **lifestyle** | 명 | 생활방식 | 21회 |

[láifstàil]

You will begin to make choices of your own about your **lifestyle**. (대수능)

| 0440 **limb** | 명 | 팔다리, 수족 | 15회 |

[lím]

He rested his tired **limbs**.

| 0441 **linguist** | 명 | 어학자, 언어학자 | 15회 |

[líŋgwist]

He is both a **linguist** and musician.

| 0442 **liquid** | 명 액체 형 액체의, 유동체의 | | 23회 |

[líkwid]

The doctor advised me to drink plenty of **liquids**.

> **liquid**는 일반적인 '액체'라는 뜻이며, **fluid**는 '유동체'라는 과학적인 뉘앙스의 어휘이다. 그리고 **liquor**는 '알코올 음료'라는 의미이다.

| 0443 **literacy** | 명 | 읽고 쓸 줄 아는 능력 | 16회 |

[lítərəsi]   혼동어 literary 형 문학의

Don't be surprised if you start hearing the term "information **literacy**" a lot. (대수능)
→ literal 형 문자 그대로의

철자주의

| 0444 **literature** | 명 | 문학 | 63회 |

[lítərətʃər]

I keep up with the professional **literature**, but I don't have time for books. (대수능)

[예문 해석] **0436** 이 강은 총길이가 2,400킬로에 이른다. **0437** 자유의 여신상은 뉴욕에 있다. **0438** 그녀가 운전면허증을 신청했을 때, 한 경찰관이 서류를 급히 내밀었다. **0439** 당신은 당신의 생활방식에 대해 스스로 선택을 하기 시작할 것이다. **0440** 그는 피로해진 팔다리를 쉬게 했다. **0441** 그는 언어학자이기도 하고 또 음악가이기도 하다. **0442** 의사 선생님은 내게 물을 많이 마실 것을 권하셨다. **0443** 만약 당신이 '정보 활용 능력'이라는 말을 많이 듣게 되기 시작한다고 하더라도 놀라지 마라. **0444** 나는 전문적인 학술지는 읽습니다만, 책을 읽을 시간은 없습니다.

0445 loan 　명　대부(금), 대여, 융자 　15회

[lóun]　혼동어
load
명 짐, 많음

The loan payments must be sent to the **loan** department by the ninth.
➕ loanword 명 외래어, 차용어

0446 logic 　명　논리, 논리학 　30회

[ládʒik]

Your **logic** doesn't hold water.
→ logical 형 논리적인

0447 loss 　명　손실, 손해 　85회

[lɔ́ːs]

New soil forms when the weathering of rock exceeds **losses** from erosion. 대수능
→ lose 동 잃다, 지다　✪ at a loss 어쩔 줄 모르고, 난처하여

0448 magnet 　명　자석 　15회

[mǽgnit]

A **magnet** attracts iron.
→ magnetic 형 자석의, 마음을 끄는　magnetize 동 자력을 띠게 하다, 매혹하다

0449 major 　명　전공, [음악] 장조　형　대다수의, 전공의 　78회

[méidʒər]

Explain why you have chosen your **major**.
→ majority 명 대다수

0450 mammal 　명　포유동물 　11회

[mǽməl]

Humans, dogs, and elephants are all **mammals**.

---

imprint	명 날인, 흔적	itinerary	명 여행 일정
imprint	명 날인, 흔적	itinerary	명 여행 일정
incense	명 향, 향 냄새	journey	명 여행, 여정
inclination	명 기울기, 좋아함	kindergarten	명 유치원
increment	명 증가, 증대	labor	명 노동
instinct	명 본능	lavatory	명 화장실, 세면장
institute	명 연구소, 대학	lecture	명 강의, 강연
instrument	명 기구, 도구	legacy	명 유산
intermission	명 중지, 막간	luggage	명 수화물

[예문 해석] **0445** 대출 상환금은 9일까지 대출과에 송금되어야 한다.　**0446** 네 논리는 타당성이 결여되어 있다.　**0447** 암석의 풍화가 침식으로 인한 손실보다 많을 때 새로운 토양이 형성된다.　**0448** 자석은 철을 끌어당긴다.　**0449** 전공 과목을 선택한 이유를 설명하시오.　**0450** 인간, 개 그리고 코끼리는 모두 포유류이다.

DAY 09 수능 필수 Daily IDIOMS

be willing to + V
기꺼이 ~하다

Computers **are willing to** do the same thing over and over.
컴퓨터들은 똑같은 것을 몇 번이고 기꺼이 되풀이한다.

be worth ~ing
~할 가치가 있다

Yes, I think it**'s worth pursuing**.
네, 한 번 연구해 볼 만하다고 생각합니다.

beat around the bush
본론을 말하지 않다, 에둘러 말하다

Don't **beat around the bush**.
말을 빙빙 돌리지 마라.

before everything else
무엇보다도

You ought to correct that habit **before everything else**.
너는 무엇보다도 먼저 그 버릇을 고쳐야 한다.

before long
머지 않아, 곧

But **before long**, he began to dream of more land.
그러나 머지 않아, 그는 더 많은 땅을 갖고자 하는 꿈을 꾸기 시작했다.

belong to + N
~에 속하다

Do you **belong to** the tennis club?
넌 테니스 클럽에 소속되어 있니?

beyond one's control
통제할 수 없는

This child is **beyond my control**.
이 아이는 내가 다루기에는 버겁다.

blow away
날려버리다, 날리다

Gusts of wind **blew away** everything.
돌풍이 모든 것을 날려 버렸다.

DAY 09 암기를 위한 Daily TEST

💡 빈칸에 알맞은 단어나 뜻을 쓰시오.

01. hypothesis

02. 정체, 신원

03. infrastructure

04. illusion

05. imagination

06. 충돌, 충격

07. 수입(品)

08. impulse

09. incentive

10. 수입, 소득

11. individualism

12. 유아

13. influence

14. ingredient

15. innocence

16. innovation

17. 투입, 입력

18. 통찰력

19. inspiration

20. intermediary

21. interval

22. intimacy

23. 문제

24. 가려움, 갈망

25. journal

26. 폐물, 쓰레기

27. 배심, 심사원

28. laboratory

29. landscape

30. latitude

31. 법, 법률

32. 누출, 샘

33. lease

34. leather

35. legend

36. 길이, 기간

37. 자유

38. license

39. 생활방식

40. 팔다리, 수족

41. linguist

42. 액체

43. literacy

44. literature

45. 대부(금), 대여

46. 논리, 논리학

47. 손실, 손해

48. magnet

49. major

50. mammal

| 0451 | **mankind** | 명 인류 | 21회 |

[mὲnkáind]

The evolution of **mankind** differs from other species. 대수능

💡 **mankind**는 인간 전체를 하나의 단일체로 나타내는 표현이다. 관사 없이 쓰이는 **man**과 **men**도 같은 의미를 가지는 경우가 있다.

| 0452 | **manual** | 명 안내서 형 손으로 하는 | 35회 |

[mǽnjuəl]

I can't learn how to use a computer by reading an instruction **manual**.

💡 [**manu**(=hand)+**al**(명사·형용사어미)] **manu**는 '손, 맨손, 일손'의 의미이다.

| 0453 | **manuscript** | 명 원고 | 13회 |

[mǽnjuskrìpt]

I read his novel in **manuscript**.

| 0454 | **marble** | 명 대리석, 공깃돌 | 10회 |

[má:rbl]
혼동어
marvel
명 놀라움, 경이

Marble is soft, and can be scratched with a knife.

| 0455 | **margin** | 명 가장자리, 여지, 차이 | 18회 |

[má:rdʒin]

Reds should have won by a huge **margin**.

| 0456 | **mass** | 명 덩어리, 모임, 일반 대중 | 57회 |

[mǽs]
혼동어
mess
명 혼란

Milk actually helps increase bone **mass**. 대수능
→ massive 형 부피가 큰, 대량의 ✪ mass communication 매스컴, 대중 전달

| 0457 | **master** | 명 주인, 석사, 달인, 교장 | 69회 |

[mǽstər]

He has a **master's** degree in engineering. 대수능
✪ masterpiece 명 걸작

| 0458 | **maxim** | 명 격언, 금언, 좌우명 | 19회 |

[mǽksim]

I believe in the **maxim** 'if it ain't broke, don't fix it.'

[예문 해석] **0451** 인류의 진화는 다른 종들의 진화와는 다르다. **0452** 나는 설명서를 읽는 것만 가지고는 컴퓨터를 사용하는 방법을 배울 수 없다. **0453** 나는 그의 소설을 원고로 읽었다. **0454** 대리석은 물러서 칼로 잘 그어진다. **0455** 붉은 악마들은 큰 차이로 이겼어야 했다. **0456** 우유는 실제로 뼈의 질량을 증가시키는 데 도움이 된다. **0457** 그는 공학 분야에 석사 학위를 가지고 있다. **0458** '고장 난 것이 아니라면 고치지 마.'라는 격언을 나는 믿고 있다.

0459 **mechanic**

[məkǽnik]

명 기계공, 정비사　　　　　　　　　　　　　19회

Reading is not enough to make you a good **mechanic**. 대수능
→ mechanism 명 기계장치, 구조　mechanical 형 기계적인

0460 **media**

[míːdiə]

명 매체, 언론(medium의 복수형)　　　　　17회

TV, computers, and the **media** are pushing children into adult roles. 대수능

0461 **medicine**

[médəsin]

명 약, 의학　　　　　　　　　　　　　　48회

They are active in various areas from law to **medicine**. 대수능

0462 **merchant**

[mə́ːrtʃənt]

명 상인　　　　　　　　　　　　　　　16회

Honest **merchants** do not swindle their customers.
→ merchandise 명 상품

0463 **mercy**

[mə́ːrsi]

명 자비, 연민, 인정　　　　　　　　　　12회

The judge showed **mercy** to the young offender.

0464 **merit**

[mérit]

명 장점, 가치　　　　　　　　　　　　15회

Have they got sufficient artistic **merit**? 대수능

0465 **mess**

[més]

혼동어
mass
명 덩어리

명 혼란, 뒤죽박죽, 어수선함　　　　　　11회

I know the place is a **mess**, but make yourself at home. 대수능
✪ in a mess 뒤죽박죽이 되어, 혼란에 빠져서

0466 **metaphor**

[métəfɔːr]

명 은유, 암유　　　　　　　　　　　　18회

In poetry, the rose is a **metaphor** for love.

0467 **metropolis**

[mitrápəlis]

명 중심 도시, 대도시, 수도　　　　　　16회

Sapporo, capital of Hokkaido is a modern **metropolis**.
→ metropolitan 형 수도의, 대도시의

[예문 해석] **0459** 좋은 정비사가 되기 위해서는 읽는 것만으로는 충분하지가 않다. **0460** 텔레비전과 컴퓨터 그리고 언론은 아이들을 성인의 역할 쪽으로 밀어내고 있다. **0461** 그들은 법에서 의학까지 다양한 분야에서 활동하고 있다. **0462** 정직한 상인은 자신의 고객들을 속이지 않는다. **0463** 판사는 젊은 범인에게 자비를 베풀었다. **0464** 그들이 충분한 예술적 장점을 가지고 있습니까? **0465** 장소가 어질러져 있는 것을 압니다만, 집처럼 편하게 지내십시오. **0466** 시에서 장미는 사랑에 대한 은유이다. **0467** 홋카이도의 중심 도시인 삿포로는 현대식 대도시이다.

0468 **micrometer**　명　마이크로미터, 측미계(測微計)　13회

[maikrámətər]

The woman is using a **micrometer**.

➕ microphone 명 마이크　microscope 명 현미경　microwave 명 전자레인지

0469 **midst**　명　중앙, 한가운데　14회

[mídst] 혼동어 mist 명 엷은 안개

In the **midst** of the post-race celebration, a royal escort arrived. 대수능

➕ in the midst of ~의 한가운데에

0470 **minister**　명　목사, 장관　19회

[mínəstər]

The **minister** authorized her to do it. 대수능

➕ ministry 명 내각, (정부의) 부

0471 **minority**　명　소수(파)　16회

[minɔ́:rəti]

Applications from women and **minorities** are strongly encouraged.

→ minor 형 작은, 소수의

0472 **mischief**　명　해악, 손해, 장난　14회

[místʃif]

He was a wild boy, always getting into **mischief**.

[mis(=ill)+chief(=end)] chief는 '목적'의 의미이다.

0473 **misconception**　명　오해, 그릇된 생각　18회

[mìskənsépʃən]

He is laboring under **misconception**.

→ misconceive 동 오해하다

0474 **molecule**　명　분자, 미분자　17회

[máləkjù:l]

A **molecule** of water consists of two atoms of hydrogen and one atom of oxygen.

0475 **monologue**　명　독백　18회

[mánəlɔ̀:g]

It is stocked with a variety of humorous books and **monologues** recorded by famous comedians. 대수능

➕ monopoly 명 독점(판매)　monorail 명 단궤철도　monotone 명 [음악] 단조음
monotonous 형 단조로운

0476 **mountain**　명　산, 산악　39회

[máuntən]

The Ural **mountains** mark the boundary between Europe and Asia.

[예문 해석] **0468** 그 여자는 측미계를 사용하고 있다. **0469** 경기 후 축연 중간에, 왕의 호위병이 도착했다. **0470** 장관은 그녀에게 그것을 행할 권한을 부여했다. **0471** 여성들과 소수 민족으로부터의 신청은 강력히 장려된다. **0472** 그는 항상 장난을 치는 거친 소년이었다. **0473** 그는 오해를 받아 고생하고 있다. **0474** 물의 분자는 2개의 수소 원자와 1개의 산소 원자로 구성되어 있다. **0475** 이것은 다양한 해학적인 책들과 유명한 코미디언들에 의해서 녹음된 독백들로 가득 차 있다. **0476** 우랄 산맥은 유럽과 아시아의 경계를 이룬다.

0477 moustache 명 콧수염 22회

[mʌ́stæʃ]

He was short and bald and had a **moustache**.

0478 noble 명 (중세) 귀족 형 고귀한, 고상한 12회

[nóubl] 혼동어
novel
명 소설 형 새로운

All the yangban **nobles** bought shares, and Kim Son-dal became rich. 대수능

0479 nomad 명 유목민, 방랑자 16회

[nóumæd]

A **nomad** is a member of a group of people who travel from place to place.

0480 nonresistance 명 무저항(주의) 13회

[nànrizístəns]

Have you heard the principle of **nonresistance**?
➜ resistance 명 저항

0481 norm 명 기준, 규범, 모범 13회

[nɔ́ːrm]

It depends on social **norms** and the structure of the workforce.
➜ normal 형 표준적인, 정상의   normalize 동 표준화하다

0482 notation 명 기호법, 표시법, 기록 13회

[noutéiʃən]

It was impossible to write down in the usual musical **notation**.
➜ note 명 메모, 기록   notate 동 기록하다, 적어두다   notable 형 주목할 만한

0483 notion 명 관념, 의향, 개념 13회

[nóuʃən]

I have only a vague **notion** of what she does for a living.

0484 novelty 명 신기함, 새로운 것 10회

[nάvəlti]

The **novelty** of her poetry impressed me.
➜ novel 형 신기한, 새로운

0485 nuisance 명 성가심, 난처한 것, 방해물 14회

[njúːsns]

He keeps making a **nuisance** of himself.
✪ What a nuisance! 아이 성가셔라!

[예문 해석] **0477** 그는 키가 작고 머리가 벗겨졌고 콧수염을 기르고 있었다. **0478** 곧 모든 양반들이 주식을 샀고 김선달은 부자가 되었다. **0479** 유목민은 이곳저곳을 돌아다니는 사람들의 무리 중 한 명이다. **0480** 당신은 무저항주의에 대해 들어본 적이 있습니까? **0481** 이는 사회적 기준과 노동 인구의 구조에 따라 다르다. **0482** 보통의 음계로 적는 것은 불가능했다. **0483** 그가 생계를 위해 어떤 일을 하는지 나는 그저 어렴풋이 알고 있을 따름이다. **0484** 그녀의 시의 참신함은 내게 깊은 인상을 주었다. **0485** 그는 성가신 일만 저지른다.

0486 nutrition 명 영양, 영양 섭취 `24회`

[njuːtríʃən]

Because of his poor **nutrition**, he has grown weaker and weaker. `대수능`
→ nutrient 명 영양소   nutritious 형 영양가 있는   nutritional 형 영양의

0487 object 명 물체, 목적, 목적어   동 ~에 반대하다 `213회`

[ábdʒikt]

The **object** of their expedition was to discover the source of the River Nile.
→ objection 명 반대   objective 명 목적 형 객관적인   objectively 부 객관적으로

0488 obstacle 명 장애(물) `30회`

[ábstəkl]

My love for books was so strong that I overcame even this **obstacle**. `대수능`
○ obstacle race 장애물 경주

0489 occasion 명 경우, 행사, 이유 `38회`

[əkéiʒən]

Tell him to say so and so on such and such an **occasion**.
→ occasional 형 이따금씩의, 임시의   occasionally 부 가끔, 때때로

0490 occupation 명 직업 `28회`

[àkjupéiʃən]

Sam has never been unhappy with his **occupation**. `대수능`
→ occupy 동 차지하다, 종사시키다

> **occupation**은 규칙적으로 종사하고 업무를 위해 훈련이 필요한 직업을 말하고, **profession**은 변호사나 의사처럼 전문적인 지식을 필요로 하는 직업을 말한다. 일반적인 직업은 **job**이다.

0491 occurrence 명 사건, 발생, 생긴 일 `99회`

[əkə́ːrəns]

A motor accident is a common **occurrence**.
→ occur 동 일어나다, 떠오르다

0492 officer 명 공무원, 장교 `35회`

[ɔ́ːfisər]

The office was empty except for three **officers** behind the counter. `대수능`

0493 offspring 명 자식, 자손, 후예 `11회`

[ɔ́fsprìŋ]

Everyone of his **offspring** had red hair just like his son.
○ produce offspring 아이를 낳다

0494 omission 명 생략, 탈락 `13회`

[oumíʃən]   혼동어 emission 명 배출(물)

There are many **omissions**.
→ omit 동 빼다, 빠뜨리다

[예문 해석] **0486** 그의 형편없는 영양 섭취 때문에 그는 더욱 더 약해져 갔다. **0487** 그들의 탐험의 목적은 나일 강의 원류를 찾는 것이었다. **0488** 책에 대한 나의 사랑이 너무 강해 나는 심지어 이러한 장애도 극복할 수 있었다. **0489** 이러이러한 경우에는 이러저러하게 말하라고 그에게 일러두시오. **0490** Sam은 한 번도 그의 직업에 불만을 가져 본 적이 없다. **0491** 교통사고는 흔한 일이다. **0492** 사무실은 카운터 뒤에 세 명의 공무원을 제외하고는 비어 있었다. **0493** 그의 자손 모두가 그의 아들과 같이 붉은색 머리를 하고 있었다. **0494** 누락이 많다.

0495 opinion 명 의견, 견해 76회

[əpínjən]

His **opinion** is opposite to mine.
○ opinion poll 여론 조사

0496 opponent 명 적수, 상대, 대항자 형 반대하는, 적대하는 16회

[əpóunənt] 혼동어
component
명 요소, 부품

He was my **opponent** in the debate.
→ oppose 동 반대하다 opposition 명 반대, 대립 opposite 형 정반대의

0497 opportunity 명 기회 139회

[ápərtjúːnəti]

The manager can build into each job the **opportunity** to satisfy both sides. 대수능
○ opportunity cost 기회 비용

> **opportunity**는 자기의 실력이나 능력을 발휘할 수 있는 '기회'를, **chance**는 뜻밖에 찾아온 '기회'를 뜻한다.

0498 optimism 명 낙관주의, 낙관론 18회

[áptəmìzm] 혼동어
optimal
형 최적의

There was a definite air of **optimism** at the headquarters. 대수능
→ optimist 명 낙천주의자 optimistic 형 낙관적인

0499 option 명 선택(권) 37회

[ápʃən]

These two possibilities are presented to us as **options**. 대수능
→ optional 형 선택의, 임의의

0500 orbit 명 궤도 14회

[ɔ́ːrbit]

The spacecraft went into **orbit** around the earth.

표제어 이외의 **주요 어휘**

manner	명 방법, 태도	millionaire	명 백만장자
matter	명 문제, 사건	mission	명 임무, 전도
maximum	명 최대한(도)	monitor	명 모니터, 감시자
mayor	명 시장	monument	명 기념비, 기념물
medium	명 매개물, 수단	motion	명 동작
method	명 방법, 순서	movement	명 움직임, 운동
microbe	명 세균, 미생물	muscle	명 근육
midday	명 한낮, 정오	nostalgia	명 향수(병)

[예문 해석] **0495** 그의 견해는 나의 견해와 정반대다. **0496** 그는 나의 논쟁 상대였다. **0497** 경영자는 각 직무가 양쪽을 모두 만족시키는 기회로 만들 수도 있다. **0498** 사령부에는 명백한 낙관주의의 분위기가 있었다. **0499** 이 두 가지 가능성들은 우리에게 선택안들로 제시된다. **500** 우주선은 지구 주변의 궤도에 진입했다.

DAY 10 수능필수 Daily IDIOMS

break down
고장 나다

My car seems to **break down** at least once a month.
차가 한 달에 적어도 한 번씩은 고장이 나는 것 같다.

break into
끼어들다

Don't **break into** other people's conversation.
남의 이야기에 끼어들지 마라.

bring about
초래하다, 야기하다

They made every endeavor to **bring about** peace.
그들은 평화를 가져오기 위해 모든 노력을 다했다.

bring up
양육하다, 제기하다

It is hard work to **bring up** children.
어린 애를 기른다는 것은 어려운 일이다.

by all means
반드시

Take the examination **by all means**.
반드시 시험을 보십시오.

by no means
결코 ~하지 않은

Such things are **by no means** common.
그런 물건은 결코 흔하지 않다.

call off
취소하다

As it was rainy, the game was **called off**.
비가 와서, 경기가 취소되었다.

call on
방문하다

I will **call on** you at the first opportunity.
기회가 닿는 대로 찾아뵙겠습니다.

DAY 10 암기를 위한 Daily TEST

맞은 개수 　 / 50문항

💡 빈칸에 알맞은 단어나 뜻을 쓰시오.

01. mankind

02. manual

03. manuscript

04. 대리석, 공깃돌

05. margin

06. 덩어리, 모임

07. 주인, 석사

08. maxim

09. mechanic

10. 매체, 언론

11. medicine

12. merchant

13. 자비, 연민

14. 장점, 가치

15. 혼란, 뒤죽박죽

16. metaphor

17. metropolis

18. micrometer

19. 중앙, 한가운데

20. 목사, 장관

21. minority

22. mischief

23. misconception

24. molecule

25. monologue

26. 산, 산악

27. moustache

28. (중세) 귀족

29. nomad

30. nonresistance

31. 기준, 규범

32. notation

33. notion

34. novelty

35. nuisance

36. nutrition

37. object

38. obstacle

39. occasion

40. occupation

41. occurrence

42. 공무원, 장교

43. 자식, 자손

44. omission

45. 의견, 견해

46. opponent

47. opportunity

48. optimism

49. 선택(권)

50. 궤도

03회 복습을 위한 누적 TEST

DAY 06-10

💡 우리말 뜻에 알맞은 영어 단어를 고르시오.

01 정도, 각도
① degree   ② defect

02 지연, 연기
① delay   ② delicacy

03 수요, 요구
① demand   ② democracy

04 장치, 고안
① detergent   ② device

05 식사, 식이요법
① diet   ② devotion

06 재난, 재앙
① discipline   ② disaster

07 거리, 떨어짐
① dispute   ② distance

08 서류, 문서
① document   ② distress

09 방울, 급강하
① drought   ② drop

10 생태계
① ecosystem   ② embassy

11 영향, 결과
① effort   ② effect

12 요소
① emergency   ② element

13 격려, 자극
① emigrant   ② encouragement

14 기사, 기술자
① engineer   ② endeavor

15 환경, 주위
① envelope   ② environment

16 증거
① evidence   ② estate

17 예, 모범
① example   ② excess

18 실패
① fable   ② failure

19 요정
① facility   ② fairy

20 요금, 수수료
① fatigue   ② fee

21 소설
① fiction   ② fiber

22 금융, 재정
① figure   ② finance

23 회사
① firm   ② flash

24 비행
① flavor   ② flight

25 형식, 양식
① form   ② forecast

26 기능, 직무
① friction   ② function

27 정부
① government   ② grant

28 졸업생
① graduate   ② grave

29 등급, 학년
① grade   ② greed

30 거주지, 서식지
① headache   ② habitat

31 정체, 신원
① identity   ② infrastructure

32 상상(력)
① impulse   ② imagination

33 충돌, 충격
① impact   ② import

34 개인주의
① individualism   ② infant

35 영향
① influence   ② ingredient

36 혁신, 쇄신
① innocence   ② innovation

37 길이, 기간
① leather   ② length

38 문학
① literature   ② literacy

39 손실, 손해
① loan   ② loss

40 전공, [음악] 장조
① magnet   ② major

우리말 뜻에 알맞은 영어 단어를 고르시오.

01 덩어리, 모임
① mass   ② marble

02 주인, 석사
① margin   ② master

03 약, 의학
① medicine   ② mechanic

04 물체, 목적
① obstacle   ② object

05 사건, 발생
① occupation   ② occurrence

06 기회
① opportunity   ② opponent

07 손해, 불이익
① disadvantage   ② dimension

08 훈련, 교육
① discipline   ② diploma

09 지배, 우세
① dormitory   ② dominance

10 의심
① drift   ② doubt

11 염료, 물감
① drop   ② dye

12 생태학
① ecology   ② emission

13 비상사태, 위급
① emigrant   ② emergency

14 강조, 강세
① emphasis   ② element

15 노력, 시도
① endeavor   ② enemy

16 등록
① enterprise   ② enrollment

17 초과, 과잉
① excess   ② errand

18 특징, 모양
① feather   ② feature

19 섬유, 실
① fever   ② fiber

20 모양, 인물
① figure   ② flash

21 반점, 주근깨
① fleck　　② flaw

22 유창성, 능변
① fluency　　② flavor

23 유연성, 융통성
① finance　　② flexibility

24 홍수, 범람
① flood　　② fluid

25 자금, 기금
① front　　② fund

26 모피, 털
① fur　　② frost

27 수여, 허가
① grade　　② grant

28 안내자
① guide　　② guilt

29 수평선, 지평선
① honor　　② horizon

30 수입(품)
① import　　② impulse

31 성분, 재료
① ingredient　　② innocence

32 유아
① incentive　　② infant

33 통찰력
① inspiration　　② insight

34 폐물, 쓰레기
① junk　　② jury

35 경치
① laboratory　　② landscape

36 법, 법률
① leak　　② law

37 면허증
① license　　② liberty

38 전설
① legend　　② lifestyle

39 관념, 의향
① notion　　② notation

40 은유, 암유
① metaphor　　② metropolis

0501 orient 명 동양
[ɔ́:riənt]

The eastern part of Asia is sometimes referred to as the **Orient**.
→ oriental 형 동양의

20회

0502 ornament 명 꾸밈, 장식 동 꾸미다, 장식하다
[ɔ́:rnəmənt]

The dictionary was bought for use, not for **ornament**.

19회

0503 outlook 명 전망, 견해
[áutlùk]

The **outlook** for a summit meeting between the two Koreas is very bright.

17회

0504 pain 명 고통, (pl.) 노고, 노력
[péin]
혼동어
plain
형 분명한, 평범한

The **pain14** from a severe toothache is unbearable.
→ painful 형 아픈, 고통스러운, 힘든 ➕ painkiller 명 진통제

60회

🔊 **pain**은 갑자기 오는 쑤시는 듯한 아픔을 말하고, **ache**는 보통 오래 계속되는 아픔을 말한다.

0505 panic 명 돌연한 공포, 당황
[pǽnik]

They were in a **panic** over the news.

25회

0506 paradise 명 천국, 낙원
[pǽrədàis]

Mexico is not a **paradise** for old people. 대수능

22회

0507 paralysis 명 마비
[pərǽləsis]
혼동어
analysis
명 분석

The war caused a **paralysis** of trade.
→ paralyze 동 마비시키다, 활동 불능이 되게 하다   paralyzed 형 마비된

23회

0508 parcel 명 소포, 꾸러미
[pá:rsəl]

How much does it cost to send this **parcel**?

18회

[예문 해석] **0501** 아시아의 동부는 때때로 동양이라고 일컬어진다. **0502** 사전은 장식용이 아니라 쓰기 위해서 구매되었다. **0503** 남북한 정상회담 전망은 매우 밝다.
0504 심한 치통으로 인한 고통은 참을 수가 없다. **0505** 그들은 그 소식을 듣고 공황 상태에 빠졌다. **0506** 멕시코는 노인들의 천국이 아니다. **0507** 전쟁 때문에 무역이 정체
되어 버렸다. **0508** 이 소포를 보내는 데 요금이 얼마나 들까요?

0509 parliament 명 의회, 국회 18회

[pá:rləmənt]

The annals of the British **Parliament** are recorded in a publication called *Hansard*.
→ parliamentary 형 의회의, 국회의

0510 particle 명 입자, 극소량 19회

[pá:rtikl]

She doesn't have a **particle** of interest in anyone but herself.

0511 passion 명 열정 40회

[pǽʃən]

My **passion** for books continued throughout my life. 대수능
→ passionate 형 열렬한, 정열적인

0512 pastime 명 취미, 오락 21회

[pǽstàim]

In 1866, America's favorite **pastime** was the game of billiards.

0513 patent 명 특허(권) 30회

[pǽtnt]

Also, **Patent** Office regulations forbid registered practitioners to advertise their services.

0514 patient 명 환자 형 참을성이 있는 105회

[péiʃənt]

Pets are important in the treatment of depressed or chronically ill **patients**. 대수능
→ patience 명 인내

★철자주의

0515 path 명 길, 보도 32회

[pǽθ] 혼동어
pass
동 지나가다

There was a **path** through the meadow.

> **path**는 산속이나 들판에 나 있는 좁고 긴 포장되지 않은 길이고, **lane**은 특히 시골의 좁고 작은 길 또는 도로의 차선을 말한다. **alley**는 건물 사이의 좁은 골목길이다.

0516 patriotism 명 애국심 18회

[péitriətìzm]

Her **patriotism** would not permit him to buy a foreign car. 대수능
→ patriot 명 애국자   patriotic 형 애국의, 애국적인

0517 patron 명 후원자, 단골 손님 20회

[péitrən] 혼동어
patrol
명 순찰

These spaces are reserved for handicapped **patrons** only.
→ patronage 명 보호, 후원

[예문 해석] **0509** 영국 의회 연보는 'Hansard(핸서드)'라고 불리는 인쇄물에 기록된다. **0510** 그녀는 자기 자신 외에는 아무에게도 전혀 관심을 갖지 않는다. **0511** 책에 대한 나의 열정은 나의 일생 동안 계속되었다. **0512** 1866년에 미국인들이 가장 좋아하는 취미 활동은 당구였다. **0513** 또한, 특허청 규정이 공인 변리사가 자신의 서비스에 대해 광고하는 것을 금하고 있다. **0514** 애완동물은 우울증이 있거나 만성적인 질병이 있는 환자들의 치료에 중요하다. **0515** 초원을 가로질러 길이 나 있었다. **0516** 그녀의 애국심은 그가 외제차를 사도록 하지 않을 것이다. **0517** 이곳은 장애인 고객들만을 위한 공간입니다.

0518 pedestrian 　명 보행자 　　　　　　　　　　　　　　　 *18회*

[pədéstriən]

One day, a truck hit a **pedestrian** on the street. 　대수능

0519 peer 　명 동료, 친구 　동 응시하다 　　　　　　　　 *28회*

[píər] 　혼동어
peel
동 껍질을 벗기다

Young people are easily influenced by their **peers**.

0520 penalty 　명 처벌, 벌금 　　　　　　　　　　　　　　 *43회*

[pénəlti]

The **penalty** of death will be imposed on him.

0521 peninsula 　명 [지리학] 반도 　　　　　　　　　　　 *18회*

[pənínsjulə]

People speaking Korean have been limited mostly to those from the **peninsula**. 　대수능

0522 penny 　명 페니(돈의 단위) 　　　　　　　　　　　　 *16회*

[péni]

Ten **pence** isn't a lot of money. 　대수능
→ penniless 　형 무일푼의

> **penny**의 복수형은 **pennies**와 **pence**이다. **pennies**는 화폐의 개수에 쓰고, **pence**는 금액에 쓴다.

0523 peril 　명 위험, 모험 　　　　　　　　　　　　　　　 *21회*

[pérəl]

The arms race is the greatest single **peril** now facing the world.

0524 permission 　명 허락, 허가 　　　　　　　　　　　　 *35회*

[pəːrmíʃən]

Now you cannot climb Mount Everest without special **permission**. 　대수능
→ permissible 　형 허용할 수 있는 　 permit 　동 허락하다

0525 personnel 　명 인력, 직원 　　　　　　　　　　　　 *24회*

[pə̀ːrsənél] 　혼동어
personal
형 개인적인, 개인의

Send your resume to director of **personnel**. 　대수능

0526 perspective 　명 원근법, 전망, 관점 　　　　　　 *45회*

[pəːrspéktiv]

In 15th-century Italy, artists rediscovered the rules of **perspective**.

[예문 해석] **0518** 어느 날 어떤 트럭이 거리에서 보행자를 치었다. **0519** 젊은이들은 친구의 영향을 쉽게 받는다. **0520** 그는 사형에 처해질 것이다. **0521** 한국어를 말하는 사람들은 주로 한반도 출신에 한정되어 왔다. **0522** 10펜스는 많은 돈이 아니다. **0523** 무기 경쟁은 지금 세계가 직면하고 있는 가장 큰 단일 위험 요소이다. **0524** 이제 당신은 특별한 허가 없이는 에베레스트 산에 올라갈 수 없다. **0525** 당신의 이력서를 인사 관리자에게 보내주십시오. **0526** 15세기 이탈리아에서 예술가들은 원근법의 규칙을 재발견했다.

0527 pessimism 명 비관주의(론) 20회

[pésəmìzm]

Pessimism, when you get used to it, is just as agreeable as optimism.
→ pessimist 명 비관론자   pessimistic 형 비관적인

0528 pharmacy 명 약학, 약국 17회

[fá:rməsi]

Please take this prescription to the **pharmacy**.
→ pharmacist 명 약사

★철자주의

0529 phase 명 단계, 국면, 양상 15회

[féiz]

The first **phase** of the project was completed without mishap.

0530 phrase 명 구(句), 숙어 26회

[fréiz]

The term "law," as used in the **phrases** "a human law" and "a law of nature," has two different meanings. 대수능
→ phrasal 형 어구의

0531 phenomenon 명 현상, 사건 40회

[finámənàn]

A hurricane is a violent natural **phenomenon**.
→ phenomenal 형 놀라운, 굉장한, 현상에 관한

0532 philosopher 명 철학자 35회

[filásəfər]

The **philosopher** speculated about time and space.
→ philosophy 명 철학   philosophical 형 철학의

0533 photograph 명 사진 20회

[fóutəgræf]

She has kept those old **photographs** by sentimental reasons.
→ photographer 명 사진사   photography 명 사진술, 사진 촬영

0534 pioneer 명 개척자, 선구자 25회

[pàiəníər]

She will continue to be a **pioneer** in the field of genetics at Bio2000.

0535 pity 명 연민, 안타까운 일   동 불쌍히 여기다 12회

[píti]

It really is a **pity** that they did not. 대수능

[예문 해석] **0527** 비관주의도, 익숙해지면, 낙관주의와 마찬가지로 마음에 든다.   **0528** 이 처방전을 약국으로 가져 가세요.   **0529** 프로젝트의 1단계는 무사히 끝났다.
0530 '법'이라는 용어는 '인간법'과 '자연법'이라는 어구에서 사용될 때 두 가지 다른 의미를 가진다.   **0531** 허리케인은 격렬한 자연 현상이다.   **0532** 그 철학자는 시간과 공간
에 대해 숙고했다.   **0533** 그녀는 감정적인 이유 때문에 그 오래된 사진들을 간직해왔다.   **0534** 바이오2000에서 그녀는 유전학 분야의 선구적인 역할을 계속할 것이다.
0535 그들이 그러지 않았다는 것은 정말로 안타깝다.

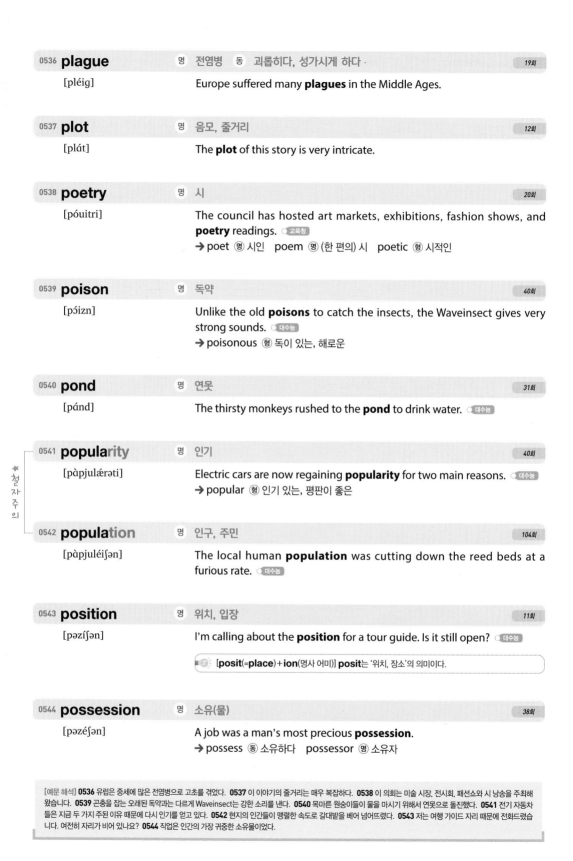

0536 plague 명 전염병　동 괴롭히다, 성가시게 하다 · ［19회］

[pléig]

Europe suffered many **plagues** in the Middle Ages.

0537 plot 명 음모, 줄거리 ［12회］

[plát]

The **plot** of this story is very intricate.

0538 poetry 명 시 ［20회］

[póuitri]

The council has hosted art markets, exhibitions, fashion shows, and **poetry** readings. 교육청
→ poet 명 시인　poem 명 (한 편의) 시　poetic 형 시적인

0539 poison 명 독약 ［40회］

[pɔ́izn]

Unlike the old **poisons** to catch the insects, the Waveinsect gives very strong sounds. 대수능
→ poisonous 형 독이 있는, 해로운

0540 pond 명 연못 ［31회］

[pánd]

The thirsty monkeys rushed to the **pond** to drink water. 대수능

★철자주의

0541 popularity 명 인기 ［40회］

[pàpjulǽrəti]

Electric cars are now regaining **popularity** for two main reasons. 대수능
→ popular 형 인기 있는, 평판이 좋은

0542 population 명 인구, 주민 ［104회］

[pàpjuléiʃən]

The local human **population** was cutting down the reed beds at a furious rate. 대수능

0543 position 명 위치, 입장 ［11회］

[pəzíʃən]

I'm calling about the **position** for a tour guide. Is it still open? 대수능

[**posit**(=place)+**ion**(명사 어미)] **posit**는 '위치, 장소'의 의미이다.

0544 possession 명 소유(물) ［38회］

[pəzéʃən]

A job was a man's most precious **possession**.
→ possess 동 소유하다　possessor 명 소유자

［예문 해석］ **0536** 유럽은 중세에 많은 전염병으로 고초를 겪었다. **0537** 이 이야기의 줄거리는 매우 복잡하다. **0538** 이 의회는 미술 시장, 전시회, 패션쇼와 시 낭송을 주최해 왔습니다. **0539** 곤충을 잡는 오래된 독약과는 다르게 Waveinsect는 강한 소리를 낸다. **0540** 목마른 원숭이들이 물을 마시기 위해서 연못으로 돌진했다. **0541** 전기 자동차들은 지금 두 가지 주된 이유 때문에 다시 인기를 얻고 있다. **0542** 현지의 인간들이 맹렬한 속도로 갈대밭을 베어 넘어뜨렸다. **0543** 저는 여행 가이드 자리 때문에 전화드렸습니다. 여전히 자리가 비어 있나요? **0544** 직업은 인간의 가장 귀중한 소유물이었다.

0545 potential 명 잠재력, 가능성 형 잠재적인 63회

[pəténʃəl]

Most people realize only a small part of their **potential**.
→ potentially 부 잠재적으로

0546 poverty 명 가난, 결핍 23회

[pávərti]   혼동어
puberty
명 사춘기

In spite of his fame, his whole life was marked by **poverty**. 대수능
↔ wealth 명 부, 재산, 풍부

0547 predator 명 약탈자, 육식동물 34회

[prédətər]

A **predator** is an animal that kills and eats other animals.

0548 predecessor 명 전임자, 선배 16회

[prédəsèsər]

Your **predecessor** put in a good word for you.
↔ successor 명 후임자, 상속자

0549 prejudice 명 선입견, 편견 20회

[prédʒudis]

I try very hard to overcome my **prejudice**, because I realize it limits me. 대수능

[**pre**(=before)+**judice**(=judge)] judice는 '판단, 판사, 정의'의 의미이다.

0550 preoccupation 명 선취, 선점 20회

[priːɑkjəpéiʃən]

He was capable of total **preoccupation**.
→ preoccupy 동 선취하다, 마음을 빼앗다   preoccupied 형 선취하는, 몰두한

표제어 이외의 **주요 어휘**

output	명 생산, 산출	platform	명 승강장, 연단
pacific	명 태평양 형 평화로운	plea	명 탄원, 변명
pause	명 중지 동 중단하다	pledge	명 맹세 동 맹세하다
peak	명 산꼭대기, 절정	plenty	명 다수, 풍부
perseverance	명 인내(력)	plumber	명 배관공
personality	명 인격, 성격, 개성	portion	명 부분, 몫
pill	명 알약	precaution	명 조심, 경계, 예방책

[예문 해석] **0545** 대부분의 사람들은 자신의 잠재 능력의 작은 부분만을 인식한다. **0546** 명성에도 불구하고 그의 일생은 가난으로 점철되어 있었다. **0547** 육식동물은 다른 동물들을 죽이고 먹는 동물이다. **0548** 네 전임자가 네 칭찬을 많이 했다. **0549** 나는 선입견을 극복하기 위해서 노력한다. 왜냐하면 그것이 나를 제한한다는 사실을 알았기 때문이다. **0550** 그는 완전히 선점할 수 있었다.

DAY 11 수능 필수 Daily IDIOMS

call up
전화를 걸다

She **called** me **up** to protest.
그녀는 나에게 항의하기 위해 전화했다.

can afford to + V
~할 여유가 있다

Do you think we **can afford to** get it?
그걸 살 수 있을까요?

can't help ~ing
~하지 않을 수 없다

I **can't help falling** in love with you.
당신과 사랑에 빠지지 않을 수 없어요.

carry on
계속하다

Carry on with your sweeping.
계속 빗자루질을 하세요.

carry out
수행하다, 실행하다

They will **carry out** their duties.
그들은 각자의 임무를 수행할 것이다.

catch up with
따라잡다

Korea is making efforts to **catch up with** America in this field.
이 분야에서 한국은 미국을 따라잡으려고 애쓰고 있다.

come across
우연히 만나다

I've never **come across** such a fool in my life.
내 평생 그런 바보를 만난 적이 없다.

come into effect
발효되다, 시행되다

The new law will **come into effect** next month.
새 법률은 다음 달에 시행될 것이다.

DAY 11 암기를 위한 Daily TEST

맞은 개수 ◯ / 50문항

💡 빈칸에 알맞은 단어나 뜻을 쓰시오.

01. orient	26. perspective
02. ornament	27. pessimism
03. outlook	28. 약학, 약국
04. 고통	29. phase
05. panic	30. phrase
06. 천국, 낙원	31. phenomenon
07. paralysis	32. 철학자
08. 소포, 꾸러미	33. photograph
09. parliament	34. pioneer
10. particle	35. 연민
11. 열정	36. plague
12. pastime	37. plot
13. patent	38. poetry
14. 환자	39. poison
15. path	40. 연못
16. patriotism	41. popularity
17. 후원자, 단골 손님	42. population
18. pedestrian	43. 위치, 입장
19. 동료, 응시하다	44. possession
20. penalty	45. potential
21. peninsula	46. 가난
22. penny	47. predator
23. peril	48. predecessor
24. 허락, 허가	49. 선입견
25. personnel	50. preoccupation

0551 preservation 명 보존, 보호 74회
[prèzərvéiʃən] 혼동어
reservation
명 예약, 보류
The organization is dedicated to the **preservation** of the environment.
→ preserve 동 보존하다, 보호하다   preservative 명 방부제 형 보존력이 있는

0552 president 명 대통령, 사장 29회
[prézidənt]
The old saying is true, "A **President** never escapes from his office." 대수능

0553 pressure 명 압력, 스트레스 110회
[préʃər]
Plants react to environmental **pressures** such as wind and rain. 대수능
→ press 동 누르다, 강요하다

0554 prestige 명 위신, 명성 18회
[prestí:dʒ]
The school has immense **prestige**.
→ prestigious 형 명성 있는, 유명한

0555 preview 명 예비 검사, 시연   동 시연을 보이다 18회
[prí:vjù:] 혼동어
previous
형 이전의, 앞의
Use the **preview** pane to quickly view a message.

0556 priest 명 신부, 성직자 21회
[prí:st]
The **priest** said with a smile, "It's dry in the church." 대수능

0557 principal 명 교장 형 주요한, 중요한 20회
[prínsəpəl]
As your **principal**, I have the pleasure of welcoming you to our school.

★철자주의

0558 principle 명 원리, 원칙 45회
[prínsəpl]
I agree with you in **principle**.
✪ in principle 원칙적으로, 대체로

[예문 해석] **0551** 그 기구는 환경 보존에 전념한다. **0552** '대통령은 결코 자기 직무로부터 도망갈 수 없다.'는 옛 속담은 사실이다. **0553** 식물은 바람과 비와 같은 환경적인 스트레스에 반응한다. **0554** 그 학교는 엄청난 명성을 지니고 있다. **0555** 메시지 내용을 빨리 보기 위해서 미리보기 창을 사용하라. **0556** 그 신부님은 미소지으며 말했다. "교회가 건조하지요." **0557** 여러분의 교장으로서, 저는 우리 학교에 오신 여러분을 기쁘게 환영합니다. **0558** 저는 원칙적으로는 당신의 의견에 동의합니다.

0559 privacy 명 사생활
[práivəsi]
English speakers, like most Westerners, value their **privacy** highly.
→ private 형 사적인

0560 privilege 명 특권
[prívəlidʒ]
Senior students are usually allowed certain **privileges**.
→ privileged 형 특권 있는

0561 probe 명 조사, 탐사선 동 조사하다
[próub] 혼동어
prove 동 증명하다
Russia will launch a series of unmanned Mars **probes**.

0562 procedure 명 절차, 순서
[prəsí:dʒər]
They followed the usual **procedures**.
→ proceed 동 나아가다, 계속하여 행하다

0563 productivity 명 생산성
[pròudʌktívəti]
Others say America's relatively low wages reflect the slow growth of **productivity** in recent decades.
→ product 명 제품 productive 형 생산적인 produce 동 생산하다 명 농산물

0564 professor 명 교수
[prəfésər]
A **professor** of business studied employment patterns in Korea.

0565 proficiency 명 숙달, 능숙
[prəfíʃənsi]
They also have only a limited **proficiency** in English.
→ proficient 형 숙달된, 능숙한

0566 profit 명 이윤, 이익
[práfit]
The owner has a right to all **profits**.
→ profitable 형 유리한, 이익이 있는

0567 progress 명 전진, 진보 동 전진하다, 진보하다
[prágres]
Although she's recovering from her illness, her rate of **progress** is slow.

[예문 해석] **0559** 대부분의 서양인들처럼 영어 사용자들은 그들의 사생활을 대단히 중요하게 여긴다. **0560** 상급생들에게는 보통 어떤 특권이 부여된다. **0561** 러시아는 일련의 무인 화성 탐사선을 발사할 것이다. **0562** 그들은 일반적인 절차를 따랐다. **0563** 다른 사람들은 미국의 상대적으로 낮은 임금이 최근 몇십 년간의 느린 생산성의 증가를 반영하고 있다고 말한다. **0564** 한 경영학 교수가 한국에서의 고용 형태를 연구했다. **0565** 그들은 또 한정적인 영어 실력만을 가지고 있다. **0566** 소유주는 모든 이익에 대한 권리를 가진다. **0567** 그녀는 병에서 회복되고 있긴 하지만, 회복 진행 속도는 늦다.

PART I 명사 111

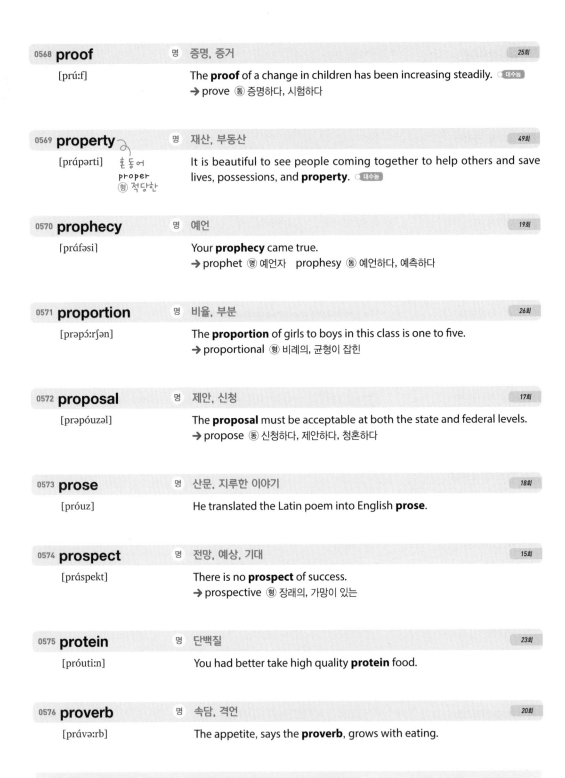

0568 proof 명 증명, 증거 25회

[prú:f]

The **proof** of a change in children has been increasing steadily. 대수능
→ prove 동 증명하다, 시험하다

0569 property 명 재산, 부동산 49회

[prápərti] 혼동어
proper
형 적당한

It is beautiful to see people coming together to help others and save lives, possessions, and **property**. 대수능

0570 prophecy 명 예언 19회

[práfəsi]

Your **prophecy** came true.
→ prophet 명 예언자   prophesy 동 예언하다, 예측하다

0571 proportion 명 비율, 부분 26회

[prəpɔ́:rʃən]

The **proportion** of girls to boys in this class is one to five.
→ proportional 형 비례의, 균형이 잡힌

0572 proposal 명 제안, 신청 17회

[prəpóuzəl]

The **proposal** must be acceptable at both the state and federal levels.
→ propose 동 신청하다, 제안하다, 청혼하다

0573 prose 명 산문, 지루한 이야기 18회

[próuz]

He translated the Latin poem into English **prose**.

0574 prospect 명 전망, 예상, 기대 15회

[práspekt]

There is no **prospect** of success.
→ prospective 형 장래의, 가망이 있는

0575 protein 명 단백질 23회

[próuti:n]

You had better take high quality **protein** food.

0576 proverb 명 속담, 격언 20회

[právə:rb]

The appetite, says the **proverb**, grows with eating.

[예문 해석] **0568** 아이들이 변화하고 있다는 증거는 꾸준히 증가해왔다. **0569** 사람들이 다른 사람들을 돕고 생명과 소유물과 재산을 구하기 위해 함께 모인 것을 목격하는 것은 아름다운 일이다. **0570** 네 예언이 들어맞았다. **0571** 이 교실의 여학생 대 남학생의 비율은 1대 5이다. **0572** 그 제안은 국가와 연방 차원 양쪽에서 받아들여질 만한 것임에 틀림없다. **0573** 그는 라틴어 시를 영어 산문으로 번역했다. **0574** 성공할 가망은 없다. **0575** 당신은 고단백질 음식물을 섭취하는 게 좋다. **0576** 속담에 따르면, 식욕은 먹을수록 늘어난다.

0577 province 명 지방, 지역 23회

[právins]

Britain was once a Roman **province**.
→ provincial 형 지방의, 시골의

0578 psychology 명 심리학, 심리(상태) 121회

[saikálədʒi]

혼동어
physiology
명 생리학

Art reflects religious beliefs, emotions, and **psychology**. 대수능
→ psychologist 명 심리학자

🔊 [psycho(=soul)+logy(=study)] psycho는 '심리, 정신'의 의미이다.

0579 publicity 명 명성, 평판, 홍보 162회

[pʌblísəti]

She sought out **publicity**. 대수능
→ public 형 공공의, 대중의 publicly 부 공공연하게

0580 pupil 명 학생, 동공 15회

[pjú:pl]

His teachings have been handed down to us by his **pupils**. 대수능

0581 purity 명 순수, 청결 21회

[pjúərəti]

A lily is the symbol of **purity**.
→ pure 형 순수한 purify 동 청결하게 하다, 정화하다

0582 purpose 명 목적, 의도 89회

[pə́:rpəs]

Certain smells can be used for special **purposes**. 대수능
→ purposely 부 고의로 ✪ on purpose 일부러, 고의로

0583 quantity 명 양, 수량 27회

[kwántəti]

혼동어
quality
명 질, 품질

The manager analyzed the quality and **quantity** of work. 대수능
→ quantitative 형 양적인 quantify 동 ~의 양을 정하다
✪ a quantity of 많은, 다수의

0584 quest 명 탐색, 추구 19회

[kwést]

Their **quest** for valuable minerals was in vain.
✪ in quest of ~을 찾아서

0585 quotation 명 인용(구) 21회

[kwoutéiʃən]

This is a **quotation** apt for the occasion.
→ quote 동 인용하다, 따다 쓰다

[예문 해석] **0577** 영국은 예전에 로마의 한 지방이었다. **0578** 예술은 종교적인 신념과 정서, 그리고 심리상태도 반영한다. **0579** 그녀는 명성을 쫓았다. **0580** 그의 가르침은 제자들에 의해 우리에게 전해지고 있다. **0581** 백합은 순결의 상징이다. **0582** 특정한 냄새들은 특별한 목적들을 위해 사용될 수 있다. **0583** 관리자는 노동의 질과 양을 분석하였다. **0584** 그들의 유용 광물 탐색은 헛수고였다. **0585** 이것이 그 경우에 적절한 인용구이다.

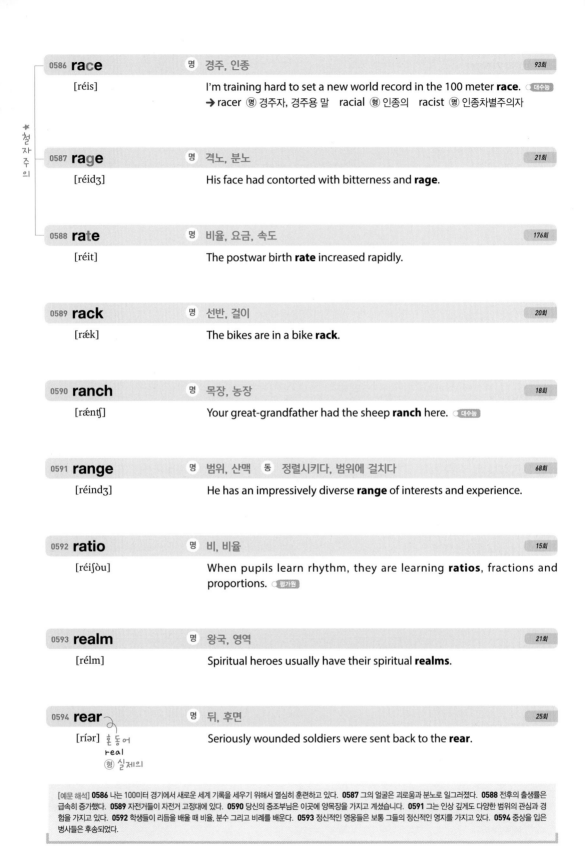

★철자주의

0586 race 명 경주, 인종 | 93회
[réis]
I'm training hard to set a new world record in the 100 meter **race**. 대수능
→ racer 명 경주자, 경주용 말 racial 형 인종의 racist 명 인종차별주의자

0587 rage 명 격노, 분노 | 21회
[réidʒ]
His face had contorted with bitterness and **rage**.

0588 rate 명 비율, 요금, 속도 | 176회
[réit]
The postwar birth **rate** increased rapidly.

0589 rack 명 선반, 걸이 | 20회
[ræk]
The bikes are in a bike **rack**.

0590 ranch 명 목장, 농장 | 18회
[rǽntʃ]
Your great-grandfather had the sheep **ranch** here. 대수능

0591 range 명 범위, 산맥 동 정렬시키다, 범위에 걸치다 | 68회
[réindʒ]
He has an impressively diverse **range** of interests and experience.

0592 ratio 명 비, 비율 | 15회
[réiʃòu]
When pupils learn rhythm, they are learning **ratios**, fractions and proportions. 평가원

0593 realm 명 왕국, 영역 | 21회
[rélm]
Spiritual heroes usually have their spiritual **realms**.

0594 rear 명 뒤, 후면 | 25회
[ríər] 혼동어
real
형 실제의
Seriously wounded soldiers were sent back to the **rear**.

[예문 해석] **0586** 나는 100미터 경기에서 새로운 세계 기록을 세우기 위해서 열심히 훈련하고 있다. **0587** 그의 얼굴은 괴로움과 분노로 일그러졌다. **0588** 전후의 출생률은 급속히 증가했다. **0589** 자전거들이 자전거 고정대에 있다. **0590** 당신의 증조부님은 이곳에 양목장을 가지고 계셨습니다. **0591** 그는 인상 깊게도 다양한 범위의 관심과 경험을 가지고 있다. **0592** 학생들이 리듬을 배울 때 비율, 분수 그리고 비례를 배운다. **0593** 정신적인 영웅들은 보통 그들의 정신적인 영지를 가지고 있다. **0594** 중상을 입은 병사들은 후송되었다.

0595 rebel 　　　명　반역자　　　21회

[rébəl] 혼동어
label
명 상표, 꼬리표

Government troops have succeeded in capturing the **rebel** leader.
→ rebellion 명 반역, 폭동　rebellious 형 반역하는, 반항적인

0596 receipt 　　　명　수령, 영수증　　　21회

[risíːt]

Please attach copies of all **receipts**, as well as a copy of the warranty.

0597 recipe 　　　명　조리법　　　19회

[résəpì:]

All vegetables used in this **recipe** are to be minced very fine.

0598 reconciliation 　　　명　조정, 화해　　　18회

[rèkənsìliéiʃən]

Reconciliation between two people is the process of their becoming friends again.
→ reconcile 동 화해시키다, 중재하다

0599 recruit 　　　명　신병, 신입사원　동　신병을 들이다, 보충하다　　　23회

[rikrúːt]

Most of the new **recruits** had advanced degrees.
→ recruitment 명 신병(신입사원) 모집, 보충

0600 rectangle 　　　명　직사각형　　　19회

[réktæŋgl]

The school playground was a large **rectangle**.
→ rectangular 형 직사각형의

표제어 이외의 **주요 어휘**

prey	명 먹이, 희생	rain forest	명 열대 우림	
prison	명 감옥, 교도소	rake	명 갈퀴　동 (갈퀴로) 긁어모으다	
prize	명 상, 상품	rally	명 집회　동 다시 모으다	
process	명 과정, 경과	ravage	명 파괴, 황폐	
puberty	명 사춘기	realty	명 부동산	
pump	명 펌프　동 펌프질하다	reception	명 응접, 환영회	
rag	명 넝마, 누더기	recess	명 휴식	

[예문 해석] **0595** 정부군은 반군 지도자를 붙잡는 데 성공했다. **0596** 보증서 사본 1통과 모든 영수증의 사본을 첨부해주십시오. **0597** 이 조리법에 쓰이는 모든 야채들은 아주 잘게 다져야 한다. **0598** 두 사람 간의 화해는 그들이 다시 친구가 되어가는 과정이다. **0599** 대부분의 신입사원들은 고급 학위를 소지하고 있었다. **0600** 학교 운동장은 커다란 직사각형이었다.

DAY 12 수능 필수 Daily IDIOMS

come to an agreement
합의점에 도달하다

Have they **come to an agreement** yet?
그들이 벌써 합의를 보았습니까?

come to + V
~하게 되다

Scientists often **come to** believe strongly the validity of their own theories.
과학자들은 자신의 이론의 타당성을 종종 강하게 믿게 된다.

come up with
(의견 등을) 생각해 내다

How did you **come up with** such a brilliant idea?
어떻게 그런 기발한 생각이 떠올랐니?

compared with
~와 비교해 볼 때

Ad pages were down 15.9 percent, **compared with** a year earlier.
광고 페이지들이 1년 전에 비해 15.9% 줄었다.

compete with
~와 경쟁하다

No painting can **compete with** this one.
이것에 필적할 만한 그림은 없다.

concentrate on
~에 집중하다

He was **concentrating on** checking the oven.
그는 오븐을 점검하는 일에 집중하고 있었다.

contribute to + N
~에 공헌하다, 기여하다

He seldom **contributes to** our conversation.
그는 우리의 대화에 공헌하는 경우가 거의 없다.

cut back on
~을 줄이다

Cut back on your activities and get more exercise.
지금 하고 있는 일들을 줄이고 운동을 더 해 보세요.

DAY 12 암기를 위한 Daily TEST

💡 빈칸에 알맞은 단어나 뜻을 쓰시오.

01. preservation		26. proverb	
02. 대통령		27. province	
03. pressure		28. 심리학	
04. prestige		29. publicity	
05. preview		30. pupil	
06. 성직자		31. purity	
07. principal		32. 목적	
08. principle		33. quantity	
09. 사생활		34. quest	
10. privilege		35. quotation	
11. probe		36. 경주, 인종	
12. 절차, 순서		37. rage	
13. productivity		38. 비율, 요금	
14. 교수		39. rack	
15. proficiency		40. ranch	
16. profit		41. range	
17. 전진, 진보		42. ratio	
18. proof		43. realm	
19. 재산, 부동산		44. rear	
20. prophecy		45. rebel	
21. proportion		46. 수령, 영수증	
22. 제안, 신청		47. recipe	
23. prose		48. reconciliation	
24. prospect		49. recruit	
25. 단백질		50. 직사각형	

★ 철자 주의

0601 reflex 명 반사작용(행동) 형 반사(작용)의 *18회*
[ríːfleks]
The ability to act quickly and without conscious thought is called a **reflex**.

0602 refuge 명 피난(처) *25회*
[réfjuːdʒ]
Many people escaping persecution are seeking **refuge** in this country.
→ refugee 명 피난자, 난민

0603 refund 명 반환, 환불 동 반환하다, 환불하다 *21회*
[ríːfʌnd]
I'm not allowed to give **refunds** for items bought on sale.
→ refundable 형 갚을(반환할) 수 있는

0604 regard 명 안부 동 간주하다, 생각하다 *68회*
[rigáːrd]
Take care of yourself, and give my best **regards** to your parents. 대수능
→ regarding 전 ~에 관하여 regardless 형 무관심한, 부주의한

0605 region 명 지역, 지방 *42회*
[ríːdʒən]
Most plantations are in tropical or semitropical **regions**.
→ regional 형 지방의, 지역적인

0606 rehearsal 명 리허설, 예행 연습 *21회*
[rihə́ːrsəl]
We held many **rehearsals** before the presentation of our school play.
→ rehearse 동 예행 연습하다

0607 reinforcement 명 강화, 보강, 증원 부대 *27회*
[rìːinfɔ́ːrsmənt]
Reinforcements were rushed for the relief of the army.
→ reinforce 동 강화하다, 보강하다

0608 relative 명 친척 형 상대적인, 비교상의 *250회*
[rélətiv]
He was raised by his **relatives**.

[예문 해석] **0601** 재빨리 그리고 무의식적으로 행동할 수 있는 능력을 반사작용이라 한다. **0602** 박해에서 도망친 많은 사람들이 이 나라에서 도피처를 찾고 있다. **0603** 세일 때 구입하신 물건에 대해서는 환불이 안 됩니다. **0604** 몸조심하고, 당신의 부모님께 안부 전해주세요. **0605** 대부분의 농원은 열대나 아열대 지방에 있다. **0606** 우리는 학교 연극의 상연에 앞서 여러 번 연습했다. **0607** 부대를 구원하기 위해 지원군이 급파되었다. **0608** 그는 그의 친척들에 의해 자랐다.

| 0609 **reliability** | 명 신뢰성 | 17회 |

[rilàiəbíləti]

I have some doubts about their **reliability**.
→ reliable 형 믿을 수 있는, 확실한

| 0610 **reliance** | 명 의지, 신뢰 | 22회 |

[riláiəns]

People have a heavy **reliance** on the mass media.
→ reliant 형 신뢰하는, 의지하는   rely 동 의지하다, 신뢰하다

| 0611 **religion** | 명 종교 | 55회 |

[rilídʒən]   혼동어
region
명 지역

Religion is a set of beliefs that guide a person's life.
→ religious 형 종교적인

| 0612 **reluctance** | 명 마음이 내키지 않음, 마지못해 함 | 12회 |

[riláktəns]

He showed the greatest **reluctance** to make a reply.
→ reluctant 형 마음 내키지 않는, 꺼리는

| 0613 **remark** | 명 발언, 주목   동 언급하다, 알아차리다 | 49회 |

[rimá:rk]

He didn't comprehend the significance of the teacher's **remark**.
→ remarkable 형 주목할 만한, 현저한

| 0614 **remedy** | 명 치료(법), 구제책 | 20회 |

[rémədi]

Knowledge is the best **remedy** for superstition.

| 0615 **remembrance** | 명 기억, 기념물 | 178회 |

*철자주의

[rimémbrəns]

I took the photos as a pictorial **remembrance** of the trip. 대수능
→ remember 동 기억하다

| 0616 **resemblance** | 명 유사(성), 닮음 | 15회 |

[rizémbləns]

There was a remarkable **resemblance** between him and Pete.
→ resemble 동 닮다, 공통점이 있다

| 0617 **reputation** | 명 평판, 명성 | 20회 |

[rèpjutéiʃən]   혼동어
computation
명 계산

He acquired a good **reputation**.
→ repute 명 평판, 명성   동 ~이라고 평하다

[예문 해석] **0609** 나는 그들의 신뢰성에 의심이 간다. **0610** 사람들은 대중 매체에 지나치게 의존한다. **0611** 종교는 사람의 삶을 이끌어주는 일련의 믿음이다. **0612** 그는 대답하기가 몹시 못마땅하다는 태도를 보였다. **0613** 그는 선생님 말씀의 중대성을 이해하지 못했다. **0614** 지식은 미신에 대한 최선의 구제책이다. **0615** 나는 그 여행의 생생한 기념물로 사진들을 찍었다. **0616** 그와 Pete 사이에는 상당한 유사점이 있었다. **0617** 그는 훌륭한 명성을 얻었다.

0618 request 명 요구 동 요청하다 〔rikwést〕 51회

There was some opposition to the workers' **request** for higher wages.
→ require 동 요구하다   requirement 명 요구사항   required 형 필수의

0619 research 명 연구 동 연구하다 〔risə́ːrtʃ〕 138회

The knowledge that **research** produces should be made public. 〔평가원〕
→ researcher 명 연구자, 조사자

0620 reservoir 명 저수지, 저장소 〔rézərvwɔ̀ːr〕 혼동어 reserve 동 비축하다, 예약하다 19회

The **reservoir** dried up completely during the drought.
→ reserve 동 예약하다, 남겨두다   reservation 명 예약, 부류

0621 residence 명 거주, 주거 〔rézidəns〕 11회

They thought these houses had been very smart **residences**. 〔대수능〕
→ reside 동 살다, 거주하다   resident 명 거주자   residential 형 주거의

🔊 **house**는 '집' 자체를 뜻하고 **residence**는 '살고 있는 곳'을 강조한다.

0622 resort 명 휴양지 동 의지하다, 호소하다 〔rizɔ́ːrt〕 혼동어 report 동 보고하다 23회

They are attracted by the **resort** with its colorful night life. 〔대수능〕

0623 responsibility 명 책임, 의무 〔rispɑ̀nsəbíləti〕 221회

People try not to take **responsibility** for their actions. 〔대수능〕
→ responsible 형 책임 있는

0624 restoration 명 복구, (건강의) 회복 〔rèstəréiʃən〕 20회

The **restoration** work progressed rapidly.
→ restore 동 복구하다, 회복시키다

0625 result 명 결과, 성과 〔rizʌ́lt〕 386회

The predicted **results** and the actual results are very different.
✪ as a result of ~의 결과로서

0626 retailer 명 소매상 〔ríːteilər〕 15회

Gears is the largest **retailer** in the country. 〔대수능〕
→ retail 명 소매

[예문 해석] **0618** 근로자들의 임금 인상 요구에 대한 약간의 반대가 있었다. **0619** 연구가 산출한 지식은 공개돼야 한다. **0620** 저수지는 가뭄 중에 완전히 말라버렸다. **0621** 그들은 이러한 집들이 매우 멋있는 주거였다고 생각했다. **0622** 그들은 다채로운 야간의 생활이 있는 휴양지에 매료되어 있다. **0623** 사람들은 그들의 행동에 대해 책임을 지려고 하지 않는다. **0624** 복구공사는 빠른 속도로 진척되었다. **0625** 예상했던 결과와 실제의 결과는 매우 다르다. **0626** Gears는 나라에서 가장 큰 소매상이다.

0627 retrospect 　명 회고, 소급력 　*20회*

[rétrəspèkt]

In **retrospect**, I think that I was wrong.
→ retrospective 형 회고적인, 소급 적용되는

> [**retro**(=back)+**spect**(=look)] '뒤로 생각하다'에서 '회상, 회고'라는 의미이다.

0628 reverse 　명 역, 반대 　형 역의, 반대의 　동 거꾸로 하다, 반대로 하다 　*21회*

[rivə́:rs] 혼동어
reserved
형 보류된, 내성적인

The car has four forward gears and one **reverse** gear.
→ reversible 형 거꾸로 할 수 있는 　reversion 명 복귀 　reversal 명 전도, 역전

0629 revival 　명 소생, 부활 　*25회*

[riváivəl]

Our economy is undergoing a **revival**.
→ revive 동 소생시키다, 부활하다

0630 revolution 　명 혁명, 회전 　*28회*

[rèvəlú:ʃən] 혼동어
resolution
명 결심, 해결

The Industrial **Revolution** took place in the 18th century.
→ revolutionize 동 혁명을 일으키다 　revolve 동 회전하다

0631 reward 　명 보상(금) 　동 보답하다, 보상하다 　*68회*

[riwɔ́:rd]

Mr. Dave is offering a **reward** of $25,000 for information. 　*대수능*
→ rewarding 형 보답이 있는, ~할 만한 가치가 있는

0632 riddle 　명 수수께끼 　*23회*

[rídl]

Can you guess the answer to this **riddle**?

0633 rider 　명 타는 사람 　*77회*

[ráidər]

I thought the **rider** would stop at the T-junction. 　*대수능*
→ ride 동 타다 　riding 명 승마

0634 risk 　명 위험 　*93회*

[rísk]

Cyclists are advised to wear helmets to reduce the **risk** of head injury.
→ risky 형 위험한

0635 rite 　명 의식 　*17회*

[ráit] 혼동어
ripe 형 익은, 숙성한

Getting a driver's license is the **rite** of passage to the adult world. 　*대수능*

[예문 해석] **0627** 돌이켜 보니, 내가 틀렸던 것 같다. **0628** 그 자동차는 네 개의 전진 기어와 한 개의 후진 기어가 있다. **0629** 우리 경제가 소생하고 있다. **0630** 산업 혁명은 18세기에 일어났다. **0631** Dave 씨는 정보 제공의 대가로 2만 5천 달러의 보상금을 제시하고 있다. **0632** 이 수수께끼의 답을 알 수 있겠니? **0633** 나는 T자형 교차로에서 그 운전자가 멈출 것이라고 생각했다. **0634** 자전거를 타는 사람들은 머리 부상의 위험을 줄이기 위해 헬멧을 쓸 것을 권고받는다. **0635** 운전면허증을 취득하는 것은 어른 세계로 통과하는 의식이다.

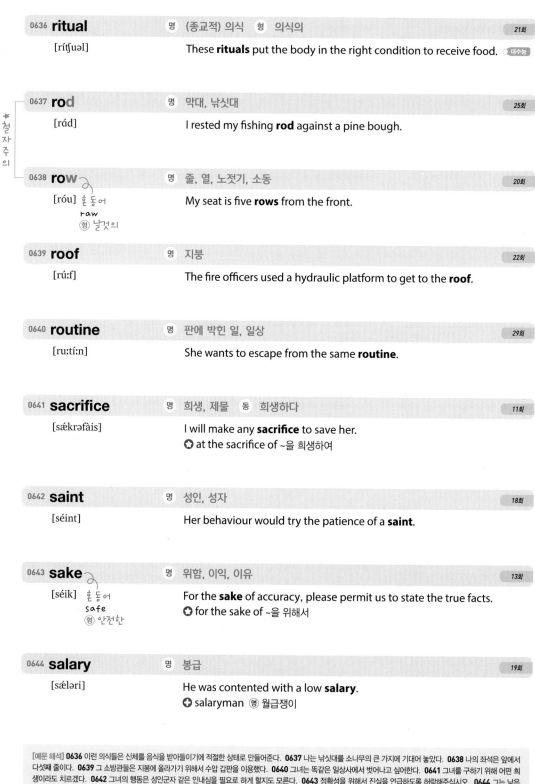

0636 ritual [rítʃuəl]
명 (종교적) 의식 형 의식의
21회

These **rituals** put the body in the right condition to receive food. ● 대수능

★철자주의

0637 rod [rɑ́d]
명 막대, 낚싯대
25회

I rested my fishing **rod** against a pine bough.

0638 row [róu]
명 줄, 열, 노젓기, 소동
20회

혼동어
raw
형 날것의

My seat is five **rows** from the front.

0639 roof [rúːf]
명 지붕
22회

The fire officers used a hydraulic platform to get to the **roof**.

0640 routine [ruːtíːn]
명 판에 박힌 일, 일상
29회

She wants to escape from the same **routine**.

0641 sacrifice [sǽkrəfàis]
명 희생, 제물 동 희생하다
11회

I will make any **sacrifice** to save her.
✪ at the sacrifice of ~을 희생하여

0642 saint [séint]
명 성인, 성자
18회

Her behaviour would try the patience of a **saint**.

0643 sake [séik]
명 위함, 이익, 이유
13회

혼동어
safe
형 안전한

For the **sake** of accuracy, please permit us to state the true facts.
✪ for the sake of ~을 위해서

0644 salary [sǽləri]
명 봉급
19회

He was contented with a low **salary**.
✪ salaryman 명 월급쟁이

[예문 해석] **0636** 이런 의식들은 신체를 음식을 받아들이기에 적절한 상태로 만들어준다. **0637** 나는 낚싯대를 소나무의 큰 가지에 기대어 놓았다. **0638** 나의 좌석은 앞에서 다섯째 줄이다. **0639** 그 소방관들은 지붕에 올라가기 위해서 수압 갑판을 이용했다. **0640** 그녀는 똑같은 일상사에서 벗어나고 싶어한다. **0641** 그녀를 구하기 위해 어떤 희생이라도 치르겠다. **0642** 그녀의 행동은 성인군자 같은 인내심을 필요로 하게 할지도 모른다. **0643** 정확성을 위해서 진실을 언급하도록 허락해주십시오. **0644** 그는 낮은 급료에 만족했다.

0645 sanitation 명 (공중) 위생, 위생 시설 18회

[sæ̀nitéiʃən]
Worsening **sanitation** can bring about an increase in crime. 대수능
→ sanitary 형 (공중) 위생의, 위생적인

0646 satisfaction 명 만족 138회

[sæ̀tisfǽkʃən]
They have the **satisfaction** of having helped a lot of people.
→ satisfy 동 만족시키다   satisfactory 형 만족한, 충분한

0647 scale 명 규모, 저울, (물고기의) 비늘 34회

[skéil]
It is offered to the shops or businesses that buy goods on a large **scale**. 대수능
✪ on a large scale 대규모로

0648 scene 명 장면, 광경, 현장 20회

★철자주의

[síːn]
A knife was found at the **scene** of the crime.

0649 scent 명 향기, 냄새 16회

[sént]
No songs of birds were in the air, no pleasant **scents**, and no moving lights and shadows from swift passing clouds. 대수능

0650 scheme 명 계획, 음모   동 계획하다, 음모를 꾸미다 19회

[skíːm]
They formed a **scheme** of building a new bridge.

표제어 이외의 **주요 어휘**

regime	명 정권, 체제	rubbish	명 쓰레기	
reign	명 통치, 지배	ruin	명 파멸 (pl.) 폐허 동 파괴하다	
representative	명 대표 형 대표적인	satellite	명 인공위성	
reptile	명 파충류	satire	명 풍자	
resource	명 자원, 수단	savage	명 야만인 형 미개한	
revenge	명 복수 동 복수하다	scar	명 상처, 흉터	
rib	명 늑골, 갈빗대	scarcity	명 희소성, 결핍	

[예문 해석] **0645** 악화되는 위생은 범죄의 증가를 야기할 수 있다. **0646** 그들은 많은 사람들을 도왔던 것에 대해 만족해한다. **0647** 그것은 큰 규모로 물건들을 사는 가게들이나 기업들에 제공된다. **0648** 범죄 현장에서 칼이 발견되었다. **0649** 새들의 노래 소리도 공중에 전혀 없었고, 상쾌한 향기도 전혀 없었고, 빠르게 지나가는 구름에서 오는 움직이는 빛과 그림자도 전혀 없었다. **0650** 그들은 새 교량 건설 계획을 세웠다.

DAY 13 수능 필수 Daily IDIOMS

cut short
줄이다, 단축하다

The meeting was **cut short** when the speaker became ill.
그 회의는 연설자가 아파서 단축되었다

deal with
취급하다, 처리하다

This ambulance is equipped to **deal with** any emergency.
이 앰뷸런스는 어떤 긴급사태에도 대처할 수 있는 장비를 갖추고 있다.

depend on
~에 의존하다, ~에 달려 있다

Losing weight **depends on** changing eating habits.
체중 감량은 식습관을 바꾸는 것에 따라 좌우된다.

deprive A of B
A에게서 B를 빼앗다

They **deprived** the person **of** his right to a trial.
그들은 그 사람에게서 재판받을 권리를 박탈했다.

dispose of
처리하다, 처분하다

Let's **dispose of** this problem first.
우선 이 문제부터 처리합시다.

dress up
정장하다, 깔끔하게 차려입다

Should I **dress up** for the cocktail party?
칵테일 파티에 정장을 입고 가야 하니?

drive me crazy
나를 화나게 하다

You **drive me crazy**.
너는 나를 화나게 한다.

drop out of
~에서 탈락하다, 중퇴하다

Many people have **dropped out of** the race.
많은 사람들이 경주에서 탈락했다.

DAY 13 암기를 위한 Daily TEST

맞은 개수 ◯ / 50문항

💡 빈칸에 알맞은 단어나 뜻을 쓰시오.

01. reflex
02. refuge
03. 반환, 환불
04. regard
05. 지역, 지방
06. rehearsal
07. reinforcement
08. 친척, 상대적인
09. reliability
10. reliance
11. 종교
12. reluctance
13. 발언, 주목
14. remedy
15. remembrance
16. resemblance
17. reputation
18. 요구, 요청하다
19. research
20. reservoir
21. 거주, 주거
22. resort
23. responsibility
24. restoration
25. 결과

26. retailer
27. retrospect
28. 역, 반대의
29. revival
30. revolution
31. 보상(금)
32. riddle
33. rider
34. 위험
35. rite
36. ritual
37. rod
38. 줄, 열
39. 지붕
40. routine
41. sacrifice
42. saint
43. sake
44. 봉급
45. sanitation
46. satisfaction
47. scale
48. 장면
49. scent
50. scheme

★ 철자주의

0651 scholar 명 학자 27회

[skάlər]

A **scholar** said, "Water, which is essential for life, costs nothing." 대수능
→ scholarly 형 학자다운, 박식한

0652 scholarship 명 학문, 장학금 22회

[skάlərʃìp]

"One's personal morality must never get in the way of **scholarship**," he thundered. 대수능

0653 scope 명 범위, 영역 21회

[skóup]

I still have several questions regarding the **scope** of the project.

0654 scrap 명 작은 조각, 오려낸 것 23회

[skrǽp]

Be sure to put the **scraps** of paper in the wastepaper basket.

0655 script 명 대본, 각본 13회

[skrípt]

Producers select plays or **scripts** and arrange financing.
→ scripter 명 (영화 · 방송의) 각본가, 각색자

0656 sector 명 분야, 방면 22회

[séktər]

Most of the newly created jobs are in the service **sector**.

0657 seed 명 씨, 종자 동 씨를 뿌리다 60회

[síːd] 혼동어
seek
동 찾다, 구하다

He got up early to plant **seeds** in his field.

0658 segment 명 단편, 조각 25회

[ségmənt]

Different **segments** of the panel are painted different colors.
→ segmentation 명 분할, 구분

[예문 해석] **0651** 어떤 학자는 "생명에 필수적인 물은 공짜이다."라고 말했다. **0652** 그는 "사람의 개인적인 도덕성이 학문 활동에 결코 방해가 되어서는 안 된다."고 큰 소리로 말했다. **0653** 나는 그 프로젝트의 범위에 관해서는 아직도 몇 가지 궁금한 점이 있다. **0654** 종이 조각들은 꼭 휴지통에 버려라. **0655** 제작자는 작품이나 시나리오를 선정하고, 제작 비용을 조달한다. **0656** 새로이 창출되어진 일자리들은 대부분 서비스 분야의 것이다. **0657** 그는 밭에 씨를 뿌리기 위해 일찍 일어났다. **0658** 패널의 다른 부분들이 다른 색깔들로 칠해져 있다.

0659 sensation 　명　감각, 느낌, 큰 관심(거리)　　14회

[senséiʃən]

I had the odd **sensation** that someone was following me.
→ sensational 형 선풍적 인기의, 감각의

0660 sentiment 　명　감정, 정서　　17회

[séntəmənt]

He was unable to find the exact words to express his **sentiments**.
→ sentimental 형 감정적인, 감상적인

0661 sequence 　명　연속, 순서, 결과　　24회

[síːkwəns]

The **sequence** of events led up to the war.
✪ in sequence 차례로, 잇달아

0662 series 　명　연속, 일련　　50회

[síəriːz] 혼동어
serial
형 연속적인

Then a big **series** of problems happens. 대수능
→ serial 명 연속물 형 연속적인, 일련의

0663 session 　명　회기, 학년, 학기　　27회

[séʃən]

The National Assembly is expected to ratify the treaty during this **session**.

0664 shade 　명　그늘, 블라인드　동　그늘지게 하다　　25회

★철자주의

[ʃéid]

I took a nap on the bench under the **shade** of trees.
→ shadow 명 그림자

0665 shame 　명　부끄럼, 유감　　25회

[ʃéim]

He turned red with **shame**.
→ shameful 형 부끄러운, 창피스러운　shameless 형 부끄러움을 모르는

0666 shelf 　명　선반　　18회

[ʃélf]

Billy took a book from the **shelf**.

0667 shelter 　명　피난처, 주거　　24회

[ʃéltər]

Surviving individuals were forced to find **shelter** elsewhere. 평가원

[예문 해석] **0659** 나는 누군가 따라오고 있다는 이상한 느낌이 들었다. **0660** 그는 자신의 감정을 표현할 정확한 말을 생각해 낼 수 없었다. **0661** 일련의 사건들이 전쟁을 야기했다. **0662** 그리고 나면 연속되는 큰 문제들이 발생한다. **0663** 국회는 이번 회기 중에 그 조약을 비준할 예정이다. **0664** 나는 나무 그늘 밑 벤치에서 낮잠을 잤다. **0665** 그는 창피해서 얼굴이 빨개졌다. **0666** Billy는 선반에서 책을 가져갔다. **0667** 살아남은 개체들은 다른 곳에서 피난처를 찾을 수밖에 없었다.

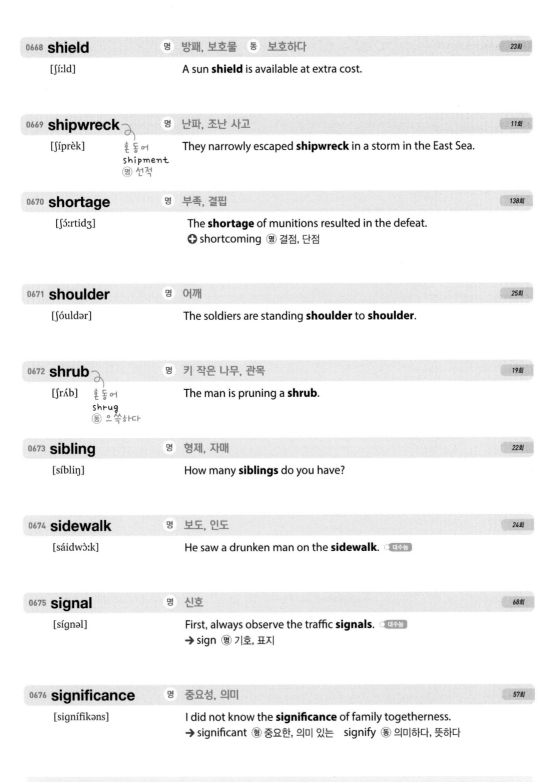

0668 shield 명 방패, 보호물 동 보호하다 *23회*

[ʃíːld]

A sun **shield** is available at extra cost.

0669 shipwreck 명 난파, 조난 사고 *11회*

[ʃíprèk] 혼동어 shipment 명 선적

They narrowly escaped **shipwreck** in a storm in the East Sea.

0670 shortage 명 부족, 결핍 *138회*

[ʃɔ́ːrtidʒ]

The **shortage** of munitions resulted in the defeat.
➕ shortcoming 명 결점, 단점

0671 shoulder 명 어깨 *25회*

[ʃóuldər]

The soldiers are standing **shoulder** to **shoulder**.

0672 shrub 명 키 작은 나무, 관목 *19회*

[ʃrʌ́b] 혼동어 shrug 동 으쓱하다

The man is pruning a **shrub**.

0673 sibling 명 형제, 자매 *22회*

[síbliŋ]

How many **siblings** do you have?

0674 sidewalk 명 보도, 인도 *24회*

[sáidwɔ̀ːk]

He saw a drunken man on the **sidewalk**. 대수능

0675 signal 명 신호 *68회*

[sígnəl]

First, always observe the traffic **signals**. 대수능
→ sign 명 기호, 표지

0676 significance 명 중요성, 의미 *57회*

[signífikəns]

I did not know the **significance** of family togetherness.
→ significant 형 중요한, 의미 있는   signify 동 의미하다, 뜻하다

[예문 해석] **0668** 따로 돈을 더 내면 일광 차단막도 구입이 가능하다. **0669** 그들은 동해에서 폭풍우 때 가까스로 난파를 면했다. **0670** 탄약의 부족이 패인이 되었다. **0671** 군인들이 어깨를 나란히 하고 서 있다. **0672** 남자가 관목을 가지치기하고 있다. **0673** 형제자매가 몇 명이예요? **0674** 그는 보도 위에 있는 술에 취한 남자를 보았다. **0675** 첫 번째로 항상 교통 신호들을 준수하십시오. **0676** 나는 가족이 함께 한다는 것의 중요성을 몰랐다.

0677 sin 　　　　명 죄 　　　　　　　　　　　　　　　　29회

[sín]

The wages of **sin** is death.

> **sin**은 특히 종교상, 도덕상의 죄를 말하며, **crime**은 법률을 어기는 죄로, 강도, 사기, 상해 등의 행위를 말한다. **vice**는 부도덕한 습관 또는 행위로서 음주, 방탕, 거짓말 등의 뉘앙스를 가지고 있다.

0678 situation 　　　　명 상황, 위치 　　　　　　　　　149회

[sìtʃuéiʃən]

But the **situation** is different with today's parents and children. 〔대수능〕
→ situate 동 (어느 장소에) 놓다, 설치하다

0679 skeptic 　　　　명 회의론자 　　　　　　　　　　21회

[sképtik]

Skeptics are everywhere in this nation.
→ skepticism 명 회의론

0680 skin 　　　　명 피부, 껍질 　　　　　　　　　　52회

[skín] 혼동어
skip
동 건너뛰다

Remove the **skins** from the tomatoes and discard them.

0681 skyscraper 　　　　명 마천루, 고층건물 　　　　　17회

[skàiskréipər]

The **skyscraper** stood against a background of blue sky.

0682 slang 　　　　명 속어, 은어 　　　　　　　　　　17회

[slǽŋ]

"Cop" is **slang** for policeman.

0683 slave 　　　　명 노예 　　　　　　　　　　　　25회

[sléiv]

The "cumbia" was created by African **slaves**. 〔대수능〕
→ slavery 명 노예 제도

★
철
자
주
의

0684 slice 　　　　명 얇은 조각, 한 조각 　　　　　　24회

[sláis]

I had a great big **slice** of chocolate cake.

0685 slide 　　　　명 미끄러짐　　동 미끄러지다 　　　　19회

[sláid]

Europe faces the effect of Germany's **slide** into recession.

[예문 해석] **0677** 죄의 대가는 죽음이다. **0678** 그러나 상황은 오늘날의 부모와 아이들과는 다르다. **0679** 회의론자들이 이 나라에는 흔하다. **0680** 토마토에서 껍질을 제거하고 그것을 버리시오. **0681** 그 마천루는 푸른 하늘을 배경으로 서 있었다. **0682** cop은 policeman의 속어이다. **0683** 'cumbia'는 아프리카 노예들에 의해 만들어졌다. **0684** 나는 아주 큼직한 초콜릿 케이크 한 조각을 먹었다. **0685** 유럽은 독일의 경기 침체로의 하락의 영향을 받고 있다.

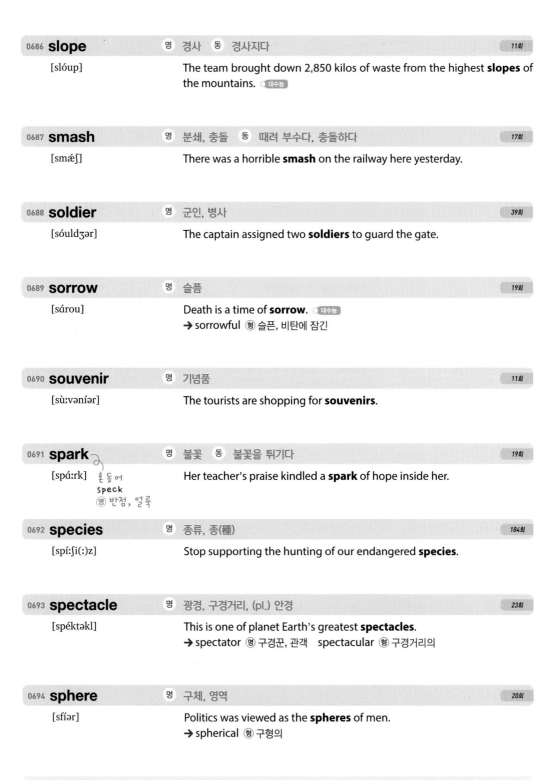

0686 slope 　명 경사 　동 경사지다 　*11회*

[slóup]

The team brought down 2,850 kilos of waste from the highest **slopes** of the mountains. 　대수능

0687 smash 　명 분쇄, 충돌 　동 때려 부수다, 충돌하다 　*17회*

[smǽʃ]

There was a horrible **smash** on the railway here yesterday.

0688 soldier 　명 군인, 병사 　*39회*

[sóuldʒər]

The captain assigned two **soldiers** to guard the gate.

0689 sorrow 　명 슬픔 　*19회*

[sárou]

Death is a time of **sorrow**. 　대수능
→ sorrowful 　형 슬픈, 비탄에 잠긴

0690 souvenir 　명 기념품 　*11회*

[sù:vəníər]

The tourists are shopping for **souvenirs**.

0691 spark 　명 불꽃 　동 불꽃을 튀기다 　*19회*

[spá:rk]　혼동어
speck
명 반점, 얼룩

Her teacher's praise kindled a **spark** of hope inside her.

0692 species 　명 종류, 종(種) 　*184회*

[spí:ʃi(:)z]

Stop supporting the hunting of our endangered **species**.

0693 spectacle 　명 광경, 구경거리, (pl.) 안경 　*23회*

[spéktəkl]

This is one of planet Earth's greatest **spectacles**.
→ spectator 　명 구경꾼, 관객　spectacular 　형 구경거리의

0694 sphere 　명 구체, 영역 　*20회*

[sfíər]

Politics was viewed as the **spheres** of men.
→ spherical 　형 구형의

[예문 해석] **0686** 그 팀은 2,850kg의 폐물을 그 산맥의 가장 높은 비탈에서 가지고 내려왔다. **0687** 어제 여기서 끔찍한 열차 충돌 사고가 있었다. **0688** 대위는 두 병사를 지명하여 정문에 보초를 서도록 했다. **0689** 죽음은 슬픔의 시간이다. **0690** 관광객들이 기념품을 사고 있다. **0691** 선생님의 칭찬이 그녀 안에 있는 희망의 불꽃에 불을 붙였다. **0692** 멸종 위기에 놓인 종(種)의 사냥을 지원하지 마십시오. **0693** 이것은 지구상에서 가장 훌륭한 장관 중 하나이다. **0694** 정치는 남자의 영역으로 간주되었다.

철자주의

0695 spice 명 양념, 향신료 24회

[spáis]

The cook is adding a **spice** to the dish.
→ spicy 형 양념을 넣은, 향긋한

0696 spine 명 등뼈, 척추 22회

[spáin]

A cold shiver ran down my **spine**.
→ spinal 형 등뼈의, 척추의

0697 spite 명 악의, 심술 21회

[spáit]

In **spite** of the gloomy economic forecasts, manufacturing output has risen slightly.
✪ in spite of ~에도 불구하고

0698 spot 명 장소, 점 53회

[spát]

But what appeared in the telescope looked more like large black **spots**.
→ spotless 형 오점이 없는 ✪ on the spot 그 자리에서, 즉석에서 《대수능》

0699 spouse 명 배우자 14회

[spáus]

Fifty representatives will attend, 20 of whom will be bringing a **spouse**.

0700 spur 명 박차, 자극 17회

[spə́:r]

He decided to leave on the **spur** of the moment.
✪ on(upon) the spur of the moment 갑자기, 충동적으로

표제어 이외의 **주요 어휘**

scorn	명 경멸	short-cut	명 지름길
sculpture	명 조각	sneeze	명 재채기
secretary	명 비서	sort	명 종류 동 분류하다
section	명 부분, 구역	source	명 원천, 출처
security	명 안보, 보안	span	명 길이, 기간
sermon	명 설교, 잔소리	specimen	명 견본, 표본
sewage	명 (하수의) 오물	spokesman	명 대변인

[예문 해석] **0695** 요리사가 음식에 양념을 첨가하고 있다. **0696** 오한이 등골을 타고 내렸다(등골이 오싹해졌다). **0697** 침울한 경제 전망에도 불구하고 제조업의 생산량은 약간 증가했다. **0698** 그러나 망원경에 나타난 것은 거대한 검은 점처럼 보였다. **0699** 대의원 50명이 참석할 것이고, 그중 20명은 배우자를 데리고 올 것이다. **0700** 그는 갑자기 떠나기로 결정했다.

DAY 14 수능 필수 Daily IDIOMS

even if
비록 ~일지라도

Even if you do not like it, you must do it.
싫더라도 그것을 해야 한다.

except for
~을 제외하고

My grades were not good, **except for** math.
수학을 제외하면, 내 성적은 그다지 좋지 않았다.

face to face
얼굴을 맞대고, 직면하여

They sat **face to face** and looked at each other.
그들은 얼굴을 맞대고 앉아 서로 쳐다봤다.

feed on
~을 먹고 살다

Cattle **feed on** grass.
소들은 풀을 먹고 산다.

be(feel) ashamed of
~을 부끄러워하다

I **am ashamed of** my folly.
나는 어리석은 짓을 해서 부끄럽다.

feel like (~ing)
~하고 싶다

Do you **feel like playing** tennis tonight?
너는 오늘 밤 테니스 치고 싶니?

figure out
계산하다, 이해하다

Let me just **figure out** your bill here.
여기에서 계산해드리겠습니다.

fill in
~를 작성하다

Here, just **fill in** this form.
여기, 이 양식에 기입해주세요.

DAY 14 암기를 위한 Daily TEST

💡 빈칸에 알맞은 단어나 뜻을 쓰시오.

01.	학자		26.	significance
02.	scholarship		27.	sin
03.	scope		28.	상황, 위치
04.	scrap		29.	skeptic
05.	대본, 각본		30.	skin
06.	sector		31.	skyscraper
07.	씨, 종자		32.	slang
08.	segment		33.	노예
09.	sensation		34.	slice
10.	sentiment		35.	slide
11.	sequence		36.	경사
12.	series		37.	smash
13.	회기, 학기		38.	soldier
14.	shade		39.	슬픔
15.	부끄럼, 유감		40.	souvenir
16.	shelf		41.	spark
17.	shelter		42.	species
18.	방패		43.	spectacle
19.	shipwreck		44.	sphere
20.	부족, 결핍		45.	양념, 향신료
21.	shoulder		46.	spine
22.	shrub		47.	spite
23.	sibling		48.	spot
24.	보도, 인도		49.	배우자
25.	signal		50.	spur

0701 **square** [skwέər] 명 정사각형, (네모진) 광장 *23회*

In the afternoon, I am going to shop in Union **Square**. 대수능

0702 **stability** [stəbíləti] 명 안정(성) *41회*

The plane lost its **stability** in the turbulent air.
→ stabilize 동 안정시키다 stable 형 안정된

0703 **stain** [stéin] 명 얼룩, 오점 동 더럽히다, 얼룩지다 *17회*

혼동어
strain
명 긴장

I think this **stain** will come off.
→ stainless 형 얼룩이 없는, (강철이) 녹슬지 않는

0704 **stall** [stɔ́ːl] 명 마구간, 매점 *19회*

All the street **stalls** were pulled down simultaneously.

0705 **state** [stéit] 명 상태, 국가 동 진술하다 *237회*

A great man can maintain his dignity in any **state**.
→ statement 명 진술, 성명(서)

0706 **static** [stǽtik] 명 정전기, 잡음 형 정적인, 정지 상태의 *13회*

The radio is affected by **static**.

0707 **statistic** [stətístik] 명 통계치, 통계량 *24회*

These distinctions are often ignored in **statistics** that merely count cases.
교육청
→ statistical 형 통계의, 통계학의 statistics 명 통계(학)

0708 **stead** [stéd] 명 대신, 대리 *34회*

We hope you will consent to act in his **stead**.

[예문 해석] **0701** 오후에 나는 Union 광장에서 쇼핑을 할 것이다. **0702** 비행기는 난기류로 안정(평형)을 잃었다. **0703** 이 얼룩은 빠질 것 같다. **0704** 거리의 노점은 일제히 철거되었다. **0705** 위인은 어떤 상태에서도 위엄을 유지할 수 있다. **0706** 라디오는 정전기의 영향을 받고 있다. **0707** 이러한 구분이 단순히 사례의 수를 계산하는 통계에서는 종종 무시된다. **0708** 우리는 당신이 그를 대신해 행동할 것을 동의해주시길 바랍니다.

철자주의

| 0709 **statue** | 명 | 조각상 | 22회 |

[stǽtʃuː]

A **statue** is a large sculpture of a person or an animal.

| 0710 **status** | 명 | 상태, 지위 | 39회 |

[stéitəs]

Please generate a **status** report that details our cost per contact and cost per sale.

| 0711 **stereotype** | 명 | 고정관념 | 20회 |

[stériətàip]

A **stereotype** is a fixed general image or set of characteristics that a lot of people believe represent a particular type of person or thing.

| 0712 **stick** | 명 막대기, 지팡이 | 동 | 찌르다, 고수하다, 붙이다 | 75회 |

[stík] 혼동어
stack
명 무더기, 많음

People living in caves probably learned that animal fat could be coated on **sticks** and burned. 대수능

| 0713 **sting** | 명 | 찌르기, 찔린 상처(자리) | 24회 |

[stíŋ] 혼동어
string
명 끈, 줄

The **sting** of an insect has swollen up.

| 0714 **stitch** | 명 | 한 바늘, 한 땀 | 17회 |

[stítʃ]

A **stitch** in time saves nine.

| 0715 **stomach** | 명 | 위, 복부 | 15회 |

[stʌ́mək]

The doctor operated on my **stomach**.
➕ stomachache 명 복통

| 0716 **stool** | 명 | (등 없는) 의자 | 21회 |

[stúːl]

Carry this **stool** back to its place.

| 0717 **storage** | 명 | 저장, 보관 | 210회 |

[stɔ́ːridʒ]

Reservoir is a natural or artificial pond or lake used for the **storage**.
→ store 동 저장하다   ➕ storehouse 명 창고

[예문 해석] **0709** 조각상이란 사람이나 동물의 큰 조각품이다. **0710** 고객 접촉 비용 및 구매 대비 비용을 상세히 설명한 상황 보고서를 만드시오. **0711** 고정관념이란 고정된 일반적인 이미지이거나 사람이나 사물의 특별한 유형을 나타낸다고 많은 사람들이 믿는 일련의 특징이다. **0712** 동굴 속에서 살고 있는 사람들은 아마도 동물의 기름을 막대기에 입혀 태울 수 있다는 것을 배웠을 것이다. **0713** 벌레에 물린 자리가 부었다. **0714** 제때의 한 바늘은 나중에 아홉 바늘을 던다. **0715** 의사는 내 위를 수술했다. **0716** 이 의자를 제자리에 도로 갖다 놓아라. **0717** 저수지는 물의 저장을 위해 사용되는 자연적 또는 인공적인 연못이나 호수이다.

| 0718 **strain** | 명 긴장, 피로　동 잡아당기다 | 16회 |

[stréin]

The **strain** is hard to bear. It grows harder as time passes. 〔대수능〕
→ strained 형 긴장된, 무리한

| 0719 **strategy** | 명 전략, 작전 | 68회 |

[strǽtədʒi]

They anticipated the enemy's **strategy**.
→ strategic 형 전략상의

| 0720 **strength** | 명 힘, 세력 | 86회 |

[stréŋkθ]

Fruit and vegetables give people **strength** for physical activity. 〔대수능〕
→ strengthen 동 강하게 하다, 강화하다　strenuous 형 정력적인, 노력을 요하는

| 0721 **stride** | 명 큰 걸음, (pl.) 진보, 발전 | 18회 |

[stráid]

The industry has made great **strides**.
✪ at(in) a stride 한 걸음에

| 0722 **string** | 명 끈, 줄, 일련 | 18회 |

[stríŋ]

The package is tied with a red **string**.

| 0723 **stroke** | 명 일격, (뇌졸중 등의) 발작 | 19회 |

[stróuk]　혼동어
strike
동 때리다, 치다

He suffered a **stroke** and partial paralysis.
✪ at a stroke 단숨에, 일격에

| 0724 **structure** | 명 구조, 구성 | 70회 |

[strʌ́ktʃər]

The plant has broad leaves with a reticulated vein **structure**.
→ structural 형 구조적인

| 0725 **struggle** | 명 투쟁　동 투쟁하다 | 47회 |

[strʌ́gl]

We witness their **struggles**, triumphs and failures. 〔대수능〕

| 0726 **subject** | 명 주제, 학과, 국민, 피실험자 | 127회 |

[sʌ́bdʒikt]　혼동어
object
명 목적, 대상

Such **subjects** are not within the scope of this book.
→ subjective 형 주관적인

[예문 해석] **0718** 긴장은 참기 힘들다. 이것은 시간이 갈수록 점점 심해진다. **0719** 그들은 적의 전략을 예상했다. **0720** 과일과 야채는 사람들에게 신체 활동을 위한 힘을 준다. **0721** 그 산업은 큰 발전을 했다. **0722** 그 소포는 빨간 끈으로 묶여 있다. **0723** 그는 뇌졸중을 앓아 부분 마비가 왔다. **0724** 그 식물은 그물형 잎맥 구조의 넓은 잎을 갖고 있다. **0725** 우리는 그들의 투쟁과 승리와 실패를 본다. **0726** 그러한 주제들은 이 책의 범위 안에 없다.

0727 submission　명　복종, 제출　　24회

[səbmíʃən]

Credit card orders are processed immediately upon **submission** of application.

→ submit 동 제출하다, 복종하다

0728 subsidy　명　(국가의) 보조금, 지원금　　18회

[sʌ́bsədi]　혼동어
subside
동 가라앉다

They are planning a massive demonstration against farm **subsidy** cuts.

0729 substance　명　물질, 실체　　32회

[sʌ́bstəns]

Keep dangerous **substances** out of the reach of the children.

→ substantial 형 상당한, 실질적인

0730 suburb　명　교외, 도시 근교　　11회

[sʌ́bəːrb]

Does Mr. Sanders commute from the **suburbs**?

→ suburban 형 교외의, 도시 주변의

0731 suit　명　소송, (복장의) 한 벌　동　적합하다, 맞다　　51회

[súːt]

They wore surgical **suits**, masks and caps.

→ suitable 형 적당한, 적절한

0732 sum　명　합계, 금액　　20회

[sʌ́m]

The whole is more than the **sum** of its parts. 대수능

0733 summary　명　요약, 개요　　16회

철자주의

[sʌ́məri]

Would you write me a **summary** of this report?

→ summarize 동 요약하다

0734 summit　명　(산의) 정상, 절정　　21회

[sʌ́mit]

At last we saw the **summit** of the mountain.

0735 support　명　지지(대), 원조　동　지지하다, 후원하다　　166회

[səpɔ́ːrt]

Norman's tin legs were his only **supports**. 대수능

→ supporter 명 지지자, 후원자　supportive 형 지지하는, 격려하는

[예문 해석] **0727** 신용카드 주문은 신청서를 제출하는 즉시 처리된다. **0728** 그들은 농업 보조금의 삭감에 대항하는 대규모의 시위를 계획 중이다. **0729** 위험 물질을 아이들의 손이 닿지 않는 곳에 두어라. **0730** Sanders 씨는 교외에서 출퇴근하나요? **0731** 그들은 수술복에 마스크와 모자를 썼다. **0732** 전체는 부분의 합보다 크다. **0733** 이 보고서의 개요를 써주시겠어요? **0734** 마침내 우리는 산 정상을 보았다. **0735** Norman의 양철로 된 다리가 그의 유일한 지지대였다.

| 0736 **surf** | 명 | 밀려드는 파도 | 22회 |

[sə́:rf]

Surf is the mass of white bubbles that is formed by waves as they fall upon the shore.
→ surfing 명 파도타기

| 0737 **surface** | 명 | 표면, 외부 | 70회 |

[sə́:rfis]

Magma is called lava when it reaches the earth's **surface**.

| 0738 **surgeon** | 명 | 외과의사 | 22회 |

[sə́:rdʒən]

The company developed a robotic arm that **surgeons** can operate using a voice-controlled computer.
→ surgery 명 외과, (외과) 수술

| 0739 **surplus** | 명 | 나머지, 과잉 | 18회 |

[sə́:rplʌs]

To make a profit, the capitalist appropriates "**surplus** value."

| 0740 **survey** | 명 | 조사 동 자세히 조사하다 | 45회 |

[sərvéi]

100 questionnaires were sent out for the **survey**. 대수능

| 0741 **suspicion** | 명 | 혐의, 의심 | 12회 |

[səspíʃən]
혼동어 suspension 명 정지, 보류

He was arrested on the **suspicion** of theft.
→ suspicious 형 의심스러운, 혐의를 두는

| 0742 **swamp** | 명 | 늪 동 밀어닥치다, 압도하다 | 18회 |

[swámp]

The **swamp** was too moist for cultivation.

| 0743 **sword** | 명 | 검, 칼 | 13회 |

[sɔ́:rd]

Those who live by the **sword** also die by the **sword**. 대수능

| 0744 **sympathy** | 명 | 동정, 공감 | 42회 |

[símpəθi]
혼동어 empathy 명 감정이입, 공감

Then **sympathy** for Great Britain and France increased. 대수능
→ sympathize 동 동정하다, 공감하다   sympathetic 형 동정심이 있는, 공감하는

[예문 해석] **0736** 연안쇄파(surf)는 파도가 해안에 들이닥칠 때 파도에 의해서 만들어지는 거대한 하얀색 거품들이다. **0737** 마그마가 지표면에 도달했을 때 용암이라고 한다. **0738** 그 회사는 외과의사들이 음성 조절 컴퓨터를 이용해 작동할 수 있는 로봇 팔을 개발했다. **0739** 이익을 얻기 위해 자본가는 '잉여 가치'를 독차지한다. **0740** 100개의 설문지들이 조사를 위해 발송되었다. **0741** 그는 절도 혐의로 체포되었다. **0742** 그 습지는 경작하기엔 너무 습했다. **0743** 칼로 사는 사람은 또한 칼에 의해 죽는다. **0744** 그리고 나서 영국과 프랑스에 대한 동정심이 증가했다.

0745 **symphony**	명	교향곡	23회

[símfəni]

He wrote a **symphony** at eight and at thirteen he published an opera.

대수능

→ symphonic 형 교향곡의

0746 **symptom**	명	징후, 증상	23회

[símptəm]

Quaking knees and paleness are **symptoms** of fear.

0747 **tablet**	명	현판, 정제, 알약	18회

[tǽblit]

Take two **tablets** as soon as you feel pain, but don't take more than 6 in one day.

0748 **tack**	명	압정, 방침, 정책	20회

[tǽk]

A **tack** is a short nail with a broad, flat head.

0749 **tactics**	명	전술, 전략	17회

[tǽktiks]

You should be aware of proper negotiation **tactics**.

→ tactical 형 전술상의, 수완이 좋은   tact 명 재치, 기지, 솜씨

0750 **tale**	명	이야기, 설화	26회

[téil] 혼동어
pale
형 창백한

The **tale** is long, nor have I heard it out.

표제어 이외의 주요 어휘

stack	명 더미 동 쌓아 올리다	stroll	명 산책 동 산책하다
standpoint	명 입장, 관점	stuff	명 물건 동 채우다
statesman	명 정치가	submarine	명 잠수함
stem	명 줄기 동 유래하다	suicide	명 자살
straw	명 짚, 빨대	superstition	명 미신
stream	명 시내, 개울	supervision	명 관리, 감독
stripe	명 줄무늬	synonym	명 동의어

[예문 해석] **0745** 그는 8세 때 교향곡을 썼으며 13세 때 오페라를 발표했다. **0746** 두 무릎을 덜덜 떨고 창백해지는 건 두려움의 징후이다. **0747** 통증을 느낄 때 2정을 드시면 되는데, 하루에 6정 이상 복용하지 마십시오. **0748** 압정은 넓고 평평한 머리를 가진 짧은 못이다. **0749** 당신은 적절한 협상 전략을 알고 있어야 한다. **0750** 그 이야기는 너무 길어서 끝까지 다 들은 적이 없다.

DAY **15** 수능 필수 **Daily IDIOMS**

first of all
무엇보다도

First of all, the maps are all wrong.
무엇보다도 지도가 모두 엉망이다.

focus on
~에 집중하다

The group is **focusing on** the plan.
그 집단은 그 계획에 초점을 맞추고 있다.

for nothing
수포로, 공짜로

All my efforts went **for nothing**.
내 모든 노력은 수포로 돌아갔다.

for one thing
우선 첫째로

For one thing, they say that the cost of free galleries is so high that visitors should pay admission.
우선 첫째로, 무료 미술관에 드는 비용이 너무 높아서 방문객들은 입장료를 지불해야 한다고 그들은 말한다.

for the first time
처음으로

Yesterday I saw him **for the first time**.
난 그를 어제 처음 봤다.

for the sake of
~을 위해서

Change **for the sake of** change is usually not a good thing.
변화를 위한 변화는 대개 좋은 일이 아니다.

for this purpose
이 같은 목적으로

Sun's XDR and OSI's ASN are two protocols used **for this purpose**.
Sun의 XDR과 OSI의 ASN은 이 같은 목적으로 사용되는 두 가지 프로토콜들이다.

force A to B(V)
A가 B하게 하다

They **forced** him **to** sign the paper.
그들은 그가 서류에 서명하게 했다.

DAY 15 암기를 위한 Daily TEST

맞은 개수 ◯ / 50문항

💡 빈칸에 알맞은 단어나 뜻을 쓰시오.

01. 정사각형 ....
02. stability ....
03. stain ....
04. stall ....
05. 상태, 국가 ....
06. static ....
07. statistic ....
08. stead ....
09. statue ....
10. 상태, 지위 ....
11. stereotype ....
12. 막대기, 찌르다 ....
13. sting ....
14. stitch ....
15. 위, 복부 ....
16. stool ....
17. storage ....
18. strain ....
19. 전략 ....
20. strength ....
21. stride ....
22. string ....
23. stroke ....
24. 구조, 구성 ....
25. struggle ....

26. 주제, 피실험자 ....
27. submission ....
28. subsidy ....
29. substance ....
30. 교외 ....
31. suit ....
32. sum ....
33. 요약 ....
34. summit ....
35. support ....
36. surf ....
37. 표면 ....
38. surgeon ....
39. surplus ....
40. survey ....
41. suspicion ....
42. 늪 ....
43. sword ....
44. sympathy ....
45. symphony ....
46. 징후, 증상 ....
47. tablet ....
48. tack ....
49. tactics ....
50. 이야기, 설화 ....

💡 우리말 뜻에 알맞은 영어 단어를 고르시오.

01 고통
① pain   ② panic

02 열정
① paradise   ② passion

03 처벌, 벌금
① penalty   ② pastime

04 환자, 참을성이 있는
① patient   ② patron

05 인구, 주민
① popularity   ② population

06 잠재력, 가능성
① potential   ② possession

07 보존, 보호
① preoccupation   ② preservation

08 압력, 스트레스
① prestige   ② pressure

09 사생활
① privacy   ② privilege

10 생산성
① productivity   ② proficiency

11 이윤, 이익
① profit   ② probe

12 전진, 진보
① proof   ② progress

13 심리학, 심리(상태)
① psychology   ② prophecy

14 명성, 평판
① prospect   ② publicity

15 목적, 의도
① purpose   ② province

16 경주, 인종
① race   ② rack

17 범위, 산맥
① rage   ② range

18 비율, 요금
① rate   ② ranch

19 안부
① reflex   ② regard

20 친척
① reliability   ② relative

21 종교
① reliance   ② religion

22 기억, 기념물
① remembrance   ② reluctance

23 요구
① reputation   ② request

24 연구
① research   ② reservoir

25 책임, 의무
① responsibility   ② restoration

26 결과, 성과
① reverse   ② result

27 보상(금)
① riddle   ② reward

28 위험
① risk   ② rite

29 씨, 종자
① shield   ② seed

30 연속, 일련
① series   ② session

31 부족, 결핍
① shoulder   ② shortage

32 신호
① signal   ② sibling

33 전략, 작전
① strategy   ② string

34 상황, 위치
① skeptic   ② situation

35 피부
① skin   ② slave

36 종류, 종
① species   ② spectacle

37 장소, 점
① spur   ② spot

38 상태, 국가
① state   ② static

39 막대기, 지팡이
① stick   ② stitch

40 저장, 보관
① storage   ② stomach

복습을 위한 누적 TEST

05회

우리말 뜻에 알맞은 영어 단어를 고르시오.

01 중요성, 의미
① significance   ② skyscraper

02 힘, 세력
① strength   ② stride

03 구조, 구성
① stroke   ② structure

04 투쟁
① struggle   ② strain

05 주제, 학과
① subject   ② submission

06 물질, 실체
① subsidy   ② substance

07 소송, (복장의) 한 벌
① suburb   ② suit

08 합계, 금액
① sum   ② summit

09 지지(대), 원조
① summary   ② support

10 표면, 외부
① surface   ② surf

11 조사
① surgeon   ② survey

12 동정, 공감
① sympathy   ② suspicion

13 교향곡
① surplus   ② symphony

14 징후, 증상
① swamp   ② symptom

15 이야기, 설화
① tale   ② tack

16 입자, 극소량
① passion   ② particle

17 특허(권)
① patent   ② patron

18 동료, 친구
① penny   ② peer

19 허락, 허가
① permission   ② personnel

20 원근법, 전망
① pessimism   ② perspective

21 단계, 국면
① phase ② pharmacy

22 현상, 사건
① plague ② phenomenon

23 철학자
① philosopher ② pioneer

24 사진
① photograph ② plot

25 구(句), 숙어
① pity ② phrase

26 독약
① poetry ② poison

27 가난, 결핍
① pond ② poverty

28 약탈자, 육식동물
① position ② predator

29 선입견, 편견
① prejudice ② predecessor

30 대통령, 사장
① president ② preview

31 교장
① priest ② principal

32 원리, 원칙
① proposal ② principle

33 절차, 순서
① procedure ② prose

34 교수
① professor ② protein

35 재산, 부동산
① property ② pupil

36 비율, 부분
① peril ② proportion

37 속담, 격언
① peninsula ② proverb

38 순수, 청결
① purity ② pedestrian

39 반환, 환불
① refuge ② refund

40 지역, 지방
① region ② reinforcement

0751 talent [tǽlənt] 　명 (타고난) 재주, 재능 　51회
There he developed his **talent** for mathematics. 　대수능
→ talented 　형 재능 있는

0752 target [tá:rgit] 　명 목표, 표적 　35회
The second goal was reached by the **target** date. 　대수능

0753 tariff [tǽrif] 　명 관세(제도) 　18회
He is recognized internationally as an expert on import **tariffs**.

0754 taste [téist] 　명 미각, 맛, 취향 　145회
The medicine has a bitter **taste**.
→ tasteful 　형 멋있는, 고상한　tasty 　형 맛있는

0755 tear [tíər] 　명 눈물　동 찢다 [téər] 　48회
There were **tears** and laughter.

0756 telescope [téləskòup] 　명 망원경 　15회
In 1601, Galileo looked through his **telescope** at the sun and saw something that surprised him. 　대수능
→ telescopic 　형 망원경의

0757 temper [témpər] 　명 화, 기질 　20회
I used to lose my **temper** when I was much younger. 　대수능
✿ lose one's temper 화를 내다

0758 temperature [témpərətʃər] 　명 온도, 기온 　94회
혼동어
temperate
형 온화한, 절제하는
The **temperature** dropped suddenly.

[예문 해석] **0751** 그곳에서 그는 수학에 대한 재능을 나타냈다. **0752** 두 번째 목표는 목표일에 달성되었다. **0753** 그는 수입 관세에 대한 전문가로서 국제적으로 인정받고 있다. **0754** 그 약은 쓴맛이 난다. **0755** 눈물과 웃음이 있었다. **0756** 1601년에 갈릴레오는 그의 망원경으로 태양을 관찰하다가 그를 놀라게 하는 무엇인가를 발견했다. **0757** 나는 훨씬 더 어렸을 때에는 화를 내곤 했다. **0758** 기온이 급강하했다.

0759 tenant 명 (가옥·건물 등의) 세입자 20회

[ténənt] 혼동어
talent
명 재주, 재능

It is wrong to ask the **tenants** to pay a large increase when nothing has been done to improve the condition of the apartments. 대수능

0760 term 명 용어, 기간, 학기, 조건 122회

[tə́:rm]

The landlady has modified the **terms** of lease.
✪ in terms of ~에 관하여

0761 terminal 명 종착역, 터미널 25회

[tə́:rmənl]

Work has started on the construction of a container **terminal**. 대수능
→ termination 명 종결, 결말   terminate 동 끝나다

0762 terrain 명 지역, 지형 18회

[təréin]

The **terrain** changed quickly from arable land to desert.

0763 territory 명 영토, 지역 20회

[térətɔ̀:ri]

The plane has violated the **territory** of another country.
→ territorial 형 영토의, 지역적인

0764 theft 명 도둑질 18회

[θéft] 혼동어
thrift 명 절약

He accused Tom of **theft**.

0765 theory 명 이론, 학설 75회

[θíːəri]

I demonstrated my new **theory**.
→ theorist 명 이론가   theoretical 형 이론(상)의, 이론뿐인

0766 therapy 명 치료, 요법 20회

[θérəpi]

Do you recommend massage **therapy** for sports injuries?
→ therapist 명 치료 전문가

0767 thief 명 도둑, 절도범 23회

[θiːf]

The policeman tackled the **thief** and threw him.

thief는 폭력을 행사하지 않고 몰래 훔치는 도둑이며, robber는 은행이나 가게 등에서 남의 소유물을 빼앗는 폭력성이 강한 강도이다. burglar는 남의 집이나 건물에 몰래 불법적으로 침입하는 강도이다.

[예문 해석] **0759** 아파트의 상태를 개선하기 위해서 이루어진 것이 아무것도 없는 경우에 세입자에게 그렇게 큰 인상액을 내라고 요구하는 것은 잘못된 일이다. **0760** 집주인 여자는 임대 조건을 변경했다. **0761** 컨테이너 터미널의 건설을 위한 작업이 시작되었다. **0762** 그 지역은 경작에 알맞은 지역에서 사막으로 빠르게 변했다. **0763** 그 비행기는 타국의 영역을 침범했다. **0764** 그는 Tom을 절도죄로 고발했다. **0765** 나는 내 새로운 이론을 증명해 보였다. **0766** 운동하다 다친 데 마사지 요법을 권장하십니까? **0767** 경찰이 도둑에게 달려들어 그를 내동댕이쳤다.

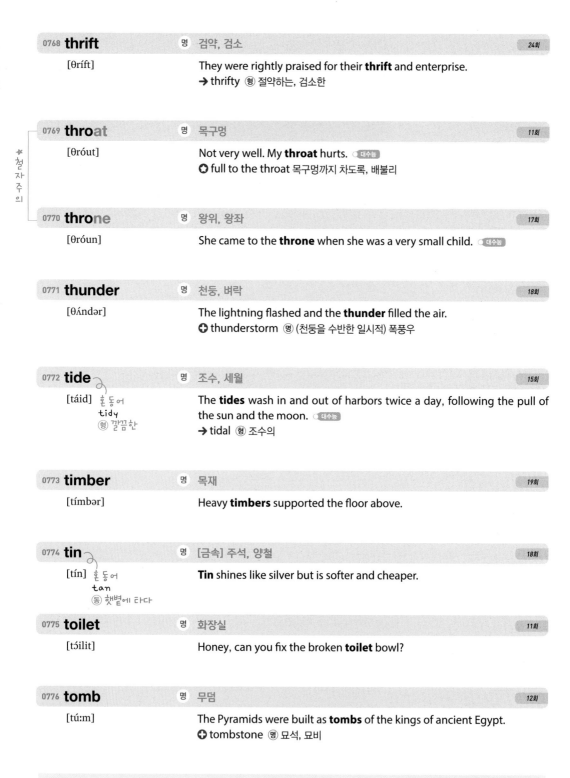

0768 thrift 명 검약, 검소 24회

[θríft]

They were rightly praised for their **thrift** and enterprise.

→ thrifty 형 절약하는, 검소한

0769 throat 명 목구멍 11회

[θróut]

Not very well. My **throat** hurts. 대수능

○ full to the throat 목구멍까지 차도록, 배불리

0770 throne 명 왕위, 왕좌 17회

[θróun]

She came to the **throne** when she was a very small child. 대수능

0771 thunder 명 천둥, 벼락 18회

[θʌ́ndər]

The lightning flashed and the **thunder** filled the air.

○ thunderstorm 명 (천둥을 수반한 일시적) 폭풍우

0772 tide 명 조수, 세월 15회

[táid] 혼동어
tidy
형 깔끔한

The **tides** wash in and out of harbors twice a day, following the pull of the sun and the moon. 대수능

→ tidal 형 조수의

0773 timber 명 목재 19회

[tímbər]

Heavy **timbers** supported the floor above.

0774 tin 명 [금속] 주석, 양철 18회

[tín] 혼동어
tan
동 햇볕에 타다

Tin shines like silver but is softer and cheaper.

0775 toilet 명 화장실 11회

[tɔ́ilit]

Honey, can you fix the broken **toilet** bowl?

0776 tomb 명 무덤 12회

[túːm]

The Pyramids were built as **tombs** of the kings of ancient Egypt.

○ tombstone 명 묘석, 묘비

[예문 해석] **0768** 그들은 그들의 검소함과 진취적 정신 때문에 당연한 칭찬을 받았다. **0769** 별로 좋지 않아요. 목이 아픕니다. **0770** 그녀는 매우 어린 아이였을 때 왕위에 올랐다. **0771** 번개가 번쩍했고 천둥 소리가 울렸다. **0772** 조수는 태양과 달의 인력에 따라 하루에 두 번씩 항구로 밀려오고 나간다. **0773** 굵은 목재들이 위층을 지탱하고 있었다. **0774** 주석은 은처럼 빛나지만 은보다 부드럽고 값도 더 싸다. **0775** 여보, 고장난 변기 좀 고칠 수 있겠어요? **0776** 피라미드는 고대 이집트 왕의 무덤으로 만들어졌다.

0777 tongue 명 혀 19회

[tʌ́ŋ]

My **tongue** burns with red peppers.
⊙ hold one's tongue 잠자코 있다

0778 toll 명 사용료, 통행료 25회

[tóul]

The **tolls** are remaining stable.

0779 tool 명 도구, 연장 66회

[túːl]

An axe is a **tool** used to cut down trees.

0780 tooth 명 치아 23회

[túːθ]

Oh, did you have a decayed **tooth**?
⊙ toothpick 명 이쑤시개

0781 total 명 합계 28회

[tóutl]

Add the **total** of the right column to that of the left.
→ totalize 동 합계하다　totally 부 완전히, 모두

0782 tradeoff 명 교환, 거래 80회

[tréidɔ̀ːf]

These choices involve "**tradeoffs**" and necessitate an awareness of consequences of those **tradeoffs**. 대수능
⊙ trade 명 장사, 무역, 거래　trader 명 상인, 무역업자

0783 tradition 명 전통 38회

[trədíʃən]

Keep your family **tradition**.
→ traditional 형 전통적인, 관습적인

0784 tragedy 명 비극, 참사 23회

[trǽdʒədi]

On September 19, 1985, there was a terrible **tragedy** in Mexico City.
→ tragic 형 비극의, 비극적인 대수능

0785 trait 명 특성, 특징 44회

[tréit]

It is a human **trait** to try to define the things we find in the world. 대수능

[예문 해석] **0777** 고추를 먹었더니 혀가 얼얼하다. **0778** 통행료는 변동이 없다. **0779** 도끼는 나무를 자르는 데 사용되는 도구이다. **0780** 오, 충치가 하나 있었습니까? **0781** 왼쪽 난의 합계에 오른쪽 난의 합계를 더하시오. **0782** 이러한 선택들은 '거래'를 포함하며, 이러한 거래의 결과에 대한 인식을 필요로 한다. **0783** 네 가족의 전통을 지켜라. **0784** 1985년 9월 19일 멕시코 시티에서는 끔찍한 비극이 있었다. **0785** 우리가 세상에서 발견하는 것들을 정의하려고 시도하는 것은 인간의 특성이다.

0786 **transformation** 명 변화, 변형

[trænsfərméiʃən]

혼동어
transportation
명 수송, 운송

Changes in society brought about a **transformation** of volunteerism. 〔대수능〕

→ transform 동 변형시키다, 바꿔놓다   transformational 형 변형(변화)의

21회

0787 **transition** 명 변천, 과도기

[trænzíʃən]

China is now in the **transition** to the market economy.

→ transitional 형 과도기적인

24회

0788 **transmission** 명 전달, 전송

[trænsmíʃən]

Heterosexual contact is responsible for the bulk of HIV **transmission**.

→ transmit 동 전하다, 옮기다

30회

0789 **trash** 명 쓰레기

[træʃ]

Trash is floating in the water.

○ trash can 쓰레기통

20회

0790 **tray** 명 쟁반, 접시

[tréi]

The students are cleaning off their **trays**.

20회

0791 **treatment** 명 대접, 대우, 치료(법)

[tríːtmənt]

New medical **treatments** have offered hope to severely ill people. 〔대수능〕

→ treat 동 다루다, 취급하다, 치료하다

102회

0792 **trial** 명 재판, 시도

[tráiəl] 혼동어
trivial
형 사소한

In general, every achievement requires **trial** and error.

24회

0793 **tribe** 명 종족, 부족

[tráib]

Many **tribes** became extinct when they came into contact with Western illnesses.

→ tribal 형 종족의, 부족의   ○ tribesman 명 부족민, 원주민

23회

0794 **troop** 명 무리, 부대

[trúːp]

Ground **troops** and air squadrons attacked the enemy in concert.

14회

[예문 해석] **0786** 사회의 변화가 자원봉사 활동에도 변화를 가져왔다. **0787** 중국은 현재 시장 경제로 이행 중이다. **0788** 이성 간의 성 접촉이 대부분의 에이즈 바이러스 전파의 원인이다. **0789** 물에 쓰레기가 떠 있다. **0790** 학생들이 그들의 접시를 치우고 있다. **0791** 새로운 의료 치료법들이 심각한 병에 걸린 사람들에게 희망을 주었다. **0792** 일반적으로 모든 업적은 시행착오를 필요로 한다. **0793** 많은 종족들이 서양의 질병과 접촉하면서 절멸하게 되었다. **0794** 지상 부대와 비행 중대가 일제히 적을 공격했다.

0795 trust   명 신뢰   동 신뢰하다   17회

[trΛst] 혼동어
thrust
동 밀치다

I have absolute **trust** in him.
➕ trustworthy 형 믿을 수 있는

0796 tuition   명 수업, 수업료   14회

[tjuːíʃən]

For information about **tuition** fees and registration procedures, press 1.

0797 ultraviolet   명 자외선   18회

[ʌ̀ltrəváiəlit]

There is evidence that regular exposure to the **ultraviolet** rays of sunlight can be harmful to health. 대수능

0798 upset   명 혼란   동 뒤엎다   형 화난, 흥분한   54회

[Λpsèt]

There was great **upset** in the land after the king died.

0799 venture   명 모험적 사업, 벤처   19회

[véntʃər]

An executive offered him joint partnership in a business **venture**. 평가원
→ venturous 형 모험을 좋아하는

0800 viewer   명 관찰자, 텔레비전 시청자   156회

[vjúːər]

TV viewing limits the workings of the **viewer**'s imagination. 대수능
→ view 동 바라보다 명 (바라)봄, 시력 ➕ viewpoint 명 견해, 관점

표제어 이외의 주요 어휘

task	명 일, 임무	trillion	명 1조
temple	명 사원, 절	tune	명 곡조, 선율
textile	명 직물, 옷감	venue	명 (행사) 장소
thermometer	명 온도계	verse	명 운문, 시
thorn	명 (식물의) 가시	vice	명 악덕, 부도덕
thrill	명 전율 동 전율시키다	volcano	명 화산
tone	명 음질, 어조	wildlife	명 야생생물

[예문 해석] **0795** 나는 그를 절대적으로 믿는다. **0796** 수업료와 등록 절차에 관한 정보는 1번을 누르십시오. **0797** 햇빛의 자외선에 정기적으로 노출되는 것은 건강에 해로울 수 있다는 증거가 있다. **0798** 왕이 죽은 후에 그 땅에는 큰 혼란이 있었다. **0799** 중역이 그에게 벤처 사업에서의 합작 제휴를 제의했다. **0800** 텔레비전 시청은 시청자의 상상력의 활동을 제한한다.

DAY 16 수능 필수 Daily IDIOMS

from hour to hour
순간순간, 시시각각

The weather varies **from hour to hour**.
날씨가 시시각각으로 변한다.

gain weight
살이 찌다

You used to be thin, but you've **gained weight**.
너는 전에는 말랐는데, 지금은 몸무게가 늘었구나.

get a haircut
머리를 깎다

The man is **getting a haircut**.
남자가 머리를 깎고 있다.

get a suntan
피부를 그을리다

They **got a suntan**.
그들은 선탠을 했다.

get along
사이좋게 지내다

I think we'll **get along** well.
우리가 잘 지낼 수 있을 거라고 생각합니다.

get back
돌아오다

They'll **get back** this week.
그들은 이번 주에 돌아올 것이다.

get caught up in
~에 휘말려 들다, 열중하다

You **get caught up in** the moment.
당신은 그 순간에 푹 빠져든다.

get in touch with
~에게 연락을 취하다

I have to **get in touch with** Mr. Kim right away.
당장 김 선생님에게 연락을 취해야 한다.

DAY 16 암기를 위한 Daily TEST

💡 빈칸에 알맞은 단어나 뜻을 쓰시오.

01.	(타고난) 재능	26.	tomb
02.	target	27.	혀
03.	tariff	28.	toll
04.	맛, 취향	29.	tool
05.	tear	30.	tooth
06.	telescope	31.	total
07.	temper	32.	tradeoff
08.	온도	33.	전통
09.	tenant	34.	tragedy
10.	용어, 기간	35.	trait
11.	terminal	36.	transformation
12.	terrain	37.	변천, 과도기
13.	territory	38.	transmission
14.	theft	39.	trash
15.	이론	40.	tray
16.	therapy	41.	대접, 치료
17.	thief	42.	trial
18.	thrift	43.	tribe
19.	목구멍	44.	troop
20.	throne	45.	신뢰
21.	천둥	46.	tuition
22.	tide	47.	ultraviolet
23.	timber	48.	upset
24.	tin	49.	모험적 사업
25.	화장실	50.	viewer

0801 abandon 동 버리다, 단념하다 · 31회

[əbǽndən]

We **abandoned** the project because it cost too much.
→ abandoned 형 버림받은, 버려진

0802 abbreviate 동 요약해서 쓰다, 단축하다 · 16회

[əbríːvièit]

This dictionary **abbreviates** the word 'verb' by using 'v.'.
→ abbreviation 명 생략(형), 약어

0803 abolish 동 폐지하다 · 25회

[əbáliʃ]

We must **abolish** unnecessary punishments.
→ abolition 명 폐지

0804 absorb 동 흡수하다, 열중시키다 · 32회

[əbsɔ́ːrb]
혼동어 absurd
형 어리석은, 불합리한

The surface of a particular object will **absorb** some of this light's wavelengths. 대수능
→ absorption 명 흡수, 전념, 몰두 absorbed 형 열중한

[ab(=away)+sorb(=suck)] sorb은 '빨아들이다, 흡수하다, 당기다'의 의미이다.

0805 abstain 동 삼가다, 그만두다 · 12회

[əbstéin]
혼동어 abstract
형 추상적인

You had better **abstain** from smoking.

0806 abuse 동 남용하다, 학대하다 명 남용, 학대 · 16회

[əbjúːz]

The politician **abused** his position in order to enrich himself.
→ abusive 형 남용하는, 욕하는

0807 accelerate 동 가속하다, 촉진하다 · 23회

[æksélərèit]

The government **accelerated** the pace of reform.
→ acceleration 명 가속(도), 촉진 accelerator 명 가속 장치, 액셀러레이터

0808 accept 동 받아들이다 · 162회

[æksépt]

Please **accept** our sincere excuses. 대수능
→ acceptance 명 받아들임, 수용 acceptable 형 받아들일 수 있는

[예문 해석] **0801** 우리는 비용이 너무 많이 들어서 그 프로젝트를 포기했다. **0802** 이 사전은 '동사'를 'v.'로 생략해서 쓴다. **0803** 우리는 불필요한 형벌을 폐지해야 한다. **0804** 어떤 특별한 물체의 표면은 이러한 빛의 파장 중 일부를 흡수할 것이다. **0805** 당신은 흡연을 삼가는 것이 좋다. **0806** 그 정치인은 자신의 부를 챙기기 위해 자신의 지위를 남용했다. **0807** 정부는 개혁의 속도를 가속화했다. **0808** 우리의 진심어린 사과를 받아주십시오.

0809 accommodate 동 편의를 도모하다, 숙박시키다, 수용하다 `14회`

[əkámədèit]

We will be **accommodated** in a nearby hotel.
→ accommodation 명 숙박시설, 편의, 적응

0810 accompany 동 동행하다, 반주하다 `25회`

[əkʌ́mpəni]

혼동어
accomplish
동 성취하다

"In that case, you'll have to **accompany** me." `대수능`

0811 accumulate 동 모으다, 축적하다 `27회`

[əkjúːmjulèit]

By investing in stocks he **accumulated** a fortune.
→ accumulation 명 축적, 누적

0812 accuse 동 고소하다, 비난하다 `21회`

[əkjúːz]

He was **accused** of taking banned drugs.

「**accuse**+사람+**of**+범죄」나 **be accused of**의 형태로 사용된다.

0813 accustom 동 익숙하게 하다 `12회`

[əkʌ́stəm]

We are so **accustomed** to a varied diet that we usually take it for granted. `대수능`

0814 achieve 동 이루다, 달성하다 `121회`

[ətʃíːv]

In the most difficult moment, Ricky **achieved** greatness. `평가원`
→ achievement 명 달성, 성취

0815 acknowledge 동 인정하다 `25회`

[æknálidʒ]

He **acknowledged** that he was wrong.

0816 acquaint 동 알리다, 정통하게 하다 `12회`

[əkwéint]

I **acquainted** myself with my new neighborhood.
→ acquaintance 명 지식, 아는 사람 ○ be acquainted with ~에 정통하다

0817 acquire 동 획득하다 `75회`

[əkwáiər]

혼동어
inquire
동 묻다, 문의하다

The best way to get hired is to **acquire** diverse experience. `대수능`
→ acquired 형 획득한, 후천적인 acquirement 명 취득, 습득

[예문 해석] **0809** 우리는 근처 호텔에 머물게 될 것이다. **0810** "그러한 경우에 당신은 저와 동행하셔야 할 거예요." **0811** 그는 주식에 투자하여 재산을 모았다. **0812** 그는 금지 약물을 복용한 혐의로 기소되었다. **0813** 우리는 다양한 음식에 너무 익숙해져서 보통 그것을 당연하게 여긴다. **0814** Ricky는 가장 어려운 시기에서 위대한 업적을 이루었다. **0815** 그는 자신이 틀렸다는 것을 인정했다. **0816** 나는 새 이웃과 알게 되었다. **0817** 고용되기 위한 가장 좋은 방법은 다양한 경험을 얻는 것이다.

0818 activate 〔동〕 활성화시키다 〔18회〕

[ǽktəvèit]

It cannot produce enough heat to **activate** the electrons. 〔대수능〕
→ activation 〔명〕 활성화

★ 철 자 주 의

0819 adapt 〔동〕 적응시키다 〔68회〕

[ədǽpt]

The giraffe has **adapted** to grazing on treetops. 〔대수능〕
→ adaptation 〔명〕 적응   adaptable 〔형〕 적응할 수 있는   adaptability 〔명〕 적응성

0820 adopt 〔동〕 입양하다, 채택하다 〔62회〕

[ədápt]

They **adopted** a curriculum consisting of running and swimming. 〔대수능〕
→ adoption 〔명〕 입양, 채용

[ad(=to)+opt(=wish)] opt는 '(원하는 것의) 선택, 택일'의 의미이다.

0821 adhere 〔동〕 들러붙다, 고수하다 〔22회〕

[ædhíər]

Mud **adhered** to his clothes.
→ adherence 〔명〕 고수, 집착

0822 adjust 〔동〕 맞추다, 조정하다, 적응하다 〔35회〕

[ədʒʌ́st]

Your tie needs **adjusting**.
→ adjustment 〔명〕 조정

0823 administer 〔동〕 관리하다, 집행하다, (약을) 복용시키다 〔23회〕

[ədmínistər]

The doctor **administered** medicine to the patient.
→ administration 〔명〕 관리, 행정(부)   administrator 〔명〕 관리자, 행정관

0824 admit 〔동〕 인정하다 〔48회〕

[ædmít]

We have to **admit** that stress is one of the unavoidable factors of life.
→ admission 〔명〕 승인, 입학, 입장료

0825 adore 〔동〕 숭배하다, 사모하다 〔17회〕

[ədɔ́ːr]

She **adores** her parents.
→ adorable 〔형〕 숭배할 만한, 존경할 만한

0826 advance 〔동〕 나아가다 〔명〕 진보 〔66회〕

[ædvǽns]

The tides **advance** and retreat in their eternal rhythms. 〔대수능〕
→ advanced 〔형〕 진보된, 고등의   ✪ in advance 미리, 앞서

[예문 해석] **0818** 그것은 전자들을 활성화시킬 정도로 충분한 열을 만들어내지 못한다. **0819** 기린은 나무 꼭대기에 있는 풀을 뜯는 일에 적응해왔다. **0820** 그들은 달리기와 수영으로 이루어진 학습과정을 채택했다. **0821** 진흙이 그의 옷에 묻었다. **0822** 네 넥타이를 바로 해야겠다. **0823** 의사가 환자에게 약을 주었다. **0824** 우리는 스트레스가 삶의 피할 수 없는 요소들 중 하나임을 인정해야 한다. **0825** 그녀는 부모님을 정말 사랑한다. **0826** 조수는 끊임없이 반복적으로 밀려오고 밀려나간다.

0827 advertise 동 광고하다 85회

[ǽdvərtàiz]

He tries to get his mother to buy every product he has seen **advertised**. 대수능

→ advertiser 명 광고주   advertisement 명 광고   advertising 명 광고(업)

0828 affect 동 영향을 주다 108회

[əfékt] 혼동어
effect
명 영향, 효과

Dogs aren't **affected** by external circumstances the way we are. 대수능

→ affection 명 애정, 사랑   affectionate 형 애정 깊은, 다정한

0829 affirm 동 단언하다, 주장하다 11회

[əfə́:rm]

He **affirmed** his innocence.

→ affirmation 명 단언, 확언   affirmative 형 확언(단언)적인, 긍정의

📢 [af(=to)+firm] firm은 '~에게 단단하게 하다', 즉 '확실히 (말)하다'의 의미이다.

0830 afflict 동 괴롭히다 16회

[əflíkt]

He was **afflicted** with a lot of debts.

→ affliction 명 고난, 고통

0831 afford 동 ~할 여유가 있다 23회

[əfɔ́:rd]

The firm could not **afford** to pay such large salaries. 대수능

→ affordable 형 (값이) 알맞은   ✪ can afford to+V ~할 여유가 있다

0832 aggravate 동 악화시키다, 괴롭히다 16회

[ǽgrəvèit]

Stop **aggravating** the cat!

0833 alarm 동 놀라게 하다, 불안하게 하다 25회

[əlá:rm]

I tried to explain that we did not want to **alarm** her. 대수능

→ alarming 형 놀라게 하는

0834 alienate 동 멀리하다, 소원하게 하다 15회

[éiljənèit]

Frequent arguments **alienated** him from his friends.

→ alien 명 외국인, 우주인 형 외국의, 이질의, 우주 밖의   alienation 명 소원해짐

0835 align 동 일직선으로 맞추다, 정렬시키다, 조정하다 23회

[əláin] 혼동어
assign
동 할당[배당]하다

A total solar eclipse occurs whenever the Sun, Earth, and the Moon **align** in space.

→ alignment 명 정렬, 제휴, 조정

[예문 해석] **0827** 그는 광고에서 보았던 모든 상품들을 어머니에게 사달라고 조른다. **0828** 개는 우리처럼 외부 환경의 영향을 받지 않는다. **0829** 그는 자기가 무죄임을 강력히 주장했다. **0830** 그는 많은 빚으로 괴로워했다. **0831** 그 회사는 그렇게 많은 월급을 줄 여유가 없었다. **0832** 고양이를 괴롭히지 마! **0833** 나는 우리가 그녀를 놀라게 하려고 했던 것이 아니었다고 설명하려고 했다. **0834** 그는 빈번한 말다툼으로 친구들과 멀어졌다. **0835** 개기일식은 우주에서 태양과 지구, 달이 일직선 상에 놓일 때마다 일어난다.

DAY 17 동사

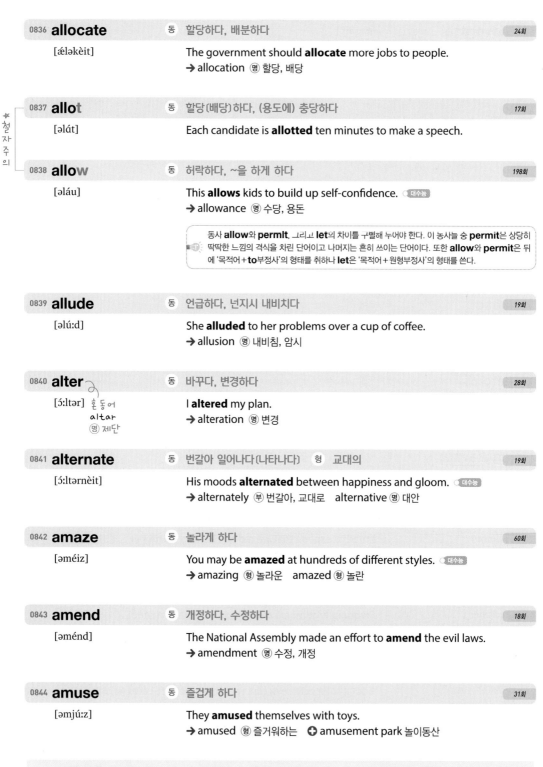

0836 allocate 동 할당하다, 배분하다 [24회]

[ǽləkèit]

The government should **allocate** more jobs to people.
→ allocation 명 할당, 배당

0837 allot 동 할당(배당)하다, (용도에) 충당하다 [17회]

[əlát]

Each candidate is **allotted** ten minutes to make a speech.

★철자주의

0838 allow 동 허락하다, ~을 하게 하다 [198회]

[əláu]

This **allows** kids to build up self-confidence. 대수능
→ allowance 명 수당, 용돈

> 동사 **allow**와 **permit**, 그리고 **let**의 차이를 구별해 두어야 한다. 이 동사들 중 **permit**은 상당히 딱딱한 느낌의 격식을 차린 단어이고 나머지는 흔히 쓰이는 단어이다. 또한 **allow**와 **permit**은 뒤에 '목적어+to부정사'의 형태를 취하나 **let**은 '목적어+원형부정사'의 형태를 쓴다.

0839 allude 동 언급하다, 넌지시 내비치다 [19회]

[əlú:d]

She **alluded** to her problems over a cup of coffee.
→ allusion 명 내비침, 암시

0840 alter 동 바꾸다, 변경하다 [28회]

[ɔ́:ltər] 혼동어 altar 명 제단

I **altered** my plan.
→ alteration 명 변경

0841 alternate 동 번갈아 일어나다(나타나다) 형 교대의 [19회]

[ɔ́:ltərnèit]

His moods **alternated** between happiness and gloom. 대수능
→ alternately 부 번갈아, 교대로   alternative 명 대안

0842 amaze 동 놀라게 하다 [60회]

[əméiz]

You may be **amazed** at hundreds of different styles. 대수능
→ amazing 형 놀라운   amazed 형 놀란

0843 amend 동 개정하다, 수정하다 [18회]

[əménd]

The National Assembly made an effort to **amend** the evil laws.
→ amendment 명 수정, 개정

0844 amuse 동 즐겁게 하다 [31회]

[əmjú:z]

They **amused** themselves with toys.
→ amused 형 즐거워하는   ➊ amusement park 놀이동산

[예문 해석] **0836** 정부는 국민들에게 보다 많은 일자리를 만들어주어야 한다. **0837** 각 후보자는 연설을 하기 위해 10분을 할당받았다. **0838** 이것은 아이들이 자신감을 형성하도록 해준다. **0839** 그녀는 커피를 마시면서 그녀의 문제들을 넌지시 말했다. **0840** 나는 계획을 변경했다. **0841** 그의 기분은 행복과 우울 사이를 오갔다. **0842** 당신은 수백 가지의 서로 다른 스타일에 놀랄지도 모른다. **0843** 국회는 악법을 개정하려고 애썼다. **0844** 그들은 장난감을 가지고 즐거운 시간을 보냈다.

0845 analyze 　동　분석하다　<small>84회</small>

[ǽnəlàiz]

Be a reader who **analyzes** and judges an author's ideas. <small>대수능</small>
→ analysis 명 분석, 분해　analyst 명 분석가　analytic 형 분석적인

0846 animate 　동　생명을 불어넣다, 만화 영화화하다　<small>17회</small>

[ǽnəmèit]

Her kind words **animated** him with fresh hope.
→ animation 명 생기, 만화 영화

0847 announce 　동　발표하다, 알리다　<small>40회</small>

[ənáuns]

혼동어
pronounce
동 발음하다

They **announced** the zoo would be closed until further notice. <small>대수능</small>
→ announcement 명 알림, 발표　announcer 명 아나운서, 알리는 사람

0848 annoy 　동　성가시게 굴다　<small>43회</small>

[ənɔ́i]

I **annoyed** my teacher with hard questions.
→ annoyance 명 성가심, 귀찮음　annoying 형 성가신, 귀찮은

0849 anticipate 　동　예상하다　<small>32회</small>

[æntísəpèit]

The excellent Christmas season we've **anticipated** has begun. <small>대수능</small>
→ anticipation 명 예상, 기대

0850 apologize 　동　사과하다　<small>52회</small>

[əpálədʒàiz]

In my country, when getting on a bus, people will **apologize** if they touch a person. <small>대수능</small>
→ apology 명 사과, 변명

표제어 이외의 주요 어휘

abduct	동 유괴하다	affront	동 모욕하다
abide	동 참다, 머무르다	aggregate	동 모으다, 집합하다
abort	동 유산하다, 중단하다	ail	동 괴롭히다, 아픔을 느끼다
abound	동 풍부하다	alight	동 (탈것에서) 내리다　형 빛나는
acquit	동 무죄를 선고하다	amputate	동 절단하다
adjourn	동 연기하다	annex	동 추가하다, 합병하다
adorn	동 장식하다	appall	동 오싹하게 하다

[예문 해석] **0845** 작가의 생각을 분석하고 판단하는 독자가 되어라. **0846** 그녀의 친절한 말은 그에게 새 희망을 불어넣었다. **0847** 그들은 동물원이 추후 통지가 있을 때까지 문을 닫을 것이라고 발표했다. **0848** 나는 어려운 질문으로 선생님을 성가시게 했다. **0849** 우리가 기대했던 멋진 크리스마스 시즌이 시작되었다. **0850** 우리나라에서는 버스에 탈 때 사람들이 만약 다른 사람을 건드린다면 사과를 할 것이다.

DAY 17 수능 필수 **Daily IDIOMS**

get into trouble
곤란해지다, 곤경에 빠지다

You'll **get into** deep **trouble** if you continue being late for work.
직장에 계속 늦으면 당신은 크게 곤란해질 것이다.

get lost
길을 잃다

They **got lost** in the desert and starved to death.
그들은 사막에서 길을 잃고 굶어 죽었다.

get paid
보수를 받다

Do you **get paid** on an hourly basis?
급료는 시간당으로 받으시나요?

get rid of
제거하다

A bad habit is easy to get into and hard to **get rid of**.
나쁜 버릇은 붙기는 쉬워도 없애기는 힘들다.

give a speech
연설을 하다

I have to **give a speech** about the economy to my class tomorrow.
난 내일 수업에서 경제에 관한 연설을 해야 한다.

give it a try
시도하다

I just want to **give it a try**.
한번 시도는 해보고 싶습니다.

give up
포기하다

My cousin finally agreed to **give up** gambling.
나의 사촌은 마침내 도박에서 손을 떼는 데 동의했다.

go against
~에 어긋나다

The food **goes against** my stomach.
그 음식은 내 비위에 맞지 않는다.

DAY 17 암기를 위한 Daily TEST

맞은 개수 ⃝ / 50문항

💡 빈칸에 알맞은 단어나 뜻을 쓰시오.

01. 단념하다 ....
02. abbreviate ....
03. abolish ....
04. 흡수하다 ....
05. abstain ....
06. abuse ....
07. 가속하다 ....
08. accept ....
09. accommodate ....
10. accompany ....
11. accumulate ....
12. 고소하다 ....
13. accustom ....
14. achieve ....
15. acknowledge ....
16. 정통하게 하다 ....
17. acquire ....
18. activate ....
19. 적응시키다 ....
20. 입양하다 ....
21. adhere ....
22. adjust ....
23. administer ....
24. admit ....
25. adore ....

26. advance ....
27. 광고하다 ....
28. affect ....
29. affirm ....
30. afflict ....
31. ～할 여유가 있다 ....
32. aggravate ....
33. alarm ....
34. 소원하게 하다 ....
35. align ....
36. allocate ....
37. allot ....
38. 허락하다 ....
39. allude ....
40. alter ....
41. 번갈아 일어나다 ....
42. amaze ....
43. amend ....
44. amuse ....
45. 분석하다 ....
46. animate ....
47. 발표하다 ....
48. annoy ....
49. anticipate ....
50. 사과하다 ....

★ 철자 주의

0851 appeal 동 호소(간청)하다, 흥미를 끌다 40회

[əpíːl]

It **appeals** not only to those who can read but to those who can't. 대수능
→ appealing 형 마음을 끄는, 호소하는

0852 appear 동 나타나다, ~처럼 보이다 206회

[əpíər]

A frog **appeared** and promised to retrieve her ball. 교육청
→ appearance 명 출현, 외관, 풍채

0853 applaud 동 (박수)갈채를 보내다 17회

[əplɔ́ːd]

She **applauded** his passionate performance. 대수능
→ applause 명 박수갈채, 칭찬

0854 apply 동 적용하다, 신청하다, 바르다 121회

[əplái]

Apply the same logic to your own behavior. 대수능
→ application 명 적용, 신청, 지원   applicant 명 지원자   applicable 형 적용할 수 있는

0855 appoint 동 임명하다, 지정하다 19회

[əpɔ́int]

We have decided to **appoint** a new director. 대수능
→ appointment 명 임명, 지정, 약속

0856 appreciate 동 감사하다, 감상하다, 평가하다 74회

[əpríːʃièit]

혼동어
appropriate
형 적절한

No, not at all. I **appreciate** your kindness. 대수능
→ appreciation 명 감사, 감상, 평가   appreciative 형 감사하는, 감상할 줄 아는

[ap(=to)+preci(=price)+ate(동사어미)] preci는 '가격, 가치'의 의미이다.

0857 approach 동 접근하다 명 접근(법) 102회

[əpróutʃ]

I **approached** the end, remembering all the hard training. 대수능

0858 argue 동 논쟁하다 88회

[áːrgjuː]

I never **argued** with my parents about their choice.
→ argument 명 논쟁, 논의

[예문 해석] **0851** 이것은 읽을 수 있는 사람들뿐만 아니라 읽을 수 없는 사람들에게도 흥미를 끈다. **0852** 개구리 한 마리가 나타나서 그녀의 공을 되찾아오겠다고 약속했다. **0853** 그녀는 그의 열정적인 연주에 갈채를 보냈다. **0854** 똑같은 논리를 당신 자신의 행동에 적용하라. **0855** 우리는 새로운 감독을 임명하기로 결정했다. **0856** 아니요, 별 말씀을요. 저는 당신의 친절함에 감사드립니다. **0857** 나는 모든 힘든 훈련을 기억하면서 목적지에 닿았다. **0858** 나는 부모님의 선택에 대해 그들과 논쟁한 적이 없다.

0859 arise 동 일어나다, 발생하다 *29회*

[əráiz]

CO_2 emissions **arise** from transportation and industry. ⟨대수능⟩

✪ arise from ~에서 생겨나다, ~에서 기인하다

0860 arouse 동 깨우다, 자극하다 *20회*

[əráuz]

We were **aroused** from our sleep by a strange sound.

0861 arrange 동 (미리) 정하다, 준비하다, 정렬하다 *47회*

[əréindʒ]

We will contact you to **arrange** your schedule. ⟨대수능⟩

→ arrangement 명 정돈, 준비, 합의

[ar(=to)+range(=put into line)] range는 '정렬하다, 일렬로 놓다, 길게 연결하다'의 의미이다.

0862 arrest 동 체포〔구속〕하다 *20회*

[ərést]

The policeman **arrested** him for murder.

0863 arrive 동 도착하다 *105회*

[əráiv]

We **arrived** on the island at three o'clock on a Saturday afternoon. ⟨대수능⟩

→ arrival 명 도착, 도달

reach는 타동사로서 직접목적어를 바로 취하나, **arrive**는 자동사로서 전치사를 필요로 한다.

0864 ascend 동 올라가다, 오르다 *16회*

[əsénd]

The balloon **ascended** high up in the sky.

→ ascent 명 상승, 등반

0865 ascribe 동 ~의 탓으로 하다 *11회*

[əskráib]

He **ascribes** his success to hard work.

★철자주의

0866 assent 동 동의하다, 찬성하다 명 동의, 찬성 *16회*

[əsént]

He may **assent** to the doctrine.

0867 assert 동 단언하다, 주장하다 *22회*

[əsə́:rt]

He **asserted** his statement to be true.

→ assertion 명 주장, 단언   assertive 형 단정적인, 우기는

[예문 해석] **0859** 이산화탄소 배출물은 운송과 공업 부문에서 발생한다. **0860** 우리는 이상한 소리에 잠에서 깨어났다. **0861** 우리는 일정을 정하기 위해 여러분에게 연락을 드릴 것입니다. **0862** 경찰이 살인 혐의로 그를 체포했다. **0863** 우리는 토요일 오후 3시에 섬에 도착했다. **0864** 그 열기구는 하늘 높이 올라갔다. **0865** 그는 자기가 성공한 것은 노력한 덕택이라고 보고 있다. **0866** 그는 그 학설에 찬성할지도 모른다. **0867** 그는 자신의 말이 옳다고 주장했다.

0868 assemble 동 집합시키다, 조립하다   18회

[əsémbl]　혼동어 **resemble** 동 닮다

The factory **assembles** 3,000 VCR units per day.
→ assembly 명 집회, (자동차 등의) 조립

0869 assess 동 평가하다   17회

[əsés]　혼동어 **access** 명 입장, 접근

Tony is so lazy that it's difficult to **assess** his ability.
→ assessment 명 평가

0870 assign 동 할당하다, 배당하다   41회

[əsáin]　혼동어 **resign** 동 사임하다, 물러나다

He passed the physical examination and was **assigned** to the infantry.
→ assignment 명 할당, 숙제

0871 assimilate 동 동화하다, 받아들이다   15회

[əsíməlèit]

They rapidly **assimilated** into the American way of life.
→ assimilation 명 동화(작용), 흡수

0872 assist 동 돕다   58회

[əsíst]

Color coding by musical genre further **assists** in the choice of purchase.
→ assistance 명 원조, 도움　assistant 명 조수　대수능

0873 associate 동 관련시키다, 연상하다, 교제하다　명 (일, 사업 등의) 동료, 친구   74회

[əsóuʃièit]

Most people **associate** haze with pollution, but it's not just pollution.
→ association 명 연합, 교제, 협회

★철자주의

0874 assume 동 추정하다, 떠맡다   51회

[əsú:m]

She was with an elderly man and woman, whom I **assumed** to be her grandparents. 대수능
❂ assuming that ~이라고 가정한다면

0875 assure 동 확인하다, 보장하다   22회

[əʃúər]

She **assured** us of her ability to solve the problem. 대수능
→ assurance 명 보증, 확신, 보장

0876 astonish 동 놀라게 하다   25회

[əstániʃ]

The incredible ability of these children **astonishes** everyone.

[예문 해석] **0868** 그 공장은 하루에 3,000대의 비디오를 조립한다. **0869** Tony는 너무 게을러서 그의 능력을 평가하기는 어렵다. **0870** 그는 신체검사를 통과했고 보병에 배속되었다. **0871** 그들은 미국의 생활 방식에 빠르게 동화했다. **0872** 음악 장르에 따른 색의 부호화는 구매 선택에 훨씬 도움을 준다. **0873** 대부분의 사람들이 연무를 공해와 관련지어 생각하지만, 그것은 단지 오염으로 인한 것은 아니다. **0874** 그녀는 나이가 지긋한 남자, 여자와 함께 있었는데, 나는 그들이 그녀의 조부모님이라고 추측했다. **0875** 그녀는 자기가 그 문제를 풀 수 있는 능력이 있다고 우리에게 확신시켰다. **0876** 이 어린이들의 놀라운 기량은 모든 사람들을 깜짝 놀라게 했다.

0877 astound 동 몹시 놀라게 하다, 경악시키다 `17회`

[əstáund]

She sat for a moment too **astounded** for speech.
→ astounding 형 몹시 놀라게 하는

★철자주의

0878 attach 동 붙이다 `38회`

[ətǽtʃ]

He **attached** a check to the order form. `대수능`
→ attachment 명 부착, 애착

0879 attack 동 공격하다 `53회`

[ətǽk]

They have the means to **attack** other animals. `대수능`

0880 attain 동 도달하다, 달성하다 `18회`

[ətéin] 혼동어
retain
동 보유하다

This is the time of all times to **attain** our long-cherished desire.
→ attainment 명 달성   attainable 형 달성할 수 있는

0881 attempt 동 시도하다 명 시도 `77회`

[ətémpt]

Some of his friends **attempted** to persuade him. `평가원`

0882 attend 동 참석하다, 돌보다, 시중들다 `80회`

[əténd]

I decided to **attend** a language institute in a foreign country. `대수능`
→ attendance 명 출석, 참석   attendant 명 수행원, 출석자

0883 attract 동 끌다, 매혹하다 `129회`

[ətrǽkt]

In this way, they will **attract** public attention. `대수능`
→ attraction 명 매력, 구경거리   attractive 형 매력 있는

> [at(=to)+tract(=draw)] tract는 '(손을 뻗어) 그리다, 당기다'의 의미이다.

0884 attribute 동 ~의 탓으로 하다 명 속성, 특성 `30회`

[ətríbju:t] 혼동어
distribute
동 분배하다

Doctors **attributed** the cause of his illness to his overdrinking.

0885 avoid 동 피하다 `118회`

[əvɔ́id]

A wise person will try to **avoid** feelings of guilt by **avoiding** the acts that
cause them. `대수능`
→ avoidance 명 회피   avoidable 형 피할 수 있는

[예문 해석] **0877** 그녀는 너무 놀라 말을 잊고 잠시 앉아 있었다. **0878** 그는 주문서에 수표를 붙였다. **0879** 그들은 다른 동물들을 공격할 수 있는 수단들을 가지고 있다. **0880** 지금이 오랜 세월 동안 품어온 우리의 소망을 달성할 가장 좋은 때이다. **0881** 그의 친구들 중 일부는 그를 설득하려고 했다. **0882** 나는 외국에 있는 어학원에 다니기로 결정했다. **0883** 이런 식으로 그들은 대중의 관심을 끌 것이다. **0884** 의사들은 그의 병의 원인을 과음 탓으로 돌렸다. **0885** 현명한 사람은 죄책감을 야기시키는 행동을 피함으로써 죄책감을 피하려 할 것이다.

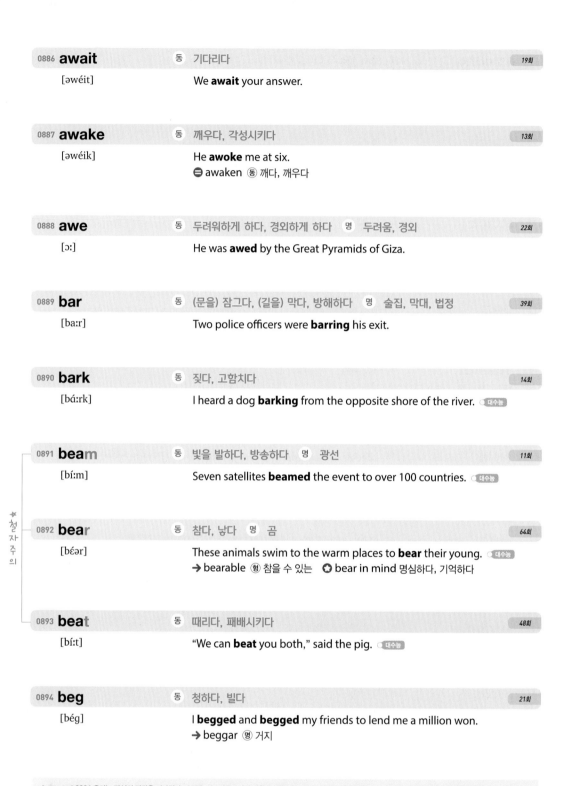

0886	**await**	동	기다리다	19회
	[əwéit]		We **await** your answer.	

0887	**awake**	동	깨우다, 각성시키다	13회
	[əwéik]		He **awoke** me at six.	
			⊜ awaken 동 깨다, 깨우다	

0888	**awe**	동	두려워하게 하다, 경외하게 하다 명 두려움, 경외	22회
	[ɔː]		He was **awed** by the Great Pyramids of Giza.	

0889	**bar**	동	(문을) 잠그다, (길을) 막다, 방해하다 명 술집, 막대, 법정	39회
	[baːr]		Two police officers were **barring** his exit.	

0890	**bark**	동	짖다, 고함치다	14회
	[báːrk]		I heard a dog **barking** from the opposite shore of the river. 대수능	

0891	**beam**	동	빛을 발하다, 방송하다 명 광선	11회
	[bíːm]		Seven satellites **beamed** the event to over 100 countries. 대수능	

0892	**bear**	동	참다, 낳다 명 곰	64회
	[bɛ́ər]		These animals swim to the warm places to **bear** their young. 대수능	
			→ bearable 형 참을 수 있는 ◑ bear in mind 명심하다, 기억하다	

0893	**beat**	동	때리다, 패배시키다	48회
	[bíːt]		"We can **beat** you both," said the pig. 대수능	

0894	**beg**	동	청하다, 빌다	21회
	[bég]		I **begged** and **begged** my friends to lend me a million won.	
			→ beggar 명 거지	

★철자주의

[예문 해석] **0886** 우리는 당신의 답장을 기다린다. **0887** 그는 나를 6시에 깨웠다. **0888** 그는 Giza의 피라미드를 보고 경외하는 마음이 생겼다. **0889** 경찰관 두 명이 그가 나가려는 길을 막고 있었다. **0890** 나는 강의 반대편 물가에서 개가 짖는 소리를 들었다. **0891** 7대의 인공위성이 100개도 넘는 나라에 그 행사를 방송했다. **0892** 이러한 동물들은 그들의 새끼를 낳을 수 있는 따뜻한 곳으로 헤엄쳐 간다. **0893** "우리는 너희 둘 모두를 이길 수 있어."라고 돼지가 말했다. **0894** 나는 100만원을 빌려달라고 친구들에게 사정사정을 했다.

| 0895 | **behave** | 동 | (예절 바르게) 행동하다 | 37회 |

[bihéiv] 혼동어
behalf
명 이익, 원조

Children speak and **behave** more like adults than in the past. 대수능

| 0896 | **behold** | 동 | 보다, 주시하다 | 18회 |

[bihóuld]

My heart leaps up when I **behold** a rainbow in the sky.
→ beholder 명 보는 사람, 구경꾼

| 0897 | **bet** | 동 | 돈 따위를 걸다, 단언하다 | 명 | 내기 | 14회 |

[bét] 혼동어
bat
명 방망이, 박쥐

I **bet** he will come back.
✪ You bet! 당연하지!

| 0898 | **betray** | 동 | 배반하다, 누설하다, 무심코 드러내다 | 13회 |

[bitréi] 혼동어
portray
동 묘사하다

Her appearance **betrayed** her character.
→ betrayal 명 배반, 폭로   betrayer 명 배신자

| 0899 | **beware** | 동 | 조심하다, 경계하다 | 16회 |

[biwéər] 혼동어
aware
형 알고 있는

Beware lest you should fail.
✪ beware of ~을 조심하다

| 0900 | **bewitch** | 동 | 마법을 걸다, 매혹하다 | 16회 |

[biwítʃ]

Marylin Monroe **bewitched** men around the world with her sex appeal.

표제어 이외의 주요 어휘

append	동 덧붙이다, 부가하다	award	동 수여하다, 상을 주다 명 상(품)
appraise	동 평가하다, 감정하다	banish	동 추방하다
array	동 정렬시키다 명 정렬	befall	동 (나쁜 일 등이) 닥치다
assassinate	동 암살하다	belong	동 ~에 속하다
assort	동 분류하다	bend	동 구부리다, 굴복하다
audit	동 회계감사하다 명 회계감사	bestow	동 주다, 수여하다
avenge	동 복수하다	bewilder	동 어리둥절케 하다, 당황케 하다

[예문 해석] **0895** 아이들은 과거보다 더 어른처럼 말하고 행동한다. **0896** 하늘에서 무지개를 보면 내 마음은 설렌다. **0897** 나는 그 사람이 올 것을 장담한다. **0898** 그녀의 외모는 그녀의 성격을 드러내주었다. **0899** 실패하지 않도록 주의해라. **0900** Marylin Monroe는 성적 매력으로 온 세상의 남성을 매혹했다.

DAY 18 수능 필수 **Daily IDIOMS**

go back
~로 돌아가다

I **go back** home at a quarter to 6.
나는 6시가 되기 15분 전에 집에 돌아간다.

go on
계속되다

Things **go on** smoothly.
만사가 원활히 진행된다.

go through
지내다, 경험하다

You cannot **go through** the winter without an overcoat.
당신은 외투 없이는 겨울을 지낼 수 없을 것이다.

had better + V
~하는 게 낫다

You **had better** see a doctor at once.
곧 병원에 가보는 게 좋겠다.

hang out with
~와 어울리다, 함께 시간을 보내다

She **hangs out with** her coworkers.
그녀는 직장 동료들과 어울려 다닌다.

hang up
걸다, 전화를 끊다

Hang up your jacket on the hanger.
네 재킷을 옷걸이에 걸어라.

have a bad cold
독감에 걸리다

I **have a bad cold**.
나는 독감에 걸렸다.

have an effect on
~에 영향을 미치다

In a restaurant, the smell of smoke may **have a** bad **effect on** the taste of other diners' food.
음식점에서, 담배 냄새는 식사하는 다른 사람들의 음식 맛에 나쁜 영향을 미칠 수 있다.

DAY 18 암기를 위한 Daily TEST

맞은 개수 ◯ / 50문항

💡 빈칸에 알맞은 단어나 뜻을 쓰시오.

01. appeal ....

02. appear ....

03. (박수)갈채를 보내다 ....

04. apply ....

05. appoint ....

06. appreciate ....

07. 접근하다 ....

08. argue ....

09. arise ....

10. 깨우다 ....

11. arrange ....

12. 체포하다 ....

13. arrive ....

14. ascend ....

15. ascribe ....

16. assent ....

17. assert ....

18. 조립하다 ....

19. assess ....

20. 할당하다 ....

21. assimilate ....

22. 돕다 ....

23. associate ....

24. 추정하다 ....

25. assure ....

26. astonish ....

27. astound ....

28. attach ....

29. 공격하다 ....

30. attain ....

31. attempt ....

32. 참석하다 ....

33. attract ....

34. attribute ....

35. 피하다 ....

36. await ....

37. awake ....

38. awe ....

39. bar ....

40. 짖다 ....

41. beam ....

42. 참다, 낳다 ....

43. beat ....

44. beg ....

45. 행동하다 ....

46. behold ....

47. bet ....

48. 배반하다 ....

49. beware ....

50. bewitch ....

| 0901 | **bind** | 동 | 묶다, 동여매다 | 17회 |
| | [báind] | | Don't **bind** it with a string. | |

| 0902 | **bleed** | 동 | 피를 흘리다 | 17회 |
| | [blíːd] | | The wound was **bleeding** profusely. | |

| 0903 | **blend** | 동 | (뒤)섞다, 어울리다 | 18회 |
| | [blénd] 혼동어 brand 명 상표 | | The new curtains do not **blend** with the white wall. → blender 명 믹서기 | |

| 0904 | **bless** | 동 | 은총을 내리다, 찬양하다 | 15회 |
| | [blés] | | God **bless** you! | |

| 0905 | **blink** | 동 | 눈을 깜박거리다 | 18회 |
| | [blíŋk] 혼동어 blank 형 빈, 멍한 | | She **blinked** at the sudden light. ○ blink one's eyes 눈을 깜박이다 | |

| 0906 | **blow** | 동 | 불다, 바람에 날리다 명 강타, 충격 | 27회 |
| | [blóu] 혼동어 brow 명 눈썹, 이마 | | A cool wind is **blowing**, and the sky is clear. | |

| 0907 | **blur** | 동 | 희미해지다, 흐리게 하다 명 더러움, 얼룩 | 19회 |
| | [bláːr] | | When she saw her boy, she was **blurred** with tears. → blurry 형 더러워진, 흐릿한 blurred 형 흐려진 | |

| 0908 | **blush** | 동 | 얼굴을 붉히다, 부끄러워하다 | 16회 |
| | [blʌ́ʃ] | | She **blushed** with shame. | |

[예문 해석] **0901** 그것을 끈으로 묶지 마라. **0902** 상처에서 피가 많이 흐르고 있었다. **0903** 새 커튼은 흰 벽과 어울리지 않는다. **0904** 그대에게 신의 축복이 있기를! **0905** 그녀는 갑자기 비친 빛에 눈을 깜박거렸다. **0906** 시원한 바람이 불고 있고 하늘은 맑다. **0907** 그녀는 자기 아들을 보자 눈물이 앞을 가렸다. **0908** 그녀는 부끄러움에 얼굴이 붉어졌다.

0909 **boast**	동 자랑하다 명 허풍	20회
[bóust]	He **boasts** that he can swim well. → boastful 형 허풍떠는	

0910 **boost**	동 밀어 올리다, 후원하다	23회
[búːst]	That one was about how to **boost** domestic sales.	

0911 **board**	동 탑승하다, 하숙시키다 명 판자, 게시판, 위원회	44회
[bɔːrd]	Hundreds of passengers are waiting to **board** the train to Washington.	

0912 **book**	동 예약하다	203회
[búk]	We had already **booked** a jeep. 대수능 ✚ bookcase 명 책장 booklet 명 소책자	

0913 **bore**	동 지루하게 하다	21회
[bɔ́ːr]	He was **bored** in class and tried to do as little work as possible. 대수능 → boredom 명 지루함 boring 형 지루하게 하는 bored 형 지루한	

0914 **borrow**	동 빌리다	35회
[bɔ́(ː)rou]	Could I **borrow** the most recent issue of the journal you subscribe to? → borrower 명 차용인	

0915 **bother**	동 귀찮게 하다, 괴롭히다	25회
[báðər]	There's one little thing that **bothers** me. 대수능 → bothersome 형 번거로운, 귀찮은	

0916 **bounce**	동 (공이) 튀다, 뛰어오르다	17회
[báuns]	The ball **bounced** back from the wall.	

0917 **bound**	동 [수동형으로] 제한하다 형 (열차 등이) ~행(行)의, 의무가 있는	30회
[báund]	Our knowledge is **bounded** by our experience. ✪ be bound for ~행이다 be bound to+V ~해야 한다, ~할 것이다	

철자주의

[예문 해석] **0909** 그는 자신이 수영을 잘할 수 있다고 자랑한다. **0910** 그것은 국내 영업을 증진하는 방법에 관한 것이었다. **0911** 수백 명의 승객들이 Washington행 기차에 탑승하려고 기다리고 있다. **0912** 우리는 이미 지프차 한 대를 예약했었다. **0913** 그는 수업을 지루해했고 가능한 한 공부를 하지 않으려고 했다. **0914** 당신이 구독하고 있는 잡지의 가장 최신호를 빌릴 수 있을까요? **0915** 나를 괴롭히는 한 가지 사소한 일이 있다. **0916** 공이 벽에 맞고 튕겨 나갔다. **0917** 지식은 경험에 의하여 한정되어 있다.

| 0918 | **bow** | 동 | 인사하다, 굽히다 | 명 | 활 | | 23회 |

[bóu]

The girl saw the fishing rod **bowing** like a question mark. 〔대수능〕

| 0919 | **breathe** | 동 | 숨 쉬다, 호흡하다 | | | | 39회 |

[bríːð]

They are warm-blooded mammals and need air to **breathe**. 〔대수능〕
→ breath 명 숨　➕ breathtaking 형 깜짝 놀랄 만한

| 0920 | **breed** | 동 | 낳다, 기르다 | | | | 36회 |

[bríːd]　혼동어
bleed
동 피를 흘리다

Farmers have long **bred** crop strains to resist cold, pests, and disease.

| 0921 | **bring** | 동 | 가져오다, 데려오다 | | | | 238회 |

[bríŋ]

Hiddink **brought** many positive changes to Korean football.
✪ bring about ~을 유발[초래]하다　bring up ~를 기르다, (화제를) 꺼내다

| 0922 | **broaden** | 동 | 넓어지다, 확장하다 | | | | 28회 |

[brɔ́ːdn]

Travel **broadens** the mind.
→ broad 형 넓은, 광대한

| 0923 | **browse** | 동 | 띄엄띄엄 읽다, 검색하다 | | | | 23회 |

[bráuz]

Someone is **browsing** through the books.

| 0924 | **brush** | 동 | (솔로) 털다, 칠하다 | 명 | 솔, 솔질 | | 18회 |

[brʌ́ʃ]　혼동어
blush
동 얼굴을 붉히다

She **brushed** the dirt off the knees of her jeans with one hand.

| 0925 | **bump** | 동 | 부딪치다, 충돌하다 | | | | 12회 |

[bʌ́mp]

The truck has **bumped** into the car.
➕ bumper 명 범퍼, 완충장치　bumper-to-bumper 형 자동차가 줄지은

| 0926 | **burrow** | 동 | 굴을 파다, 숨다 | 명 | 굴, 은신처 | | 20회 |

[bə́ːrou]　혼동어
borrow
동 빌리다

The snail **burrowed** deep into the mud.

[예문 해석] **0918** 그 소녀는 물음표처럼 구부러진 낚싯대를 보았다. **0919** 그들은 온혈 포유류이고 숨을 쉬기 위해서 공기를 필요로 한다. **0920** 농부들은 추위와 전염병 그리고 질병에 내성이 있는 곡물 품종들을 오랫동안 재배해왔다. **0921** 히딩크는 한국 축구에 많은 긍정적인 변화를 가져왔다. **0922** 여행은 정신을 넓혀준다. **0923** 어떤 사람이 책을 대충 훑어보고 있다. **0924** 그녀는 한 손으로 청바지의 무릎에 묻은 흙을 털어냈다. **0925** 트럭이 승용차를 들이받았다. **0926** 그 달팽이는 진흙 속 깊이 파고들어 갔다.

0927 burst 〔동〕 터지다, 폭발하다 *21회*

[bə́:rst]

She **burst** into tears.
♥ burst into 갑자기 ~하기 시작하다

0928 bury 〔동〕 파묻다 *15회*

[béri]

Does an ostrich **bury** its head in the sand to hide from an enemy? 〔대수능〕
→ burial 〔명〕 매장, 장례(식)   ↔ dig up 파내다, 캐내다

0929 calculate 〔동〕 계산하다 *30회*

[kǽlkjulèit]

How should we **calculate** our prices?
→ calculator 〔명〕 계산기   calculation 〔명〕 계산

0930 call 〔동〕 전화하다, ~라고 부르다 *406회*

[kɔ́:l]

She **called** out to her father, "I'm going to the store, do you need anything?"
♥ call for ~을 요구하다   call off ~을 취소[철회]하다

철자주의

0931 calm 〔동〕 진정시키다 〔형〕 고요한, 차분한 *71회*

[ká:m]

Laughter is the most powerful force for **calming** tension. 〔대수능〕

0932 cancel 〔동〕 취소하다 *36회*

[kǽnsəl]

If we **cancel** our reservation, will we have to pay a penalty?
→ cancellation 〔명〕 취소

0933 captivate 〔동〕 마음을 사로잡다, 현혹시키다 *17회*

[kǽptəvèit]

There is something in her eyes that **captivates** us.
→ captive 〔명〕 포로

0934 capture 〔동〕 잡다, 생포하다 〔명〕 포획 *26회*

[kǽptʃər]

Our troops retook the island which had been **captured** by the enemy.

0935 carve 〔동〕 새기다, 조각하다 *17회*

[ká:rv]   혼동어
curve 〔명〕 곡선

He **carved** a statue of wood.

[예문 해석] **0927** 그녀는 갑자기 울음을 터뜨렸다. **0928** 타조는 적으로부터 숨기 위해서 모래 속에 머리를 파묻는가? **0929** 우리의 가격을 어떻게 산정해야 하나요? **0930** 그녀는 아버지에게 "저 가게에 갈 건데, 뭐 필요한 거 있으세요?"라고 큰 소리로 외쳤다. **0931** 웃음은 긴장을 완화시키는 데 가장 강력한 힘이다. **0932** 예약을 취소하면 위약금을 물어야 하나요? **0933** 그녀의 눈에는 우리의 마음을 사로잡는 무언가가 있다. **0934** 아군은 적군에 점령되었던 섬을 탈환했다. **0935** 그는 목상을 조각했다.

DAY
19
동사

| 0936 **cast** | 동 | 던지다, (금속을) 주조하다 | 18회 |

[kǽst]

The mountain **casts** its sharply defined reflection on the waters.

| 0937 **catalog(ue)** | 동 | 목록을 작성하다, 분류하다 | 명 | 목록 | 25회 |

[kǽtəlɔ̀ːg]

Researchers have **catalogued** 26,075 pieces of art created by Picasso.

| 0938 **cause** | 동 | ~의 원인이 되다, 야기하다 | 명 | 원인 | 304회 |

[kɔ́ːz]

Obstacles in the road can **cause** bike accidents.

| 0939 **cease** | 동 | 중지하다 | 34회 |

[síːs]
혼동어
seize
동 붙잡다

The group should **cease** acts of terrorism.
→ ceaseless 형 끊임없는

| 0940 **celebrate** | 동 | 축하하다 | 47회 |

[séləbrèit]

The only difference among societies is the way these events are **celebrated**. 대수능
→ celebration 명 축하, 찬양

| 0941 **chance** | 동 | 우연히 하다(발생하다) | 명 | 가능성, 기회, 우연 | 127회 |

[tʃǽns]

Once I was walking along the road when I **chanced** to meet Mr. Gosney, a close friend of my Grandpa's.

| 0942 **charge** | 동 | (요금 등을) 청구하다, 고발하다, (책임을) 지우다 | 43회 |

[tʃɑ́ːrdʒ]
혼동어
change
동 변하다

How much do you **charge** for it?
⊙ in charge of ~을 맡고 있는, ~ 담당의

| 0943 **chase** | 동 | 뒤쫓다, 추적하다 | 14회 |

[tʃéis]
혼동어
phase
명 단계, 국면

Hundreds of police are **chasing** dozens of robbers. 대수능
→ chaser 명 추적자

| 0944 **cheat** | 동 | 속이다 | 명 | 속임수 | 28회 |

[tʃíːt]

Students often **cheat** in their exams. 대수능
→ cheater 명 속이는 사람, 사기꾼

[예문 해석] **0936** 산이 아주 선명한 그림자를 물 위에 드리우고 있다. **0937** 연구원들은 Picasso의 미술품 26,075점의 목록을 만들었다. **0938** 도로의 장애물들은 자전거 사고를 일으킬 수 있다. **0939** 그 집단은 테러 행동을 중단해야 한다. **0940** 여러 사회들 사이에서의 유일한 차이점은 이러한 사건들이 축하되는 방식이다. **0941** 한번은 내가 길을 걷고 있었을 때 우연히 우리 할아버지의 절친한 친구이신 Gosney씨를 만난 적이 있었다. **0942** 이것은 얼마에 팝니까? **0943** 수백 명의 경찰들이 수십 명의 강도들을 쫓고 있다. **0944** 학생들은 종종 시험에서 부정행위를 한다.

0945 check 동 확인하다, 점검하다 명 수표, 점검 *122회*

[tʃék]

I didn't **check** the time left, so I missed some questions.
✪ check in 투숙하다   check out 계산하고 나오다, (책 등을) 대출하다

0946 cherish 동 소중히 하다 *25회*

[tʃériʃ]
혼동어
perish
동 죽다, 소멸되다

He will **cherish** the memory of this visit to Seoul.

0947 chew 동 씹다 *21회*

[tʃúː]

Tender meat is easy to **chew**.

0948 choke 동 질식시키다 명 질식 *20회*

[tʃóuk]

A coin almost **choked** the baby.

0949 chop 동 자르다 *23회*

[tʃáp]

By 400 B.C., food was **chopped** into small pieces so it could be cooked quickly. ⟨대수능⟩
✪ chopstick 명 (pl.) 젓가락

0950 cite 동 인용하다, (이유·예 등을) 들다 *18회*

[sáit]
혼동어
site
명 장소, 현장

Tim **cited** a history book and a Web page in his report on civil rights.
→ citation 명 인용, 인용 문구

표제어 이외의 **주요 어휘**

bite	동 물다, 물어뜯다	brighten	동 밝게 하다	
blame	동 비난하다	bulge	동 불룩하다, 부풀다	
blot	동 더럽히다 명 얼룩	bustle	동 크게 소동하다, 부산떨다	
blurt	동 누설하다	buzz	동 윙윙거리다 명 윙윙거리는 소리	
boycott	동 불매동맹을 맺다	canvass	동 간청하다, 유세하다	
brace	동 버티다, 대비하다 명 버팀대	capsize	동 뒤집히다, 전복시키다	
brag	동 자랑하다, 허풍떨다	chat	동 잡담하다	

[예문 해석] **0945** 나는 남은 시간을 확인하지 못해서 몇 문제를 놓쳤다. **0946** 그는 이번 서울 방문의 기억을 소중히 간직할 것이다. **0947** 연한 고기는 씹기 쉽다. **0948** 동전이 그 아이를 거의 질식시킬 뻔했다. **0949** 기원전 400년 쯤에 음식은 빨리 조리될 수 있도록 작은 조각으로 잘려졌다. **0950** Tim은 시민 권리에 관한 자신의 리포트에서 역사책과 웹페이지를 인용했다.

DAY 19 수능 필수 **Daily IDIOMS**

have a hard time ~ing
~하는 데 어려움을 겪다

I **had a hard time sitting** through the concert.
연주회를 끝까지 앉아서 듣느라고 혼났다.

have a tendency to
~하는 경향이 있다

Koreans **have a tendency to** overstudy.
한국 사람들은 너무 많이 알려고 한다.

have been to
가 본 적이 있다, 갔다 왔다

I **have been to** London.
나는 런던에 갔다 왔다.

have contact with
~와 접촉하다

Having contact with an overhead electric line can have life-threatening consequences for workers.
머리 위의 전력선과 접촉하는 것은 작업자 자신의 생명을 위협하는 결과를 가져올 수도 있다.

have got to
~해야 한다

I **have got to** be in school by 8:20 at the latest.
나는 늦어도 8시 20분까지 학교에 도착해야 한다.

have in common
공통적으로 지니다

We two **have** many things **in common**.
우리 둘은 공통점이 많다.

have in mind
생각하다, 명심하다

Do you **have** anything special **in mind**?
뭐 특별히 생각해 둔 것이 있니?

have no choice but to
~해야 한다, ~하지 않을 수 없다

I **have no choice but to** go.
나는 싫건 좋건 가야 한다.

DAY 19 암기를 위한 Daily TEST

빈칸에 알맞은 단어나 뜻을 쓰시오.

01. bind

02. 피를 흘리다

03. blend

04. bless

05. 눈을 깜박거리다

06. blow

07. blur

08. 얼굴을 붉히다

09. boast

10. boost

11. board

12. book

13. 지루하게 하다

14. borrow

15. bother

16. (공이) 튀다

17. bound

18. bow

19. 호흡하다

20. breed

21. 가져오다

22. broaden

23. browse

24. (솔로) 털다

25. bump

26. burrow

27. burst

28. 파묻다

29. calculate

30. call

31. calm

32. 취소하다

33. captivate

34. capture

35. 조각하다

36. cast

37. catalog(ue)

38. ~의 원인이 되다

39. cease

40. celebrate

41. chance

42. charge

43. 뒤쫓다

44. cheat

45. check

46. 소중히 하다

47. chew

48. choke

49. chop

50. 인용하다

DAY 20

PART Ⅱ 동사

★ 철 자 주 의

0951 **claim**	동	요구하다, 주장하다 명 요구, 권리	56회
[kléim] 혼동어 crane 명 크레인, 학		They **claim** that whaling is an important part of their culture. 대수능	

0952 **clap**	동	박수치다, 찰싹 때리다	19회
[klǽp]		The excited crowd **clapped** loudly.	

0953 **clarify**	동	분명하게 하다	25회
[klǽrəfài]		I would like to **clarify** what is considered professional attire. → clarification 명 설명, 해명	

0954 **classify**	동	분류하다	25회
[klǽsəfài]		Fruit juices are not **classified** as junk food despite being high in sugar. → classification 명 분류	

0955 **cling**	동	달라붙다, 매달리다	18회
[klíŋ]		The children love her and just **cling** to her.	

0956 **clutch**	동	꽉 잡다, 붙들다 명 (꽉) 붙잡음	17회
[klʌ́tʃ]		A drowning man will **clutch** at a straw.	

0957 **collaborate**	동	협력하다	25회
[kəlǽbərèit]		He **collaborated** with Oppenheimer on the atomic bomb. → collaboration 명 협동, 합작	

0958 **collapse**	동	무너지다 명 붕괴, 파탄	23회
[kəlǽps]		He **collapsed** with exhaustion.	

[예문 해석] **0951** 그들은 고래잡이가 그들의 문화의 중요한 부분이라고 주장한다. **0952** 흥분한 관중은 크게 박수를 쳤다. **0953** 나는 근무 복장이 어떤 것인지에 대해 분명히 하고자 한다. **0954** 과일 주스는 당 함량이 높음에도 불구하고 정크푸드로 분류되지 않는다. **0955** 아이들은 그녀를 몹시 따르며 그녀에게 그냥 딱 달라붙어 있다. **0956** 물에 빠진 사람은 지푸라기라도 잡는다. **0957** 그는 원자 폭탄을 만들 때에 Oppenheimer와 공동으로 일했다. **0958** 그는 기진맥진해서 쓰러졌다.

0959 collide 동 충돌하다, 일치하지 않다 `20회`

[kəláid]

Two motorcars **collided**.
→ collision 명 충돌

0960 combine 동 결합하다, 협력하다 `63회`

[kəmbáin] 혼동어
confine
동 가두다, 제한하다

All these projects must be **combined** into one program. `대수능`
→ combination 명 결합, 협력

0961 commemorate 동 기념하다, 축하하다 `13회`

[kəmémərèit]

The award was named after him to **commemorate** his accomplishments.
→ commemoration 명 기념(식), 축하

0962 comment 동 논평하다, 말하다 명 논평 `49회`

[káment] 혼동어
commend
동 칭찬다 추천하다

When we hear a story, we look for beliefs that are being **commented** upon. `평가원`

0963 commit 동 (죄, 과실을) 저지르다, 맡기다 `59회`

[kəmít]

66 percent of murders are **committed** between 6 p.m. and 6 a.m. `대수능`
→ commitment 명 범행, 위임, 헌신   committee 명 위원회
✪ commit oneself to ~에 전념하다

0964 communicate 동 의사소통하다, 통신하다 `61회`

[kəmjú:nəkèit]

A whale **communicates** with other whales using a song.
→ communication 명 통신

0965 commute 동 통근하다 명 통근 (거리) `14회`

[kəmjú:t]

Thirty miles is too far to **commute** to work every day.
→ commuter 명 통근자

0966 compare 동 비교하다 `122회`

[kəmpéər]

The population in 1970 was up 100% **compared** with that in 1950.
`대수능`
→ comparison 명 비교, 대조   comparable 형 비교할 수 있는, 필적하는

0967 compel 동 강제하다, 억지로 ~하게 하다 `14회`

[kəmpél] 혼동어
expel 동 쫓아내다

His bravery **compelled** applause even from his enemy.

[예문 해석] **0959** 두 대의 자동차가 충돌했다. **0960** 이러한 모든 기획들이 하나의 프로그램으로 결합되어야 한다. **0961** 이 상은 그의 업적을 기리기 위해 그의 이름을 따서 지어졌다. **0962** 우리는 이야기를 들을 때 언급되고 있는 신념을 찾는다. **0963** 66%의 살인 사건들이 저녁 6시에서 새벽 6시 사이에 저질러진다. **0964** 고래는 노랫소리를 이용해서 다른 고래들과 의사소통을 한다. **0965** 30마일은 매일 출근하기에 너무 먼 거리이다. **0966** 1970년의 인구는 1950년의 인구와 비교해볼 때 100% 증가했다. **0967** 그의 용기는 심지어 적에게서도 탄성을 불러냈다.

0968 compensate 동 보상하다, 벌충하다 `30회`

[kámpənsèit]

I know that new ones cannot **compensate** for those you have lost. `대수능`
→ compensation 명 보상, 배상

0969 compete 동 경쟁하다 `41회`

[kəmpí:t] 혼동어
complete
동 완성하다

For those who fail to **compete** successfully, their very survival can be in question. `대수능`
→ competition 명 경쟁 competitor 명 경쟁자 competitive 형 경쟁력 있는

★ 철자 주의

0970 compile 동 편집하다, 수집하다 `20회`

[kəmpáil]

We must protect citizens against the **compiling** of personal data. `대수능`

0971 comply 동 동의하다, 따르다 `16회`

[kəmplái]

Failure to **comply** with the above requirement will result in immediate deportation.

0972 complain 동 불평하다 `36회`

[kəmpléin]

But even they **complain** that some professors talk too fast. `대수능`
→ complaint 명 불평, 항의

0973 complicate 동 복잡하게 하다, 악화시키다 `18회`

[kámpləkèit]

To **complicate** matters further, there was no power for over 3 hours.
→ complication 명 복잡(한 문제), 합병증 complicated 형 복잡한, 어려운

0974 compose 동 구성하다, 작곡하다 `52회`

[kəmpóuz] 혼동어
impose
동 강요하다, 부과하다

One group is **composed** of artists. `대수능`
→ composer 명 작곡가, 구성자 composition 명 구성, 작곡

0975 comprehend 동 이해하다, 파악하다 `23회`

[kàmprihénd] 혼동어
apprehend
동 이해하다

He didn't **comprehend** the significance of the teacher's remark.
→ comprehension 명 이해(력) comprehensive 형 포괄적인, 이해력이 있는

0976 conceal 동 숨기다, 비밀로 하다 `15회`

[kənsí:l]

It helps to **conceal** the financial status of children's parents. `대수능`

[예문 해석] **0968** 나는 새로운 것들이 당신이 잃어버린 것들을 보상할 수 없다는 것을 알고 있다. **0969** 성공적으로 경쟁하지 못한 사람들에게는 다름 아닌 그들의 생존이 의문시될 수 있다. **0970** 우리는 개인 자료의 수집에 맞서 시민들을 보호해야 한다. **0971** 이상의 요구사항을 따르지 않는 경우 즉시 추방될 것이다. **0972** 그러나 심지어 그들은 일부 교수들이 말을 너무 빨리 한다고 불평한다. **0973** 일이 더욱 복잡하게도 세 시간이 넘도록 정전이 되었다. **0974** 한 그룹은 예술가들로 구성되어 있다. **0975** 그는 선생님 말씀의 중대성을 이해하지 못했다. **0976** 그것은 아이 부모들의 재정 상태를 숨기는 데 도움이 된다.

0977 compress　동　압축하다, (말 · 사상 등을) 요약하다　　23회

[kəmprés]
Poor posture **compresses** the body's organs.
→ compression 명 압축, 요약

0978 comprise　동　포함하다, 구성되다　　29회

[kəmpráiz]
The committee is **comprised** of eight members.

0979 conceive　동　(생각 · 감정 등을) 마음에 품다, 상상하다　　17회

[kənsíːv]
혼동어
perceive
동 인식하다
I **conceived** that something must be wrong with him.
→ conception 명 개념, 생각

0980 concentrate　동　집중하다　　66회

[kánsəntrèit]
Most history classes **concentrate** on politics, economics, and war. 대수능
→ concentration 명 집중, 전념

0981 conclude　동　결론짓다, 끝내다　　70회

[kənklúːd]
A salesperson's aim is to **conclude** a sale profitably. 평가원
→ conclusion 명 결론, 결말　conclusive 형 결정적인, 명확한

0982 condemn　동　비난하다, 유죄 판결을 내리다　　43회

[kəndém]
Condemn the offense and not its perpetrator.

0983 confess　동　고백하다, 자인하다　　16회

[kənfés]
혼동어
compass
명 나침반, 범위
He must be made to **confess**.
→ confession 명 고백, 자백

0984 confine　동　제한하다, 가두다　　22회

[kənfáin]
혼동어
confide
동 털어놓다
Please **confine** your remarks to the fact.

0985 confront　동　직면하다, 맞서다　　16회

[kənfránt]
She finally **confronted** her accuser.
→ confrontation 명 직면, 대립, 대결

[예문 해석] **0977** 자세가 나쁘면 내장기관이 압박을 받는다. **0978** 위원회는 8명의 회원으로 구성되어 있다. **0979** 나는 그에게 뭔가 잘못된 게 틀림없다고 생각했다. **0980** 대부분의 역사 수업들은 정치, 경제, 그리고 전쟁에 중점을 두고 있다. **0981** 판매원의 목표는 판매를 수익성 있게 끝내는 것이다. **0982** 죄인을 미워하지 말고 죄를 미워하라. **0983** 그의 자백을 받아내야 한다. **0984** 당신의 말을 사실에 국한시켜 발언하시오. **0985** 그녀는 마침내 자신을 고발한 사람과 마주했다.

0986 confirm
[kənfə́:rm]
동 확인하다, 승인하다 | 38회

This letter is to **confirm** that you will be dismissed from the company.
(대수능)
→ confirmation 명 확인, 승인

0987 conform
[kənfɔ́:rm]
동 일치하다, (규칙 등에) 따르다 | 14회

We must **conform** to the laws.
→ conformity 명 일치, 순응

0988 confuse
[kənfjú:z]
동 혼란시키다, 혼동하다 | 77회

When speaking English, we are often **confused** by our mother tongue.
→ confusion 명 혼란, 혼동

0989 connect
[kənékt]
동 연결하다 | 77회

Many people think of crisis as being **connected** only with unhappy events. (대수능)
→ connection 명 연결, 관계

0990 conquer
[káŋkər]
동 정복하다 | 16회

They were mostly soldiers who came to **conquer** the Indians. (대수능)
→ conqueror 명 정복자 conquest 명 정복

0991 consent
[kənsént]
동 동의하다, 승낙하다 명 동의, 허가 | 18회

혼동어
contend
동 주장하다, 다투다

It is quite silly of you to try to force him to **consent**.

0992 consider
[kənsídər]
동 고려하다, 간주하다 | 255회

There are regional differences in what are **considered** suitable clothes.
(대수능)
→ consideration 명 고려 considerate 형 사려 깊은 considerable 형 상당한

0993 consist
[kənsíst]
동 이루어져 있다, 존재하다 | 66회

19th-century trade **consisted** principally in luxuries. (대수능)
➕ consistency 명 일관성 consistent 형 일치하는

0994 console
[kənsóul]
동 위로하다, 달래다 | 16회

That **consoled** me for the loss.

[예문 해석] **0986** 이 편지는 당신이 회사로부터 해고될 것임을 확인하려는 것이다. **0987** 우리는 법률에 따라야 한다. **0988** 영어로 말할 때 우리는 모국어로 인해 종종 혼동을 느낀다. **0989** 많은 사람들이 위기를 오직 불행한 사건들과 관련된 것으로만 생각한다. **0990** 그들은 대부분 인디언들을 정복하기 위해서 온 군인들이었다. **0991** 억지로 그의 승낙을 받으려는 것은 아주 어리석은 일이다. **0992** 적절한 옷으로 간주되는 것에 있어서는 지역적인 차이가 있다. **0993** 19세기 무역은 주로 사치품들로 구성되어 있었다. **0994** 그것은 내게 손실에 대한 위안이 되었다.

0995 constitute 동 구성하다

[kánstətjùːt]

혼동어
substitute
동 대용하다

There is considerable speculation as to whether these sounds **constitute** a language. 대수능

→ constitution 명 구성, 조직, 헌법   constituent 명 (구성) 요소, 성분

14회

0996 construct 동 건설하다

[kənstrʌ́kt]

Special buildings were **constructed** to allow ropemakers to work all year round. 대수능

→ construction 명 건설   constructive 형 건설적인

63회

0997 consult 동 상담하다

[kənsʌ́lt]

If cough lasts more than a week, **consult** your doctor. 대수능

→ consultant 명 상담자, 고문   consultation 명 상담, 진찰

23회

0998 consume 동 소비하다

[kənsúːm]

혼동어
presume
동 추정하다

Most of the wood **consumed** in the Third World is used as fuel. 대수능

→ consumer 명 소비자   consumption 명 소비

106회

0999 contain 동 담고 있다, 내포하다

[kəntéin]

Meat can supply protein and iron, but **contains** little calcium.

→ container 명 용기, 그릇, (화물 수송용) 컨테이너

96회

1000 contaminate 동 오염시키다

[kəntǽmənèit]

Much of the coast has been **contaminated** by nuclear waste.

→ contamination 명 오염

17회

표제어 이외의 주요 어휘

clamp	동 고정시키다 명 죔쇠		compute	동 계산하다
clash	동 충돌하다 명 충돌		concede	동 인정하다, 양보하다
clench	동 이를 악물다, 꽉 쥐다		condense	동 응축시키다, 요약하다
climb	동 오르다 명 등반		condone	동 용서하다
clog	동 막다 명 방해물		constrain	동 억제하다, 강요하다
commence	동 시작하다, 개시하다		constrict	동 압축하다, 수축시키다
commend	동 칭찬하다, 추천하다		construe	동 해석하다, 추론하다

[예문 해석] **0995** 이러한 소리들이 언어를 구성하는가에 관해서 무시하지 못할 추측이 있다. **0996** 밧줄을 만드는 사람들이 일 년 내내 작업할 수 있도록 특별한 건물이 건설되었다. **0997** 기침이 1주일 이상 계속된다면 의사와 상담하십시오. **0998** 제3세계에서 소비되는 목재의 대부분이 연료로 사용된다. **0999** 고기는 단백질과 철분을 제공할 수 있지만, 칼슘은 거의 없다. **1000** 해안의 많은 지역이 핵 폐기물로 오염되었다.

 DAY **20** 수능 필수 Daily IDIOMS

have no sense of
~을 모르다

They **have no sense of** hygiene.
그들은 위생 관념이 없다.

head for
~을 향하다

They will **head for** America.
그들은 미국으로 향할 것이다.

hold on to + N
~에 매달리다, 고수하다

Better **hold on to** the strap so you don't get hurt.
다치지 않도록 손잡이를 잡는 게 좋다.

in a friendly manner
친절하게

She smiled again **in a friendly manner**.
그녀는 친절하게 다시 미소 지어 주었다.

in a hurry
급히, 서둘러

Jinho was **in a hurry**, so he had to cross the street at a red light.
진호는 급했기 때문에 빨간 불에 길을 건너야 했다.

in a straight line
직선으로

The distance between them is 5 miles **in a straight line**.
그것들 사이의 거리는 직선으로 5마일이다.

in addition
또한, 게다가

In addition, you should study hard.
게다가 너는 공부도 열심히 해야 한다.

in addition to + N
~에 덧붙여, ~ 외에도

In addition to tea, animals' teeth, shells, and even salt were once used as money.
차 이외에도 동물들의 이빨, 조개껍데기, 심지어 소금도 한때는 돈으로 사용되었다.

DAY 20 암기를 위한 Daily TEST

맞은 개수 ◯ / 50문항

빈칸에 알맞은 단어나 뜻을 쓰시오.

01. 요구(주장)하다
02. clap
03. clarify
04. 분류하다
05. cling
06. clutch
07. collaborate
08. 무너지다, 붕괴
09. collide
10. 결합하다
11. commemorate
12. comment
13. 저지르다
14. communicate
15. commute
16. 비교하다
17. compel
18. compensate
19. 경쟁하다
20. compile
21. comply
22. complain
23. complicate
24. 작곡하다
25. comprehend

26. 숨기다
27. compress
28. comprise
29. conceive
30. concentrate
31. 결론짓다
32. condemn
33. 고백하다
34. confine
35. 직면하다
36. confirm
37. conform
38. confuse
39. connect
40. conquer
41. consent
42. 고려하다
43. consist
44. console
45. constitute
46. construct
47. 상담하다
48. consume
49. 담고 있다
50. contaminate

💡 우리말 뜻에 알맞은 영어 단어를 고르시오.

01 이론
① theory ② therapy

02 받아들이다
① accept ② abuse

03 획득하다
① acquire ② acquaint

04 적응시키다
① adhere ② adapt

05 입양하다, 채택하다
① adjust ② adopt

06 나아가다
① adore ② advance

07 광고하다
① advertise ② alienate

08 영향을 주다
① affirm ② affect

09 허락하다
① allow ② allude

10 놀라게 하다
① amend ② amaze

11 분석하다
① analyze ② alternate

12 나타나다, ~처럼 보이다
① applaud ② appear

13 적용하다, 신청하다
① apply ② appoint

14 감사하다, 감상하다
① appreciate ② ascend

15 접근하다
① approach ② assemble

16 논쟁하다
① arouse ② argue

17 도착하다
① arrest ② arrive

18 돕다
① assert ② assist

19 관련시키다, 연상하다
① associate ② assess

20 추정하다, 떠맡다
① assume ② assimilate

21 공격하다
① attack   ② attain

22 시도하다
① attempt   ② astonish

23 참석하다
① astound   ② attend

24 끌다, 매혹하다
① awake   ② attract

25 피하다
① avoid   ② await

26 참다, 낳다
① beam   ② bear

27 진정시키다
① calm   ② carve

28 확인하다
① cheat   ② check

29 요구하다, 주장하다
① claim   ② cherish

30 결합하다
① combine   ② collide

31 (죄, 과실을) 저지르다, 맡기다
① commit   ② commute

32 비교하다
① compel   ② compare

33 구성하다, 작곡하다
① compose   ② comply

34 집중하다
① condemn   ② concentrate

35 결론짓다
① confess   ② conclude

36 혼란시키다, 혼동하다
① confuse   ② conquer

37 연결하다
① connect   ② consent

38 고려하다, 간주하다
① console   ② consider

39 이루어져 있다
① consist   ② confront

40 건설하다
① consult   ② construct

복습을 위한 누적 TEST

07회

우리말 뜻에 알맞은 영어 단어를 고르시오.

01 전달
① transmission ② transition

02 담고 있다
① conform ② contain

03 버리다, 단념하다
① abbreviate ② abandon

04 흡수하다, 열중시키다
① abolish ② absorb

05 동행하다, 반주하다
① accompany ② abstain

06 모으다, 축적하다
① accumulate ② accommodate

07 인정하다
① acknowledge ② accustom

08 활성화시키다
① activate ② accuse

09 관리하다, 집행하다
① aggravate ② administer

10 인정하다
① admit ② afford

11 놀라게 하다, 불안하게 하다
① allocate ② alarm

12 즐겁게 하다
① amuse ② alter

13 발표하다
① animate ② announce

14 성가시게 굴다
① annoy ② allot

15 예상하다
① ascribe ② anticipate

16 사과하다
① apologize ② assent

17 호소[간청]하다, 흥미를 끌다
① appoint ② appeal

18 일어나다, 발생하다
① arise ② afflict

19 (미리) 정하다, 준비하다
① arrange ② align

20 할당하다, 배당하다
① astonish ② assign

21 확인하다
   ① astound   ② assure

22 붙이다
   ① attach   ② awe

23 ~의 탓으로 하다
   ① attribute   ② assume

24 때리다
   ① bark   ② beat

25 (예절 바르게) 행동하다
   ① behave   ② behold

26 불다, 바람에 날리다
   ① blow   ② blur

27 빌리다
   ① borrow   ② boost

28 귀찮게 하다, 괴롭히다
   ① bother   ② blush

29 제한하다
   ① bounce   ② bound

30 숨 쉬다, 호흡하다
   ① breathe   ② bump

31 낳다, 기르다
   ① breed   ② bring

32 넓어지다, 확장하다
   ① browse   ② broaden

33 계산하다
   ① calculate   ② captivate

34 (요금 등을) 청구하다, 고발하다
   ① chase   ② charge

35 논평하다, 말하다
   ① comment   ② commemorate

36 소비하다
   ① consume   ② contaminate

37 경쟁하다
   ① compile   ② compete

38 불평하다
   ① complain   ② complicate

39 보상하다
   ① compensate   ② comprehend

40 확인하다
   ① confine   ② confirm

복습을 위한 누적 TEST

08회

1001 contemplate 동 심사숙고하다, 찬찬히 보다 <small>23회</small>

[kántəmplèit]

She **contemplates** leaving for the sake of the kids.
→ contemplation 명 심사숙고

1002 contend 동 싸우다, 다투다 <small>16회</small>

[kənténd] 혼동어
content
형 만족한 명 내용

Never **contend** with a man who has nothing to lose.
→ contention 명 논쟁, 투쟁   contentious 형 논쟁하기를 좋아하는

1003 continue 동 계속하다 <small>138회</small>

[kəntínju:]

In some cases, the money may be the only reason these people **continue** in such jobs. <small>대수능</small>
→ continuous 형 연속의, 계속되는   continuously 부 연속적으로

1004 contradict 동 부인하다, 반박하다, 모순되다 <small>21회</small>

[kàntrədíkt]

Congress officially **contradicted** the statement.
→ contradiction 명 부인, 반박   contradictory 형 모순된, 반박하는

1005 contribute 동 기여하다, 공헌하다, (~의) 원인이 되다 <small>80회</small>

[kəntríbju:t] 혼동어
attribute
동 ~의 탓으로 돌리다

Stress **contributes** to a host of diseases.
→ contribution 명 기여, 공헌

1006 control 동 통제하다, 지배하다 <small>190회</small>

[kəntróul]

Competition **controls** the market by making companies develop ideas to ensure survival. <small>대수능</small>
→ controllable 형 통제 가능한

★ 철자 주의

1007 converge 동 한 점(곳)에 모이다, 수렴하다 <small>16회</small>

[kənvə́:rdʒ]

Marchers **converged** on Washington for the great Peace March.

1008 convert 동 바꾸다, 전환하다 <small>13회</small>

[kənvə́:rt]

Try **converting** them to another file format before you send them.
→ conversion 명 변환, 전환   convertible 형 전환할 수 있는

[예문 해석] **1001** 그녀는 아이들을 위해 떠날 것을 숙고하고 있다. **1002** 잃을 것이 없는 사람과는 절대 다투지 말라. **1003** 몇몇 경우에 돈은 이러한 사람들이 그런 일을 계속하는 유일한 이유일지도 모른다. **1004** 의회는 그 성명을 공식 부인했다. **1005** 스트레스는 많은 질병의 원인이 된다. **1006** 경쟁은 회사로 하여금 생존을 보장해주는 아이디어를 개발하게 함으로써 시장을 조절한다. **1007** 데모 참가자들은 대규모 평화 행진을 위해 워싱턴에 모였다. **1008** 파일을 보내기 전에 다른 파일 형식으로 바꿔보십시오.

1009 convey 동 나르다, 전달하다 18회

[kənvéi] 혼동어
survey
동 조사하다

He **conveyed** his sentiment into pantomime.
→ conveyer 명 컨베이어, 운송업자

1010 convict 동 유죄를 입증하다, 유죄를 선언하다 24회

[kənvíkt]

There is enough evidence to **convict** him.
→ conviction 명 유죄 판결, 신념

1011 convince 동 납득시키다, 확신시키다 33회

[kənvíns]

I cannot **convince** him of his error.
→ convinced 형 확신을 가진, 신념이 있는

1012 coordinate 동 대등하게 하다, 조정하다 형 동등한 13회

[kouɔ́:rdənèit] 혼동어
cooperate
동 협력하다

An office was established to **coordinate** distribution.
→ coordination 명 동등, 대등   coordinator 명 조정자, 제작 진행 보조자

1013 cope 동 대처하다, 극복하다 40회

[kóup] 혼동어
code
명 암호, 부호

We hope that you will be able to quickly **cope** with this change.

1014 correspond 동 일치하다, 대응하다, 소식(편지)을 주고받다 19회

[kɔ̀:rəspánd]

His actions do not **correspond** with his words.
→ correspondence 명 일치, 대응, 통신   correspondent 명 통신원, 특파원

1015 cost 동 비용이 들다 명 비용, 값 86회

[kɔ́:st] 혼동어
coast
명 해안

It would **cost** twice as much as that.
→ costly 형 값비싼

1016 cough 동 기침을 하다 명 기침 17회

[kɔ́(:)f]

The woman is **coughing** hard.

1017 count 동 세다, 중요하다 77회

[káunt]

I'll be **counting** the minutes till I see you Friday. 대수능
→ countable 형 셀 수 있는

[예문 해석] **1009** 그는 자기 감정을 무언극으로 전달했다. **1010** 그가 유죄임을 입증할 만한 충분한 증거가 있다. **1011** 나는 그가 틀렸다는 것을 납득시킬 수가 없다. **1012** 유통을 조정하기 위해 부서를 신설했다. **1013** 우리는 하루빨리 당신이 이러한 변화에 대처하시기를 바랍니다. **1014** 그의 행동은 그의 말과 일치하지 않는다. **1015** 그렇게 하면 비용이 배가 들 것이다. **1016** 그 여자는 심하게 기침을 하고 있다. **1017** 나는 금요일에 널 만날 때까지 손꼽아 기다리고 있을 거야.

1018 counteract　동　~와 반대로 행동하다, 중화하다　`19회`

[kàuntərǽkt]

My husband has to take several pills to **counteract** high blood pressure.

1019 counterfeit　동　위조하다　명　모조품　형　가짜의　`16회`

[káuntərfit]

The new coin is very hard to **counterfeit** because of its shape.

1020 cover　동　덮다, 다루다, 포함시키다, 취재하다　`124회`

[kávər]

She is a reporter **covering** crime and law enforcement in New York City.

1021 crack　동　찰싹 소리를 내다, 금 가다, 쪼개지다　`21회`

[krǽk]　혼동어　track　명 길

The city government has decided to **crack** down on people who spit on the street.

→ cracker ⑲ 크래커(과자), 폭죽　✪ crack down (on) 단호한 조치를 취하다

1022 crave　동　열망하다, 간청하다　`18회`

[kréiv]　혼동어　grave ⑲ 무덤

I **crave** that she should come.

1023 crawl　동　기어가다, 포복하다　`22회`

[krɔ́:l]

A snake **crawled** out of the hole.

1024 create　동　창조하다　`375회`

[kriéit]

He **created** works in a variety of styles. `교육청`

→ creativity ⑲ 창조성　creature ⑲ 피조물, 생물　creation ⑲ 창작, 창설　creator ⑲ 창조자　creative ⑲ 창의적인

1025 creep　동　기다, 포복하다　`22회`

[krí:p]

Prices will continue to **creep** higher.

1026 criticize　동　비판(비난)하다　`43회`

[krítəsàiz]

They are quick to **criticize** something and quick to defend themselves.

→ critic ⑲ 비평가　criticism ⑲ 비평　`대수능`

[예문 해석] **1018** 나의 남편은 고혈압을 낮추기 위해서 여러 개의 알약을 먹어야 한다. **1019** 새 동전은 모양 때문에 위조하기가 매우 어렵다. **1020** 그녀는 뉴욕 시에서 범죄와 법률 집행을 취재하는 기자이다. **1021** 시 당국은 거리에 침을 뱉는 사람들을 단속하기로 결정했다. **1022** 나는 그녀가 오기를 열망한다. **1023** 뱀이 구멍에서 기어 나왔다. **1024** 그는 작품을 여러 가지 형태로 만들었다. **1025** 물가는 계속해서 더 높이 오를 것이다. **1026** 그들은 재빨리 어떤 것을 비난하고 재빨리 그들 자신을 방어한다.

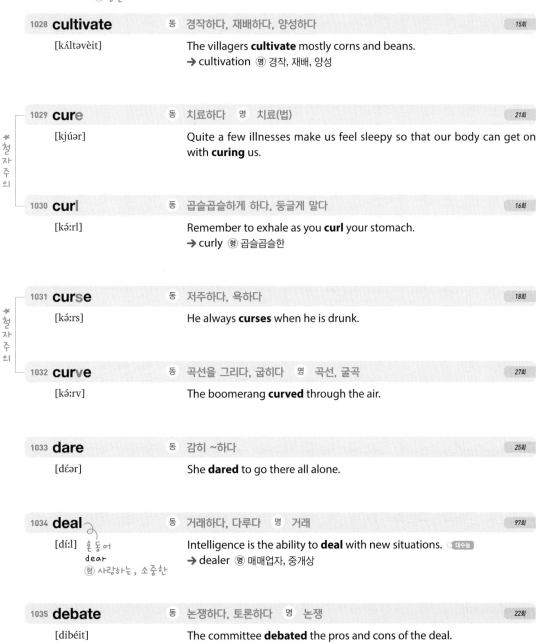

1027 crush 혼동어 crash ⑧ 충돌하다 · ⑧ 눌러서 뭉개다, 궤멸시키다 · 25회

[krʌʃ]

Our basketball team **crushed** the other team with a score of 110 to 75.

1028 cultivate · ⑧ 경작하다, 재배하다, 양성하다 · 15회

[kʌ́ltəvèit]

The villagers **cultivate** mostly corns and beans.
→ cultivation ⑲ 경작, 재배, 양성

★철자주의

1029 cure · ⑧ 치료하다 ⑲ 치료(법) · 21회

[kjúər]

Quite a few illnesses make us feel sleepy so that our body can get on with **curing** us.

1030 curl · ⑧ 곱슬곱슬하게 하다, 둥글게 말다 · 16회

[kə́:rl]

Remember to exhale as you **curl** your stomach.
→ curly ⑱ 곱슬곱슬한

★철자주의

1031 curse · ⑧ 저주하다, 욕하다 · 18회

[kə́:rs]

He always **curses** when he is drunk.

1032 curve · ⑧ 곡선을 그리다, 굽히다 ⑲ 곡선, 굴곡 · 27회

[kə́:rv]

The boomerang **curved** through the air.

1033 dare · ⑧ 감히 ~하다 · 25회

[déər]

She **dared** to go there all alone.

1034 deal 혼동어 dear ⑱ 사랑하는, 소중한 · ⑧ 거래하다, 다루다 ⑲ 거래 · 97회

[dí:l]

Intelligence is the ability to **deal** with new situations. 대수능
→ dealer ⑲ 매매업자, 중개상

1035 debate · ⑧ 논쟁하다, 토론하다 ⑲ 논쟁 · 22회

[dibéit]

The committee **debated** the pros and cons of the deal.

[예문 해석] **1027** 우리 농구팀은 110대 75의 점수로 상대팀을 무찔렀다. **1028** 그 마을 사람들은 대부분 옥수수와 콩을 재배한다. **1029** 우리의 몸이 우리를 계속해서 치료하도록 매우 많은 질병이 우리를 졸립게 만든다. **1030** 몸을 굽히면서 숨을 내쉬는 것을 기억하십시오. **1031** 그는 술에 취하면 항상 욕설을 한다. **1032** 부메랑이 곡선을 그리며 허공을 날아갔다. **1033** 그녀는 대담하게도 혼자 거기에 갔다. **1034** 지능은 새로운 상황을 다루는 능력이다. **1035** 위원회는 거래에 대한 찬반 논쟁을 벌였다.

1036 decay 〔동〕 썩다, 부패하다 〔명〕 부패 _{19회}

[dikéi]

In summer fruits tend to **decay**.
→ decayed 〔형〕 부패한, 썩은

1037 decide 〔동〕 결심(결정)하다 _{181회}

[disáid] 혼동어
decade
〔명〕 10년

He could not **decide** where to go.
→ decision 〔명〕 결정

1038 declare 〔동〕 선언(공표)하다, (세관에서) 신고하다 _{115회}

[diklέər]

Passengers must **declare** all goods purchased abroad.
→ declaration 〔명〕 선언, 공표, 신고

1039 decompose 〔동〕 분해(부패)시키다 _{11회}

[dì:kəmpóuz]

A prism **decomposes** sunlight into its various colors.
→ decomposition 〔명〕 부패, 분해

1040 decorate 〔동〕 장식하다 _{26회}

[dékərèit]

The hall was brilliantly lighted, and **decorated** with flowers. 〔대수능〕
→ decoration 〔명〕 장식, 훈장

1041 decrease 〔동〕 감소하다 〔명〕 감소 _{112회}

[dikrí:s]

As they grow older, the quantity of argument **decreases**. 〔대수능〕
↔ increase 〔동〕 증가하다 〔명〕 증가

🔊 [**de**(=**down**)+**crease**(=**grow**)] **crease**는 '자라다, (길이가) 늘다'의 의미이다.

1042 dedicate 〔동〕 헌신하다, 바치다 _{15회}

[dédikèit] 혼동어
indicate
〔동〕 가리키다, 지시하다

Greenpeace is an organization **dedicated** to the protection of the natural world. 〔대수능〕
→ dedication 〔명〕 헌신

1043 defeat 〔동〕 패배시키다 〔명〕 패배 _{15회}

[difí:t] 혼동어
defect 〔명〕 결함

This witty remark **defeated** the musician. 〔대수능〕

1044 defend 〔동〕 방어하다, 지키다, 옹호하다 _{21회}

[difénd]

They are fighting to **defend** their rights.
→ defender 〔명〕 방어자 defendant 〔명〕 피고인 defense 〔명〕 방어, 방위

[예문 해석] **1036** 여름에는 과일이 상하기 쉽다. **1037** 그는 어디로 가야 할지 결정할 수 없었다. **1038** 승객들은 외국에서 산 물건들을 모두 세관에 신고해야 한다. **1039** 프리즘은 일광을 여러 색으로 분해한다. **1040** 그 방은 찬란하게 불이 켜져 있었고 꽃들로 장식되어 있었다. **1041** 그들이 나이가 들어감에 따라 논쟁의 수는 줄어든다. **1042** Greenpeace는 전 세계 자연의 보호에 헌신하는 조직이다. **1043** 이 재치 있는 말은 그 음악가를 패배시켰다. **1044** 그들은 자신들의 권리를 지키기 위해 싸우고 있다.

1045 define 동 정의하다 108회

[difáin]

Whitman **defined** poetic fame in relation to the crowd.
→ definition 명 정의   definite 형 명확한, 뚜렷한

1046 defy 동 도전하다, 무시하다, 허용하지 않다 19회

[difái]

There are many things in nature which **defy** human ingenuity to imitate them.
→ defiant 형 도전적인, 반항적인

1047 degrade 동 (지위 · 품위 · 가치 등을) 떨어뜨리다, 저하시키다 10회

[digréid]

You should not **degrade** yourself by telling such a lie.

1048 delete 동 삭제하다 21회

[dilíːt]

During sleep, the brain **deletes** unnecessary memories.

1049 delight 동 즐겁게 하다 명 기쁨 70회

[diláit]

This wind of promise **delights** me. 대수능
→ delightful 형 즐거운, 기쁜

1050 deliver 동 배달하다, 넘겨 주다 57회

[dilívər] 혼동어
deliberate
형 의도적인,
신중한

These so-called non-governmental organizations **deliver** social services.
→ delivery 명 배달 대수능

표제어 이외의 **주요 어휘**

corrode	동 부식하다, 침식하다	dash	동 내던지다, 돌진하다
covet	동 몹시 탐내다	decipher	동 풀다, 해독하다
cram	동 억지로 채워 넣다, 벼락공부를 하다	decode	동 해독하다
crouch	동 웅크리다	deflect	동 빗나가게 하다, 방향을 돌리다
crowd	동 붐비다 명 군중	deform	동 변형시키다
cruise	동 순항하다	degenerate	동 퇴보하다, 타락하다
cushion	동 충격을 완화하다 명 쿠션	deject	동 낙담시키다

[예문 해석] **1045** Whitman은 시적 명성을 군중과 관련하여 정의했다. **1046** 자연계에는 인간의 솜씨로 모방할 수 없는 것이 많이 있다. **1047** 당신은 그런 거짓말을 하여 자신의 품위를 떨어뜨려서는 안 된다. **1048** 수면 중에 뇌는 필요 없는 기억을 삭제한다. **1049** 이 약속의 바람은 나를 즐겁게 해준다. **1050** 이러한 소위 비정부 조직들은 사회 복지 서비스를 제공한다.

DAY 21 수능 필수 Daily IDIOMS

in brief
간단히 말해서, 요컨대

In brief, you must give as much as you take.
간단히 말하면 당신은 당신이 받은 것만큼 주어야 한다.

in comparison to
~에 비교하여

How were orders for semiconductor chips in October **in comparison to** September?
10월의 반도체 칩 주문량은 9월에 비해서 이띠했니?

in contrast
대조적으로

In contrast to Britain, France has benefited from a decade-long effort.
영국과는 대조적으로, 프랑스는 10년에 걸친 노력의 덕을 보았다.

in danger
위험에 처한

He sensed that his life was **in danger**.
그는 자기의 생명이 위험에 처해 있음을 감지했다.

in detail
세부적으로, 자세히

The incident is reported **in detail** in today's newspaper.
그 사건은 오늘 신문에 자세히 나와 있다.

in an emergency
위급할 때, 비상시에

Is there somebody we can contact **in an emergency**?
위급할 때 우리가 연락을 취할 수 있는 사람이 있나요?

in fact
사실

In fact, I've never been in a farm before.
사실 나는 전에 농장에 한 번도 가본 적이 없다.

in favor of
~을 찬성하는

I am **in favor of** his opinion.
나는 그의 견해에 찬성한다.

DAY 21 암기를 위한 Daily TEST

💡 빈칸에 알맞은 단어나 뜻을 쓰시오.

01.	contemplate	26.	비판하다
02.	contend	27.	crush
03.	계속하다	28.	cultivate
04.	contradict	29.	cure
05.	contribute	30.	곱슬곱슬하게 하다
06.	통제하다	31.	curse
07.	converge	32.	curve
08.	convert	33.	dare
09.	전달하다	34.	거래하다, 다루다
10.	convict	35.	debate
11.	convince	36.	decay
12.	coordinate	37.	결정하다
13.	대처하다	38.	declare
14.	correspond	39.	decompose
15.	cost	40.	장식하다
16.	기침을 하다	41.	decrease
17.	count	42.	dedicate
18.	counteract	43.	패배시키다
19.	위조하다	44.	defend
20.	cover	45.	정의하다
21.	crack	46.	defy
22.	열망하다	47.	degrade
23.	crawl	48.	delete
24.	create	49.	delight
25.	creep	50.	배달하다

1051 **demonstrate** 동 보여주다, 입증하다, 시위하다 52회

[démənstrèit]

Demonstrate that the earth goes round the sun.
→ demonstration 명 설명, 입증, 시위

1052 **deny** 동 부인(부정)하다 22회

[dinái] 혼동어
defy
동 도전하다, 무시하다

There is no **denying** the effect of my good looks. 대수능
→ denial 명 부인, 부정

1053 **depart** 동 출발하다, 떠나다 23회

[dipá:rt]

Your flight will **depart** from gate 13. 대수능
→ departure 명 출발

1054 **depend** 동 의지하다, 의존하다 136회

[dipénd] 혼동어
defend
동 막다, 방어하다

An animal is bound to **depend** on other living creatures. 대수능
→ dependent 형 의존하고 있는 dependable 형 신뢰할 수 있는

1055 **depict** 동 그리다, 묘사하다 13회

[dipíkt] 혼동어
detect
동 찾아내다

Dickens vividly **depicted** the various social phenomena of his time.
→ depiction 명 묘사

1056 **depress** 동 우울하게 하다, 침체시키다 69회

[diprés] 혼동어
suppress
동 진압하다

I didn't realize I was "**depressed**" until high school. 대수능
→ depression 명 의기소침, 저하, 불경기 depressed 형 우울한

★철자주의

1057 **deprive** 동 빼앗다, 박탈하다 13회

[dipráiv]

Many Olympic champions have been **deprived** of their medals as a result of drug tests.

1058 **derive** 동 끌어내다, ~에서 유래하다 20회

[diráiv]

We couldn't **derive** the prospective benefits from the business.

[예문 해석] **1051** 지구가 태양 주위를 돈다는 것을 증명하라. **1052** 나의 멋진 외모의 영향을 부인할 수는 없다. **1053** 당신의 비행기는 13번 탑승구에서 출발할 것입니다. **1054** 동물은 다른 생명체에 의존할 수밖에 없다. **1055** Dickens는 그 당시 다양한 사회 현상들을 생생하게 그렸다. **1056** 나는 고등학교 때까지 '우울하다'는 것을 깨닫지 못했다. **1057** 많은 올림픽 우승자들이 약물 검사의 결과로 자신들의 메달을 박탈당했다. **1058** 우리는 그 사업에서 예상된 이익을 거둘 수 없었다.

1059 descend [disénd]   동 내려가다, 전해지다   14회

They **descended** the stairs. 대수능
→ descendant 명 자손   descent 명 하강, 세습   ↔ ascend 동 올라가다

[de(=down)+scend(=climb)] scend는 '오르다, 올라가다'의 의미이다.

1060 describe [diskráib]   동 묘사하다   112회

She named a village and **described** a view unknown to me. 대수능
→ description 명 묘사, 서술   descriptive 형 묘사적인

[de(=down)+scribe(=write)] scribe는 '쓰다, 그리다, 묘사하다'의 의미이다.

1061 desert [dizə́:rt]   동 버리다   명 사막   32회

★ 철자 주의

Charlie Chaplin's father was an alcoholic and **deserted** the family. 대수능
→ deserted 형 버림받은

1062 deserve [dizə́:rv]   동 ~할 만하다, 가치가 있다   17회

Old people **deserve** respect for their experience and wisdom. 대수능

1063 designate [dézignèit]   동 지시하다, 임명하다   143회

혼동어 design 동 설계하다

They **designated** him for the office.
→ designation 명 지시, 임명

1064 desire [dizáiər]   동 바라다   명 욕망, 욕구   81회

The way to wealth, if you **desire** it, is as plain as the way to market. 대수능
→ desirable 형 바람직한

1065 despise [dispáiz]   동 경멸하다   18회

혼동어 despite 전 ~에도 불구하고

You should not **despise** him because he is poor.

1066 destine [déstin]   동 운명짓다, 예정하다   18회

She was **destined** never to meet him again.
→ destiny 명 운명   ◎ be destined to+V 운명적으로 ~하다, ~할 운명이다

1067 detach [ditǽtʃ]   동 분리하다, 파견하다   20회

You must **detach** the coupon before using it.
→ detachment 명 분리, 이탈, 파견(대)   ↔ attach 동 붙이다

[예문 해석] **1059** 그들은 계단에서 내려왔다. **1060** 그녀는 한 마을의 이름을 말하고 내가 모르는 광경을 묘사했다. **1061** Charlie Chaplin의 아버지는 알코올 중독자였고 가족을 버렸다. **1062** 노인들은 그들의 경험과 지혜로 존경을 받을 만하다. **1063** 그들은 그를 그 직책에 임명했다. **1064** 원한다면 부자가 되는 길은 시장에 가는 것만큼이나 쉽다. **1065** 그가 가난하다고 해서 얕보아서는 안 된다. **1066** 그녀는 그를 다시는 만나지 못할 운명에 놓여 있었다. **1067** 그 쿠폰은 사용하기 전에 떼어내야 한다.

1068 detail 동 상술하다, 열거하다　명 세부 항목, 상세함　104회

[díːteil]　혼동어

detain
동 붙들다, 억류하다

Specific instances were **detailed** in the letters mentioned. 대수능
○ in detail 상세히, 자세히

1069 detect 동 발견하다, 간파하다　51회

[ditékt]

He **detected** a note of urgency in her voice.
→ detective 명 탐정, 형사　detector 명 감지기, 탐지기

1070 deteriorate 동 악화(저하)시키다　19회

[ditíəriərèit]

We should not **deteriorate** the quality of education.
→ deterioration 명 악화, 저하

1071 determine 동 결정하다, 결심하다　103회

[ditə́ːrmin]

A home's value is **determined** by the supply and demand for the home.
→ determination 명 결정, 결심

1072 devastate 동 유린하다, 황폐화하다　23회

[dévəstèit]

The king's dominion was **devastated** by the invading army.
→ devastation 명 유린, 황폐화

1073 devour 동 게걸스럽게 먹다　16회

[diváuər]

The lion **devoured** its prey.

1074 differ 동 다르다　17회

[dífər]

These men **differ** in nationality, but their interests are indistinguishable.
→ difference 명 다름, 차이　different 형 다른, 상이한

1075 digest 동 소화하다, 잘 이해하다　20회

[didʒést]

The old people cannot **digest** meat easily.
→ digestion 명 소화 (작용), 이해

1076 diminish 동 감소하다　18회

[dimíniʃ]

By 2010, the area of forests is expected to **diminish** by a fifth. 대수능

[예문 해석] **1068** 구체적인 예들은 언급된 편지에서 자세히 설명되었다.　**1069** 그는 그녀의 목소리에서 다급한 기색을 느꼈다.　**1070** 우리는 교육의 질을 악화시켜서는 안 된다.　**1071** 주택의 가치는 주택의 공급과 수요에 의해 결정된다.　**1072** 그 왕의 영지는 침략군에게 짓밟혔다.　**1073** 사자는 그의 먹잇감을 게걸스럽게 먹었다.　**1074** 이 사람들은 국적은 다르지만 이해관계는 한 가지다.　**1075** 노인들은 고기를 쉽게 소화시킬 수 없다.　**1076** 2010년쯤이면, 산림 지역이 5분의 1 정도 감소될 것으로 예상된다.

1077 dine 동 식사하다, 정찬을 먹다 51회

[dáin]
I **dined** with the President and a dozen members of Congress. 대수능
→ dining 명 식사, 정찬 dinner 명 저녁 식사

1078 dip 동 담그다, 가라앉다 28회

[díp] 혼동어
dig 동 파내다
The horizon narrowed and widened, and **dipped** and rose. 대수능

1079 direct 동 지시하다, (길 등을) 알려주다 형 직접적인 115회

[dirékt]
Then, I met a man and asked him to **direct** me. 대수능
→ direction 명 방향

★철자주의

1080 disappear 동 사라지다 64회

[dìsəpíər]
The ship **disappeared** in the fog.
↔ appear 동 나타나다

1081 disapprove 동 인가하지 않다, 찬성하지 않다 17회

[dìsəprú:v]
She wanted to go out but her mother **disapproved**.
→ disapproval 명 반대, 불만, 비난

1082 discard 동 버리다 24회

[diská:rd]
They've invented items that are meant to be used once and **discarded**.
대수능

1083 discern 동 분별(식별)하다 21회

[disə́:rn] 혼동어
concern
명 걱정, 관심사
A ship is faintly **discerned** far out at sea.

1084 disclose 동 드러내다, 폭로하다 23회

[disklóuz] 혼동어
enclose
동 둘러싸다
His weakness has been mercilessly **disclosed**.
→ disclosure 명 폭로, 발각

1085 discourage 동 낙담시키다 31회

[diskə́:ridʒ]
Don't be **discouraged** because there are some things you can try. 대수능
→ discouragement 명 낙담, 낙심 ↔ encourage 동 격려(고무)하다

[예문 해석] **1077** 나는 대통령과 12명의 의회 의원들과 정찬을 했다. **1078** 수평선은 좁아졌다 넓어졌고, 가라앉았다가 올라왔다. **1079** 그러고 나서 나는 한 남자를 만났고 그에게 길을 안내해 달라고 요청했다. **1080** 그 배는 안개 속으로 사라졌다. **1081** 그녀는 외출하고 싶었지만 어머니가 허락하지 않았다. **1082** 그들은 한 번 사용하고 버려지도록 의도된 상품들을 발명했다. **1083** 배가 먼 바다 위에 희미하게 보였다. **1084** 그의 약점이 가차없이 폭로되었다. **1085** 당신이 시도할 수 있는 것들이 있으니 낙담하지 마라.

1086 discover 　동　발견하다　　　　　326회

[diskÁvər]　혼동어 recover 동 되찾다, 회복하다

We should use our intelligence to **discover** the most effective way to help those in need. 교육청
→ discovery 명 발견

1087 discriminate 　동　구별하다, 차별 대우하다　　　25회

[diskrímənèit]

It is difficult to **discriminate** between real and pretended cases of poverty.
→ discrimination 명 구별, 차별

★철자주의

1088 disperse 　동　흩어지다, (지식 등을) 퍼뜨리다　　22회

[dispə́:rs]

The free street concert ended and the spectators **dispersed**.

1089 dispense 　동　분배하다, 베풀다, (약을) 조제하다　　19회

[dispéns]

This vending machine **dispenses** hot coffee.

1090 dissent 　동　의견을 달리하다　　명　불찬성, 이의　　17회

[disént]

Judge McCord **dissented** from the majority's opinion on two grounds.

1091 dismiss 　동　해산하다, 해고하다　　　24회

[dismís]

An individual cannot now be **dismissed** for non-membership of a union.
→ dismissal 명 면직, 해고　대수능

🔊 [**dis**(=away)+**miss**(=send)] miss는 '보내다, 전송하다'의 의미이다.

1092 display 　동　전시하다, 보이다　　명　전시　　60회

[displéi]

There were cakes **displayed** in the front window. 대수능

1093 disrupt 　동　(사회 등을) 혼란에 빠뜨리다　　20회

[disrÁpt]

The train schedule has been **disrupted** by the heavy snowfall.

1094 dissolve 　동　녹이다, 용해시키다, 해체하다　　21회

[dizÁlv]　혼동어 resolve 동 해결하다, 결심하다

I **dissolved** some sugar in water.
→ dissolution 명 용해, 해체

[예문 해석] **1086** 우리는 어려운 처지의 사람들을 돕는 가장 효과적인 방법을 찾기 위해 우리의 지성을 사용해야 한다. **1087** 진짜 가난과 위장된 가난을 구별하기는 어렵다. **1088** 그 무료 거리 공연이 끝나자 관객들은 흩어졌다. **1089** 이 자판기에서는 뜨거운 커피가 나온다. **1090** McCord 판사는 두 가지 이유에서 다수의 의견에 동의하지 않았다. **1091** 지금은 개인이 조합의 구성원이 아니라는 이유로 해고되지는 않는다. **1092** 앞 진열장에는 전시된 케이크가 있었다. **1093** 심한 폭설로 기차 운행이 중단되었다. **1094** 나는 약간의 설탕을 물에 녹였다.

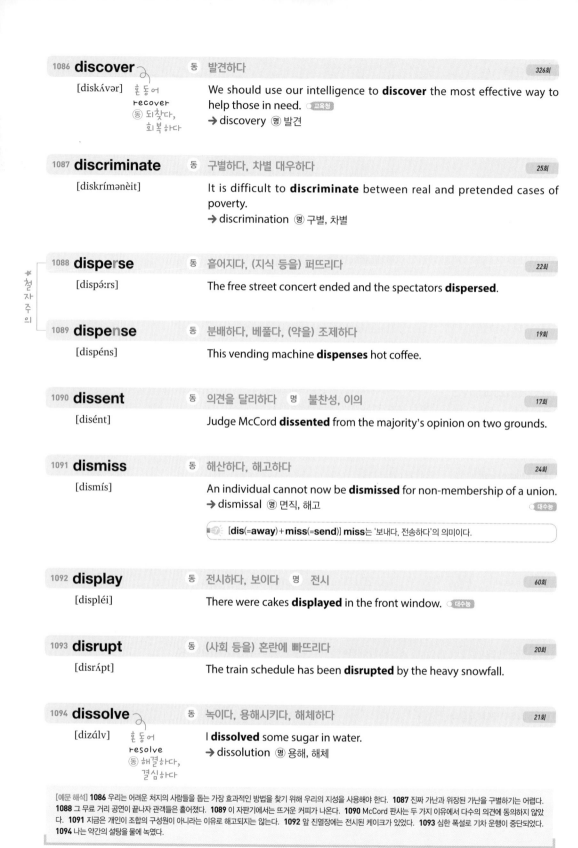

1095 distinguish 동 구별하다 34회

[distíŋgwiʃ]
혼동어
extinguish
동 (불을) 끄다

Problems can be **distinguished** according to whether they are reasonable or unreasonable. 평가원
→ distinguishable 형 구별할 수 있는   distinguished 형 두드러진, 특히 뛰어난
○ distinguish A from B A와 B를 구별하다

1096 distort 동 왜곡하다 20회

[distɔ́:rt]

You must not **distort** the facts to make your report more exciting.
→ distortion 명 왜곡

1097 distract 동 (마음·주의를) 흐트러뜨리다, 기분을 전환시키다 41회

[distrǽkt]
혼동어
contract
명 계약

The construction noise is very **distracting**!
→ distraction 명 주의 산만, 기분 전환   ↔ attract 동 (마음·주의를) 끌다

1098 distribute 동 분배하다, 나누어주다 48회

[distríbju:t]
혼동어
contribute
동 공헌[기여]하다

We will **distribute** exam papers face down.
→ distribution 명 분배, 분포

1099 disturb 동 방해하다 39회

[distə́:rb]

She said in a low voice so as not to **disturb** the audience around. 대수능
→ disturbance 명 소란, 방해

1100 diverge 동 갈라지다, 빗나가다 17회

[daivə́:rdʒ]

His interests increasingly **diverged** from those of his colleagues.
→ divergence 명 갈라짐, 상이   divergent 형 갈라지는, 다른

표제어 이외의 **주요 어휘**

denote	동 표시하다, 나타내다	disembark	동 (배나 비행기 등에서) 내리다
deplete	동 고갈시키다	disgust	동 불쾌하게 하다 명 혐오, 구역질
destroy	동 파괴하다	dislike	동 싫어하다
detain	동 붙들다, 억류하다	dispel	동 쫓아버리다
dig	동 (땅 등을) 파다, (정보 등을) 캐다	disprove	동 반증을 들다
disagree	동 반대하다	dissatisfy	동 불만족스럽게 하다
disappoint	동 실망시키다	distill	동 증류하다, 불순물을 제거하다

[예문 해석] **1095** 문제는 그것들이 합리적인지 혹은 비합리적인지에 따라 구별될 수 있다. **1096** 보다 흥미 있는 보도를 하기 위해서 사실을 왜곡해서는 안 된다. **1097** 공사 소음 때문에 아주 정신 사납다! **1098** 우리는 시험지 앞면을 밑으로 해서 나눠줄 것이다. **1099** 그녀는 주위의 청중들을 방해하지 않기 위해서 낮은 목소리로 말했다. **1100** 그의 관심사들은 점점 더 그의 동료들의 관심사들과 빗나갔다.

DAY 22 수능 필수 Daily IDIOMS

in front of
~앞에(서)

There is a chair **in front of** the desk.
책상 앞에는 의자가 있다.

in general
일반적으로

In general, every achievement requires trial and error.
일반적으로 모든 업적은 시행착오를 거치게 된다.

in order to + V
~하기 위하여

The road has been dug up **in order to** lay cables.
도로는 피복전선을 부설하기 위해 파였다.

in other words
즉, 다시 말하면

In other words, we see what we desire.
다시 말해서, 우리는 우리가 바라는 것을 보게 된다.

in response to + N
~에 반응하여

An old woman opened the door **in response to** my ring.
내가 벨을 울렸더니 노파가 문을 열었다.

in return
회답으로, 답례로

What shall I give him **in return** for his present?
선물에 대한 답례로 그에게 무엇을 줄까요?

in short
간단히 말해서, 요컨대

In short, exercise is necessary for good health.
요약하자면, 운동은 건강을 위해 필요하다.

in some degree
어느 정도

Each may, in some circumstances, have to be sacrificed **in some degree** for the sake of a greater degree of some other good.
각각의 것은 어떤 상황 안에서 보다 큰 어떤 다른 이익을 위해 어느 정도 희생되어야 한다.

DAY 22 암기를 위한 Daily TEST

💡 빈칸에 알맞은 단어나 뜻을 쓰시오.

01.	demonstrate		26.	diminish
02.	부인하다		27.	dine
03.	depart		28.	dip
04.	depend		29.	direct
05.	depict		30.	사라지다
06.	우울하게 하다		31.	disapprove
07.	deprive		32.	discard
08.	derive		33.	discern
09.	descend		34.	드러내다
10.	묘사하다		35.	discourage
11.	desert		36.	발견하다
12.	~할 만하다		37.	discriminate
13.	designate		38.	disperse
14.	바라다, 욕망		39.	dispense
15.	despise		40.	dissent
16.	destine		41.	해산하다
17.	분리하다		42.	전시하다
18.	detail		43.	disrupt
19.	간파하다		44.	dissolve
20.	deteriorate		45.	distinguish
21.	determine		46.	왜곡하다
22.	devastate		47.	distract
23.	devour		48.	distribute
24.	다르다		49.	방해하다
25.	digest		50.	diverge

1101 diversify 동 다양화하다, 분산시키다 `59회`

[divə́:rsəfài]

We need to **diversify** our products so as to meet new demands.
→ diversity 명 다양성 diverse 형 다양한

1102 divide 동 나누다, 분할하다 `27회`

[diváid]

Elements of culture can be **divided** into two categories. `대수능`
→ division 명 분할, 분배

1103 donate 동 기부하다, 기증하다 `69회`

[dóuneit]

It seemed unfair to ask my family to **donate** money to such a project.
→ donation 명 기부(금), 기증(품) donator 명 기부자, 기증자 `대수능`

1104 drain 동 배수하다, 물을 빼다 명 배수관 `12회`

[dréin]

In some cases, you may have to pay for the dehumidifier to be **drained**.

1105 dread 동 두려워하다, 무서워하다 명 두려움, 공포 `12회`

[dréd]
혼동어
tread
동 디디다, 밟다

They **dread** that the volcano may erupt again.
→ dreadful 형 무서운, 무시무시한

1106 drown 동 물에 빠지다, 익사하다 `21회`

[dráun]

She was about to be **drowned** by the creature. `대수능`

1107 dub 동 ~라고 부르다, 재녹음(더빙)하다, 작위를 주다 `12회`

[dʌ́b]

The king **dubbed** him a knight.
→ dubbing 명 더빙, (영화 · TV) 재녹음

1108 dwell 동 살다, 거주하다 `20회`

[dwél]

It's hard to imagine that whales probably **dwelled** on land.
→ dweller 명 거주자

[예문 해석] **1101** 우리는 새로운 수요에 대응하기 위해서 제품을 다각화할 필요가 있다. **1102** 문화의 요소들은 두 가지 범주로 나눌 수 있을 것이다. **1103** 나의 가족에게 그러한 계획에 돈을 기부해 달라고 요구하는 것은 불공평해 보였다. **1104** 어떤 경우에는, 제습기에서 물을 빼내기 위해서 비용을 지불해야 하는 경우도 있다. **1105** 그들은 화산이 다시 폭발하지 않을까 두려워하고 있다. **1106** 그녀는 그 동물 때문에 막 물에 빠져 죽게 될 지경이었다. **1107** 국왕은 그에게 기사 작위를 주었다. **1108** 고래가 아마도 육지에 살았다는 건 상상하기 어려운 일이다.

1109 dwindle 동 줄다, 작아지다, 약화되다 18회

[dwíndl] The airplane **dwindled** to a speck.

1110 ease 동 (긴장 등을) 완화시키다 명 편안, 평이 20회

[íːz] Anger can be **eased** if we act instead of just thinking over problems. 대수능

→ easy 형 쉬운, 편한 ✪ with ease 쉽게, 용이하게

1111 edit 동 편집하다, 교정하다 48회

[édit] We **edited** the film together. 대수능

→ editor 명 편집자, 교정자 editorial 명 (신문의) 사설, 논설

1112 educate 동 교육하다 185회

[édʒukèit] Many more schools are needed to **educate** the young. 대수능

→ education 명 교육 educational 형 교육(상)의

1113 elect 동 뽑다, 선출하다 16회

[ilékt] 혼동어 erect 형 직립의, 똑바로 선

This morning I was **elected** president of my class. 대수능

→ election 명 선거

[e(=out)+lect(=choose)] lect는 '뽑다, 선발하다, 고르다'의 의미이다.

1114 elevate 동 올리다, 높이다 21회

[élǝvèit] It took a special lift to **elevate** the gigantic granite blocks into place.

→ elevation 명 높이, 고도

1115 eliminate 동 제거하다 36회

[ilímǝnèit] The process did not completely **eliminate** defective products.

→ elimination 명 제거, 삭제

1116 embark 동 (배나 비행기 등에) 타다, 착수하다 33회

[imbáːrk] He's **embarking** on a new career as a writer.

↔ disembark 동 (배나 비행기 등에서) 내리다

1117 embarrass 동 난처하게 하다 43회

[imbǽrǝs] The question she asked was an effort to **embarrass** the speaker.

→ embarrassment 명 당황, 난처

[예문 해석] **1109** 비행기는 점점 작아지다가 하나의 점이 되었다. **1110** 만약 우리가 문제들에 대해 단지 생각만 하는 대신에 행동을 취한다면 분노는 완화될 수 있다. **1111** 우리는 그 필름을 함께 편집했다. **1112** 더 많은 학교들이 젊은이들을 교육하기 위해서 필요하다. **1113** 오늘 아침에 나는 우리 반의 반장으로 선출되었다. **1114** 거대한 화강암 석재를 들어올리는 데는 특수 승강기가 필요했다. **1115** 그 공정은 불량품을 완벽하게 제거하지는 못했다. **1116** 그는 작가로 새로운 경력을 시작하고 있다. **1117** 그녀가 한 질문은 연사를 난처하게 하려는 시도였다.

| 1118 **embed** | 동 | 깊숙이 박다, 깊이 새겨 두다 | 19회 |

[imbéd]

Technology is so deeply **embedded** in our lives.

| 1119 **embrace** | 동 | 포옹하다, 채택(신봉)하다 | 24회 |

[imbréis]

The talks **embraced** a wide range of issues.

| 1120 **emerge** | 동 | 출현하다, 나타나다 | 30회 |

[imə́:rdʒ]

혼동어
submerge
동 물 속에 잠기다

The sun **emerged** from behind the clouds.
→ emergence 명 출현, 발생

| 1121 **emit** | 동 | (빛·열 등을) 발하다, 방출하다 | 12회 |

[imít]

혼동어
omit
동 생략하다

We conduct emission tests to detect whether the products **emit** harmful gasses.
→ emission 명 방출, (자동차 엔진 따위의) 배기

| 1122 **empathize** | 동 | 감정이입을 하다, 공감하다 | 12회 |

[émpəθàiz]

혼동어
emphasize
동 강조하다

At last he **empathized** with the woman's dilemma.

| 1123 **employ** | 동 | 고용하다, 소비하다 | 113회 |

[implɔ́i]

The firm **employs** several freelancers.
→ employee 명 종업원   employer 명 고용주   employment 명 고용, 채용

| 1124 **enact** | 동 | (법률을) 제정하다, 상연하다 | 19회 |

[inǽkt]

A comic scene was **enacted** on the spot.

| 1125 **enclose** | 동 | 동봉하다, 둘러싸다 | 16회 |

[inklóuz]

I urge you to peruse the **enclosed** literature at your leisure.
→ enclosure 명 에워싸기, 동봉

| 1126 **encounter** | 동 | (우연히) 만나다, (위험·곤란 등에) 직면하다 | 38회 |

[inkáuntər]

The human brain cannot completely comprehend all that it **encounters** in its lifespan. 교육청

[예문 해석] **1118** 과학 기술은 우리의 삶에 매우 깊이 뿌리박혀 있다. **1119** 그 회담은 광범위한 문제들을 채택했다. **1120** 해가 구름 뒤에서 나왔다. **1121** 우리는 그 제품들이 유해 가스를 방출하는지 여부를 조사하기 위해 방출 검사를 실시한다. **1122** 마침내 그는 그 여자의 딜레마에 공감했다. **1123** 그 회사는 몇 사람의 프리랜서를 고용한다. **1124** 즉석에서 희극 장면이 벌어졌다. **1125** 시간 있으실 때 동봉한 안내 책자를 잘 살펴보실 것을 권합니다. **1126** 인간의 두뇌는 그 일생 동안 그것이 만나게 되는 모든 것을 완전히 이해할 수는 없다.

| 1127 **endanger** | 동 | 위태롭게 하다 | 22회 |

[indéindʒər]

Some by-products of these conveniences can **endanger** our life.
→ endangered 형 멸종 위기에 처한

| 1128 **endow** | 동 | 주다, 기부(기증)하다 | 31회 |

[indáu]

Nature has **endowed** her with wit and intelligence.
→ endowment 명 기증, 기부금

| 1129 **endure** | 동 | 견디다, 참다 | 27회 |

[indjúər]

I can't **endure** it any more.
→ endurance 명 인내(력) endurable 형 참을 수 있는

| 1130 **enforce** | 동 | (법률 등을) 실시(시행)하다, 강요하다 | 14회 |

[infɔ́:rs] 혼동어
reinforce
동 강화하다

It has been argued whether the death penalty should be **enforced**.
→ enforcement 명 시행, 집행, 강요

| 1131 **engage** | 동 | 종사시키다, 약혼하다, 약속하다 | 60회 |

[ingéidʒ]

Betty and Joan were **engaged** in a serious conversation. 대수능
→ engagement 명 약혼, 약속 ◑ be engaged in ~에 종사하다

| 1132 **enhance** | 동 | 강화하다, 높이다 | 50회 |

[inhǽns]

Music appears to **enhance** physical and mental skills. 평가원

| 1133 **ensue** | 동 | 뒤따르다, 뒤이어 일어나다 | 13회 |

[insú:]

Heated discussions **ensued**.

[en(=on)+sue(=follow)] sue는 '뒤따르다'의 의미이다.

★철자주의

| 1134 **ensure** | 동 | 보장하다, 확실하게 하다 | 48회 |

[inʃúər]

It is the company's responsibility to **ensure** the safety of its workers.

| 1135 **eradicate** | 동 | 근절하다, 박멸하다 | 17회 |

[irǽdəkèit]

Measures have been put in place to **eradicate** violence at school.
→ eradication 명 근절, 박멸

[예문 해석] **1127** 이런 문명의 이기로 인해 생기는 일부 부산물은 우리의 삶을 위태롭게 할 수 있다. **1128** 조물주는 그녀에게 기지와 지성을 부여했다. **1129** 나는 더 이상 그것을 참을 수 없다. **1130** 사형 제도가 시행되어야 할지의 문제가 논의되어 왔다. **1131** Betty와 Joan은 심각한 대화를 하고 있었다. **1132** 음악은 신체적 기술 및 정신적 기술을 향상시키는 듯하다. **1133** 격론이 뒤따라 일어났다. **1134** 근로자들의 안전을 보장하는 것은 회사 측의 책임이다. **1135** 학교 폭력을 근절하기 위한 대책이 실시되었다.

| 1136 **erase** | 동 | 지우다, 삭제하다 | 11회 |

[iréis]

The man is **erasing** the picture on the whiteboard.
→ eraser 명 지우개

| 1137 **erect** | 동 | 세우다, 직립시키다 | 형 똑바로 선 | 18회 |

[irékt]

A new statue will be **erected** downtown next year.

| 1138 **erode** | 동 | 침식하다, 부식하다 | 20회 |

[iróud]

The weather is **eroding** the driveway.
→ erosion 명 침식, 부식

| 1139 **erupt** | 동 | (화산 등이) 분출하다, (피부가) 발진하다 | 20회 |

[irʌ́pt]

My nettle rash has **erupted** again.
→ eruption 명 폭발, 분출

| 1140 **escalate** | 동 | (단계적으로) 확대(상승)하다 | 29회 |

[éskəlèit]

The tension is **escalating** to a higher level.
→ escalator 명 에스컬레이터, (단계적) 상승

| 1141 **escape** | 동 | 탈출하다, 벗어나다 | 명 도망, 탈출 | 27회 |

[iskéip]

Then we can **escape** the danger of making the same mistake as Susan made. 대수능

> **escape**는 현실적으로 위험 · 추적 · 속박 따위에 부닥치지만 그로부터 벗어나는 것을, **avoid**는 위험이나 원하지 않는 일에 처음부터 접근하지 않도록 피하는 것을, **flee**는 쫓아오는 사람으로부터 피하는 것을, **evade**는 세금 같은 부담을 피하는 것을 뜻한다.

| 1142 **establish** | 동 | 설립하다, 확립하다 | 64회 |

[istǽbliʃ]

Many companies pay millions of dollars to **establish** their trademarks.
→ establishment 명 설립, 확립 established 형 확립된

| 1143 **esteem** | 동 | 존경하다, (높이) 평가하다 | 57회 |

[istí:m]

I **esteem** him for his diligence.

| 1144 **estimate** | 동 | 추정하다, 평가하다 | 명 평가, 견적(서) | 35회 |

[éstəmèit]

How do most people **estimate** the value of their computer? 대수능
→ estimation 명 판단, 추정 estimated 형 추측의, 견적의

[예문 해석] **1136** 그 남자가 화이트보드의 그림을 지우고 있다. **1137** 내년에 새로운 동상이 중심가에 세워질 것이다. **1138** 날씨 때문에 도로가 침식되고 있다. **1139** 또 두드러기가 났다. **1140** 긴장이 점점 고조되고 있다. **1141** 그리고 나면 우리는 Susan이 저지른 것과 똑같은 실수를 하는 위험에서 벗어날 수 있을 것이다. **1142** 많은 회사들이 자신들의 상표를 설립하는 데 수백만 달러를 지불한다. **1143** 나는 그의 근면함을 높이 평가한다. **1144** 대부분의 사람들이 어떻게 그들의 컴퓨터의 가치를 평가할까요?

1145 evaluate 동 평가하다, 가치를 검토하다 62회

[ivǽljuèit]

You can **evaluate** the problem and come up with the best way to solve it. 대수능
→ evaluation 명 평가, 가치 산정

1146 evaporate 동 증발하다 11회

[ivǽpərèit]

All the water in the dish has **evaporated**.
→ evaporation 명 증발

1147 evoke 동 불러일으키다, 환기하다 11회

[ivóuk]

Her letter in the newspaper **evoked** a storm of protest.

[e(=out)+voke(=call)] voke는 '부르다, 소리치다'의 의미이다.

1148 evolve 동 진화하다, 발전시키다 87회

[iválv]

혼동어
involve
동 포함하다,
관련시키다

Humans have **evolved** rituals of eating, such as a drink before dinner or the saying of grace. 대수능
→ evolution 명 진화, 발전   evolutionary 형 진화의, 발전의

[e(=out)+volve(=roll)] volve는 '회전시키다, 돌리다, 회전해서 나아가다'의 의미이다.

1149 exaggerate 동 과장하다 23회

[igzǽdʒərèit]

She has a propensity to **exaggerate**.
→ exaggeration 명 과장

1150 excavate 동 발굴하다, (구멍 등을) 파다 20회

[ékskəvèit]

Archeologists have **excavated** over 400 graves at the site.
→ excavation 명 발굴

★ 철자 주의

표제어 이외의 주요 어휘

doze	동 졸다	engrave	동 조각하다, 새기다
drag	동 끌다, (그물 따위로) 찾다	engross	동 열중하게 하다, (마음을) 빼앗다
drip	동 (액체가) 똑똑 떨어지다	enrich	동 풍부하게 하다
dump	동 내버리다 명 쓰레기 더미	entangle	동 얽히게 하다
earn	동 벌다, 획득하다	entertain	동 즐겁게 하다
enable	동 할 수 있게 하다	entreat	동 탄원(간청)하다
enchant	동 매혹하다, 마법을 걸다	equip	동 설비를 갖추다

[예문 해석] **1145** 당신은 문제를 평가할 수 있고 그것을 풀기 위한 최고의 방법을 제안할 수 있다. **1146** 접시의 물이 모두 증발했다. **1147** 신문에 실린 그녀의 서한은 빗발치는 항의를 불러일으켰다. **1148** 사람들은 식사 전에 음료수 마시기나 감사기도 같은 식사 의식을 발전시켜왔다. **1149** 그녀는 과장해서 말하는 경향이 있다. **1150** 고고학자들은 그 장소에서 400개 이상의 무덤을 발굴해왔다.

DAY 23 수능 필수 Daily IDIOMS

in spite of
~에도 불구하고

In spite of his age, he is in the pink of health.
나이에도 불구하고, 그는 아직 펄펄하다.

in sum
요컨대, 결국

In sum, classical music and jazz both aim to provide a depth of expression and detail, but they achieve their goal through different approaches.
요약하자면, 고전음악과 재즈는 모두 깊이 있는 표현과 세부사항을 제공하려고 하지만, 그것들은 서로 다른 접근법을 통해 목표를 성취한다.

in terms of
~의 관점에서

One may think of job satisfaction **in terms of** salary.
직업에 대한 만족도를 월급의 관점에서 생각하는 사람도 있다.

in the end
결국, 마침내

In the end, they triumphed over the enemy.
결국 그들은 적을 이겼다.

in the first place
우선, 먼저

Why didn't I say that **in the first place**?
왜 먼저 그것을 말하지 않았는가?

in the light of
~에 비추어서, ~로 미루어 보아

He explained the phenomenon **in the light of** recent scientific knowledge.
그는 그 현상을 최근의 과학 지식에 비추어서 설명했다.

in the midst of
~의 한복판에

I find myself alone **in the midst of** isolation.
나는 고독의 한가운데에 홀로 있는 자신을 발견한다.

in the same way
마찬가지로

You and your brother act **in the same way**.
너와 네 형은 똑같이 행동한다.

DAY 23 암기를 위한 Daily TEST

맞은 개수 ⃝ / 50문항

💡 빈칸에 알맞은 단어나 뜻을 쓰시오.

01.	diversify	26.	encounter
02.	나누다	27.	endanger
03.	donate	28.	endow
04.	drain	29.	견디다
05.	dread	30.	enforce
06.	물에 빠지다	31.	종사시키다
07.	dub	32.	enhance
08.	dwell	33.	ensue
09.	dwindle	34.	보장하다
10.	(긴장 등을) 완화시키다	35.	eradicate
11.	edit	36.	erase
12.	교육하다	37.	erect
13.	elect	38.	침식하다
14.	elevate	39.	erupt
15.	eliminate	40.	escalate
16.	embark	41.	탈출하다
17.	난처하게 하다	42.	establish
18.	embed	43.	존경하다
19.	embrace	44.	estimate
20.	emerge	45.	평가하다
21.	(빛·열 등을) 발하다	46.	evaporate
22.	empathize	47.	evoke
23.	employ	48.	진화하다
24.	enact	49.	exaggerate
25.	동봉하다	50.	excavate

1151 exceed 동 능가하다 34회

[iksí:d]

When you drive, you must not **exceed** the speed limits.
→ excess 명 초과, 과도   excessive 형 과도한

1152 excel 동 뛰어나다 67회

[iksél]

It is in this area of running that women **excel**. 대수능
→ excellence 명 탁월, 뛰어남   excellent 형 뛰어난, 훌륭한

★철자주의

1153 expel 동 쫓아내다, 방출하다 27회

[ikspél] 혼동어
compel
동 강요하다

He was **expelled** from the school.

1154 exchange 동 교환하다 32회

[ikstʃéindʒ]

The seashell was used for people to **exchange** things. 대수능

1155 excuse 동 용서하다, 변명하다   명 변명, 구실 16회

[ikskjú:z] 혼동어
accuse
동 비난하고 발고하다

Excuse me. Which is Bob Scott's house? 대수능

1156 execute 동 실행(집행)하다, 처형하다 128회

[éksikjù:t]

John makes the plans and Dick **executes** them.
→ execution 명 실행, 집행   executive 명 간부, 경영진

> 특정한 지시사항을 집행할 때는 **execute,** 정책을 집행할 때는 **implement,** 법령을 집행할 때는 **administer**를 사용한다.

1157 exert 동 발휘하다, 노력하다 39회

[igzə́:rt]

His teachings still **exert** a strong influence on his former students. 대수능
→ exertion 명 노력, 분발

1158 explore 동 탐험하다, 탐구하다 76회

[ikspló:r] 혼동어
exploit
동 이용하다,
착취하다

The book **explores** the relationship between religion and civilization.
→ explorer 명 탐험가

[예문 해석] **1151** 운전할 때 제한 속도를 초과해서는 안 된다. **1152** 이 달리기 분야에서는 여성들이 뛰어나다. **1153** 그는 퇴학 처분을 받았다. **1154** 조개껍질은 사람들이 물건을 교환하기 위해서 사용되었다. **1155** 실례합니다. 어느 집이 Bob Scott씨 댁인가요? **1156** John은 계획을 세우고 Dick은 그것들을 실행한다. **1157** 그의 가르침은 여전히 그의 예전 학생들에게 강한 영향력을 발휘하고 있다. **1158** 그 책은 종교와 문명의 관계를 탐구한다.

1159 expose 동 노출시키다, 드러내다, 폭로하다 *22회*

[ikspóuz] 혼동어
impose
동 부과하다, 강요하다

They were **exposed** to high levels of noise.
→ exposure 명 노출, 드러냄

DAY 24 동사

1160 express 동 표현하다 *94회*

[iksprés]

Parents should be very careful when **expressing** opinions. [대수능]
→ expression 명 표현

1161 extend 동 뻗다, 넓히다, 연장하다 *36회*

[iksténd] 혼동어
expand
동 확대하다

The enterprise is planning to **extend** its business abroad.
→ extension 명 연장, 확대   extensive 형 넓은, 광범위한

1162 extract 동 뽑아내다, 발췌하다 *15회*

[ikstrækt]

We **extract** oil from olives.
→ extraction 명 뽑아냄, 추출

1163 facilitate 동 용이하게 하다, 촉진하다 *18회*

[fəsílətèit]

Upgraded facilities at airports will **facilitate** tourism growth.
→ facilitator 명 조력자, 용이하게 하는 것

1164 fade 동 바래다, 희미해지다 *11회*

[féid] 혼동어
fate 명 운명

Old soldiers never die; they just **fade** away.

1165 faint 동 기절하다 형 희미한 *23회*

[féint] 혼동어
paint
동 페인트를 칠하다

He was so shocked by the robbery that he **fainted**. [대수능]
→ faintly 부 힘없이, 희미하게

1166 falter 동 비틀거리다, 말을 더듬다, 망설이다 *17회*

[fɔ́ːltər]

She never once **faltered** during her testimony.

1167 fascinate 동 황홀케 하다, 매혹시키다 *23회*

[fǽsənèit]

I was always **fascinated** by the acrobats at the circus.
→ fascination 명 매혹, 매력

[예문 해석] **1159** 그들은 높은 수준의 소음에 노출되었다. **1160** 부모들은 의견을 표현할 때 매우 신중해야 한다. **1161** 그 기업은 사업을 해외로 넓힐 계획이다. **1162** 우리는 올리브에서 기름을 추출한다. **1163** 개선된 공항 시설은 관광업의 성장을 촉진할 것이다. **1164** 노병은 죽지 않는다. 다만 사라질 뿐이다. **1165** 그는 강도에 의해서 너무나 충격을 받아 기절했다. **1166** 그녀는 증언하는 동안 결코 한 번도 망설이지 않았다. **1167** 나는 늘 서커스단의 곡예사에게 매료되었다.

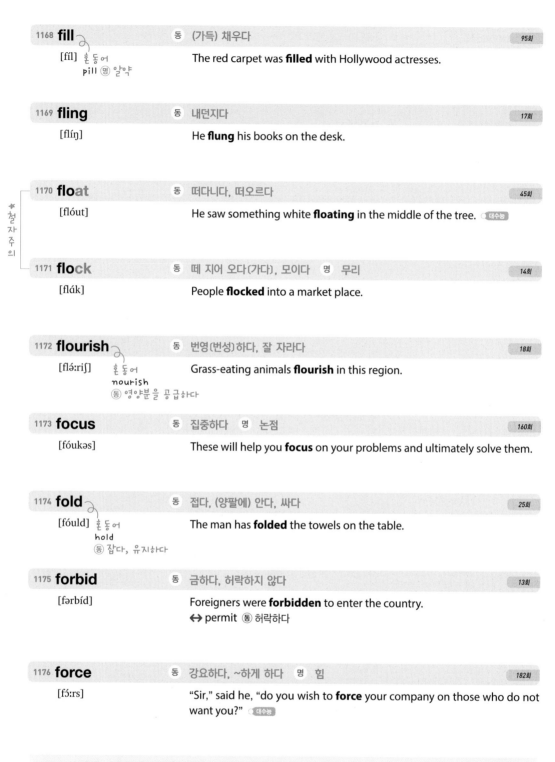

1168 fill [fíl] 혼동어 pill 명 알약
동 (가득) 채우다
95회
The red carpet was **filled** with Hollywood actresses.

1169 fling [flíŋ]
동 내던지다
17회
He **flung** his books on the desk.

1170 float [flóut]
동 떠다니다, 떠오르다
45회
He saw something white **floating** in the middle of the tree. 대수능

1171 flock [flák]
동 떼 지어 오다(가다), 모이다 명 무리
14회
People **flocked** into a market place.

★철자주의

1172 flourish [flə́:riʃ] 혼동어 nourish 동 영양분을 공급하다
동 번영(번성)하다, 잘 자라다
18회
Grass-eating animals **flourish** in this region.

1173 focus [fóukəs]
동 집중하다 명 논점
160회
These will help you **focus** on your problems and ultimately solve them.

1174 fold [fóuld] 혼동어 hold 동 잡다, 유지하다
동 접다, (양팔에) 안다, 싸다
25회
The man has **folded** the towels on the table.

1175 forbid [fərbíd]
동 금하다, 허락하지 않다
13회
Foreigners were **forbidden** to enter the country.
↔ permit 동 허락하다

1176 force [fɔ́:rs]
동 강요하다, ~하게 하다 명 힘
182회
"Sir," said he, "do you wish to **force** your company on those who do not want you?" 대수능

[예문 해석] **1168** 레드 카펫은 할리우드 여배우들로 가득 찼다. **1169** 그는 책상에 책을 내던졌다. **1170** 그는 나무의 한 가운데에 뭔가 하얀 것이 떠 있는 것을 보았다. **1171** 사람들이 장터로 몰려들었다. **1172** 이 지역에서는 초식동물이 잘 자란다. **1173** 이러한 것들은 당신이 당신의 문제에 집중하고, 궁극적으로는 그것들을 해결하는 데 도움을 줄 것이다. **1174** 남자가 탁자 위의 수건들을 개어 놓았다. **1175** 외국인들은 그 나라에 입국하는 것이 금지되어 있었다. **1176** "선생, 당신은 원하지 않는 사람들에게 당신과 동석하기를 강요하고 싶으신가요?"라고 그가 말했다.

1177 foretell 〔fɔːrtél〕 동 예언하다, 예고하다 _20회_

Moles are also believed to **foretell** the future.

1178 foster 〔fɔ(ː)stər〕 동 조장하다, 기르다 형 수양 …, 길러 주는 _12회_

혼동어
poster
명 전단 광고

Schools **foster** a positive atmosphere for learning.
○ foster parents 양부모

1179 found 〔fáund〕 동 설립하다 _355회_

혼동어
find
동 찾다, 발견하다

The city was **founded** in 1845 and its name came from Portland. 대수능
→ founder 명 설립자   foundation 명 설립

1180 freeze 〔fríːz〕 동 얼다, 몹시 춥게 느끼다 _24회_

Freeze a tray of ice cubes in your freezer.
→ freezer 명 냉동고   freezing 형 몹시 추운

1181 frown 〔fráun〕 동 눈살을 찌푸리다 _20회_

Lydia looked at her watch and **frowned**; it was already two o'clock. 대수능

1182 frustrate 〔frʌ́streit〕 동 좌절시키다, 실망시키다 _58회_

They grew completely **frustrated** with each other. 대수능
→ frustration 명 좌절, 욕구 불만   frustrated 형 실망한

1183 fulfill 〔fulfíl〕 동 이행하다, 완료하다, 충족시키다 _32회_

The request could not be **fulfilled**.
→ fulfillment 명 충족, 이행

1184 furnish 〔fə́ːrniʃ〕 동 비치(설치)하다, 공급하다 _25회_

He wanted to be moved to a nursing home where he could **furnish** his own room. 대수능
→ furnishings 명 세간, 비품   furnished 형 가구가 비치된

1185 generate 〔dʒénərèit〕 동 발생시키다, 만들어 내다 _288회_

"Using wind power to **generate** electricity for a home" is a better main idea. 대수능
→ generator 명 발전기   generation 명 세대

[예문 해석] **1177** 점은 또한 미래를 예언해준다고 믿어진다. **1178** 학교는 학습을 위한 긍정적인 분위기를 조성한다. **1179** 그 도시는 1845년에 설립되었으며, Portland 시에서 이름을 따왔다. **1180** 냉동고에서 얼음 한 판을 얼리세요. **1181** Lydia는 시계를 보고선 눈살을 찌푸렸다. 벌써 2시였다. **1182** 그들은 서로에게 완전히 실망했다. **1183** 그 요청은 수행될 수 없다. **1184** 그는 자신의 방에 가구를 비치할 수 있는 요양원으로 옮기고 싶어 했다. **1185** '가정용 전기를 만들기 위해서 풍력을 사용하는 것'이 더 좋은 요지이다.

1186 **grab** [grǽb]
동 움켜잡다, 붙잡다 36회
An eagle **grabbed** a chick.

1187 **grasp** [grǽsp] 혼동어 grass 명 잔디
동 잡다 24회
She **grasped** it tightly as a powerful fish took her line. 대수능

1188 **graze** [gréiz]
동 풀을 뜯어 먹다 12회
Only with great difficulty can it bend down to **graze** on the ground. 대수능

★철자주의

1189 **grin** [grín]
동 씩 웃다 명 씩 웃음 19회
I don't like the job, but I have to **grin** and bear it.

1190 **grip** [gríp]
동 꽉 잡다, 움켜잡다 명 꽉 붙잡음, 움켜쥠 11회
He **gripped** on to the railing tightly with both hands.

1191 **guarantee** [gæ̀rəntíː]
동 보증하다, 장담하다 명 보증 32회
Hence, we are not able to **guarantee** a firm delivery date.

1192 **halt** [hɔ́ːlt] 혼동어 half 명 절반
동 멈추다, 정지하다 명 정지 22회
The game, **halted** three times due to rain, lasted five and a half hours.

★철자주의

1193 **hand** [hǽnd]
동 건네주다, 넘겨주다 명 손, 도움 331회
My husband **handed** me a glass of wine over the table.

1194 **hang** [hǽŋ]
동 걸다, 목을 매달다 36회
The painting was **hung** upside down.
→ hanger 명 옷걸이

[예문 해석] **1186** 독수리가 병아리를 움켜잡았다. **1187** 그녀는 힘 좋은 물고기가 그녀의 낚싯줄을 당길 때 낚싯대를 꽉 쥐었다. **1188** 큰 힘을 들여야만 그것은 땅 위에 있는 풀을 뜯어 먹기 위해 구부릴 수 있다. **1189** 나는 그 일이 싫지만 씩 웃으며 그것을 참아야 한다. **1190** 그는 두 손으로 난간을 꽉 움켜잡았다. **1191** 따라서 우리는 확실한 운송 날짜를 장담할 수가 없습니다. **1192** 비로 인해 세 차례나 중단되었던 경기는 5시간 30분 동안 계속됐다. **1193** 남편은 내게 식탁 너머로 와인을 한 잔 건네주었다. **1194** 그 그림은 거꾸로 걸려 있었다.

1195 hesitate 동 망설이다 　　　　　　　　　　　　　　　　　　　　　　　　　181회

[hézətèit] 　　　At first, I **hesitated**, but seeing her sincerity, I gave in. 대수능

→ hesitation 명 주저, 망설임　hesitant 형 주저하는

1196 hold 동 잡다, 들다, 유지하다, (회의·시합 등을) 개최하다 　　　　　　226회

[hóuld] 　　　**Hold** this position for a count of 10.

1197 hurry 동 서두르다, 재촉하다 　　　　　　　　　　　　　　　　　　　40회

[hə́:ri] 　　　I'll have to **hurry** or I'll be late.

1198 ignore 동 무시하다, 모르는 체하다 　　　　　　　　　　　　　　　　78회

[ignɔ́:r] 　　　Unfortunately, we tend to **ignore** this simple truth. 대수능

→ ignorance 명 무지, 무식　ignorant 형 무식(무지)한

1199 illuminate 동 밝게 비추다, 계몽하다 　　　　　　　　　　　　　　　19회

[ilú:mənèit] 　　　They would **illuminate** the streets more brightly.

→ illumination 명 조명, 계몽

1200 illustrate 동 (예를 들어) 설명하다, 삽화를 넣다 　　　　　　　　　29회

[íləstrèit] 　　　The incident **illustrates** the need for education.

→ illustration 명 삽화, 실례

표제어 이외의 **주요 어휘**

excite	동 흥분시키다	forsake	동 저버리다, 내버리다
exhaust	동 다 써버리다, 지치게 하다	frighten	동 겁주다, 놀라게 하다
exhibit	동 전시하다	gain	동 얻다, 늘리다
feed	동 먹을 것을 주다	gather	동 모으다
flush	동 붉어지다, 물을 내리다	greet	동 인사하다
foam	동 거품이 일다 명 거품	groan	동 신음하다
forgive	동 용서하다	handle	동 다루다, 취급하다

[예문 해석] **1195** 처음에 나는 망설였지만, 그녀의 진심을 알고서 양보했다. **1196** 열을 세는 동안 이 자세를 유지하세요. **1197** 서두르지 않으면 나는 늦을 것이다. **1198** 불행하게도 우리는 이런 단순한 사실을 무시하는 경향이 있다. **1199** 그것들은 거리들을 좀 더 환하게 밝힐 것이다. **1200** 이 사건은 교육의 필요성을 예증한다.

DAY 24 수능 필수 Daily IDIOMS

in time
제때에

I'm afraid Jane won't come **in time** for the movie.
Jane이 영화 시간에 맞춰 오지 못할까봐 걱정이야.

in truth
사실

This is **in truth** one of life's tragedies.
이것은 실로 인생의 비극이다.

in turn
번갈아, 차례로

I shall say something about each **in turn**.
난 차례대로 각각에 대해 무언가를 말하고자 한다.

instead of
~대신에

I'll have tea **instead of** coffee, please.
커피 대신에 차를 마실게요.

it is a pity that S + V
유감스럽게도 S가 V하다

It is a pity that he can't come to the party.
그가 파티에 올 수 없다니 애석한 일이다.

it is estimated that S + V
S가 V하는 것으로 추정되다

It is estimated that over 3 million children starve to death in the world each year.
매년 전 세계적으로 3백만 명 이상의 어린이들이 기아로 사망하는 것으로 추정되고 있다.

it's up to you
너에게 달려 있다

It's up to you. Pick any place you want.
당신이 정하시는 대로요. 좋아하시는 곳으로 아무 데나 정하세요.

keep A from B
A가 B하지 못하게 하다

Take care to **keep** the wound **from** being infected.
상처에 균이 들어가지 않도록 주의하시오.

DAY 24 암기를 위한 Daily TEST

맞은 개수 　　／ 50문항

빈칸에 알맞은 단어나 뜻을 쓰시오.

01. exceed

02. 뛰어나다

03. expel

04. exchange

05. 변명하다

06. execute

07. exert

08. 탐험하다

09. expose

10. 표현하다

11. extend

12. extract

13. facilitate

14. 바래다

15. faint

16. falter

17. fascinate

18. (가득) 채우다

19. fling

20. float

21. flock

22. flourish

23. 집중하다

24. fold

25. forbid

26. 강요하다

27. foretell

28. foster

29. 설립하다

30. freeze

31. frown

32. 좌절시키다

33. fulfill

34. furnish

35. 발생시키다

36. grab

37. grasp

38. graze

39. 씩 웃다

40. grip

41. guarantee

42. halt

43. 건네주다

44. hang

45. hesitate

46. 잡다, 유지하다

47. hurry

48. 무시하다

49. illuminate

50. illustrate

1201 imagine 동 상상하다, 생각하다 92회
[imǽdʒin]
Imagine a world where you can avoid illness and old age.

1202 imitate 동 모방하다, 흉내 내다 37회
[ímətèit]
He **imitates** his big brother.
→ imitation 명 모방, 모조(품), 흉내

1203 immigrate 동 (외국에서) 이주해 오다 20회
[íməgrèit]
혼동어
emigrate
동 이민을 가다
As a mere child, she **immigrated** to this country from India.
→ immigration 명 (외국으로부터의) 이민   immigrant 명 이주민, 이민자

1204 impair 동 해치다, 손상하다 17회
[impéər]
혼동어
repair
동 수리하다
Excessive drinking **impairs** one's health.
→ impairment 명 손상, 장애

1205 implement 동 이행하다, 실행하다 명 도구 25회
[ímpləmənt]
The president moved quickly to **implement** his policies.
→ implementation 명 이행, 실행

1206 imply 동 암시하다, 의미하다 19회
[implái]
혼동어
apply
동 지원하다,
신청하다
The nature of sarcasm **implies** a contradiction between intent and message. 대수능
→ implication 명 (뜻의) 내포, 함축   implicit 형 암시적인

1207 impose 동 (세금·의무를) 부과하다, 강요하다 11회
[impóuz]
Thailand had **imposed** high taxes on imports. 대수능
❂ impose A on B A를 B에게 부과하다

1208 impress 동 감동시키다, 깊은 인상을 주다 279회
[imprés]
혼동어
express
동 표현하다
We were deeply **impressed** by the beautiful scenery. 대수능
→ impression 명 인상, 감명   impressive 형 인상적인

[예문 해석] **1201** 질병과 노화를 피할 수 있는 세상을 상상해 보아라.   **1202** 그는 형을 흉내 낸다.   **1203** 철없는 어린 아이였을 때, 그녀는 인도에서 이 나라로 이민 왔다.   **1204** 술을 많이 마시면 건강을 해친다.   **1205** 대통령은 정책을 이행하기 위해 조속히 움직였다.   **1206** 비꼼의 본질은 의도와 메시지 사이의 모순을 암시한다.   **1207** 태국은 수입품에 높은 세금을 부과했다.   **1208** 우리는 아름다운 경치에 깊은 감명을 받았다.

| 1209 **imprison** | 동 | 투옥하다, 감금하다 | 18회 |

[imprízn]

He had his political enemies **imprisoned**.

| 1210 **improve** | 동 | 개선하다, 향상시키다 | 172회 |

[imprú:v] 혼동어
approve
동 찬성하다, 승인하다

The room's appearance began to **improve**. 대수능
→ improvement 명 개선, 향상

| 1211 **include** | 동 | 포함하다 | 197회 |

[inklú:d]

This **includes** how fast or slowly you speak and your tone of voice. 대수능
→ inclusion 명 포함   including 전 ~을 포함하여   ↔ exclude 동 제외하다

| 1212 **increase** | 동 | 증가시키다 | 명 | 증가 | 414회 |

[inkrí:s]

The smell of mint **increases** your alertness. 대수능
→ increasing 형 증가하는, 증대하는   increasingly 부 점점 더

| 1213 **indicate** | 동 | 나타내다, 가리키다 | 52회 |

[índikèit]

Finally, short arms may **indicate** a lack of motivation. 대수능
→ indication 명 지시, 징후   indicator 명 지표, 척도

| 1214 **induce** | 동 | 설득하다, 유도하다, 유발하다 | 13회 |

[indjú:s]

This medicine will **induce** sleep.
→ induction 명 유도, 귀납법

| 1215 **indulge** | 동 | 만족시키다, 탐닉하다 | 22회 |

[indʎldʒ]

She **indulges** herself with drugs.
→ indulgence 명 방종, 탐닉, 관대함

| 1216 **industrialize** | 동 | 산업화하다 | 140회 |

[indʎstriəlàiz]

America is becoming more and more highly **industrialized**. 대수능
→ industrial 형 산업의   industry 명 산업, 근면

| 1217 **infect** | 동 | 감염시키다 | 27회 |

[infékt] 혼동어
impact
명 영향, 충격

She is **infected** with malaria.
→ infection 명 감염, 전염병

[예문 해석] **1209** 그는 자신의 정적(政敵)들을 투옥시켰다. **1210** 그 방의 모습이 개선되기 시작했다. **1211** 이것은 얼마나 빨리 또는 느리게 당신이 말하는지와 목소리의 어조를 포함한다. **1212** 박하향이 여러분의 각성을 증가시킨다. **1213** 마지막으로 짧은 팔은 동기의 부족을 나타낼지도 모른다. **1214** 이 약은 잠을 오게 할 것이다. **1215** 그녀는 마약에 중독되어 있다. **1216** 미국은 점차 더욱 산업화되고 있다. **1217** 그녀는 말라리아에 감염되어 있다.

1218 infer 동 추론하다, 추측하다 26회

[infə́:r] 혼동어
refer
동 참고하다, 가리키다

What can be **inferred** about the man?
→ inference 명 추론, 추측

1219 inflate 동 팽창하다, 부풀리다 16회

[infléit] 혼동어
inflict
동 (고통 등을) 가하다

Pull this cord to **inflate** the life jacket. [대수능]
→ inflation 명 팽창, 통화 팽창

1220 inform 동 알리다, 통지하다 442회

[infɔ́:rm]

Observers, on the other hand, are **informed** and appreciative. [대수능]
→ information 명 정보, 지식　informative 형 지식을 알려주는, 유익한
◎ inform A of B A에게 B를 알리다

1221 inhabit 동 살다, 거주하다 12회

★ 철자주의

[inhǽbit]

A large number of squirrels **inhabit** this forest.
→ inhabitant 명 주민, 거주자

1222 inherit 동 상속하다, 물려받다 24회

[inhérit]

She **inherited** a substantial fortune from her grandmother.
→ inheritance 명 상속, 유산

1223 initiate 동 시작하다, 창시하다, 가입시키다 17회

[iníʃièit]

The project was **initiated** with a three-year target date for success.
→ initiative 명 시작, 계획, 주도(권)　initiation 명 개시, 착수, 입회(식)

1224 inject 동 주사(주입)하다, 삽입하다 18회

[indʒékt]

We must be **injected** with antibiotics for our protection.
→ injection 명 주사, 투입

1225 injure 동 부상을 입히다, 해치다 49회

[índʒər]

How did you come to **injure** yourself?
→ injury 명 부상, 상해

1226 inquire 동 묻다, 조사하다 17회

[inkwáiər] 혼동어
acquire
동 얻다

She **inquired** of me how I had enjoyed the play. [대수능]
→ inquiry 명 문의, 조사, 연구

[예문 해석] **1218** 그 남자에 대해서 어떤 사실을 추측할 수 있는가? **1219** 구명 재킷을 부풀리기 위해서는 이 줄을 당기십시오. **1220** 반면에 관찰자들은 지식이 있고 감상력이 있다. **1221** 이 숲에는 수많은 다람쥐가 산다. **1222** 그녀는 할머니에게서 상당한 유산을 상속받았다. **1223** 그 계획은 3년 후를 성공의 목표일로 하고 시작되었다. **1224** 우리는 우리 자신의 보호를 위해서 항생제 주사를 맞아야 한다. **1225** 어쩌다가 다쳤습니까? **1226** 그녀는 내가 어떻게 그 연극을 즐겼는지를 물어봤다.

1227 insist 동 주장하다, 고집하다 265회

[insíst] 혼동어 **assist** 동 돕다

He **insists** that it's of no use to do so. 대수능
→ insistence 명 주장, 고집 insistent 형 주장하는

1228 inspect 동 조사하다, 검사하다 121회

[inspékt] 혼동어 **aspect** 명 측면, 양상

Some women are **inspecting** the merchandise.
→ inspector 명 조사자, 검사관 inspection 명 조사, 검사

1229 install 동 설치하다 174회

[instɔ́:l]

They have **installed** hidden microphones in the house. 대수능
→ installation 명 설치

1230 instruct 동 가르치다, 지시하다 153회

[instrʌ́kt]

I've been **instructed** to take you to London. 대수능
→ instruction 명 가르침, 지시 instructor 명 강사 instructive 형 교육적인

1231 intend 동 의도하다, 예정하다 40회

[inténd] 혼동어 **attend** 동 참석하다, 다니다

The company **intends** to sell its biotechnology division.
→ intention 명 의도

1232 interact 동 상호 작용하다 96회

[íntərækt]

Interact with a select group of students from all parts of the globe.
→ interaction 명 상호 작용 interactive 형 상호 작용하는

★ 철자 주의

1233 interpret 동 해석하다, 통역하다 74회

[intə́:rprit]

Can you **interpret** the meaning of these passages? 대수능
→ interpretation 명 해석, 통역 interpreter 명 통역사, 해설자

1234 interrupt 동 방해하다, 중단시키다 26회

[ìntərʌ́pt]

"Don't **interrupt**," he said. 대수능
→ interruption 명 방해, 중단

1235 intervene 동 개입하다, 중재하다 23회

[ìntərví:n]

The strikes were called off after the government **intervened**.
→ intervention 명 간섭, 중재

[예문 해석] **1227** 그는 그렇게 하는 것이 소용없다고 주장한다. **1228** 여자들 몇 명이 그 상품을 살펴보고 있다. **1229** 그들은 그 집에 도청장치를 설치해 놓았다. **1230** 나는 런던까지 당신을 데리고 오라는 지시를 받았다. **1231** 그 회사는 생물 공학 본부를 매각할 계획이다. **1232** 세계 각지에서 선발된 학생들과 서로 교류를 나누십시오. **1233** 이 단락의 의미를 해석할 수 있습니까? **1234** "방해하지 마."라고 그가 말했다. **1235** 정부가 개입한 후 파업은 철회되었다.

1236 **introduce** 동 소개하다, 도입하다 101회

[ìntrədjúːs]

It is my great pleasure to **introduce** Mr. Edward Goode to you.
→ introduction 명 소개, 도입   introductory 형 소개의, 서론의

1237 **investigate** 동 조사하다, 연구하다 271회

[invéstəgèit] 혼동어 investment 명 투자

The police **investigated** the cause of the accident.
→ investigation 명 조사, 연구   investigator 명 조사자, 연구자

1238 **involve** 동 관련시키다, 포함하다 307회

[inválv] 혼동어 revolve 동 돌다, 회전하다

Building a house **involves** a lot of manual labor.
→ involvement 명 몰두, 관련, 참여   ✪ be involved in ~에 연루되다

1239 **isolate** 동 고립시키다 87회

[áisəlèit]

Under capitalism, people are **isolated** from each other. 대수능
→ isolation 명 고립

1240 **judge** 동 판단하다 명 판사 99회

[dʒʌ́dʒ]

You would be another Susan if you **judged** someone by his appearance.
→ judgement 명 판단 대수능

1241 **justify** 동 정당함을 증명하다, 정당화하다 35회

[dʒʌ́stəfài]

He was trying to **justify** himself.
→ justice 명 정의, 사법

1242 **launch** 동 시작하다, (상품을) 출시하다, 발사하다 18회

[lɔ́ːntʃ]

Prosecutors **launched** an investigation into the scandal.

1243 **leap** 동 뛰다 명 뜀, 도약 20회

[líːp] 혼동어 reap 동 수확하다

He will look and exercise his moral judgement before he **leaps**. 대수능

1244 **lick** 동 핥다 17회

[lík] 혼동어 lack 명 부족 동 부족하다

The woman was **licking** an ice lolly.

[예문 해석] **1236** 여러분께 Edward Goode 씨를 소개하게 되어 큰 영광입니다. **1237** 경찰이 사고의 원인을 조사했다. **1238** 집을 짓는 일은 많은 육체 노동을 필요로 한다. **1239** 자본주의 하에서 사람들은 서로로부터 고립된다. **1240** 당신이 외모로 누군가를 판단한다면 당신은 또 다른 Susan이 될지도 모른다. **1241** 그는 자신이 정당함을 밝히려고 노력하고 있었다. **1242** 검사들은 그 추문에 대한 조사에 착수했다. **1243** 그는 급히 행동하기 전에 살피고 도덕적 판단을 내릴 것이다. **1244** 그 여자는 얼음 막대 사탕을 핥고 있었다.

1245 **lie**	동	눕다, 거짓말하다	134회

[lái] 혼동어
lay
동 낳다, 놓다

Turtle eggs that **lie** in the sand at cool temperatures produce male turtles. 〔대수능〕

1246 **limit**	동	제한하다 명 제한	84회

[límit]

The number of participants is **limited** to 20. 〔대수능〕
→ limitless 형 무한한

1247 **linger**	동	오래 머무르다, 꾸물거리다	18회

[líŋgər]

Perhaps the event will **linger** long in our memory.

1248 **locate**	동	(특정 위치에) 두다, 위치를 찾아내다	73회

[lóukeit]

The house was **located** in the heart of the city. 〔대수능〕
→ location 명 위치, 장소 ✪ be located in ~에 위치해 있다

1249 **lodge**	동	숙박하다, 하숙하다, 맡기다 명 오두막집	31회

[ládʒ]

He **lodged** at Mrs. Smith's during his school days.
→ lodger 명 숙박인, 하숙인 lodging 명 숙박, 하숙

1250 **long**	동	바라다, 동경하다	43회

[lɔ́ːŋ]

They **longed** for green trees and open spaces. 〔대수능〕

표제어 이외의 주요 어휘

incorporate	동 통합시키다, 법인으로 만들다	invade	동 침입하다
incubate	동 부화하다	irrigate	동 물을 대다, 관개하다
inhale	동 흡입하다, 들이쉬다	kindle	동 불을 붙이다
insert	동 삽입하다	knock	동 치다, 두드리다
insure	동 보험에 들다, 보증하다	lament	동 슬퍼하다, 애도하다
integrate	동 통합하다, 구성하다	lean	동 기대다, 기울어지다
interfere	동 간섭하다, 개입하다	lessen	동 적게(작게)하다

[예문 해석] **1245** 차가운 온도의 모래에 있는 거북이 알은 수컷 거북이를 배출한다. **1246** 참가자의 수는 20명으로 제한됩니다. **1247** 아마도 그 사건은 오래도록 우리의 기억 속에 남을 것이다. **1248** 그 집은 도시의 중심부에 위치했다. **1249** 학창 시절에 그는 Smith 부인의 집에 하숙했다. **1250** 그들은 녹색 나무들과 넓은 공간을 간절히 바랐다.

DAY 25 수능 필수 Daily IDIOMS

keep in mind
명심하다

Keep in mind the importance of balancing reading with outside experiences.
독서를 외부의 경험과 균형지게 하는 것이 중요함을 명심하라.

keep up with
~와 보조를 맞추다, 뒤지지 않다

In mass production, it is impossible to **keep up with** America.
대량 생산에 있어서는 미국을 따라가는 것은 불가능하다.

last of all
마지막으로

Last of all, despite all the crowds, it is still possible to feel very lonely in a city.
마지막으로, 그 모든 군중에도 불구하고 여전히 도시에서는 심한 고독감을 느낄 수 도 있다.

lead to + N
초래하다, 야기하다

Oppression of the poor often **leads to** revolution.
가난한 사람들에 대한 압박이 흔히 혁명을 초래한다.

learn ~ by heart
~을 외우다, 암기하다

I cannot **learn** such a long sentence **by heart**.
나는 그렇게 긴 문장을 암기할 수 없다.

long for
갈망하다, 열망하다

As time goes on, I **long for** home more and more.
시간이 갈수록 나는 집이 점점 더 그립다.

look after
돌보다

One should **look after** one's own business.
자기 일은 자기가 해야 한다.

look forward to + N
고대하다, 기대하다

I **look forward to** meeting you.
나는 너를 만나기를 손꼽아 기다리고 있다.

DAY 25 암기를 위한 Daily TEST

맞은 개수 ◯ / 50문항

💡 빈칸에 알맞은 단어나 뜻을 쓰시오.

01. imagine
02. 모방하다
03. immigrate
04. impair
05. implement
06. 암시하다
07. impose
08. 깊은 인상을 주다
09. imprison
10. improve
11. include
12. 증가시키다
13. indicate
14. induce
15. indulge
16. industrialize
17. 감염시키다
18. infer
19. inflate
20. 알리다
21. inhabit
22. inherit
23. initiate
24. inject
25. 부상을 입히다

26. inquire
27. 주장하다
28. inspect
29. 설치하다
30. instruct
31. 의도하다
32. interact
33. interpret
34. interrupt
35. intervene
36. 소개하다
37. investigate
38. involve
39. isolate
40. 판단하다
41. justify
42. launch
43. 뛰다
44. lick
45. lie
46. 제한하다
47. linger
48. locate
49. lodge
50. 바라다

우리말 뜻에 알맞은 영어 단어를 고르시오.

01 계속하다
① contemplate　② continue

02 기여하다, 공헌하다
① contend　② contribute

03 비용이 들다
① contradict　② cost

04 통제하다, 지배하다
① control　② converge

05 세다, 중요하다
① count　② cough

06 창조하다
① crave　② create

07 거래하다, 다루다
① deal　② dare

08 결심[결정]하다
① debate　② decide

09 선언[공표]하다, (세관에서) 신고하다
① decay　② declare

10 감소하다
① decrease　② decompose

11 정의하다
① define　② defeat

12 즐겁게 하다
① defy　② delight

13 배달하다, 넘겨 주다
① dedicate　② deliver

14 입증하다, 시위하다
① demonstrate　② delete

15 의지하다, 의존하다
① depict　② depend

16 우울하게 하다
① depress　② deprive

17 묘사하다
① describe　② descend

18 지시하다
① designate　② desert

19 바라다
① desire　② deserve

20 상술하다, 열거하다
① destine　② detail

21 발견하다, 간파하다
① detect   ② detach

22 결정하다, 결심하다
① determine   ② deteriorate

23 지시하다, (길 등을) 알려주다
① direct   ② differ

24 전시하다, 보이다
① disrupt   ② display

25 다양화하다, 분산시키다
① dissolve   ② diversify

26 기부하다, 기증하다
① distinguish   ② donate

27 교육하다
① educate   ② elect

28 고용하다, 소비하다
① employ   ② empathize

29 종사시키다, 약혼하다
① endure   ② engage

30 강화하다, 높이다
① enhance   ② ensure

31 설립하다, 확립하다
① establish   ② estimate

32 평가하다, 가치를 검토하다
① evaluate   ② evaporate

33 진화하다, 발전시키다
① evoke   ② evolve

34 표현하다
① expose   ② express

35 집중하다
① focus   ② float

36 강요하다, ~하게 하다
① forbid   ② force

37 좌절시키다, 실망시키다
① found   ② frustrate

38 무시하다, 모르는 체하다
① illuminate   ② ignore

39 개선하다, 향상시키다
① improve   ② impose

40 판단하다
① judge   ② justify

복습을 위한 누적 TEST

09회

💡 우리말 뜻에 알맞은 영어 단어를 고르시오.

01 대처하다
① correspond ② cope

02 비판[비난]하다
① criticize ② convince

03 치료하다
① cure ② curl

04 장식하다
① devastate ② decorate

05 방어하다, 지키다
① devour ② defend

06 부인[부정]하다
① degrade ② deny

07 출발하다, 떠나다
① depart ② despise

08 끌어내다
① dine ② derive

09 소화하다, 잘 이해하다
① diminish ② digest

10 사라지다
① disappear ② disapprove

11 낙담시키다
① discourage ② disclose

12 왜곡하다
① distort ② dismiss

13 (마음·주의를) 흐트러뜨리다
① dispense ② distract

14 분배하다, 나누어주다
① distribute ② drain

15 방해하다
① disturb ② dread

16 나누다, 분할하다
① drown ② divide

17 (긴장 등을) 완화시키다
① ease ② edit

18 제거하다
① eliminate ② elevate

19 난처하게 하다
① embrace ② embarrass

20 출현하다, 나타나다
① emit ② emerge

21 만나다, 직면하다
　① encounter　② enclose

22 위태롭게 하다
　① endow　② endanger

23 탈출하다, 벗어나다
　① esteem　② escape

24 능가하다
　① exceed　② exchange

25 얼다, 몹시 춥게 느끼다
　① foster　② freeze

26 이행하다, 완료하다
　① fulfill　② furnish

27 움켜잡다, 붙잡다
　① graze　② grab

28 걸다, 목을 매달다
　① hang　② halt

29 (예를 들어) 설명하다, 삽화를 넣다
　① imitate　② illustrate

30 포함하다
　① include　② immigrate

31 증가시키다
　① increase　② implement

32 나타내다, 가리키다
　① induce　② indicate

33 산업화하다
　① industrialize　② indulge

34 감염시키다
　① infect　② inflate

35 추론하다, 추측하다
　① inhabit　② infer

36 알리다, 통지하다
　① inherit　② inform

37 부상을 입히다, 해치다
　① injure　② inject

38 상호 작용하다
　① interrupt　② interact

39 해석하다, 통역하다
　① interpret　② introduce

40 뛰다, 도약
　① leap　② limit

1251 lure

[lúər]

동 유혹하다, 유인하다   명 매력, 유혹   15회

The company hopes its marketing campaign will **lure** customers.
✪ lure A into a trap A를 유혹하여 올가미를 씌우다

1252 maintain

[meintéin]

동 유지하다, 주장하다   95회

The body requires proper nutrition in order to **maintain** it.
→ maintenance 명 유지, 보존, 주장

1253 manage

[mǽnidʒ]

동 다루다, 처리하다, 관리하다   94회

If the opposition **manages** to unite, it may command over 55% of the vote.
→ management 명 관리   manager 명 지배인   manageable 형 다루기 쉬운
✪ manage to ~을 잘 해내다, 어떻게든 ~하다

1254 manifest

[mǽnəfèst]

동 명백히 하다   형 명백한, 분명한   14회

The evidence **manifests** the guilt.

1255 manipulate

[mənípjulèit]

동 능숙하게 다루다, 조종하다, 조작하다   15회

He **manipulated** the account to conceal his theft.
→ manipulation 명 교묘히 다루기, 조종

1256 manufacture

[mæ̀njufǽktʃər]

동 제조하다   명 제조   62회

Warren moved to Los Angeles to **manufacture** metal furniture. 대수능
→ manufacturer 명 제조업자

1257 marvel

[máːrvəl]   혼동어
marble
명 대리석

동 이상하게 생각하다, ~에 놀라다   명 놀라운 일, 이상함   15회

The police **marveled** how the prisoner had escaped.
→ marvelous 형 불가사의한, 이상한, 놀라운

1258 mean

[míːn]   혼동어
means
명 수단, 방법

동 의미하다, ~할 작정이다   형 비열한, 천한   28회

The expansion of the factory **means** over a hundred new jobs.
→ meaningful 형 의미심장한, 뜻있는   meanly 부 비열하게

[예문 해석] **1251** 그 회사는 자사의 판매 촉진 운동으로 고객들을 유치할 수 있기를 희망한다. **1252** 신체는 자신을 유지하기 위해 적절한 영양소를 필요로 한다. **1253** 야당이 어떻게든 단결할 수 있다면 55% 이상의 득표를 올릴 것이다. **1254** 그 증거로 유죄가 명백하다. **1255** 그는 자기의 도둑질을 감추기 위해 장부를 조작했다. **1256** Warren은 금속 가구를 제작하기 위해 Los Angeles로 이주했다. **1257** 경찰은 그 죄수가 어떻게 탈옥했을까 하고 이상하게 생각했다. **1258** 그 공장의 확장은 새로운 일자리가 백 군데 이상 생김을 의미한다.

★철자주의

1259 measure 　　동　　재다, 측정하다　　　　　　　　　　　　　　130회

[méʒər]

God does not **measure** men inches.
→ measurement 명 치수, 측량

1260 mediate 　　동　　(분쟁 등을) 조정하다, 중재하다　　　　　　18회

[míːdièit]

Mediating between the two sides in this dispute will be a delicate business.
→ mediation 명 조정, 중재　mediator 명 조정자

1261 meditate 　　동　　명상하다, 숙고하다　　　　　　　　　　16회

[médətèit]

They decided to **meditate** on the matter for an additional week or so.
→ meditation 명 묵상, 명상, 숙고

1262 memorize 　　동　　기억하다　　　　　　　　　　　　　　172회

[méməràiz]

She then made me **memorize** the numbers. 대수능
→ memory 명 기억　memorial 명 기념물　memorable 형 기억할 만한

1263 mention 　　동　　언급하다, 말하다　　　　　　　　　　38회

[ménʃən]

She avoided **mentioning** anything about her father. 대수능

1264 merge 　　동　　합병하다, 합체시키다　　　　　　　　　　16회

[mə́ːrdʒ]

If we **merge** with the firm, we'll be able to expand our client base.

1265 mimic 　　동　　흉내 내다　　형　　흉내 내는, 모방의　　10회

[mímik]

He could **mimic** anybody.

1266 modify 　　동　　수정하다, 수식하다　　　　　　　　　　23회

[mádəfài]

You may not **modify** or use the materials without his written consent.
→ modification 명 수정, 수식　modifier 명 수식어

1267 monopolize 　　동　　독점하다, 전매권을 얻다　　　　　　21회

[mənápəlàiz]

When it comes to Africa, he **monopolizes** the conversation.
→ monopoly 명 독점, 전매

[예문 해석] **1259** 신은 자로 사람을 재지 않는다(외모로 사람을 판단하지 말라). **1260** 이 논쟁에 관한 양측 사이의 조정은 미묘한 일일 것이다. **1261** 그들은 1주일 정도 더 그 문제에 대해 숙고하기로 결정했다. **1262** 그리고 나서 그녀는 내게 그 숫자들을 기억하게 했다. **1263** 그녀는 자신의 아버지에 관해 어떠한 언급도 하지 않았다. **1264** 만일 우리가 그 회사와 합병이 된다면, 우리의 고객 기반을 더욱 넓힐 수 있을 것이다. **1265** 그는 누구든지 흉내를 낼 수 있었다. **1266** 당신은 그의 서면 동의 없이 이 내용을 수정하거나 사용할 수 없다. **1267** 아프리카 얘기만 나오면 그는 대화를 독점한다.

1268 **motivate**	동	동기를 부여하다, 원인이 되다	52회
[móutəvèit]		He is good at **motivating** his students.	

1269 **mourn**	동	슬퍼하다, 한탄하다, 애도하다	12회
[mɔ́ːrn]		She **mourned** over the death of her friend.	

1270 **mumble**	동	중얼거리다	12회
[mʌ́mbl]		She **mumbled** in her sleep.	

1271 **narrate**	동	이야기하다, 서술하다	11회
[nǽreit]		Some of the story was **narrated** in the film.	
		→ narration 명 서술, 이야기	

1272 **navigate**	동	항해하다, 조종하다, 웹사이트를 여기저기 찾다	11회
[nǽvəgèit]		Our customers will find it easier to **navigate** the menus.	
		→ navigation 명 운항, 항해 navigator 명 항해자, 항공사, 자동 조종 장치	

1273 **necessitate**	동	필요하다	184회
[nəsésətèit]		It would indeed **necessitate** strong measures. ○대수능	
		→ necessity 명 필요 necessary 형 필수적인	

1274 **neglect**	동	무시하다, 태만히 하다	22회
[niglékt]		American public schools **neglected** their role as moral educators. ○대수능	

1275 **negotiate**	동	협상하다, 협의하다	20회
[nigóuʃièit]		Have you **negotiated** a price for our new computers?	
		→ negotiation 명 협상, 교섭	

1276 **nominate**	동	(선거·임명의 후보자로) 지명하다, 임명하다	14회
[námənèit] 혼동어 dominate 동 지배하다		He was **nominated** for President.	
		→ nomination 명 지명(권) nominator 명 지명자 nominee 명 지명된 사람	

[예문 해석] **1268** 그는 그의 학생들에게 동기를 부여하는 일을 잘한다. **1269** 그녀는 친구의 죽음을 애도했다. **1270** 그녀는 잠꼬대했다. **1271** 그 이야기 중에 일부가 영화화 되었다. **1272** 우리의 고객들은 메뉴를 탐색하는 것이 더 쉬워진 것을 알게 될 것이다. **1273** 정말로 강력한 조치들이 필요할 것이다. **1274** 미국의 공립학교들은 도덕 교육자 로서의 그들의 역할을 태만히 했다. **1275** 우리의 새 컴퓨터 가격을 흥정해 봤어요? **1276** 그는 대통령 선거의 후보자로 지명되었다.

★철자주의

1277 **notice** 　동 알아채다, 주의하다 　명 주의, 주목, 통지 　*32회*

[nóutis]

We **noticed** the peculiarity of his manner at once.
→ noticeable 형 눈에 띄는, 주목할 만한 　✪ notice board 명 게시판

1278 **notify** 　동 통지하다, 공고하다 　*20회*

[nóutəfài]

Please **notify** our sales department if you receive a damaged item.
→ notification 명 통지, 공고

1279 **nourish** 　동 자양분을 주다, 기르다 　*14회*

[nə́:riʃ]

His egoism was **nourished** by his mother.
→ nourishment 명 자양물, 음식물, 양육

1280 **nurture** 　동 양육하다 　명 양육 　*23회*

[nə́:rtʃər] 　혼동어 nature 명 자연

We are part of and **nurtured** by the earth. 　대수능

1281 **obey** 　동 복종하다, 따르다 　*18회*

[oubéi]

Everyone must **obey** the law.

1282 **obligate** 　동 (의무상) ~을 해야 한다, ~의 의무가 있다 　*14회*

[ábləgèit]

Parents are **obligated** to support their children.
→ obligation 명 의무, 책임 　obligatory 형 의무적인

1283 **oblige** 　동 ~을 하게 하다, 강요하다, ~에게 은혜를 베풀다 　*31회*

[əbláidʒ]

Economic exigency **obliged** the government to act.
✪ be obliged to ~하지 않으면 안 된다, ~해야 한다

1284 **observe** 　동 관찰하다, 준수하다, 진술하다 　*129회*

[əbzə́:rv]

You can remember things best when you really **observe** them. 　대수능
→ observer 명 관찰자, 입회인 　observation 명 관찰 　observance 명 준수

1285 **obsess** 　동 (귀신이나 망상 따위가) 사로잡다, 괴롭히다 　*15회*

[əbsés]

He is **obsessed** with the idea of emigrating to Canada.
→ obsession 명 강박관념, 망상 　obsessive 형 강박관념의, 망상의

[예문 해석] **1277** 우리는 그의 행동거지의 특색을 즉시 알아챘다. **1278** 손상된 제품을 받으시면 저희 영업부에 알려주십시오. **1279** 그의 이기주의는 그의 어머니가 길러준 것이었다. **1280** 우리는 지구의 일부이고 지구에 의해 양육된다. **1281** 누구나 법을 준수해야 한다. **1282** 부모는 자녀를 양육할 의무가 있다. **1283** 경제적 위기는 정부가 행동에 나서도록 강요했다. **1284** 당신이 정말로 상황을 관찰한다면 당신은 그것들을 가장 잘 기억할 수 있다. **1285** 그는 캐나다로 이민가려는 생각에 사로잡혀 있다.

1286 obstruct
[əbstʌ́kt]
혼동어 instruct 동 가르치다, 지시하다

동 차단하다, 막다, 방해하다 21회

The people are **obstructing** traffic.
→ obstruction 명 방해(물), 장애(물)

1287 offend
[əfénd]

동 화나게 하다, 죄를 범하다 17회

We learn to act in ways that do not **offend** people around us. 대수능
→ offense 명 위반, 화냄 offender 명 위반자 offensive 형 불쾌한, 공격적인

1288 offer
[ɔ́(:)fər]

동 제공하다, 제안하다 182회

The school **offers** exciting and various programs.
✪ offer one's hand 손을 내밀다, 청혼하다

1289 operate
[ápərèit]

동 작동하다, 수술하다 76회

You might want to read something about how the engine **operates**. 대수능
→ operation 명 작동, 수술 operator 명 조작자, 교환원

1290 oppose
[əpóuz]

동 반대하다, 겨루다 83회

Many groups **oppose** the program.

1291 oppress
[əprés]

동 압박하다, 억압하다, 괴롭히다 16회

She is **oppressed** with trouble.

1292 organize
[ɔ́:rgənàiz]

동 조직하다, 창립하다 155회

Amy **organized** a fund-raiser for giving free meals to poor children.
→ organizer 명 조직자, 창립자

1293 outdate
[àutdéit]

동 낡게 하다, 시대에 뒤지게 하다 15회

The advent of the steamship **outdated** sailing ships as commercial carriers.
→ outdated 형 시대에 뒤진, 낡은

1294 outline
[áutlain]

동 윤곽을 나타내다, 개요를 서술하다 12회

He drew the **outline** of the car.

[예문 해석] **1286** 사람들이 교통을 차단하고 있다. **1287** 우리는 주위의 사람들을 화나게 하지 않는 방식으로 행동하도록 배운다. **1288** 학교는 흥미 있고 다양한 프로그램들을 제공한다. **1289** 당신은 엔진이 어떻게 작동하는지에 대한 어떤 무엇인가를 읽기 원할지도 모른다. **1290** 많은 단체들이 그 프로그램을 반대한다. **1291** 그녀는 고뇌에 시달린다. **1292** Amy는 가난한 아이들에게 무료 급식을 제공하기 위해서 기금 모금 단체를 조직했다. **1293** 증기선의 등장은 민간 수송으로서 범선을 구식이 되게 했다. **1294** 그는 차의 윤곽을 그렸다.

1295 overcome 동 극복하다, 이겨내다 49회

[òuvərkÁm]

She had a strong will to **overcome** difficulties. 대수능

1296 overestimate 동 과대평가하다 21회

[òuvəréstəmèit]

Do not **overestimate** the importance of the economic problems.
↔ underestimate 동 과소평가하다

1297 overhear 동 우연히 듣다, 엿듣다, 도청하다 22회

[òuvərhíər] 혼동어
overhead
(부) 머리 위에

One of the experienced lawyers **overheard** and stopped to offer his support.

1298 overlap 동 부분적으로 ~위에 겹치다 15회

[òuvərlǽp]

The tiles on the roof **overlap** one another.

1299 overlook 동 간과하다, 눈감아주다, 감독하다 17회

[òuvərlúk]

One fact that we sometimes **overlook**, however, is that time is culturally determined. 대수능

1300 oversee 동 감독하다, 두루 살피다 24회

[òuvərsí:]

An experienced investigator will **oversee** the case.

표제어 이외의 주요 어휘

march	동 행진하다	outmode	동 유행에 뒤떨어지다
mark	동 표시하다	outrun	동 ~보다 빨리 달리다
match	동 필적하다, 대등하다	overcrowd	동 혼잡하게 하다
mingle	동 섞(이)다, 교제하다	overemphasize	동 지나치게 강조하다
mount	동 오르다, 증가하다	oversimplify	동 지나치게 단순화하다
obtain	동 얻다	overthrow	동 뒤집어엎다, 전복하다

[예문 해석] **1295** 그녀는 어려움들을 극복하고자 하는 강한 의지를 가지고 있었다. **1296** 그 경제 문제의 중요성을 과대평가하지 마십시오. **1297** 경험 있는 변호사 중 한 명이 우연히 듣고 도움을 주기 위해 멈춰 섰다. **1298** 지붕 위의 기와가 서로 겹쳐져 있다. **1299** 그러나 우리가 때때로 간과하는 사실은 시간이 문화적으로 결정된다는 것이다. **1300** 경험이 풍부한 수사관이 그 사건을 감독할 것이다.

DAY 26 수능 필수 Daily IDIOMS

lose one's temper
화를 내다

Don't **lose your temper** so quickly.
그렇게 빨리 화내지 마라.

lose one's way
길을 잃다

They **lost their way** in the woods.
그들은 숲에서 길을 잃었다.

lose track of
~을 놓치다, 길을 잃다

It's easy to **lose track of** time in here.
여기 있으면 시간 가는 걸 잊기 십상이다.

lose weight
체중을 줄이다

How did she **lose weight** so quickly?
그녀가 어떻게 그렇게 빨리 체중을 줄일 수 있었죠?

major in
전공하다

What did you **major in** at the university?
대학에서 무엇을 전공하셨습니까?

make a contribution
기여하다, 기부하다

Nonetheless, they could one day **make a** significant **contribution** to the domestic energy supply.
그럼에도 불구하고, 이런 것들이 언젠가는 가정용 에너지 공급원으로 크게 이바지 하는 날이 올지도 모른다.

make a decision
결정하다

Now is the time when we have to **make a decision**.
지금이야말로 우리가 결정해야 할 때다.

make a point of ~ing
(항상, 습관적으로) ~하다

She **makes a point of** being on time.
그녀는 항상 정시에 도착한다.

DAY 26 암기를 위한 Daily TEST

맞은 개수 ⬤ / 50문항

💡 빈칸에 알맞은 단어나 뜻을 쓰시오.

01. 유혹하다
02. maintain
03. manage
04. manifest
05. manipulate
06. manufacture
07. marvel
08. 의미하다
09. measure
10. mediate
11. meditate
12. memorize
13. mention
14. 합병하다
15. 흉내 내다
16. modify
17. monopolize
18. motivate
19. mourn
20. mumble
21. 이야기하다
22. navigate
23. necessitate
24. 무시하다
25. negotiate

26. nominate
27. notice
28. 통지하다
29. 자양분을 주다
30. nurture
31. 복종하다
32. obligate
33. ~을 하게 하다
34. observe
35. obsess
36. obstruct
37. 화나게 하다
38. 제공하다
39. operate
40. oppose
41. oppress
42. 조직하다
43. outdate
44. outline
45. 극복하다
46. overestimate
47. overhear
48. overlap
49. 간과하다
50. oversee

PART II 동사

| 1301 **overtake** | 동 따라잡다, 추월하다 | 17회 |

[òuvərtéik]

The car accelerated to **overtake** the bus.

| 1302 **owe** | 동 빚지다 | 17회 |

[óu]

How much do I **owe** you? 대수능
→ owing 형 빚지고 있는 ✪ owing to ~ 때문에

| 1303 **participate** | 동 참가하다, 관여하다 | 67회 |

[pɑːrtísəpèit]

Recycling can make a big difference if enough people **participate**. 대수능
→ participation 명 참가, 관여   participant 명 참가자

| 1304 **pave** | 동 (길을) 포장하다 | 15회 |

[péiv]

So trees are cut down, and land is cleared and **paved**. 대수능
→ pavement 명 포장도로

| 1305 **penalize** | 동 벌주다, 유죄를 선고하다 | 14회 |

[píːnəlàiz]

The state of Quebec **penalized** individuals for speaking English. 대수능

| 1306 **penetrate** | 동 관통하다, 침입하다 | 16회 |

[pénətrèit]

When an X-ray beam **penetrates** the body, part is absorbed.
→ penetration 명 관통, 침입

| 1307 **perceive** | 동 지각하다, 감지하다, 이해하다 | 72회 |

[pərsíːv]   혼동어 conceive 동 상상하다

He **perceived** a small figure in the distance.
→ perception 명 지각, 인식, 이해

| 1308 **perform** | 동 수행하다, 공연하다 | 236회 |

[pərfɔ́ːrm]

Such groups can take on tasks once **performed** by governments. 대수능
→ performer 명 실행자, 연주자   performance 명 실행, 이행, 공연

[예문 해석] **1301** 그 차는 버스를 추월하기 위해 가속했다. **1302** 얼마를 드려야 되죠? **1303** 만약 충분히 많은 사람들이 참여한다면 재활용은 큰 차이를 만들어낼 수 있다. **1304** 그래서 나무들이 잘려지고 땅은 개간되고 포장된다. **1305** 캐나다의 퀘벡 주는 영어를 사용하는 사람들에게 벌금을 물렸다. **1306** X-레이 광선이 인체를 관통할 때 일부는 흡수된다. **1307** 그는 멀리서 작은 형체를 감지했다. **1308** 그런 단체들은 한때 정부에 의해 수행되었던 일들을 떠맡을 수 있다.

242   수능 2000 WORD MANUAL

1309 **perish** 동 멸망하다, 사라지다 14회

[périʃ] 혼동어
cherish
동 소중히 여기다

The old religion is **perishing**.
→ perishable 형 소멸하기 쉬운, 썩기 쉬운

1310 **perplex** 동 당혹케 하다, 난감하게 하다 11회

[pərpléks]

Her strange response **perplexed** me.

1311 **persist** 동 고집하다, 주장하다, 지속하다 17회

[pərsíst]

The regime **persists** in the unwelcome education policy.
→ persistence 명 고집, 지속   persistent 형 고집하는, 완고한, 영속하는
✪ persist in V-ing ~을 고집스럽게 계속하다

1312 **persuade** 동 설득하다, 납득시키다 34회

[pərswéid] 혼동어
persecute
동 박해하다

He **persuaded** his son to abbreviate his first name to Bob.

1313 **pierce** 동 꿰뚫다, 관통하다 17회

[píərs] 혼동어
fierce
형 사나운

A long tunnel **pierces** the mountains.
→ piercing 형 꿰뚫는, 날카로운, 통찰력 있는

1314 **pile** 동 쌓아올리다, 축적하다 명 더미, 다량 21회

[páil] 혼동어
pill
명 알약

The snow **piled** up higher in a woodland over the course of winter. 대수능
✪ pile up ~을 쌓다, 축적하다   a pile of ~의 더미, 많은

1315 **pitch** 동 던지다, (텐트 등을) 설치하다, (비행기 등이) 앞뒤로 흔들리다 18회

[pítʃ] 혼동어
pinch
동 꼬집다

The weather was rough and the plane **pitched** and rolled.
→ pitcher 명 투수

1316 **plunge** 동 던져 넣다, 뛰어들다, (어떤 상태에) 빠지게 하다 11회

[plʌ́ndʒ]

Millions of Americans **plunged** into the cyber sea last year.

1317 **polish** 동 닦다, 윤을 내다 22회

[páliʃ] 혼동어
perish
동 죽다, 소멸하다

Use only a dry, lint-free and nonabrasive cloth to **polish** the lens.

[예문 해석] **1309** 그 오래된 종교는 사라져 가고 있다. **1310** 그녀의 이상한 대답이 나를 당혹케 했다. **1311** 그 정권은 인기 없는 교육 정책을 고집하고 있다. **1312** 그는 그의 아들에게 이름을 Bob으로 줄여 쓰도록 설득했다. **1313** 긴 터널이 산맥을 관통하고 있다. **1314** 겨울 기간 동안 숲 속에 눈이 더 높이 쌓였다. **1315** 날씨가 사나워 비행기가 요동을 쳤다. **1316** 지난해 수백 만 명의 미국인들이 가상현실의 세계에 빠져들었다. **1317** 렌즈를 닦으려면 보푸라기가 일어나지 않는 부드럽고 마른 천만 사용하세요.

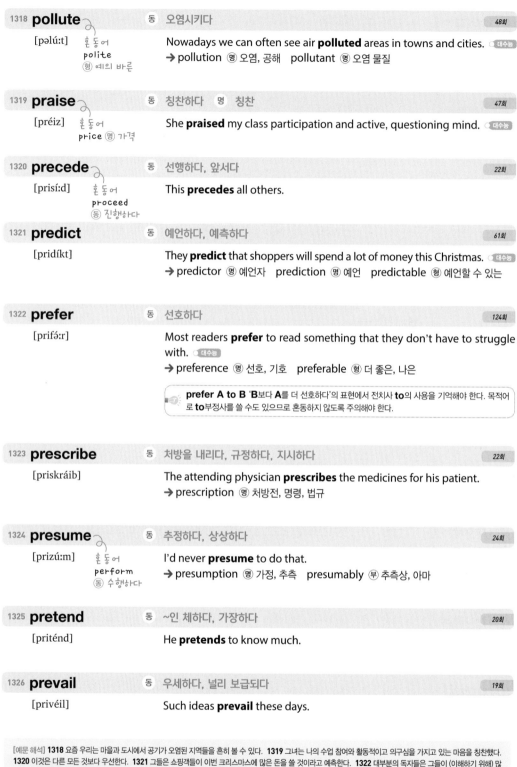

1318 pollute 동 오염시키다 48회

[pəlúːt]
혼동어
polite
형 예의 바른

Nowadays we can often see air **polluted** areas in towns and cities. [대수능]
→ pollution 명 오염, 공해   pollutant 명 오염 물질

1319 praise 동 칭찬하다   명 칭찬 47회

[préiz]
혼동어
price 명 가격

She **praised** my class participation and active, questioning mind. [대수능]

1320 precede 동 선행하다, 앞서다 22회

[prisíːd]
혼동어
proceed
동 진행하다

This **precedes** all others.

1321 predict 동 예언하다, 예측하다 61회

[pridíkt]

They **predict** that shoppers will spend a lot of money this Christmas. [대수능]
→ predictor 명 예언자   prediction 명 예언   predictable 형 예언할 수 있는

1322 prefer 동 선호하다 124회

[prifə́ːr]

Most readers **prefer** to read something that they don't have to struggle with. [대수능]
→ preference 명 선호, 기호   preferable 형 더 좋은, 나은

> 💡 **prefer A to B** 'B보다 A를 더 선호하다'의 표현에서 전치사 **to**의 사용을 기억해야 한다. 목적어로 **to**부정사를 쓸 수도 있으므로 혼동하지 않도록 주의해야 한다.

1323 prescribe 동 처방을 내리다, 규정하다, 지시하다 22회

[priskráib]

The attending physician **prescribes** the medicines for his patient.
→ prescription 명 처방전, 명령, 법규

1324 presume 동 추정하다, 상상하다 24회

[prizúːm]
혼동어
perform
동 수행하다

I'd never **presume** to do that.
→ presumption 명 가정, 추측   presumably 부 추측상, 아마

1325 pretend 동 ~인 체하다, 가장하다 20회

[priténd]

He **pretends** to know much.

1326 prevail 동 우세하다, 널리 보급되다 19회

[privéil]

Such ideas **prevail** these days.

[예문 해석] **1318** 요즘 우리는 마을과 도시에서 공기가 오염된 지역들을 흔히 볼 수 있다. **1319** 그녀는 나의 수업 참여와 활동적이고 의구심을 가지고 있는 마음을 칭찬했다. **1320** 이것은 다른 모든 것보다 우선한다. **1321** 그들은 쇼핑객들이 이번 크리스마스에 많은 돈을 쓸 것이라고 예측한다. **1322** 대부분의 독자들은 그들이 (이해하기 위해) 많이 애쓰지 않아도 되는 것을 읽고 싶어한다. **1323** 주치의는 환자에게 약을 처방해준다. **1324** 나는 그렇게 하는 것은 결코 상상도 못하겠다. **1325** 그는 유식한 체한다. **1326** 요즘은 그런 생각들이 우세하다.

| 1327 **prevent** | 동 | 막다, 방해하다, 예방하다 | 92회 |

[privént]

Bad weather **prevented** us from starting.
→ prevention 명 방지, 예방　preventive 형 예방의, 방해하는

| 1328 **proceed** | 동 | 진행하다, 나아가다 | 23회 |

[prəsí:d]　혼동어
precede
동 앞서다

We should **proceed** with the project.

| 1329 **proclaim** | 동 | 포고하다, 선언하다 | 12회 |

[proukléim]

He **proclaimed** retirement as his only option.

| 1330 **produce** | 동 | 생산하다, 산출하다　명 농산물 | 196회 |

[prədjú:s]

It has taken over 15 years of research to **produce** OTAF. 대수능
➕ producer 명 생산자, 제작자　product 명 생산품, 제품　production 명 생산
productivity 명 생산성　productive 형 생산적인

| 1331 **prohibit** | 동 | 막다, 금하다 | 18회 |

[prouhíbit]

Scarcity **prohibits** the purchase of both and imposes a tradeoff — a book
or a date. 대수능
→ prohibition 명 금지, 금지령

| 1332 **prolong** | 동 | 늘이다, 연장하다, 오래 끌다 | 18회 |

[prəlɔ́:ŋ]

Mr. Chesler said foreign military aid was **prolonging** the war.

| 1333 **promise** | 동 | 약속하다　명 약속 | 89회 |

[prámis]

I **promise** you. I'll be with you.
→ promising 형 장래성 있는, 유망한

| 1334 **promote** | 동 | 조장하다, 장려하다, 진급시키다 | 59회 |

[prəmóut]

Greenpeace works to **promote** awareness of the dangers of our planet.
→ promotion 명 승진, 진급

| 1335 **pronounce** | 동 | 발음하다, 선언하다, 판단을 내리다 | 16회 |

[prənáuns]

The committee will **pronounce** on the matter in dispute.
→ pronunciation 명 발음(법)

[예문 해석] **1327** 악천후 때문에 우리는 출발하지 못했다. **1328** 우리는 그 프로젝트를 진행해야 한다. **1329** 그는 퇴직하는 수밖에 없다고 발표했다. **1330** OTAF를 생산하기 위해 15년 이상의 연구가 행해져 왔다. **1331** 희소성은 둘 다 구입하는 것을 막고 책과 데이트 사이에서 거래를 하도록 강요한다. **1332** Chesler 씨는 외국의 군사적 원조가 전쟁을 오래 끌고 있다고 말했다. **1333** 나는 약속드립니다. 당신과 함께 하겠습니다. **1334** Greenpeace는 지구를 위협하는 위험에 대한 경각심을 일깨우기 위해 일한다. **1335** 위원회는 논쟁 중인 그 문제에 대해 판단을 내릴 것이다.

| 1336 **propel** | 동 | 추진하다, 몰아대다 | 14회 |

[prəpél]

The country was being **propelled** towards civil war.
→ propeller 명 추진기, 프로펠러

| 1337 **prosper** | 동 | 번영하다, 성공하다 | 23회 |

[práspər]

혼동어
proper
형 적당한

The country is **prospering** under a strong government.
→ prosperity 명 번영, 번창   prosperous 형 번영하는, 부유한

★철자주의

| 1338 **protect** | 동 | 보호하다, 막다 | 146회 |

[prətékt]

The purpose of the court system is to **protect** the rights of the people. 대수능
→ protector 명 보호자, 보호물   protection 명 보후   protective 형 보호하는

| 1339 **protest** | 동 | 항의하다 명 항의, 이의 (제기) | 18회 |

[prətést]

I'm here to **protest** against removing this slum.
→ protester 명 항의자

| 1340 **provoke** | 동 | (특정한 반응을) 유발하다, 도발하다 | 15회 |

[prəvóuk]

There are some examples to **provoke** further discussion.

| 1341 **prove** | 동 | 증명하다, 입증하다 | 75회 |

[prúːv]

There has been a lot of research that **proves** our mind affects illness and healing. 대수능

| 1342 **provide** | 동 | 제공하다, 공급하다 | 249회 |

[prəváid]

They **provide** free medical treatment for disabled children of poor families. 대수능

★철자주의

| 1343 **publish** | 동 | 발행하다, 출판하다 | 31회 |

[pʌ́bliʃ]

Most of her novels are **published** in more than 20 languages. 대수능
→ publisher 명 출판업자   publication 명 출판, 출판물   publishing 형 출판업의

| 1344 **punish** | 동 | 처벌하다, 혼내다 | 27회 |

[pʌ́niʃ]

In order to teach this lesson, they sometimes **punish** their children. 대수능
→ punishment 명 벌, 처벌   punishing 형 벌하는, 지치게 하는

[예문 해석] **1336** 그 나라는 내전으로 치닫고 있었다. **1337** 그 국가는 강력한 정권 밑에서 번영을 누리고 있다. **1338** 사법 제도의 목적은 사람들의 권리를 보호하는 것이다. **1339** 나는 이 빈민가를 철거하는 것에 항의하려고 여기에 왔습니다. **1340** 추가적인 논쟁을 유발할 몇 가지 예들이 있다. **1341** 우리의 마음이 질병과 치료에 영향을 끼친다는 것을 증명하는 많은 연구조사들이 있다. **1342** 그들은 가난한 가정의 장애 어린이들에게 무료로 의료 처치를 제공한다. **1343** 그녀 소설의 대부분은 20개 이상의 언어로 출판되어 있다. **1344** 이러한 교훈을 가르치기 위해서 그들은 때때로 자식들을 혼낸다.

1345 purchase 　동 사다, 구입하다　명 구매, 획득　84회

[pə́:rtʃəs]

Sally entered into an agreement to **purchase** a house.
→ purchaser 명 사는 사람, 구매자

1346 pursue 　동 추적하다, 추구하다, 종사하다　51회

[pərsú:]

The policeman **pursued** the thief.
→ pursuit 명 추적, 추구, 일　pursuer 명 추적자

1347 qualify 　동 자격을 갖추다, 자격을 주다　28회

[kwάləfài]

Police do issue permits to **qualified** hunters. 대수능
→ qualified 형 자격이 있는

🔊 **police**, **people**, **cattle**은 형태는 단수이지만, 항상 복수 취급한다.

1348 quarrel 　동 말다툼하다　명 말다툼　11회

[kwɔ́:rəl]

We **quarrel** over nothing every time we meet.
➕ quarrelsome 형 말다툼을 잘하는, 성을 잘 내는

1349 raft 　동 뗏목을 타다　명 뗏목　12회

[rǽft]

We **rafted** ourselves across the stream.

1350 raid 　동 급습하다, 습격하다　명 급습, 습격　14회

[réid]

A wave of pirate **raided** on merchant ships.

표제어 이외의 주요 어휘

pardon	동 용서하다	preach	동 설교하다, 전도하다
partake	동 참가하다, 함께 하다	profess	동 공언하다, 고백하다
persecute	동 박해하다, 학대하다	punch	동 주먹으로 치다
pinch	동 꼬집다, 꽉 끼다	punctuate	동 구두점을 찍다, 말을 중단시키다
ponder	동 숙고하다, 깊이 생각하다	quake	동 흔들리다, 진동하다
postpone	동 연기하다, 미루다	quit	동 그만두다, 떠나다
pray	동 기도하다	quiver	동 떨리다, 흔들(리)다

[예문 해석] **1345** Sally는 집을 사기 위해 계약을 했다. **1346** 경찰은 도둑을 뒤쫓았다. **1347** 경찰은 자격을 갖춘 사냥꾼들에게 허가증을 발급한다. **1348** 우리는 만날 때마다 아무것도 아닌 일로 말다툼한다. **1349** 우리는 뗏목으로 강을 건넜다. **1350** 해적 떼가 상선을 급습했다.

DAY 27 수능 필수 **Daily IDIOMS**

make a speech
연설하다

He was called upon to **make a speech**.
그는 연설을 해 달라는 요청을 받았다.

make an effort
노력하다

But if he does something wrong, he must **make an effort** to obtain forgiveness.
그러나 만약 그가 그릇된 일을 한다면, 그는 용서를 구하려고 노력해야 한다.

make certain
확인하다, 반드시 ~하도록 하다

Make certain all windows are closed.
모든 유리창을 닫는 것을 확실히 해라.

make fun of
~을 놀림감으로 삼다, 놀리다

Who doesn't **make fun of** the boss?
이 세상에 사장 욕 안 하는 사람이 어디 있습니까?

make it
약속을 정하다, 해내다, 성공하다

Can you **make it** at five thirty on Saturday?
토요일 5시 30분에 가능하니?

make sense
이치에 맞다

Her answer does not **make sense**.
그녀의 대답은 이치에 맞지 않는다.

make sure
확실히 하다, 확인하다

Make sure you fasten your seat belt.
좌석 벨트를 꼭 매주세요.

make up
형성하다, 꾸미다, 화장하다

According to psychologists, your physical appearance **makes up** 55% of a first impression.
심리학자들에 의하면, 신체적인 외모가 첫인상의 55%를 형성한다고 한다.

DAY 27 암기를 위한 Daily TEST

💡 빈칸에 알맞은 단어나 뜻을 쓰시오.

01. overtake

02. 빚지다

03. participate

04. (길을) 포장하다

05. penalize

06. penetrate

07. perceive

08. perform

09. perish

10. perplex

11. persist

12. persuade

13. 꿰뚫다, 관통하다

14. 쌓아올리다

15. 던지다

16. plunge

17. polish

18. pollute

19. 칭찬하다

20. precede

21. predict

22. 선호하다

23. prescribe

24. presume

25. pretend

26. prevail

27. prevent

28. proceed

29. proclaim

30. 생산하다

31. prohibit

32. prolong

33. promise

34. promote

35. pronounce

36. propel

37. prosper

38. 보호하다, 막다

39. protest

40. provoke

41. 증명하다

42. provide

43. 발행하다

44. punish

45. purchase

46. pursue

47. qualify

48. quarrel

49. 뗏목을 타다

50. 급습하다

DAY 28

1351 raise 〔réiz〕 혼동어 rise 동 오르다 | 동 올리다, 일으키다, 기르다 | 116회
Please **raise** my allowance.

1352 realize 〔ríːəlàiz〕 | 동 깨닫다, 실현하다 | 375회
Realize reality and stop dreaming!

1353 reap 〔ríːp〕 혼동어 leap 동 뛰어오르다 | 동 거둬들이다, 수확하다 | 12회
The farmer sowed seeds and **reaped** what he sowed.

1354 recall 〔rikɔ́ːl〕 | 동 상기하다, 소환하다, 회수하다 | 44회
She **recalled** the night that her husband had been involved in a road accident.

> **recall**은 자동차 따위에서 '결함으로 인한 회수'라는 뜻으로도 많이 접하는 단어이며, 일상생활에서는 '기억하다'의 의미로 많이 쓰인다.

★철자주의

1355 recede 〔risíːd〕 | 동 물러나다, 멀어지다 | 16회
The event **receded** into the dim past.

1356 receive 〔risíːv〕 | 동 받다 | 168회 대수능
He smiled and told me I would **receive** an extra $5,000 a year! 대수능
→ receiver 명 받는 사람, 수화기 receipt 명 영수증

1357 recite 〔risáit〕 | 동 암송하다, 낭독하다 | 12회 대수능
Few people can **recite** a whole page of a book after reading it only once. 대수능
→ recital 명 암송, 독주

1358 recharge 〔riːtʃáːrdʒ〕 | 동 충전하다, 재충전하다 | 11회
Taking a bath helps relieve stress and **recharge** energy.

[예문 해석] **1351** 용돈 좀 올려주세요. **1352** 꿈 깨고 현실을 깨달아라! **1353** 그 농부는 씨앗을 뿌리고 자신이 뿌린 것을 거두어 들였다. **1354** 그녀는 남편이 도로 사고에 말려들었던 날 밤을 회상했다. **1355** 그 사건은 희미한 과거 속으로 멀어졌다. **1356** 그는 미소를 지었고 나에게 1년에 5,000달러를 추가로 받을 것이라고 말했다! **1357** 책을 한 번만 읽고 나서 책의 한 페이지 전체를 암기할 수 있는 사람은 거의 없다. **1358** 목욕은 스트레스를 감소시키고 에너지를 충전하는 것을 돕는다.

1359 recognize 동 인식하다 *113회*

[rékəgnàiz]

After two hours of hard work he could hardly **recognize** his room. 대수능

→ recognition 명 인식, 승인   recognizable 형 인식할 수 있는

1360 recollect 동 생각해 내다, 회상하다 *11회*

[rèkəlékt]

I **recollect** him saying so.

→ recollection 명 회상, 추억

1361 recommend 동 추천하다, 권고하다 *40회*

[rèkəménd]

Someone in your office **recommended** the hotel to me. 대수능

→ recommendation 명 추천   recommendable 형 추천할 만한

1362 recover 동 회복하다 *39회*

[rikávər]

The troubled economies will **recover** from the present economic hardships. 대수능

recover는 노력 없이 잃었던 것을 다시 손에 넣는 것을, **regain**은 빼앗긴 것을 강한 의지로 되찾는 것을 말한다.

1363 recreate 동 휴양하다, 기분 전환시키다 *14회*

[rékrièit]

A cup of coffee will **recreate** you.

1364 recur 동 재발하다, 순환하다, 상기되다 *13회*

[rikə́:r]

Old memories unexpectedly **recurred** to his mind.

1365 recycle 동 재활용하다 *50회*

[ri:sáikl]

I collected the old newspapers to **recycle**.

1366 reduce 동 줄이다, 낮추다 *155회*

[ridjú:s]

혼동어 produce 동 생산하다

Then they **reduce** the price according to the age of the computer. 대수능

→ reduction 명 축소, 할인

1367 refer 동 언급하다, 참조하다, 문의하다 *61회*

[rifə́:r]

The word 'babe' sometimes **refers** to an innocent or inexperienced person.

→ reference 명 언급, 참조, 문의   referee 명 중재인, 심판

[예문 해석] **1359** 두 시간 동안 힘들게 일한 후에 그는 자신의 방을 거의 알아볼 수가 없었다. **1360** 그가 그렇게 말한 것이 생각난다. **1361** 당신 사무실의 누군가가 나에게 그 호텔을 추천했습니다. **1362** 곤란을 겪고 있는 경제는 현재의 경제적 어려움에서 회복될 것이다. **1363** 커피 한 잔이 당신을 기분 전환시킬 것입니다. **1364** 옛 추억이 문득 그의 마음속에 떠올랐다. **1365** 나는 지난 신문들을 재활용하기 위해 모았다. **1366** 그러고 나서 그들은 컴퓨터가 얼마나 오래되었느냐에 따라 가격을 낮춘다. **1367** babe라는 말은 때로 순진하거나 미숙한 사람을 가리킨다.

| 1368 **refine** | 동 | 정제하다, 세련되게 하다 | 18회 |

[rifáin] 혼동어
define
동 정의하다

More inexpensive ways of **refining** oil are being developed.

| 1369 **reflect** | 동 | 반사하다, 반영하다, 숙고하다 | 95회 |

[riflékt]

What we buy **reflects** what we value in life.
→ reflection 명 반사, 반영, 숙고   reflective 형 반사하는, 생각에 잠긴

| 1370 **reform** | 동 | 개혁하다, 개정하다 | 17회 |

[rifɔ́:rm]

They **reformed** the voting system, and introduced a secret ballot.
→ reformation 명 개혁, 개정, 개선   reformer 명 개혁가

| 1371 **refrain** | 동 | 그만두다, 삼가다 | 15회 |

[rifréin]

Please **refrain** from playing loud music in residential areas.
✪ refrain oneself 자제하다, 근신하다

| 1372 **refresh** | 동 | 상쾌하게 하다, 새롭게 하다 | 25회 |

[rifréʃ]

Being with her is as **refreshing** as a cool shower on a hot day. 대수능

| 1373 **refrigerate** | 동 | 냉각하다, 서늘하게 하다 | 17회 |

[rifrídʒərèit]

It lasts a few weeks, if you keep it **refrigerated**.
→ refrigerator 명 냉장고   refrigeration 명 냉동

| 1374 **refuse** | 동 | 거절하다, 거부하다 | 34회 |

[rifjú:z] 혼동어
defuse
동 완화시키다

There are children who are so rude that they **refuse** to accept any rules. 대수능

| 1375 **register** | 동 | 등록하다, 가리키다 | 35회 |

[rédʒistər]

When I entered the subway, the thermometer I had with me **registered** 32℃. 대수능
→ registration 명 등록

| 1376 **regulate** | 동 | 규제하다, 조절하다 | 31회 |

[régjulèit]

The government has a right to **regulate** working conditions.

[예문 해석] **1368** 석유를 정제하는 더 값싼 방법이 개발되고 있다. **1369** 우리가 구입하는 것은 우리가 삶에서 가치 있게 여기는 것을 반영한다. **1370** 그들은 투표 제도를 개정하여 비밀 투표제를 도입했다. **1371** 주택가에서는 음악을 크게 트는 것을 삼가주시기 바랍니다. **1372** 그녀와 함께 있다는 것은 무더운 날의 시원한 소나기처럼 상쾌하다. **1373** 냉장 상태로 보관한다면, 그것은 몇 주 동안 오래 간다. **1374** 너무 무례해서 어떠한 규칙도 받아들이려 하지 않는 아이들이 있다. **1375** 내가 지하철에 들어갔을 때, 내가 갖고 있던 온도계는 섭씨 32도를 가리켰다. **1376** 정부는 근로환경을 규제할 권리를 가지고 있다.

1377 rehabilitate 동 원상태로 되돌리다, 사회 복귀시키다 14회

[rìːhəbílətèit]

This program is very effective to **rehabilitate** former criminals.
→ rehabilitation 명 사회 복귀, 명예 회복

[re(=again)+habilit(=suitable)+ate(=make)] habilit는 '적합한'의 의미이다.

1378 reject 동 거절하다, 거부하다 38회

[ridʒékt] 혼동어
inject
동 주사하다

When she knew she was **rejected** for the job, she sank into a chair. 대수능
→ rejection 명 거절, 거부

1379 rejoice 동 기뻐하다, 축하하다 17회

[ridʒɔ́is]

The whole nation were **rejoiced** to hear the news.

rejoice at은 주로 남의 일에 대한 기쁨을, rejoice in은 자기 일을 기뻐하는 경우를 나타낸다.

1380 relate 동 관련시키다, ~에 대하여 이야기하다 250회

[riléit]

The problems **related** with wet ink could now be avoided. 대수능
→ relation 명 관계　relationship 명 관계, 친척 관계

1381 release 동 풀어 놓다, 해방(석방)하다　명 석방 44회

[rilíːs]

The government **released** some prisoners.

1382 relieve 동 경감하다, 구제하다, 안심시키다 115회

[rilíːv]

Play is physically restful and **relieves** tensions as we share our emotions with others. 대수능
→ relief 명 구제, 기분 전환　◎ relieve A of B A에서 B를 구제(경감)하다

1383 rely 동 의지하다, 신뢰하다 64회

[rilái]

The health clinic is **relying** on volunteers to run the office.
→ reliance 명 신뢰　reliable 형 믿을 수 있는　reliant 형 믿는

★철자주의

1384 remain 동 남아 있다, 여전히 ~하다 142회

[riméin]

She opened one **remaining** card, and found these words printed on it. 대수능

1385 remind 동 생각나게 하다, 상기시키다 40회

[rimáind]

Suddenly I am **reminded** of the old days. 대수능

[예문 해석] **1377** 이 프로그램은 이전의 범죄자들을 사회 복귀시키는 데 매우 효과적이다. **1378** 그녀가 그 직장에서 거부되었다는 것을 알았을 때, 그녀는 의자에 풀썩 주저앉았다. **1379** 그 소식을 듣고 온 국민이 환호했다. **1380** 젖은 잉크와 관련된 문제들은 이제야 피할 수 있었다. **1381** 정부는 몇 명의 죄수를 석방했다. **1382** 놀이는 육체적인 휴식을 주며 우리가 다른 사람들과 우리의 감정을 공유할 때 긴장을 덜어준다. **1383** 그 건강 클리닉은 사무실을 운영하는 자원 봉사자에게 의지하고 있다. **1384** 그녀는 남아 있는 한 장의 카드를 열어보고 이러한 글자들이 쓰여 있음을 발견했다. **1385** 지난 시절이 문득 생각난다.

1386 remove 동 제거하다, 옮기다 `80회`

[rimú:v]

First, they **removed** all parts inside the body except the heart. `대수능`
→ removal 명 제거, 면직 removable 형 제거할 수 있는

1387 render 동 주다, ~이 되게 하다 `16회`

[réndər]

The equipment has been **rendered** obsolete before it was ever used. `대수능`
✪ render up (기도 따위를) 올리다, ~을 말하다

1388 renew 동 새롭게 하다, 갱신하다 `11회`

[rinjú:]

So just come in and **renew** your visa before it expires.
→ renewal 명 갱신

1389 renovate 동 새롭게 하다, 수리하다, 혁신하다 `11회`

[rénəvèit]

I'd like to **renovate** my old house.
→ renovation 명 개선, 수리, 혁신

1390 repel 동 쫓아버리다, 격퇴하다 `13회`

[ripél] 혼동어
propel
동 나아가게 하다

This cream **repels** insects.

1391 replace 동 대체하다, 제자리에 놓다 `61회`

[ripléis]

Will cyber schools **replace** traditional schools some day? `대수능`
→ replacement 명 대체, 교체, 반환 replaceable 형 대체할 수 있는

1392 reply 동 대답하다, 응답하다 명 대답 `61회`

[riplái]

Well. I'm busy **replying** to my fans. `대수능`

1393 represent 동 나타내다, 대표하다, 표현하다 `87회`

[rèprizént]

Red **represents** anger for some people. `대수능`
→ representation 명 대표, 표현 representative 명 대표자, 대리인, 대의원

1394 reproduce 동 복사하다, 재생하다, 번식하다 `37회`

[rìprədús]

Parrots are known for their ability to **reproduce** human speech.

[예문 해석] **1386** 우선 그들은 심장을 제외한 신체의 모든 장기들을 제거했다. **1387** 그 장비는 사용되기도 전에 구식이 되어버렸다. **1388** 그럼 입국하셔서 만기 전에 비자를 갱신하십시오. **1389** 내 낡은 집을 수리하고 싶다. **1390** 이 크림은 곤충을 쫓아버린다. **1391** 사이버 학교들이 전통적인 학교들을 언젠가 대체할까요? **1392** 글쎄요. 나는 나의 팬들에게 편지를 쓰느라 바쁩니다. **1393** 빨강은 일부 사람들에게 분노를 의미한다. **1394** 앵무새는 사람의 말을 흉내 내는 능력으로 알려져 있다.

1395 require 동 요구하다, 필요로 하다 216회

[rikwáiər]

A delinquent person is one who fails to do what law or obligation **requires**.
→ requirement 명 요구, 필요 requisite 형 필요한, 필수의

1396 rescue 동 구조하다, 구출하다 명 구출, 구원 23회

[réskju:]

The World Wildlife Foundation has **rescued** several species of animals since 1961. 대수능
✪ a rescue operation 구조 작전

1397 resent 동 분개하다, 원망하다 16회

[rizént]

Everybody began to **resent** his rude behavior and frequent interference.
→ resentment 명 노함, 분개 resentful 형 분개한 대수능

1398 reserve 동 남겨두다, 예약하다, 보류하다 61회

[rizə́:rv] 혼동어
reverse
동 반전시키다

The pleasures of contact with the natural world are not **reserved** just for the artists. 대수능
→ reservation 명 예약, 보류

★ 철자 주의

1399 reside 동 거주하다, 존재하다 37회

[rizáid]

Margaret **resides** with her invalid mother in a London suburb.
→ residence 명 주거, 주택, 거주 resident 명 거주자 residential 형 주거의

1400 resign 동 사임하다, 포기하다 14회

[rizáin] 혼동어
assign
동 할당하다

The Opposition requested the Cabinet to **resign** en bloc.
→ resignation 명 사직, 체념

표제어 이외의 **주요 어휘**

ramble	동 이리저리 거닐다, 두서없이 말하다	rekindle	동 다시 불타다
rearrange	동 재정리하다, 재배열하다	relax	동 휴식을 취하다
reassure	동 안심시키다, 재보증하다	relent	동 (마음이) 누그러지다, 부드러워지다
recapture	동 탈환하다, 되찾다	rent	동 빌리다, 임대하다
reckon	동 (수를) 세다, 계산하다	repair	동 고치다, 수선하다
redeem	동 되찾다, 상환하다	repent	동 후회하다, 뉘우치다
redress	동 바로잡다, 시정하다	report	동 보도하다
rejuvenate	동 다시 젊어지게 하다	reproach	동 비난하다, 나무라다

[예문 해석] **1395** 직무 태만한 사람이란 법이나 의무가 요구하는 바를 이행하지 못하는 사람이다. **1396** 세계 야생동물 협회는 1961년 이후 몇몇 종의 동물들을 구해왔다. **1397** 모든 사람들이 그의 무례한 행동과 빈번한 간섭에 분개하기 시작했다. **1398** 자연의 세계와 접촉하는 즐거움은 예술가들에게만 국한된 것은 아니다. **1399** Margaret은 런던 교외에서 그녀의 아픈 어머니와 함께 산다. **1400** 야당은 내각의 총 퇴진을 요구했다.

DAY 28 수능 필수 Daily IDIOMS

make up for
보충하다

That will **make up for** everything.
그것이 모든 것을 보충해줄 것이다.

make up one's mind
결심하다

It is early days yet to **make up one's mind**.
결심하기에는 아직 이르다.

make yourself at home
편안히 하다

Make yourself at home and sit comfortably.
어려워하지 말고 편히 앉으시오.

mess up
망치다

I don't want to **mess up** this time.
이번엔 망치고 싶지 않아요.

name after
~의 이름을 따서 명명하다

Jack was **named after** his grandfather.
Jack은 그의 할아버지의 이름을 따서 이름이 지어졌다.

needless to say
말할 것도 없이, 물론

Needless to say it is our duty to do so.
그것은 말할 것도 없이 우리가 할 일이다.

neither A nor B
A도 B도 아니다

The story is **neither** realistic **nor** humorous.
그 이야기는 사실적이지도 않고 해학적이지도 않다.

no longer
더 이상 ~않다

It's **no longer** possible.
그것은 더 이상은 불가능하다.

DAY 28 암기를 위한 Daily TEST

맞은 개수 〇 / 50문항

💡 빈칸에 알맞은 단어나 뜻을 쓰시오.

01. 올리다, 일으키다 _____
02. realize _____
03. 거둬들이다 _____
04. 상기하다 _____
05. recede _____
06. receive _____
07. 암송하다 _____
08. recharge _____
09. recognize _____
10. recollect _____
11. recommend _____
12. 회복하다 _____
13. recreate _____
14. 재발하다 _____
15. recycle _____
16. reduce _____
17. 언급하다 _____
18. 정제하다 _____
19. reflect _____
20. reform _____
21. refrain _____
22. 상쾌하게 하다 _____
23. refrigerate _____
24. 거절하다 _____
25. register _____

26. regulate _____
27. rehabilitate _____
28. 거절하다, 거부하다 _____
29. rejoice _____
30. relate _____
31. release _____
32. relieve _____
33. 의지하다, 신뢰하다 _____
34. remain _____
35. remind _____
36. 제거하다, 옮기다 _____
37. render _____
38. 새롭게 하다 _____
39. renovate _____
40. repel _____
41. replace _____
42. 대답하다, 응답하다 _____
43. represent _____
44. reproduce _____
45. require _____
46. rescue _____
47. resent _____
48. reserve _____
49. 거주하다 _____
50. resign _____

PART II 동사

1401 resist
[rizíst] 혼동어 persist 동 고집하다
동 저항하다, 견디다   68회
Some teachers suffer because their pupils **resist** them. 대수능
→ resistance 명 저항   resistant 형 저항하는

1402 respect
[rispékt]
동 존경하다   명 존경, 점, 측면   95회
Parents should **respect** their other-sex child's different way of speaking.
대수능
→ respective 형 각각의, 각자의   respecting 전 ~에 관하여

1403 respond
[rispánd]
동 반응하다, 응답하다   106회
Another child **responded**, "I want to be a millionaire." 대수능
→ response 명 응답, 반응   respondent 명 답변자

1404 rest
[rést]
동 쉬다, 의존하다   명 휴식, 안정   95회
All knowledge **rests** on experience.
→ restful 형 편안한, 평온한

★ 철자 주의

1405 restrain
[ristréin]
동 억제하다, 제지하다, 구속하다   17회
He was so angry he could hardly **restrain** himself.

1406 restrict
[ristríkt]
동 제한하다, 한정하다, 속박하다   41회
Congress is considering measures to **restrict** the sale of cigarettes.
→ restriction 명 제한, 한정

1407 resume
[rizú:m]
동 다시 차지하다, 다시 시작하다   15회
Full service will **resume** on the twelfth.
→ resumption 명 되찾음, 회수, 재개시

1408 retain
[ritéin]
동 보유하다, 계속 유지하다   19회
We manufacture memory products that **retain** their data.
→ retention 명 보유, 보류, 유지

[예문 해석] **1401** 일부 선생님들은 학생들이 그들에게 대들기 때문에 고통을 받는다. **1402** 부모들은 성별이 다른 자녀의 다르게 말하는 방식을 존중해야 한다. **1403** 또 다른 아이는 "저는 백만장자가 되고 싶어요."라고 응답했다. **1404** 모든 지식은 경험에 의존한다. **1405** 그는 너무 화가 나서 거의 거의 자제할 수가 없었다. **1406** 의회는 담배 판매를 제한하는 조치를 고려하고 있다. **1407** 모든 시설의 이용은 12일부터 재개될 것이다. **1408** 우리는 데이터를 보유하는 메모리 제품을 생산한다.

1409 retire 　동 은퇴하다, 물러나다　25회

[ritáiər]
Fortunately, I seem to remember that I'm **retired**. 대수능
→ retirement 명 은퇴, 은둔　retiree 명 은퇴자

1410 retreat 　동 퇴각하다　명 퇴각, 은퇴　17회

[ritríːt]
The flood waters slowly **retreated**.

1411 retrieve 　동 회수하다, 되찾다, 회복하다　16회

[ritríːv]
Don't try to **retrieve** food or belongings that a bear might have taken.
→ retrieval 명 회수, 만회

1412 return 　동 돌아오다, 돌려주다　명 귀환, 반환　146회

[ritə́ːrn]
She **returned** to the shop the following morning dressed in a fur coat.
♦ in return for ~의 답례로　대수능

> 💡 **return**은 매우 정적이고 격식을 차린 표현에 쓰는 단어이다. 일상 대화에서 원어민들은 **go back**, **come back**, **get back**을 쓴다. **return** 뒤에 **back**을 쓰지 않도록 주의한다.

1413 reveal 　동 나타내다, 밝히다　63회

[rivíːl]
How you draw a picture of your parents can **reveal** much about yourself. 대수능
→ revelation 명 폭로

1414 review 　동 다시 보여주다, 복습하다, 재검토하다　명 복습, 재검토, 평론　35회

[rivjúː]
The evening newscast **reviewed** the happenings of the day.

1415 revise 　동 개정하다, 교정하다　17회

[riváiz]
This book has been completely **revised**.
→ revision 명 개정, 교정

1416 rid 　동 제거하다　13회

[ríd] 혼동어
reed 명 갈대
We should get **rid** of all the cars in the world. 대수능
♦ get rid of ~을 제거하다

1417 ridicule 　동 놀리다, 비웃다, 조롱하다　명 비웃음, 조소, 조롱　15회

[rídikjùːl]
Don't **ridicule** your friends.
→ ridiculous 형 우스운, 어리석은

[예문 해석] **1409** 다행히도, 나는 내가 은퇴했다는 것은 기억하는 것 같다. **1410** 범람한 물이 서서히 빠졌다. **1411** 곰이 물어 갔다고 해서 음식이나 소지품을 되찾으러 가지 마십시오. **1412** 그녀는 그 다음 날 아침 모피코트를 입고서 가게에 다시 왔다. **1413** 당신이 당신의 부모님들을 어떻게 그리느냐는 당신 자신에 대한 많은 것을 나타내줄 수 있다. **1414** 저녁 뉴스 방송은 하루 동안의 사건들을 다시 보여주었다. **1415** 이 책은 전면 개정되었다. **1416** 우리는 세상에 있는 모든 차들을 제거해야 한다. **1417** 친구를 놀리지 마라.

1418 rip 〈동〉 쪼개다, 째다, 찢다 12회

[ríp]

She **ripped** up his letter without reading it.

1419 roam 〈동〉 (건들건들) 거닐다, 방랑하다, 배회하다 13회

[róum]

I think the zoo should let their animals **roam** around as freely as possible.

★철자주의

1420 roar 〈동〉 으르렁거리다, 고함치다 11회

[rɔ́ːr]

The crowd **roared** when he caught the ball.

1421 rot 〈동〉 썩다, 썩히다 14회

[rát]

Too much sweets will **rot** your teeth.

★철자주의

1422 rob 〈동〉 훔치다, 털다 16회

[ráb]

Two men formed a plot to **rob** the bank.
→ robber 〈명〉 도둑, 강도   robbery 〈명〉 강도 행위, 약탈

1423 rub 〈동〉 문지르다, 마찰하다 17회

[ráb]

He **rubbed** his eyes and yawned.

1424 rotate 〈동〉 회전하다, 교대하다 17회

[róuteit]

The fact that the earth **rotates** is apparent to everybody.
→ rotation 〈명〉 회전, 교대, 순환

1425 rush 〈동〉 돌진하다, 달려들다 18회

[ráʃ]

A turbulent mob **rushed** into the store.

1426 saw 〈동〉 톱질하다 〈명〉 톱 154회

[sɔ́ː]

혼동어
sow
〈동〉 (씨를) 뿌리다

He's **sawing** a wood plank to make a chair.
✚ sew 〈동〉 꿰매다, 깁다

[예문 해석] **1418** 그녀는 그의 편지를 읽지도 않고 찢어버렸다. **1419** 동물원은 동물들이 가능한 한 자유롭게 돌아다니게 해야 한다고 나는 생각한다. **1420** 그가 공을 잡자 관중들은 고함을 쳤다. **1421** 단것을 너무 많이 먹으면 이가 썩는다. **1422** 두 남자는 은행을 털자는 음모를 꾸몄다. **1423** 그는 눈을 비비고 하품을 했다. **1424** 지구가 자전한다는 사실은 모두에게 명백하다. **1425** 소란스러운 군중이 가게 안으로 돌진했다. **1426** 그는 의자를 만들기 위해 널빤지를 톱질하고 있다.

1427 scan 동 자세히 조사하다, 탐지하다, 대충 훑어보다 16회

[skǽn]

All USB ports must be **scanned** immediately upon entry to this building.
→ scanner 명 정밀히 조사하는 사람, 스캐너

1428 scatter 동 뿌리다, 흩뿌리다 14회

[skǽtər]

The farmer **scattered** seeds over the field.

1429 scoop 동 국자로 푸다 명 국자, 큰 숟가락 15회

[skúːp]

The man is **scooping** ice cream into the container.

1430 scrape 동 문지르다, 긁어모으다 18회

[skréip] 혼동어
scrap
명 조각

First you should dry the mud and then **scrape** it off.

1431 scratch 동 긁다, 할퀴다, 휘갈겨 쓰다 11회

[skrǽtʃ]

I **scratched** the place where the mosquito bit me.

1432 scrub 동 비벼 빨다, 북북 문지르다 12회

[skrʌ́b] 혼동어
shrub
명 관목

Scrub the toilets with abrasive cleanser and then rinse them thoroughly.

1433 scrutinize 동 자세히 조사하다, 음미하다 12회

[skrúːtənàiz]

Federal bank examiners **scrutinized** the books of 600 financial institutions.

1434 search 동 찾다, 조사하다 79회

[sə́ːrtʃ]

The dog could **search** a car for drugs in just five minutes. 대수능
✪ search for ~을 찾다

1435 season 동 맛을 내다, 흥미를 돋우다, 익숙케 하다 명 계절 14회

[síːzn]

Season it with garlic.
→ seasoning 명 조미료, 양념, 흥취 seasoned 형 양념한, 경험이 많은

[예문 해석] **1427** 이 건물에 반입되는 모든 USB는 즉시 검사를 받아야 한다. **1428** 농부는 밭에 씨를 뿌렸다. **1429** 남자가 아이스크림을 국자로 퍼서 용기 안에 넣고 있다. **1430** 우선 진흙을 말린 다음에 문질러서 털어내야 한다. **1431** 나는 모기 물린 곳을 긁었다. **1432** 변기는 연마 세척제로 빡빡 문지른 후 말끔하게 헹궈주세요. **1433** 연방은
행 감독관들은 600개의 금융기관들의 회계 장부를 자세히 조사했다. **1434** 그 개는 단 5분이면 차에 있는 마약을 찾을 수 있을지도 모른다. **1435** 마늘을 넣어 맛을 내라.

1436 **segregate**	동	분리하다, 격리하다	11회

[ségrigèit]

Police **segregated** the two rival camps of protesters.
→ segregation 명 분리, 격리, 차단

1437 **seize**	동	붙잡다, 붙들다	17회

[síːz]

He is prompt to **seize** an opportunity.

1438 **separate**	동	떼어 놓다, 분리하다, 나누다	66회

[sépərèit]

Kidneys **separate** waste liquid from the blood.
→ separation 명 분리, 떨어짐, 이탈

1439 **serve**	동	섬기다, 봉사하다, 도움이 되다	116회

[sə́ːrv]

Oceans **serve** as the main arteries of transportation between continents.
→ service 명 서비스, 봉사

1440 **settle**	동	정착하다, 진정하다, 해결하다	36회

[sétl]

I **settle** down comfortably in a barber chair and listen to the barber. 대수능
→ settlement 명 정착(지), 정주

1441 **shatter**	동	산산이 부수다, 박살내다	13회

[ʃǽtər]

The office calm was **shattered** by a series of crises.

1442 **shed**	동	흘리다, 뿌리다 명 헛간, 광	17회

[ʃéd] 혼동어 shred 동 찢다

The girl **shed** tears.
✪ shed light on ~을 비추어 보다

1443 **shift**	동	이동하다, 자리를 옮기다	49회

[ʃíft] 혼동어 rift 명 균열

Apparently the odds have started to **shift**.
➕ sift 동 체로 치다, 걸러내다

1444 **shine**	동	비추다	26회

[ʃáin]

We can see an object only when a light **shines** on it. 대수능
→ shiny 형 빛나는

[예문 해석] **1436** 경찰은 두 라이벌 항의자 진영을 격리시켰다. **1437** 그는 기회 포착이 빠르다. **1438** 신장은 피에서 노폐물을 걸러낸다. **1439** 대양들은 대륙 간 수송의 대동맥 구실을 한다. **1440** 나는 편안하게 이발소 의자에 앉아 이발사의 말에 귀를 기울인다. **1441** 문제가 계속 터지면서 사무실의 평온함이 깨져버렸다. **1442** 소녀는 눈물을 흘렸다. **1443** 아무래도 승산이 바뀌기 시작한 것 같다. **1444** 우리는 빛이 사물을 비출 때만 사물을 볼 수 있다.

1445 shiver 　　　　　　동 와들와들 떨다 　　　　　　　　　　　16회

[ʃívər] 　　　　　　Her lips **shivered**.

1446 shove 　　　　　　동 밀치다, 떠밀다 　　　　　　　　　　　11회

[ʃʌ́v] 　　　　　　He **shoved** open the door.

1447 shrink 　　　　　　동 오그라들다, 축소시키다 　　　　　　　19회

[ʃríŋk] 　　　　　　Hot water **shrinks** woolen clothes.
　　　　　　→ shrinkage 명 줄이기, 축소

1448 shrug 　　　　　　동 (어깨를) 으쓱하다 　　　　　　　　　　15회

[ʃrʌ́g] 　　　　　　He just **shrugged** and said, "Sorry, kid."
　　　　　　✿ shrug one's shoulders 어깨를 으쓱하다

1449 shuffle 　　　　　　동 발을 질질 끌다, 뒤섞다 　　　　　　13회

[ʃʌ́fl] 　　　　　　The man is **shuffling** the deck.
혼동어
ruffle
동 구기다

1450 sigh 　　　　　　동 한숨 쉬다, 탄식하다 　　　　　　　　　10회

[sái] 　　　　　　She **sighed**, letting out a long moan.

표제어 이외의 **주요 어휘**

resound	동 울리다, 울려 퍼지다	scream	동 소리 지르다
retard	동 속력을 늦추다, 더디게 하다	secrete	동 분비하다, 비밀로 하다, 은닉하다
revere	동 존경하다, 숭배하다	seek	동 찾다, 추구하다
revert	동 본 상태로 되돌아가다	seem	동 ~처럼 보이다, ~인 것 같다
rouse	동 깨우다, 일으키다	select	동 선택하다, 고르다
ruffle	동 구기다, 주름살이 지게 하다	share	동 나누다
scold	동 나무라다, 잔소리하다	shimmer	동 희미하게 반짝이다
scout	동 수색하다	shout	동 외치다, 큰 소리로 말하다

[예문 해석] **1445** 그녀의 입술이 파르르 떨렸다. **1446** 그는 문을 밀어 열었다. **1447** 모직 옷은 뜨거운 물에 수축된다. **1448** 그는 어깨를 한 번 으쓱하더니, "미안하다, 꼬마야."라고 말했다. **1449** 남자가 카드를 섞고 있다. **1450** 그녀는 긴 신음을 내며 한숨을 쉬었다.

DAY 29 수능 필수 Daily IDIOMS

no wonder
당연한

It's **no wonder** she's tired.
그녀가 피곤한 것은 당연하다.

not ~ any more
더 이상 ~않다

I can't take it **any more**.
더 이상 참을 수가 없다.

not ~ at all
전혀 ~않다

Most of them did **not** want to be there **at all**.
그들 대부분은 거기에 있는 것을 전혀 원하지 않았다.

not merely A but (also) B
A뿐만 아니라 B도

He does **not merely** preach religion **but** lives it as well.
그는 단지 종교를 설교할 뿐만 아니라 스스로 실천한다.

of no use
소용없는

It is **of no use** to cry.
울어도 소용없다.

on a large scale
대량으로, 대규모로, 거창하게

My parents used to entertain friends **on a large scale**.
우리 부모님은 거창하게 친구들을 환대하시곤 했다.

on one's way home
집으로 가는 중에

Tom stopped at the fish shop as usual **on his way home**.
Tom은 집으로 돌아오는 길에 평소와 같이 생선가게에서 멈췄다.

on the average
평균적으로

On the average women live longer than men.
평균적으로 여자가 남자보다 오래 산다.

DAY 29 암기를 위한 Daily TEST

맞은 개수 ___ / 50문항

💡 빈칸에 알맞은 단어나 뜻을 쓰시오.

01. resist
02. respect
03. 반응하다
04. 쉬다, 의존하다
05. restrain
06. restrict
07. resume
08. 보유하다
09. 은퇴하다
10. retreat
11. retrieve
12. 돌아오다
13. reveal
14. 다시 보여주다
15. revise
16. 제거하다
17. ridicule
18. 쪼개다, 째다
19. roam
20. 으르렁거리다
21. rot
22. 훔치다, 털다
23. 문지르다
24. rotate
25. 돌진하다

26. 톱질하다
27. 자세히 조사하다
28. scatter
29. scoop
30. scrape
31. scratch
32. scrub
33. scrutinize
34. 찾다, 조사하다
35. 맛을 내다
36. segregate
37. 붙잡다, 붙들다
38. separate
39. 섬기다
40. 정착하다
41. shatter
42. 흘리다, 뿌리다
43. 이동하다
44. 비추다
45. shiver
46. 밀치다, 떠밀다
47. shrink
48. shrug
49. shuffle
50. 한숨 쉬다

1451 **sightsee**	동 관광하다	15회

[sáitsì]

I've been to England twice for **sightseeing**.

1452 **simulate**	동 ~의 모의 실험을 하다, 가장하다, 흉내 내다	10회

[símjulèit] 혼동어
stimulate
동 자극하다

Add network delays to **simulate** connection speeds in your test environment.
→ simulation 명 가상, 흉내, 모의 실험

1453 **sink**	동 가라앉다, 침몰하다 명 (부엌의) 싱크대	29회

[síŋk]

The ship is **sinking**.
↔ float 동 뜨다

1454 **skim**	동 (수면을) 스쳐 지나가다, 위에 뜬 찌꺼기를 걷어내다	13회

[skím]

A bird **skimmed** over the water.

★ 철자 주의

1455 **slap**	동 찰싹 때리다 명 찰싹 때리기	17회

[slǽp]

She **slapped** him on the cheek.

1456 **slip**	동 (찍) 미끄러지다	23회

[slíp]

She **slipped** on the ice.
→ slipper 명 실내화   slippery 형 미끄러운, 반들반들한

1457 **snatch**	동 와락 붙잡다, 잡아채다, 강탈하다	13회

[snǽʧ]

The thief **snatched** my purse and left me penniless in the big city.

1458 **sneak**	동 몰래 움직이다, 가만히 움직이다	14회

[sníːk]

He **sneaked** his hand to the pistol.
→ sneaker 명 몰래 행동하는 사람, (pl.) 소리가 안 나는 고무바닥 운동화

[예문 해석] **1451** 나는 관광하러 영국에 두 번 가보았다. **1452** 당신의 테스트 환경에서 연결 속도를 모의 실험하기 위해 네트워크 지연을 추가하라. **1453** 배가 가라앉고 있다. **1454** 새가 수면을 스쳐 날아갔다. **1455** 그녀는 그의 따귀를 찰싹 때렸다. **1456** 그녀는 얼음판에서 미끄러졌다. **1457** 그 도둑이 내 지갑을 훔쳐 가서 나를 대도시에서 무일푼이 되게 했다. **1458** 그는 몰래 손을 권총 쪽으로 가져갔다.

★철자주의

| 1459 **sniff** | 동 | 코를 킁킁거리다, 냄새를 맡다 | 18회 |

[sníf]

The dog **sniffed** at the stranger.

| 1460 **snore** | 동 | 코를 골다 | 17회 |

[snɔ́ːr]

His mouth was open, and he was **snoring**.

| 1461 **soak** | 동 | 잠기다, 젖다, 스며들다 | 13회 |

[sóuk]

Humans do not simply **soak** up knowledge like sponges. 대수능

| 1462 **soar** | 동 | 높이 날다, 급등하다, 치솟다 | 10회 |

[sɔ́ːr]

Stock prices **soared** when the threat of war disappeared.

| 1463 **sob** | 동 | 흐느껴 울다, 흐느끼다 | 12회 |

[sáb]

The child **sobbed** with fear.
✿ sob one's eyes out 몹시 울어 눈이 붓다

| 1464 **solicit** | 동 | 간청하다, 구하다, 부탁하다 | 11회 |

[səlísit] 혼동어
explicit
형 명백한, 솔직한

She was **soliciting** funds for the Red Cross.
→ solicitation 명 간청

| 1465 **solve** | 동 | 해결하다, 풀다 | 190회 |

[sálv]

This problem may seem impossible to **solve**. 대수능
→ solvent 명 용제   solution 명 용해, 해결   solvable 형 풀 수 있는

| 1466 **soothe** | 동 | 달래다, 위로하다, 진정시키다 | 17회 |

[súːð]

The mother **soothed** her crying baby.
→ soothing 형 달래는, 진정시키는

| 1467 **sow** | 동 | 씨를 뿌리다 | 14회 |

[sóu] 혼동어
sew
동 바느질하다

The field is moderately wet and just right for **sowing**.

[예문 해석] **1459** 개는 낯선 사람의 냄새를 킁킁대며 맡았다. **1460** 그는 입을 열고서 코를 골고 있었다. **1461** 인간은 스펀지처럼 지식을 단순히 흡수하지는 않는다. **1462** 전쟁의 위협이 사라지자 주가가 치솟았다. **1463** 그 아이는 무서워 흐느껴 울었다. **1464** 그녀는 적십자 기금을 요청하고 있었다. **1465** 이 문제는 해결하기에 불가능해 보일지 모른다. **1466** 그 엄마는 자신의 우는 아기를 달랬다. **1467** 땅이 약간 축축해서 씨를 뿌리기에 아주 알맞다.

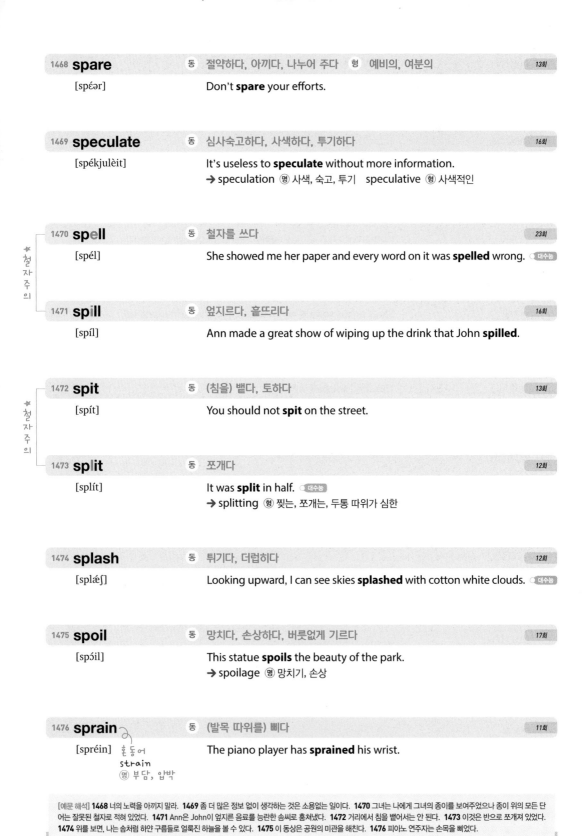

1468 spare 〈동〉 절약하다, 아끼다, 나누어 주다 〈형〉 예비의, 여분의 〔13회〕

[spéər]

Don't **spare** your efforts.

1469 speculate 〈동〉 심사숙고하다, 사색하다, 투기하다 〔16회〕

[spékjulèit]

It's useless to **speculate** without more information.
→ speculation 〈명〉 사색, 숙고, 투기   speculative 〈형〉 사색적인

★철자주의

1470 spell 〈동〉 철자를 쓰다 〔23회〕

[spél]

She showed me her paper and every word on it was **spelled** wrong. 〈대수능〉

1471 spill 〈동〉 엎지르다, 흩뜨리다 〔16회〕

[spíl]

Ann made a great show of wiping up the drink that John **spilled**.

★철자주의

1472 spit 〈동〉 (침을) 뱉다, 토하다 〔13회〕

[spít]

You should not **spit** on the street.

1473 split 〈동〉 쪼개다 〔12회〕

[splít]

It was **split** in half. 〈대수능〉
→ splitting 〈형〉 찢는, 쪼개는, 두통 따위가 심한

1474 splash 〈동〉 튀기다, 더럽히다 〔12회〕

[splǽʃ]

Looking upward, I can see skies **splashed** with cotton white clouds. 〈대수능〉

1475 spoil 〈동〉 망치다, 손상하다, 버릇없게 기르다 〔17회〕

[spɔ́il]

This statue **spoils** the beauty of the park.
→ spoilage 〈명〉 망치기, 손상

1476 sprain 〈동〉 (발목 따위를) 삐다 〔11회〕

[spréin] 혼동어
strain
〈명〉 부담, 압박

The piano player has **sprained** his wrist.

[예문 해석] **1468** 너의 노력을 아끼지 말라. **1469** 좀 더 많은 정보 없이 생각하는 것은 소용없는 일이다. **1470** 그녀는 나에게 그녀의 종이를 보여주었으나 종이 위의 모든 단어는 잘못된 철자로 적혀 있었다. **1471** Ann은 John이 엎지른 음료를 능란한 솜씨로 훔쳐냈다. **1472** 거리에서 침을 뱉어서는 안 된다. **1473** 이것은 반으로 쪼개져 있었다. **1474** 위를 보면, 나는 솜처럼 하얀 구름들로 얼룩진 하늘을 볼 수 있다. **1475** 이 동상은 공원의 미관을 해친다. **1476** 피아노 연주자는 손목을 삐었다.

1477 spread 　동　뿌리다, 퍼지다, 벌리다　　73회

[spréd]　　Nawal's smile was so wide that it **spread** across all three faces. 　대수능

1478 sprinkle 　동　(액체 따위를) 뿌리다　　12회

[spríŋkl]　　Turn the chicken over and **sprinkle** a little cayenne pepper on top.
→ sprinkler 　명　스프링클러, 살수 장치

1479 sprint 　동　(단거리를) 역주하다　　15회

[sprínt]　　The man is **sprinting** through the street.
→ sprinter 　명　단거리 선수, 스프린터

★철자주의

1480 sprout 　동　싹이 나다　명　싹, 눈　　13회

[spráut]　　It only takes a few days for beans to **sprout**.

1481 squash 　동　으깨다, 으스러지다　　12회

[skwáʃ]　　I **squashed** the tomatoes.

1482 squeeze 　동　짜내다, 압착하다　　16회

[skwíːz]　　He **squeezed** toothpaste out of a tube.

1483 stagger 　동　비틀거리다, 망설이다, 깜짝 놀라게 하다　　11회

[stǽgər]　　I **staggered** to the nearest chair.
혼동어
struggle
동 투쟁하다,
애쓰다
→ staggering 　형　비틀거리는, 망설이는　staggered 　형　매우 놀란

1484 stalk 　동　(병 등이) 퍼지다, 몰래 접근하다　명　줄기, 대, 잎자루　　10회

[stɔ́ːk]　　Disease **stalked** the land.

1485 standardize 　동　표준에 맞추다, 규격화하다　　61회

[stǽndərdàiz]　　The diameter and weight of golf balls used for tournament play were
standardized.
→ standard 　명　표준

[예문 해석] **1477** Nawal의 미소가 너무나 커서 미소가 세 사람 모두의 얼굴에 퍼졌다. **1478** 닭고기를 뒤집고 그 위에 고춧가루를 약간 뿌리시오. **1479** 남자가 길에서 전력 질주를 하고 있다. **1480** 콩이 싹이 나는 데는 며칠이 걸릴 뿐이다. **1481** 나는 토마토들을 으깼다. **1482** 그는 튜브에서 치약을 짜냈다. **1483** 나는 가까운 의자로 비틀거리며 갔다. **1484** 질병이 나라를 휩쓸었다. **1485** 토너먼트 경기에 사용되는 골프공의 직경과 무게가 규격화되었다.

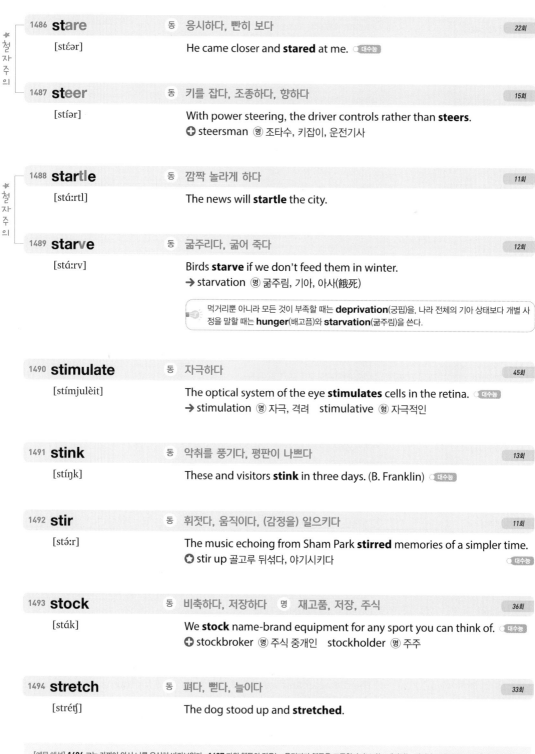

1486 stare 동 응시하다, 빤히 보다 22회

[stέər]

He came closer and **stared** at me. 대수능

1487 steer 동 키를 잡다, 조종하다, 향하다 15회

[stíər]

With power steering, the driver controls rather than **steers**.
➕ steersman 명 조타수, 키잡이, 운전기사

1488 startle 동 깜짝 놀라게 하다 11회

[stá:rtl]

The news will **startle** the city.

1489 starve 동 굶주리다, 굶어 죽다 12회

[stá:rv]

Birds **starve** if we don't feed them in winter.
→ starvation 명 굶주림, 기아, 아사(餓死)

> 먹거리뿐 아니라 모든 것이 부족할 때는 **deprivation**(궁핍)을, 나라 전체의 기아 상태보다 개별 사정을 말할 때는 **hunger**(배고픔)와 **starvation**(굶주림)을 쓴다.

1490 stimulate 동 자극하다 45회

[stímjulèit]

The optical system of the eye **stimulates** cells in the retina. 대수능
→ stimulation 명 자극, 격려   stimulative 형 자극적인

1491 stink 동 악취를 풍기다, 평판이 나쁘다 13회

[stíŋk]

These and visitors **stink** in three days. (B. Franklin) 대수능

1492 stir 동 휘젓다, 움직이다, (감정을) 일으키다 11회

[stə́:r]

The music echoing from Sham Park **stirred** memories of a simpler time.
✪ stir up 골고루 뒤섞다, 야기시키다 대수능

1493 stock 동 비축하다, 저장하다 명 재고품, 저장, 주식 36회

[sták]

We **stock** name-brand equipment for any sport you can think of. 대수능
➕ stockbroker 명 주식 중개인   stockholder 명 주주

1494 stretch 동 펴다, 뻗다, 늘이다 33회

[strétʃ]

The dog stood up and **stretched**.

[예문 해석] **1486** 그는 가까이 와서 나를 유심히 바라보았다. **1487** 파워 핸들의 경우는, 운전자가 핸들을 조종한다기보다는 제어하는 것이다. **1488** 그 소식은 그 도시를 놀라게 할 것이다. **1489** 겨울에 우리가 먹이를 주지 않으면 새들은 굶어 죽는다. **1490** 눈의 광학 시스템은 망막의 세포들을 자극한다. **1491** 이것과 손님은 3일이면 부패하여 냄새가 난다. (B. Franklin) **1492** Sham 공원에서 울려 퍼지는 음악은 소박했던 시절의 추억을 떠올리게 했다. **1493** 우리는 당신이 생각할 수 있는 거의 모든 스포츠를 위한 유명상표의 제품을 비축하고 있다. **1494** 개가 일어나 기지개를 켰다.

★ 철자주의

| 1495 **strike** | 동 치다, 때리다 | 52회 |

[stráik]

Strike while the iron is hot. 대수능
→ striking 형 뚜렷한, 현저한　strikingly 부 현저하게, 뚜렷이

| 1496 **strive** | 동 노력하다, 얻으려고 애쓰다 | 11회 |

[stráiv]

He always **strives** to be ahead of others in his class.

| 1497 **strip** | 동 벗기다, 벌거벗다 | 14회 |

[stríp] 혼동어
strap
명 끈[줄]

We **stripped** the wallpaper from the walls.

| 1498 **stumble** | 동 비틀거리다 | 13회 |

[stʌ́mbl]

He **stumbled** over a stone and fell down.
✪ stumbling block 방해물, 장애물

| 1499 **stun** | 동 기절시키다 | 17회 |

[stʌ́n]

He was **stunned** by the news for a while.
→ stunning 형 굉장한, 멋진

| 1500 **subdue** | 동 정복하다, 억제하다 | 11회 |

[səbdjúː] 혼동어
overdue
형 기한이 지난

Senior government officials admit they have not been able to **subdue** the rebels.

표제어 이외의 **주요 어휘**

skip	동 뛰어넘다, 건너뛰다	squirt	동 분출하다, 뿜어 나오다
slaughter	동 도살하다, 완패시키다	stab	동 (칼 따위로) 찌르다
sled	동 썰매를 타다	stammer	동 말을 더듬다
snap	동 홱 잡다, 잡아채다	stay	동 머무르다
spank	동 찰싹 때리다	steal	동 훔치다, 절취하다
spend	동 쓰다, 지출하다	stoop	동 몸을 구부리다
spurn	동 퇴짜 놓다, 경멸하다	strand	동 좌초시키다
spurt	동 쏟아져 나오다, 뿜어내다	strangle	동 교살하다, 질식시키다

[예문 해석] **1495** 철이 뜨거울 때 쳐라. **1496** 그는 학급에서 남보다 앞서려고 언제나 노력한다. **1497** 우리는 벽에서 벽지를 뜯어냈다. **1498** 그는 돌에 채여 비틀거리다가 넘어졌다. **1499** 그는 잠시 그 소식에 기절했다. **1500** 고위 정부 관료는 반란군들을 정복할 수 없었다는 것을 인정한다.

DAY 30 수능 필수 **Daily IDIOMS**

on the basis of
~에 기초하여

Then the company can replan its strategy **on the basis of** the consultant's advice.
그런 후에 그 회사는 자문인의 조언을 기초로 해서 전략을 다시 세울 수 있다.

on the contrary
그와는 반대로, 반면에

In jazz, **on the contrary**, the performers often improvise their own melodies.
반면에, 재즈에서는 공연을 하는 사람들이 종종 자신들의 멜로디를 즉흥 연주한다.

on the other hand
한편, 반면에

On the other hand, pop stars can influence their fans positively.
한편, 대중 스타들은 자신들의 팬들에게 긍정적으로 영향을 미칠 수 있다.

on the rise
증가 중인

Land values are **on the rise**.
땅 값이 등귀하고 있다.

on time
정각에

I couldn't arrive **on time** because I missed the bus.
버스를 놓쳐서 정각에 도착할 수가 없었다.

on view
전시(공개)되고 있는

The design for this year's products will be **on view**.
올해 나온 상품들의 디자인이 전시될 것이다.

one another
서로서로

Even if animals are different from **one another**, they all belong to the same kingdom.
비록 동물들은 서로 다르지만, 그들은 똑같은 왕국에 속해 있다.

only a few
아주 적은 수의

I received **only a few** Christmas cards.
나는 겨우 몇 장의 크리스마스 카드를 받았다.

DAY 30 암기를 위한 Daily TEST

💡 빈칸에 알맞은 단어나 뜻을 쓰시오.

01. sightsee
02. simulate
03. 가라앉다
04. (수면을) 스쳐 지나가다
05. 찰싹 때리다
06. (찍) 미끄러지다
07. snatch
08. sneak
09. 코를 킁킁거리다
10. 코를 골다
11. 잠기다, 젖다
12. soar
13. 흐느껴 울다
14. solicit
15. solve
16. soothe
17. 씨를 뿌리다
18. 절약하다, 아끼다
19. speculate
20. 철자를 쓰다
21. 엎지르다
22. (침을) 뱉다
23. 쪼개다
24. splash
25. 망치다, 손상하다

26. sprain
27. spread
28. sprinkle
29. sprint
30. sprout
31. squash
32. squeeze
33. stagger
34. (병 등이) 퍼지다
35. standardize
36. stare
37. 키를 잡다
38. startle
39. starve
40. stimulate
41. 악취를 풍기다
42. 휘젓다, 움직이다
43. 비축하다
44. stretch
45. strike
46. strive
47. 벗기다, 벌거벗다
48. stumble
49. 기절시키다
50. subdue

우리말 뜻에 알맞은 영어 단어를 고르시오.

01 유지하다, 주장하다
① manifest　　② maintain

02 다루다, 처리하다
① marvel　　② manage

03 제조하다
① manufacture　　② manipulate

04 재다, 측정하다
① measure　　② mediate

05 기억하다
① memorize　　② meditate

06 필요하다
① narrate　　② necessitate

07 관찰하다, 준수하다
① oblige　　② observe

08 제공하다, 제안하다
① offer　　② offend

09 작동하다, 수술하다
① operate　　② oppress

10 조직하다, 창립하다
① outdate　　② organize

11 참가하다, 관여하다
① participate　　② penalize

12 지각하다, 감지하다
① penetrate　　② perceive

13 수행하다, 공연하다
① perform　　② perplex

14 설득하다, 납득시키다
① persuade　　② persist

15 예언하다, 예측하다
① prescribe　　② predict

16 막다, 방해하다
① prevail　　② prevent

17 생산하다, 산출하다
① produce　　② prohibit

18 약속하다
① pronounce　　② promise

19 조장하다, 장려하다
① promote　　② propel

20 보호하다, 막다
① provoke　　② protect

21 증명하다, 입증하다
   ① prove   ② protest

22 제공하다, 공급하다
   ① publish   ② provide

23 사다, 구입하다
   ① purchase   ② punish

24 추적하다, 추구하다
   ① pursue   ② prosper

25 올리다, 일으키다
   ① reap   ② raise

26 받다
   ① recede   ② receive

27 인식하다
   ① recognize   ② recollect

28 재활용하다
   ① recycle   ② recite

29 줄이다, 낮추다
   ① reduce   ② refine

30 언급하다, 참조하다
   ① reform   ② refer

31 반사하다, 반영하다
   ① refrain   ② reflect

32 관련시키다, ~에 대하여 이야기하다
   ① relate   ② rejoice

33 원상태로 되돌리다
   ① rehabilitate   ② refrigerate

34 경감하다, 구제하다
   ① render   ② relieve

35 의지하다, 신뢰하다
   ① rely   ② repel

36 남아 있다, 여전히 ~하다
   ① renovate   ② remain

37 제거하다, 옮기다
   ① remove   ② refresh

38 대체하다, 제자리에 놓다
   ① reproduce   ② replace

39 대답하다, 응답하다
   ① reply   ② register

40 나타내다, 대표하다
   ① represent   ② reject

복습을 위한 누적 TEST

11회

우리말 뜻에 알맞은 영어 단어를 고르시오.

01 의미하다, ~할 작정이다
  ① mean   ② merge

02 언급하다, 말하다
  ① mention   ② mimic

03 수정하다, 수식하다
  ① modify   ② mourn

04 중얼거리다
  ① mumble   ② monopolize

05 무시하다, 태만히 하다
  ① navigate   ② neglect

06 협상하다, 협의하다
  ① nominate   ② negotiate

07 양육하다
  ① nurture   ② narrate

08 극복하다, 이겨내다
  ① overcome   ② overestimate

09 간과하다, 눈감아주다
  ① overlap   ② overlook

10 오염시키다
  ① pollute   ② polish

11 칭찬하다
  ① precede   ② praise

12 선호하다
  ① pretend   ② prefer

13 번영하다, 성공하다
  ① prosper   ② presume

14 처벌하다, 혼내다
  ① punish   ② pursue

15 자격을 갖추다, 자격을 주다
  ① qualify   ② quarrel

16 추천하다, 권고하다
  ① recommend   ② realize

17 상기하다, 소환하다
  ① recall   ② reap

18 회복하다
  ① recreate   ② recover

19 거절하다, 거부하다
  ① refuse   ② recur

20 생각나게 하다, 상기시키다
  ① remind   ② regulate

21 요구하다, 필요로 하다
① require　　② represent

22 구조하다, 구출하다
① resent　　② rescue

23 남겨두다, 예약하다
① repel　　② reserve

24 거주하다, 존재하다
① reside　　② resign

25 저항하다, 견디다
① retain　　② resist

26 존경하다
① retreat　　② respect

27 반응하다, 응답하다
① respond　　② revise

28 쉬다, 의존하다
① retire　　② rest

29 제한하다, 한정하다
① reflect　　② restrict

30 돌아오다, 돌려주다
① return　　② retrieve

31 나타내다, 밝히다
① reveal　　② review

32 톱질하다
① scan　　② saw

33 찾다, 조사하다
① season　　② search

34 떼어 놓다, 분리하다, 나누다
① separate　　② shatter

35 섬기다, 봉사하다
① serve　　② seize

36 해결하다, 풀다
① solve　　② solicit

37 뿌리다, 퍼지다
① sprout　　② spread

38 표준에 맞추다, 규격화하다
① stimulate　　② standardize

39 치다, 때리다
① strike　　② stretch

40 노력하다, 얻으려고 애쓰다
① strive　　② strip

1501 submerge 동 물속에 잠그다(잠기다), 침몰하다 12회
[səbmə́:rdʒ] 혼동어 emerge 동 나타나다
The river burst its banks, **submerging** an entire village.

1502 submit 동 제출하다, 항복하다, 진술하다 18회
[səbmít] 혼동어 summit 명 정상
All applications must be **submitted** by Monday, 2 April 2019.

1503 subscribe 동 서명하다, (정기) 구독하다 16회
[səbskráib]
She **subscribed** to Reader's Digest and TV Guide. 대수능
→ subscription 명 기부, 서명, 구독   subscriber 명 기부자, 구독자

> [sub(=under)+scribe(=write)] 어떤 문서의 아래쪽에 쓰는 것, 즉 '서명하다'라는 의미이다.

1504 substitute 동 대체하다 16회
[sʌ́bstətjùːt]
You can **substitute** margarine for butter.
→ substitution 명 대리, 대용

1505 subtract 동 빼다, 공제하다 15회
[səbtrǽkt]
But every educator would add or **subtract** a few subjects. 대수능

1506 suck 동 빨다, 흡수하다 11회
[sʌ́k]
Mosquitoes **suck** the blood of people and animals.

1507 sue 동 고소하다, 소송을 제기하다 17회
[súː] 혼동어 cue 명 신호
The man is **suing** the manufacturer.
✪ sue a person for damages ~을 상대로 손해배상 소송을 제기하다

1508 suffer 동 괴로워하다 77회
[sʌ́fər]
And every summer many return home **suffering** from a sunburn. 대수능
✪ suffer from ~으로 괴로워하다

[예문 해석] **1501** 강이 강둑을 터뜨렸고 마을 전체를 잠기게 했다. **1502** 모든 지원서는 2019년 4월 2일까지 제출되어야 합니다. **1503** 그녀는 리더스 다이제스트와 TV 가이드를 정기 구독했다. **1504** 당신은 버터 대신 마가린을 쓸 수 있다. **1505** 그러나 모든 교육자들은 몇 개의 과목들을 추가하거나 뺄 것이다. **1506** 모기들은 사람과 동물의 피를 빨아먹는다. **1507** 남자가 제조업체를 상대로 소송을 제기하고 있다. **1508** 그리고 매년 여름 많은 사람들은 일광화상으로부터 고통을 받으면서 집으로 돌아온다.

1509 **suggest**

[sǝgdʒést]

동 암시하다, 제안하다　　124회

Large eyes, on the other hand, **suggest** suspicion or tension. ●대수능
→ suggestion 명 암시, 연상　suggestive 형 시사하는, 암시하는

1510 **summon**

[sʌ́mǝn]

동 소환하다, 소집하다　　13회

The council was **summoned** to hear an emergency report on its finances.

1511 **supervise**

[súːpǝrvàiz]

동 감독하다　　24회

Steve has **supervised** one of his company's warehouses for many years.
→ supervision 명 감독　supervisor 명 감독자, 관리인　●대수능

🔊 [super(=above)+vise(=see)] **vise**는 '보다, 감시하다, 관찰하다'의 의미이다.

1512 **supplement**

[sʌ́plǝmǝnt]

동 보충하다　명 보충, 추가　　15회

They had to get a job to **supplement** the family income. ●대수능

1513 **supply**

[sǝplái]

동 공급하다, 보완하다　명 공급, 재고품　　68회

The lungs function to **supply** the body with oxygen.

★ 철자주의

1514 **suppose**

[sǝpóuz]

동 상상하다, 가정하다　　66회

Suppose that there is an apple and an orange in a fruit bowl.
❂ be supposed to + V ~해야 한다, ~하기로 되어 있다

1515 **suppress**

[sǝprés]

동 억압하다, 진압하다　　17회

Their movement was **suppressed** as a breach of the public peace.

1516 **surge**

[sǝ́ːrdʒ] 혼동어
merge
동 합병하다

동 밀어닥치다, 쇄도하다　명 급증　　17회

The gate opened and the crowd **surged** the concert hall.

1517 **surpass**

[sǝrpǽs]

동 ~보다 낫다, 능가하다, 뛰어나다　　17회

He is so talented that he'll soon **surpass** his teacher.
→ surpassing 형 뛰어난, 빼어난

[예문 해석] **1509** 그와 반대로, 큰 눈은 의심과 긴장을 나타낸다. **1510** 재원에 대한 긴급 보고를 듣기 위해 회의가 소집되었다. **1511** Steve는 수년 동안 그의 회사의 창고들을 감독했다. **1512** 그들은 가족의 수입을 보충하기 위해서 일을 해야 했다. **1513** 폐는 몸에 산소를 공급하는 기능을 한다. **1514** 과일 그릇 안에 사과와 오렌지가 들어 있다고 가정해 보라. **1515** 그들의 운동은 치안 방해로 탄압받았다. **1516** 문이 열리자 사람들이 콘서트 홀로 밀려들었다. **1517** 그는 비상한 재주가 있으므로 머지않아 스승을 능가할 것이다.

| 1518 **surrender** | 동 | 넘겨주다, 양도하다, 항복하다 | 18회 |

[səréndər]

They **surrendered** the town to the enemy.

| 1519 **surround** | 동 | 에워싸다, 둘러싸다 | 35회 |

[səráund]

The police **surrounded** the house.
→ surrounding 형 주위의, 둘레의

| 1520 **survive** | 동 | 살아남다 | 127회 |

[sərváiv]

It's a miracle that your brother **survived** the car accident! 대수능
→ survival 명 살아남음, 생존   survivor 명 생존자, 유가족

| 1521 **suspect** | 동 | 의심하다 명 용의자, 혐의자 | 13회 |

★철자주의

[səspékt]

Because she had never seen the chocolate, she **suspected** her brother. 대수능
✪ be suspected of ~의 혐의를 받다

| 1522 **suspend** | 동 | 매달다, 중지하다, 연기하다, 정학시키다 | 22회 |

[səspénd]

He was **suspended** from school.

| 1523 **sustain** | 동 | 부양하다, 유지하다, 떠받치다 | 24회 |

[səstéin]

혼동어
retain
동 유지하다

We are directed, nurtured, and **sustained** by others. 대수능

| 1524 **swallow** | 동 | 들이키다, (꿀꺽) 삼키다, (모욕 등을) 참다 | 20회 |

[swálou]

Swallow your pride and bide your time.

| 1525 **sway** | 동 | 흔들리다, 동요하다 | 12회 |

[swéi]

Branches **swayed** in the wind.

| 1526 **swear** | 동 | 맹세하다, 선서하다, 욕설하다 | 11회 |

[swéər]

I **swear** I will never leave you.

[예문 해석] **1518** 그들은 도시를 적에게 빼앗겼다. **1519** 경찰이 그 집을 포위했다. **1520** 당신의 형이 그 자동차 사고에서 살아남은 것은 기적이다! **1521** 그녀는 초콜릿을 결코 본 적이 없기 때문에, 자기의 동생을 의심했다. **1522** 그는 학교에서 정학 처분을 받았다. **1523** 우리는 다른 사람에 의해 인도되고, 양육되고 부양된다. **1524** 자존심을 버리고 때를 기다려라. **1525** 나뭇가지들이 바람에 흔들렸다. **1526** 나는 당신을 떠나지 않을 것을 맹세합니다.

1527 sweep 　동 청소하다, 휩쓸다 　18회

[swíːp] 　혼동어 　swap 　동 바꾸다

Your first job will be to **sweep** out the store. 　대수능
→ sweeper 명 청소기 　sweeping 형 개괄적인

1528 swell 　동 부풀다, 팽창하다 　14회

[swél]

I don't want to go out until the **swelling** in my ankle goes down.

1529 switch 　동 바꾸다 　명 스위치 　13회

[swítʃ]

Well, I'm glad you've **switched** schools. 　대수능

1530 symbolize 　동 상징하다 　46회

[símbəlàiz]

He wore a flame-red robe **symbolizing** the sun. 　대수능
→ symbol 명 상징 　symbolic 형 상징하는

1531 tame 　동 길들이다, 다스리다 　16회

[téim]

The real lesson of chess is learning how to **tame** your mind.

1532 tease 　동 집적거리다, 희롱하다, 성가시게 굴다 　16회

[tíːz]

The child **teased** his grandmother for some candy.

1533 tempt 　동 유혹하다, 유도하다 　24회

[témpt]

How can we **tempt** young people into the humanities?

1534 tend 　동 경향이 있다, 돌보다, 간호하다 　194회

[ténd]

Population **tends** to concentrate in large cities.
→ tendency 명 경향, 풍조, 성향

1535 testify 　동 증명하다, 증언하다 　12회

[téstəfài]

The frightened witness refused to **testify**.
→ testimony 명 증언, 증거, 증명

[예문 해석] **1527** 당신의 첫 번째 일은 가게를 청소하는 것이 될 것이다. **1528** 나는 발목의 부기가 가라앉을 때까지 외출하고 싶지 않다. **1529** 음, 나는 네가 학교를 바꿔서 기뻐. **1530** 그는 태양을 상징하는 불꽃처럼 빨간 의상을 입고 있었다. **1531** 체스의 진정한 교훈은 마음을 다스리는 법을 배우는 것이다. **1532** 아이는 할머니에게 사탕 몇 개를 달라고 졸라댔다. **1533** 어떻게 우리가 젊은이들이 인문학 분야로 오도록 유도할 수 있을까요? **1534** 인구는 대도시에 집중하는 경향이 있다. **1535** 겁에 질린 증인은 증언을 거부했다.

| 1536 **threaten** | 동 위협하다, 겁주다 | 57회 |

[θrétn]

They face serious problems that **threaten** to drive them out of business. 대수능
→ threat 명 위협

| 1537 **thrive** | 동 번영하다, 잘 자라다, 무성해지다 | 10회 |

[θráiv]

Plants will not **thrive** without sunshine.

| 1538 **throw** | 동 (내)던지다, 팽개치다, (~으로) 만들다 | 93회 |

[θróu]

The nature of his business **throws** him into contact with all sorts of men.

| 1539 **thrust** | 동 밀다, 찌르다 | 11회 |

[θrʌ́st] 혼동어
trust
명 신뢰, 신임

He **thrust** a knife into a watermelon.

| 1540 **tickle** | 동 간질이다, 기쁘게 하다, 간지럽다 | 19회 |

[tíkl] 혼동어
tinkle
동 딸랑딸랑 울리다

My nose **tickles**.

| 1541 **tilt** | 동 기울이다 명 기울기, 경사 | 11회 |

[tílt] 혼동어
till
전 ~까지

The woman is **tilting** her head.

| 1542 **tolerate** | 동 관대히 다루다, 묵인하다, 참다 | 19회 |

[tálərèit]

That school does not **tolerate** students who are consistently late.
→ tolerable 형 참을 수 있는   tolerant 형 관대한

| 1543 **tow** | 동 끌다, 견인하다 | 11회 |

[tóu] 혼동어
toe
명 발가락

The car is being **towed**.

| 1544 **trace** | 동 ~의 자국을 밟다, 선을 긋다, 추적하다 명 (pl.) 자취, 발자국 | 15회 |

[tréis]

The police were unable to **trace** the missing girl.

[예문 해석] **1536** 그들은 그들을 파산으로 몰아내려고 위협하는 심각한 문제에 직면하고 있다. **1537** 햇빛이 없으면 식물은 잘 자라지 않을 것이다. **1538** 그는 사업 특성상 여러 층의 사람들과 접촉한다. **1539** 그는 칼로 수박을 찔렀다. **1540** 코가 간지럽다. **1541** 그 여자는 머리를 기울이고 있다. **1542** 그 학교는 지속적으로 지각하는 학생을 묵인하지 않는다. **1543** 차가 견인되고 있다. **1544** 경찰은 실종된 소녀를 찾을 수 없었다.

1545 track 　동 추적하다, 뒤쫓다　명 길　　38회

[træk]

Drones are being used to **track** criminals and protect borders.

1546 trail 　동 (질질) 끌다, 뒤를 밟다　명 지나간 자국　14회

[tréil] 혼동어
trial
명 시도, 재판

The child **trailed** a toy car.
→ trailer 명 (자동차 등의) 트레일러, 끄는 사람〔것〕

1547 transcend 　동 (경험·이해력 등의 범위를) 넘다, 초월하다　12회

[trænsénd]

It **transcends** the limits of thought.

1548 transfer 　동 옮기다, 갈아타다　15회

[trænsfə́:r]

She **transferred** him to another school.

1549 translate 　동 번역하다, 해석하다　20회

[trænsléit] 혼동어
transplant
동 이식하다

The article was written in German and **translated** into French.
→ translation 명 번역　translator 명 번역자

1550 transmit 　동 보내다, (열·빛을) 발송하다, 전도하다　17회

[trænsmít]

A single hair-thin fiber is capable of **transmitting** trillions of bits per second.
→ transmission 명 전달, 전송

표제어 이외의 **주요 어휘**

suffocate	동 숨을 막다, 질식시키다	tap	동 가볍게 두드리다
superimpose	동 위에 놓다, 겹쳐 놓다	tarnish	동 흐리게 하다, 더럽히다
surprise	동 놀라게 하다	throb	동 (심장이) 고동치다, 두근거리다
swap	동 물물 교환하다, 바꾸다	tie	동 묶다, 결합하다
swarm	동 들끓다, 떼를 짓다	tire	동 피로하게 하다, 싫증나다
swing	동 흔들리다, 매달리다	toss	동 던지다, 뒹굴다
tangle	동 얽히게 하다, 혼란시키다	transcribe	동 베끼다, 복사하다

[예문 해석] **1545** 드론은 범죄자를 추정하거나 국경을 지키는 일에 사용되고 있다. **1546** 그 아이는 장난감 자동차를 끌고 갔다. **1547** 그것은 사고의 한계를 초월한다. **1548** 그녀는 그를 다른 학교로 전학시켰다. **1549** 그 기사는 독일어로 집필되었고 프랑스어로 번역되었다. **1550** 하나의 머리카락 굵기의 섬유는 초당 10의 18제곱 비트를 전송할 수 있다.

DAY 31 수능 필수 Daily IDIOMS

open an account
계좌를 개설하다

I **opened an account** at the bank.
나는 그 은행에 계좌를 개설했다.

originate in
~에서 유래하다

This disease is thought to have **originated in** the tropics.
이 질병은 열대 지방에서 발원했다고 여겨진다.

out of business
파산한

The restaurant has gone **out of business**.
그 레스토랑은 폐업했다.

out of order
고장 난

The computers are **out of order**.
컴퓨터가 고장 났다.

out of reach
손이 닿지 않는, 힘이 미치지 않는

Promotion seemed **out of reach** for him.
그가 승진하는 것은 무리인 것처럼 보였다.

over and over
반복해서

He repeated the same words **over and over** again.
그는 같은 말을 계속해서 다시 반복했다.

participate in
~에 참가하다

She **participated in** the discussion.
그녀는 그 토론에 참가했다.

pass away
돌아가시다, 죽다

He **passed away** peacefully.
그는 편안하게 돌아가셨다.

암기를 위한 Daily TEST

맞은 개수 ◯ / 50문항

💡 빈칸에 알맞은 단어나 뜻을 쓰시오.

01. submerge

02. submit

03. subscribe

04. substitute

05. subtract

06. 빨다, 흡수하다

07. 고소하다

08. 괴로워하다

09. suggest

10. summon

11. supervise

12. supplement

13. 공급하다

14. suppose

15. suppress

16. surge

17. surpass

18. surrender

19. surround

20. 살아남다

21. suspect

22. suspend

23. sustain

24. swallow

25. 흔들리다

26. 맹세하다

27. 청소하다, 휩쓸다

28. 부풀다, 팽창하다

29. switch

30. symbolize

31. 길들이다

32. tease

33. tempt

34. 경향이 있다

35. testify

36. threaten

37. thrive

38. throw

39. thrust

40. 간질이다

41. 기울이다

42. tolerate

43. 끌다, 견인하다

44. trace

45. track

46. (질질) 끌다

47. transcend

48. transfer

49. translate

50. transmit

★철자주의

1551	**transplant**	동	옮겨 심다, 이주시키다	13회

[trænsplǽnt]

He wished to **transplant** his family to America.
→ transplantation 명 이식 (수술), 이주(移住), 이민

1552	**transport**	동	수송하다, 운반하다	77회

[trænspɔ́:rt]

Boxes are being **transported** by train.
→ transportation 명 운송, 수송

1553	**trap**	동	(위험한 장소에) 가두다, 덫으로 잡다 명 덫, 함정	28회

[trǽp]

The birds were **trapped** in the fire.

1554	**tread**	동	밟다, 걷다	14회

[tréd] 혼동어
treat
동 대접하다

I felt as if I were **treading** on a lion's tail.
✚ treadle 명 발판, 디딤판, 페달

1555	**tremble**	동	떨다, 전율하다	13회

[trémbl]

She **trembled** at the sound.
✚ tremor 명 떨림

1556	**trigger**	동	발사하다, (일을) 일으키다 명 방아쇠	25회

[trígər]

The incident **triggered** a major conflict.

1557	**trim**	동	정돈하다, 손질하다	12회

[trím]

Forty-nine percent of men would like to **trim** their waistline. 대수능
→ trimming 명 정돈, 장식   trimly 부 깔끔하게

1558	**triple**	동	세 배로 만들다	27회

[trípl]

The amount of material published on the general topic has **tripled** since March.
✚ tripod 명 삼각대

[예문 해석] **1551** 그는 그의 가족을 미국으로 이주시키고 싶어했다. **1552** 상자를 기차로 운반하고 있다. **1553** 새들이 불 속에 갇혔다. **1554** 나는 사자의 꼬리를 밟는 것 같은 심정이었다. **1555** 그녀는 그 소리에 몸을 떨었다. **1556** 그 사건은 주요한 갈등을 일으켰다. **1557** 49%의 남자들이 그들의 허리선을 정돈하고 싶어한다. **1558** 그 일반 주제에 관해 발표된 자료의 양이 3월 이래 세 배가 되었다.

1559 **tug**	동	(세게) 당기다	11회

[tʌ́g]

The kitten was **tugging** at my shoelace.

1560 **tumble**	동	넘어지다, 굴리다, 폭락하다	18회

[tʌ́mbl]

혼동어
humble
형 겸손한

All the passengers were **tumbled** out of the car.
→ tumbler 명 곡예사

1561 **twinkle**	동	반짝반짝 빛나다, 반짝이다	명	반짝임, 순간	13회

[twíŋkl]

Stars **twinkle** brightly.
✪ in a twinkle 눈 깜짝할 사이에

1562 **twist**	동	꼬다, 뒤틀리다, 비틀어 구부리다	10회

[twíst]

The metal frame tends to **twist** under pressure.
→ twister 명 꼬는 사람, 실 꼬는 기계   twisted 형 비틀어진, (발목 등이) 삔

1563 **underestimate**	동	과소평가하다, 경시하다	17회

[ʌ̀ndəréstəmèit]

I think a lot of people still **underestimate** him.
→ underestimation 명 과소평가, 경시

1564 **undergo**	동	경험하다, 겪다	14회

[ʌ̀ndərgóu]

The industry is currently **undergoing** rapid change.

1565 **undermine**	동	약화시키다, (건강 따위를) 서서히 해치다	18회

[ʌ̀ndərmáin]

His health was **undermined** by drink and smoke.

1566 **undertake**	동	(일 · 책임을) 떠맡다, 착수하다, 약속하다	13회

[ʌ̀ndərtéik]

Students are required to **undertake** simple experiments.
→ undertaker 명 인수인, 기획자   undertaking 명 사업, 기업, 일

1567 **undo**	동	원상태로 돌리다, (매듭 · 꾸러미 등을) 풀다	13회

[ʌ̀ndú:]

I managed secretly to **undo** a corner of the parcel.

[예문 해석] **1559** 새끼 고양이가 내 신발끈을 힘껏 잡아 당기고 있었다. **1560** 승객들은 모두 차 밖으로 굴러떨어졌다. **1561** 별들이 밝게 빛난다. **1562** 금속 뼈대는 압력을 받으면 뒤틀리기 쉽다. **1563** 나는 여전히 그를 과소평가하는 사람이 많다고 생각한다. **1564** 그 산업은 현재 급속한 변화를 겪고 있는 중이다. **1565** 그의 건강은 술과 담배로 인해 약화되었다. **1566** 학생들은 간단한 실험을 하게끔 되어 있다. **1567** 나는 비밀스럽게 가까스로 그 소포의 가장자리를 풀어냈다.

1568 unify   동   하나로 하다, 통합(통일)하다   14회

[júːnəfài]

The time will come soon when we shall live peacefully in the **unified** fatherland.
→ unification 명 통합, 통일, 단일화

1569 unite   동   통합하다, 결합하다   100회

[juːnáit]

When hunting, the animals **unite** to form a large team. 대수능
→ unit 명 단위, 구성, 단원   united 형 결합된

1570 urge   동   재촉하다, 주장하다, 몰아대다   42회

[ə́ːrdʒ] 혼동어
surge
동 밀려들다

Our teacher **urges** us to study hard.
→ urgency 명 긴급, 절박   urgent 형 긴급한, 재촉하는

1571 utter   동   발언하다, 말하다, 입 밖으로 내다   형   전적인, 철저한   12회

[ʌ́tər]

He will **utter** his view on the subject.

1572 vaccinate   동   예방 주사를 맞히다   17회

[vǽksənèit]

Infants are advised to get **vaccinated** for the flu virus.

1573 vanish   동   사라지다, 자취를 감추다   11회

[vǽniʃ]

He felt regretful over his **vanished** youth.

> vanish는 '감쪽 같이, 홀연히'라는 갑자기 사라지는 방식에 초점을 맞추는 반면, **disappear**는 더 이상 보이지 않게 된다는 사실에 초점을 맞춘다.

1574 vary   동   바꾸다, 변화하다   214회

[véəri] 혼동어
very
부 매우

Emotions **vary** from moment to moment.

1575 vend   동   팔다, 판매하다   18회

[vénd] 혼동어
vent
명 환기구

This machine **vends** soft drinks.
→ vendor 명 파는 사람, 행상인, 노점 상인

1576 violate   동   위반하다, 침해하다   12회

[váiəlèit]

We must not **violate** school rules.

[예문 해석] **1568** 우리가 통일된 조국에서 평화롭게 살 때가 곧 올 것이다. **1569** 사냥을 할 때 그 동물들은 큰 팀을 이루기 위해 뭉친다. **1570** 선생님께서는 열심히 공부하라고 우리를 재촉하신다. **1571** 그는 그 주제에 관해 자기 의견을 말할 것이다. **1572** 유아는 독감 예방 접종을 맞히는 것이 좋다. **1573** 그는 사라진 청춘을 안타까워했다. **1574** 감정은 시시각각 바뀐다. **1575** 이 기계는 청량음료를 판매한다. **1576** 우리는 교칙을 어기지 말아야 한다.

1577 vomit 　동　토하다, 뿜어내다 　12회

[vámit]

He **vomited** up all he had just eaten.

1578 vote 　동　투표하다 　명　투표, 표결 　40회

[vóut]

Only two senators **voted** against the bill.

→ voter 명 투표자　voting 명 투표　❂ voting age 투표 연령

1579 vow 　동　맹세하다, 서약하다 　명　맹세, 서약 　12회

[váu]

The mayor **vowed** to renew public faith in his governing abilities.

1580 wander 　동　떠돌아다니다, 헤매다, 길을 잃다 　22회

[wándər]　혼동어 wonder 동 궁금해하다

As I **wandered** around, I found a large rock that provided some shelter.

1581 warn 　동　경고하다 　44회

[wɔ́ːrn]

Doctors **warn** that exposure to the polluted air is very dangerous. 대수능

→ warning 명 경고

1582 warrant 　동　보증하다, 정당화하다 　명　근거, 보증 　17회

[wɔ́(ː)rənt]

This material is **warranted** to be pure silk.

→ warranty 명 담보, 보증(서)

1583 waste 　동　낭비하다, 황폐하게 하다, 약화시키다 　명　낭비, 폐기물, 황무지 　85회

[wéist]

I regret that I **wasted** my vacation.

❂ wasteland 명 황무지, 불모의 땅

1584 weave 　동　(천·직물을) 짜다, 뜨다 　13회

[wíːv]　혼동어 wave 명 파도, 물결

Weaving is an art among the Navajo of Arizona and New Mexico.

1585 weep 　동　눈물을 흘리다, 울다 　13회

[wíːp]

Will you **weep** when I am low?

[예문 해석] **1577** 그는 그가 방금 먹은 모든 것을 토했다. **1578** 두 명의 상원의원만이 그 법안에 반대표를 던졌다. **1579** 시장은 그의 공무 집행 능력에 대한 시민들의 신뢰를 회복하겠다고 공약했다. **1580** 나는 주변을 떠돌아다니다가 어떤 피난처를 제공하는 커다란 바위를 발견했다. **1581** 의사들은 오염된 공기에 노출되는 것이 매우 위험하다고 경고한다. **1582** 이 옷감은 순견임이 보증된다. **1583** 나는 방학을 헛되어 보낸 것이 후회된다. **1584** 직물을 짜는 일은 Arizona와 New Mexico 주의 Navajo 족 사이에서 예술이다. **1585** 내가 죽으면 너는 눈물을 흘릴까?

| 1586 **whisper** | 동 | 속삭이다, 작은 소리로 말하다 | 13회 |

[hwíspər]

It is **whispered** that his business is falling.
✪ give the whisper 살짝 귀띔하다

| 1587 **withdraw** | 동 | 움츠리다, 철회하다, 물러나다, 인출하다 | 18회 |

[wiðdrɔ́:]

We petitioned the government to **withdraw** the bill.
→ withdrawal 명 철수, 취소, 회수

| 1588 **wither** | 동 | 시들다, 말라죽다 | 14회 |

[wíðər]

Plants **wither** from lack of water.

| 1589 **withhold** | 동 | 억누르다, 보류하다 | 14회 |

[wiðhóuld]

The captain **withheld** his men from the attack.

| 1590 **withstand** | 동 | 저항하다, 잘 견디다 | 17회 |

[wiðstǽnd]

The equipment is not designed to **withstand** high temperatures.

| 1591 **witness** | 동 목격하다 명 증언, 증인, 목격자 | 26회 |

[wítnis]

We **witnessed** their struggles, triumphs and failures.
✪ with a witness 틀림없이, 명백히

| 1592 **wonder** | 동 궁금해하다, 놀라다 명 놀라움, 기적 | 124회 |

[wʌ́ndər]

I **wonder** if you could give me a lift. 대수능
→ wonderful 형 놀라운, 멋진, 훌륭한

| 1593 **worsen** | 동 | 악화시키다 | 16회 |

[wə́:rsn]

The political situation is steadily **worsening**.
→ worse 형 보다 나쁜

| 1594 **worship** | 동 숭배하다, 존경하다 명 숭배, 예배 | 19회 |

[wə́:rʃip] 혼동어
warship
명 군함

They also live in a culture that **worships** youth. 대수능

[예문 해석] **1586** 그의 일이 안 되고 있다는 소문이 조용히 돈다. **1587** 우리는 그 법안을 철회해 달라고 정부에 진정했다. **1588** 물이 부족하면 식물들은 시든다. **1589** 대장은 부하들을 제지하여 공격을 못하게 했다. **1590** 그 장비는 고온을 견딜 수 있도록 고안되어 있지 않다. **1591** 우리는 그들의 투쟁과 승리와 실패를 목격했다. **1592** 나는 당신이 나를 태워줄 수 있는지 궁금하다. **1593** 정치 상황이 꾸준히 악화되고 있다. **1594** 그들은 또한 젊음을 숭배하는 문화 속에서 산다.

1595 wreck 동 난파시키다, 파괴하다 명 난파(선), 조난   17회

[rék]

A ghastly tornado **wrecked** the town.
→ wreckage 명 난파 (잔해물)

1596 wrestle 동 맞붙어 싸우다, 레슬링하다   14회

[résl]

He began to **wrestle** with his opponent.
→ wrestling 명 레슬링, 씨름

1597 yawn 동 하품하다   21회

[jɔ́ːn]
혼동어
dawn
명 새벽

It isn't polite to **yawn** at a party.

1598 yearn 동 그리워하다, 갈망하다   14회

[jə́ːrn]

They **yearned** to see their motherland again.

1599 yell 동 소리 지르다   23회

[jél]

"Miss?" he **yelled**. "You'll miss lots. That's not the problem." 대수능

1600 yield 동 산출하다, 양보하다, 굴복하다   32회

[jíːld]

Finally, **yield** to other drivers. 대수능

표제어 이외의 **주요 어휘**

travel	동 여행하다, (빛·소리 등이) 전도되다	wear	동 입고 있다, 닳게 하다
unearth	동 발굴하다, 발견하다	weigh	동 무게를 달다, 심사숙고하다
unfold	동 펼치다, 표명하다	win	동 이기다, 획득하다
wag	동 (꼬리 등을) 흔들다	wipe	동 닦아 내다, 지우다
wait	동 기다리다, 시중들다	wish	동 바라다, ~하고 싶다
wake	동 깨우다, 각성시키다	worry	동 걱정하다, 난처하게 하다
wash	동 씻다, 떠내려 보내다	wrap	동 싸다
waver	동 흔들리다, 망설이다	zigzag	동 지그재그로 걷다

[예문 해석] **1595** 무서운 폭풍이 마을을 파괴시켰다. **1596** 그는 상대방과 맞붙어 싸우기 시작했다. **1597** 파티석상에서 하품하는 것은 무모한 짓이다. **1598** 그들은 모국을 다시 보기를 갈망했다. **1599** "놓쳤다고? 너는 많은 것을 놓칠 거야. 그건 문제가 아니야."라고 그가 소리를 질렀다. **1600** 마지막으로 다른 운전자들에게 양보하십시오.

DAY 32 수능 필수 Daily IDIOMS

pass by
지나가다

Does the number 701 bus **pass by**?
701번 버스가 지나가나요?

pay attention to + N
관심을 기울이다

I try not to **pay attention to** rumors.
나는 소문에는 신경 쓰지 않으려고 한다.

pick up
집어 들다, 차를 태워주다

They're about to **pick up** the baggage.
그들은 짐을 집어 들려고 하고 있다.

pile up
쌓다, 쌓이다

Some building materials are **piled up**.
약간의 건축 자재들이 쌓여 있다.

place an order
주문하다

Can I **place a** mail **order**?
우편 주문할 수 있나요?

play a major role in
~에서 주된 역할을 하다

Schools **play a major role in** socialization of an individual.
학교는 개인의 사회화에 큰 역할을 한다.

play a trick on
~을 속이다

He **played a** cheap **trick on** her.
그는 비열한 수법으로 그녀를 속였다.

point out
지적하다

It is embarrassing to have a client **point out** our mistake.
고객에게 잘못된 점을 지적당하는 것은 곤혹스러운 일이다.

DAY 32 암기를 위한 Daily TEST

맞은 개수 ◯ / 50문항

💡 빈칸에 알맞은 단어나 뜻을 쓰시오.

01. transplant

02. transport

03. trap

04. 밟다, 걷다

05. tremble

06. trigger

07. 정돈하다

08. triple

09. (세게) 당기다

10. tumble

11. twinkle

12. 꼬다, 뒤틀리다

13. underestimate

14. undergo

15. undermine

16. undertake

17. 원상태로 돌리다

18. unify

19. unite

20. 재촉하다

21. 발언하다, 말하다

22. vaccinate

23. vanish

24. 바꾸다, 변화하다

25. 팔다, 판매하다

26. violate

27. vomit

28. 투표하다

29. 맹세하다

30. wander

31. 경고하다

32. warrant

33. 낭비하다

34. (천·직물을) 짜다

35. 눈물을 흘리다

36. whisper

37. withdraw

38. wither

39. withhold

40. withstand

41. witness

42. wonder

43. 악화시키다

44. worship

45. 난파시키다

46. wrestle

47. yawn

48. yearn

49. 소리 지르다

50. 산출하다, 양보하다

| 1601 **abrupt** | 형 | 갑작스러운, 퉁명스러운, 가파른 | 16회 |

[əbrʌ́pt]

There was an **abrupt** change in her attitude towards me.
→ abruptness 명 갑작스러움   abruptly 부 갑작스럽게, 가파르게

| 1602 **absolute** | 형 | 절대적인 | 36회 |

[ǽbsəlùːt]

Beauty cannot be measured by any **absolute** standard.
→ absolutely 부 절대로, 단연코

| 1603 **abstract** | 형 | 추상적인 | 명 | 추상, 요약 | 동 | 추출하다, 제거하다 | 14회 |

[ǽbstrǽkt]

혼동어
distract
동 집중이 안 되게 하다

Abstract art is sometimes difficult to understand.

| 1604 **absurd** | 형 | 불합리한, 어리석은 | 15회 |

[æbsə́ːrd]

The situation is **absurd** and it needs to change.
→ absurdly 부 불합리하게, 터무니없이

| 1605 **abundant** | 형 | 풍부한, 많은 | 26회 |

[əbʌ́ndənt]

The land is **abundant** in minerals.
→ abundance 명 풍부, 많음

| 1606 **accurate** | 형 | 정확한 | 86회 |

[ǽkjurət]

Pam wasn't a good typist, but fortunately Sam was fast and **accurate**.
→ accuracy 명 정확성   accurately 부 정확하게   〔대수능〕

| 1607 **acid** | 형 | 신, (사람의 말이) 신랄한 | 명 | 산 | 13회 |

[ǽsid]

Vinegar has a strong **acid** taste.
→ acidity 명 산성도   ✿ acid rain 산성비

| 1608 **acute** | 형 | 날카로운, 민감한, 심각한 | 14회 |

[əkjúːt]

Dogs have an **acute** sense of smell.
→ acutely 부 날카롭게, 격심하게, 예민하게

[예문 해석] **1601** 나에 대한 그녀의 태도에 갑작스러운 변화가 생겼다.   **1602** 아름다움은 어떠한 절대적인 기준으로도 잴 수 없다.   **1603** 추상적 미술은 때때로 이해하기 어렵다.   **1604** 상황은 불합리하고 변화될 필요가 있다.   **1605** 그 땅은 광물질이 풍부하다.   **1606** Pam은 훌륭한 타이피스트는 아니었지만, 다행히 Sam은 빠르고 정확했다.   **1607** 식초는 강한 신맛이 난다.   **1608** 개는 후각이 예민하다.

1609 additional 형 부가적인, 추가의   45회

[ədíʃənl]

The government must devise multiple options to generate **additional** jobs.

1610 adequate 형 적절한, 적당한   14회

[ǽdikwət]

Make sure you take an **adequate** supply of water.
→ adequately 부 적절하게

> 💡 **adequate**는 '(기대만큼은 아니지만) 나름대로 적당한'의 의미이고, **enough**는 '(기대 이상으로) 충분한'의 의미로 차이가 있다.

1611 admirable 형 칭찬할 만한, 훌륭한   18회

[ǽdmərəbl]

It was a great honor to have worked with many **admirable** artists.

1612 adverse 형 역의, 거스르는, 불리한   14회

[ædvə́:rs]   혼동어
advertise
동 광고하다

Despite the **adverse** weather condition, the plane took off.
→ adversary 명 적 형 적의   adversative 형 반대의   adversity 명 역경
✪ an adverse wind 역풍

1613 aesthetic 형 미의, 미적인   11회

[esθétik]

The paintings have successfully given **aesthetic** pleasure to viewers.

> 💡 **aesthetic**은 바라보는 쪽에서 보는 관점이고, **artistic**은 창조자(**creator**)의 '미적' 관점이다.

1614 alert 형 방심 않는, 빈틈 없는, 기민한   명 경계, 경보   19회

[ələ́:rt]

Parents should be always **alert** to sudden changes in children's behavior.

1615 alternative 형 대체의 명 대체물   46회

[ɔːltə́:rnətiv]

Wood has been welcome as an **alternative** material in building houses instead of cement or bricks.

1616 ambiguous 형 애매(모호)한, 분명치 않은   14회

[æmbígjuəs]

This document is **ambiguous** and in need of clarification.
→ ambiguity 명 애매(모호)함, 불명료함

1617 annual 형 일 년의, 일 년마다의   44회

[ǽnjuəl]

The **annual** research budget is approximately US $10 million.
→ annually 부 일 년마다

[예문 해석] **1609** 정부는 추가적인 일자리를 만들어내기 위해 여러 가지 선택을 강구해야 한다. **1610** 충분한 물을 준비해 가는 거 잊지 마라. **1611** 여러 명의 훌륭한 예술가들과 작업하게 되어 매우 영광이었다. **1612** 나쁜 기상 조건에도 불구하고 비행기는 이륙했다. **1613** 그 그림들은 성공적으로 심미적인 즐거움을 관람객들에게 주어왔다. **1614** 부모들은 항상 아이들의 갑작스러운 행동의 변화에 주의를 기울이고 있어야 한다. **1615** 목재는 시멘트나 벽돌 대신, 집을 지을 때 하나의 대체재로서 환경받아 왔다. **1616** 이 서류는 애매하여 명확하게 할 필요가 있다. **1617** 연간 연구비는 약 천만 US달러이다.

1618 anonymous 형 익명의, 신원 불명의 11회

[ənánəməs]

An **anonymous** benefactor donated 2 million dollars.
→ anonym 명 가명, 익명자 anonymously 부 익명으로

1619 antique 형 골동의 명 골동품 13회

[æntíːk]

The **antique** shop is expensive.

1620 anxious 형 걱정하는, 갈망하는 20회

[æŋkʃəs]

I was **anxious** about the children when they didn't come home. 대수능
✪ be anxious about ~에 대해 걱정하다 be anxious to + V ~하고 싶어하다

★철자주의

1621 appropriate 형 적절한, 적당한 46회

[əpróupriət]

Language has to be **appropriate** to the speaker using it. 대수능
→ appropriately 부 적절하게, 적당하게

1622 approximate 형 근사치인, 대략의 22회

[əpráksəmət]

The **approximate** cost will be five dollars.
→ approximation 명 접근, 근사 approximately 부 대략, 대체로

1623 arctic 형 북극의, 북극 지방의 15회

[áːrktik]

Icebergs in the **Arctic** region are melting because of global warming.

1624 artificial 형 인공적인 33회

[àːrtəfíʃəl]

A.I. stands for "**artificial** intelligence."
→ artificially 부 인위적으로 artifact 명 인공물, 가공품, 문화 유물

1625 ashamed 형 부끄러운, 수치스러운 38회

[əʃéimd]

He was **ashamed** that he had lied.
✪ be ashamed of ~에 대해 부끄럽게 여기다

1626 atomic 형 원자의 19회

[ətámik]

They feel that no more **atomic** power plants should be built. 대수능
→ atom 명 원자

[예문 해석] **1618** 한 익명의 독지가가 2백만 달러를 기증했다. **1619** 그 골동품 가게는 비싸다. **1620** 나는 아이들이 집에 돌아오지 않을 때 아이들에 대해서 걱정했었다. **1621** 언어는 그것을 사용하는 사람에게 적절해야 한다. **1622** 대략의 비용은 5달러가 될 것이다. **1623** 북극 지역의 빙산이 지구온난화 때문에 녹고 있다. **1624** A.I.는 '인공 지능'의 줄임말이다. **1625** 그는 자신이 거짓말을 했다는 것을 부끄러워했다. **1626** 그들은 더 이상의 원자력 발전소들이 건설되어서는 안 된다고 느낀다.

1627 authentic	형	믿을 만한, 확실한, 진짜의	18회

[ɔːθéntik] 혼동어 aesthetic 형 미의

The restaurant serves **authentic** Chinese food.

1628 available	형	이용할 수 있는, 소용이 되는	97회

[əvéiləbl]

A parking discount is **available** to museum visitors. (대수능)
→ avail 동 쓸모가 있다   availability 명 유효성, 입수 가능성

1629 aware	형	~을 알고, 깨닫고	73회

[əwéər]

We are not **aware** of the usual smell of our own house. (대수능)
✪ be aware of ~을 알고 있다, ~을 인식하다

1630 awesome	형	굉장한, 아주 멋진, 무서운	16회

[ɔ́ːsəm]

Cebu is known for **awesome** beaches and water sports.

1631 awful	형	지독한, 무서운, 끔찍한	15회

[ɔ́ːfəl]

It was an **awful** place where lots of people starved to death.
→ awe 명 두려움, 경외(敬畏)

> **awful**의 부사형인 **awfully**의 의미 사용에 주의해야 한다. **awfully**는 형용사 앞에서 형용사를 강조하기 위해 쓰이며 '정말'의 의미이다. **awfully**는 대화에서만 주로 쓰이며 구식 표현이다.

1632 awkward	형	서투른, 거북한, 어색한	13회

[ɔ́ːkwərd]

She phoned me at an **awkward** time.

1633 bankrupt	형	파산한	명	파산자	14회

[bǽŋkrʌpt]

Many businesses went **bankrupt** in the aftermath of the recession.
→ bankruptcy 명 파산, 도산

1634 barren	형	불모의, 메마른, 임신을 못하는	17회

[bǽrən]

The **barren** high desert area can be awe-inspiring.
↔ fertile 형 비옥한, 다산인

1635 bilingual	형	두 나라 말을 하는	명	2개 국어 사용자	14회

[bailíŋgwəl]

I ordered five sets of **bilingual** business cards.

[예문 해석] **1627** 그 식당은 진짜 중국 음식을 제공한다. **1628** 미술관 방문객들은 주차 할인을 받을 수 있습니다. **1629** 우리는 우리 집의 일상적인 냄새를 알지 못한다. **1630** 세부는 아주 멋진 해변과 해양 스포츠로 알려져 있다. **1631** 그곳은 수많은 사람들이 굶어 죽었던 끔찍한 곳이었다. **1632** 그녀는 내가 전화 받기 불편한 때에 전화를 했다. **1633** 경기 침체의 여파로 많은 기업들이 파산했다. **1634** 그 불모의 고지 사막 지역은 경외심을 불러일으킬지 모른다. **1635** 나는 5세트의 2개 국어로 된 명함을 주문했다.

1636 **bitter**	형 쓴, 비통한, 쓰라린	13회

[bítər]

The envy, fear, and hatred make us **bitter**, blind, and destructive. 대수능
→ bitterness 명 쓰라림, 격렬, 비통   bitterly 부 혹독하게

1637 **blunt**	형 무딘, 날 없는, 둔한	13회

[blʌ́nt]

He was hit with a **blunt** instrument.
→ bluntly 부 무디게   bluntness 명 무딤, 뭉툭함

1638 **bold**	형 대담한, 과감한	17회

[bóuld] 혼동어
bald
형 대머리의

Magellan was a **bold**, adventurous explorer.
→ boldly 부 대담하게   boldness 명 대담함

1639 **botanical**	형 식물의, 식물성의	13회

[bətǽnikəl]

It is a **botanical** garden.
→ botanist 명 식물학자   botany 명 식물학

1640 **brief**	형 짧은, 간단한	29회

[brí:f]

He has wanted to live another life, even if only for a **brief** time. 대수능
→ briefly 부 간단히   briefing 명 요약 보고, 상황 설명

1641 **brilliant**	형 빛나는, 훌륭한	13회

[bríljənt]

His music was as **brilliant** as ever. 대수능
→ brilliantly 부 훌륭하게, 찬란히

1642 **brutal**	형 잔인한	15회

[brú:tl]

The crew staged a mutiny against the **brutal** officers of the ship.
→ brute 명 짐승, 금수   brutality 명 잔혹성

1643 **casual**	형 우연의, 무관심한, 평상복의	18회

[kǽʒuəl] 혼동어
causal
형 인과 관계의

He went out for a walk in **casual** wear.

1644 **certain**	형 확신하는, 어떤	196회

[sə́:rtn] 혼동어
curtain
명 커튼

Certain genes play a crucial role in human growth and development.
→ certainty 명 확실함, 필연성   certainly 부 틀림없이, 확실히

[예문 해석] **1636** 시기심과 두려움, 증오는 우리를 비참하고 맹목적이고 파괴적으로 만든다. **1637** 그는 무딘 도구로 맞았다. **1638** Magellan은 대담하고 모험적인 탐험가였다. **1639** 이곳은 식물원이다. **1640** 그는 짧은 시간일지라도 또 다른 삶을 살기를 원했을 것이다. **1641** 그의 음악은 여전히 훌륭했다. **1642** 그 선원들은 배의 잔인한 장교들에 맞서 모반을 계획했다. **1643** 그는 간편한 차림으로 산책을 나갔다. **1644** 어떤 유전자들은 인간의 성장과 발육에 중요한 역할을 한다.

1645 chronic 형 만성의, 상습적인 [13회]

[kránik] 혼동어 chronicle 명 연대기

Headache is a **chronic** disease with me.
→ chronically 부 만성적으로, 상습적으로

1646 civilized 형 문명화된 [41회]

[sívəlàizd]

Conforming is necessary in any **civilized** community. 대수능
→ civilization 명 문명화   civilize 동 문명화하다

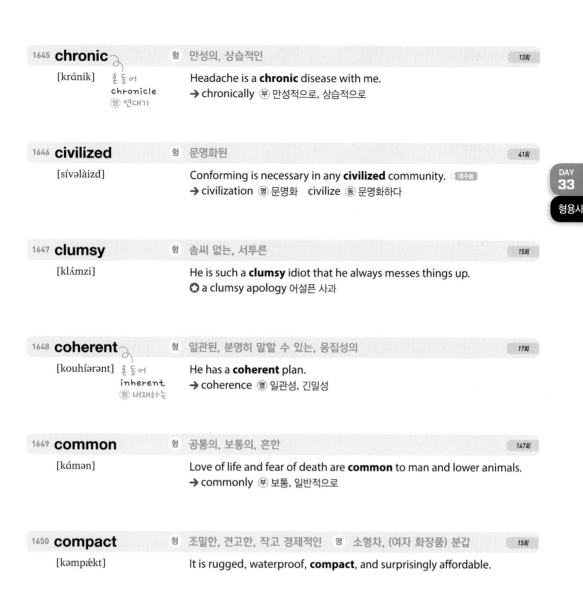

DAY
33
형용사

1647 clumsy 형 솜씨 없는, 서투른 [15회]

[klʌ́mzi]

He is such a **clumsy** idiot that he always messes things up.
✿ a clumsy apology 어설픈 사과

1648 coherent 형 일관된, 분명히 말할 수 있는, 응집성의 [17회]

[kouhíərənt] 혼동어 inherent 형 내재하는

He has a **coherent** plan.
→ coherence 명 일관성, 긴밀성

1649 common 형 공통의, 보통의, 흔한 [147회]

[kámən]

Love of life and fear of death are **common** to man and lower animals.
→ commonly 부 보통, 일반적으로

1650 compact 형 조밀한, 견고한, 작고 경제적인   명 소형차, (여자 화장품) 분갑 [15회]

[kəmpǽkt]

It is rugged, waterproof, **compact**, and surprisingly affordable.

표제어 이외의 **주요 어휘**

absent	형 결석한	bilateral	형 양측의, 두 면이 있는
academic	형 학구적인, 학문상의	biomechanical	형 생체 역학의
almighty	형 전지전능한	blank	형 비어 있는
ample	형 광대한, 충분한	bulk	형 대량의
ancient	형 고대의, 옛날의	Celsius	형 섭씨의
asleep	형 잠들어 있는	centennial	형 100년마다의
bald	형 머리털이 없는, 대머리의	circumspect	형 신중한, 주의 깊은
beloved	형 사랑하는, 귀여운	communal	형 자치 단체의, 공공의

[예문 해석] **1645** 두통은 나의 고질병이다. **1646** 순응은 모든 문명화된 사회에서 필요하다. **1647** 그는 너무나 서투른 사람이어서 매사를 망친다. **1648** 그는 일관된 계획을 갖고 있다. **1649** 삶을 아끼고 죽음을 두려워하는 것은 사람에게나 하등 동물에게나 공통적인 것이다. **1650** 이것은 견고하고, 방수가 되며, 작고, 가격도 놀랄 만큼 저렴하다.

DAY 33 수능 필수 Daily IDIOMS

prevent A from B
A가 B하지 못하게 하다

He is **preventing** people **from** entering.
그는 사람들이 들어가지 못하게 하고 있다.

put off
연기하다

I was inwardly relieved that the test was **put off**.
나는 시험이 미루어져 슬며시 안심했다.

put out
(불을) 끄다

Many people helped to **put out** the fire.
많은 사람들이 진화하는 걸 도와주었다.

quite a few
상당수의

There are **quite a few** cans of yellow paint in the hall.
복도에 노란색 페인트 통이 꽤 많이 있다.

raise a question
문제를 제기하다

Research on embryonic stem cells **raises** profound ethical **questions**.
배아 줄기세포 연구는 심각한 윤리 문제를 제기한다.

relating to
~에 관한

Dr. Song will discuss issues **relating to** legal information services.
송 박사님께서 법률 정보 서비스에 관련된 문제에 대해 이야기해주실 것입니다.

rely on
의존하다, 믿다

Rely on your own judgment.
네 자신의 판단을 믿어라.

remind A of B
A에게 B를 상기시키다

Suddenly I am **reminded of** the old days.
지나간 일이 문득 생각난다.

DAY 33 암기를 위한 Daily TEST

💡 빈칸에 알맞은 단어나 뜻을 쓰시오.

01. abrupt

02. absolute

03. abstract

04. absurd

05. abundant

06. accurate

07. 신, 신랄한

08. 날카로운, 민감한

09. additional

10. adequate

11. admirable

12. adverse

13. aesthetic

14. 방심 않는

15. alternative

16. ambiguous

17. 일 년의

18. anonymous

19. antique

20. 걱정하는

21. appropriate

22. approximate

23. arctic

24. artificial

25. ashamed

26. 원자의

27. authentic

28. available

29. ~을 알고, 깨닫고

30. awesome

31. 지독한, 무서운

32. awkward

33. bankrupt

34. barren

35. bilingual

36. 쓴, 비통한

37. 무딘, 날 없는

38. 대담한, 과감한

39. botanical

40. 짧은, 간단한

41. brilliant

42. brutal

43. 우연의, 무관심한

44. certain

45. chronic

46. 문명화된

47. clumsy

48. coherent

49. 공통의, 보통의

50. compact

1651 compatible 형 양립하는, 모순되지 않는, 호환성이 있는 14회

[kəmpǽtəbl]

The network adapters are **compatible** with the chosen transport type.

1652 competent 형 유능한 26회

[kámpətənt]

He was a **competent** secretary.
→ competence 명 능력, 자격 competently 부 유능하게

1653 competitive 형 경쟁의, 경쟁력 있는 33회

[kəmpétətiv]

To stay **competitive** in the world economy, Korea needs more scientists.

1654 compulsive 형 강제적인, 억지로의, 강박관념에 사로잡힌 11회

[kəmpálsiv]

He was a **compulsive** gambler and often heavily in debt.

1655 concrete 형 구체적인, 유형의, 굳어진 19회

[kánkriːt]

The police had no **concrete** evidence.
↔ abstract 형 추상적인

1656 Confucian 형 공자의, 유교의 명 유생 13회

[kənfjúːʃən]

Mencius propagated **Confucian** doctrines.
→ Confucianism 명 유교 Confucius 명 공자

1657 constant 형 불변의, 일정한, 계속적인 75회

[kánstənt]

Parents have to pay for their children's **constant** clothing demands.
→ constancy 명 불변, 성실 constantly 부 변함없이, 끊임없이 대수능

1658 content 형 만족하는 명 내용, 내용물, 목차 42회

[kɑntént]

He is **content** with what he has.

★철자주의

[예문 해석] **1651** 그 네트워크 어댑터는 선택한 전송 종류와 호환된다. **1652** 그는 유능한 비서였다. **1653** 세계 경제에서 경쟁력을 유지하기 위해 한국에는 더 많은 과학자들이 필요하다. **1654** 그는 도박 중독자여서 종종 빚을 많이 졌다. **1655** 경찰은 구체적인 증거가 없었다. **1656** 맹자가 공자의 설을 널리 퍼뜨렸다. **1657** 부모들은 자녀들의 끊임없는 옷에 대한 요구에 돈을 지불해야 한다. **1658** 그는 그가 가지고 있는 것에 만족한다.

| 1659 **controversial** | 형 | 논쟁의, 논의의 여지가 있는 | 17회 |

[kàntrəvə́:rʃəl]

The audience hissed the **controversial** play.
→ controversy 명 논쟁, 논의

| 1660 **corporate** | 형 | 법인의, 회사의 | 27회 |

[kɔ́:rpərət]

The **corporate** headquarters are located in the capital of the country.
→ corporation 명 법인, 주식회사

★철자주의

| 1661 **correct** | 형 | 정확한, 올바른 | 동 | 고치다 | 43회 |

[kərékt]

None of these explanations proved to be **correct**.
→ correction 명 정정, 수정, 교정 correctly 부 정확하게

| 1662 **corrupt** | 형 | 부패한, 뇌물이 통하는 | 동 | 부패하다 | 10회 |

[kərʌ́pt]

We cannot but deplore the **corrupt** conditions of this society.
→ corruption 명 부패, 타락

| 1663 **cosmic** | 형 | 우주의 | 16회 |

[kázmik]

The **cosmic** laws govern our world.
→ cosmos 명 우주, 질서 있는 체계

★철자주의

| 1664 **critical** | 형 | 평론의, 비판적인, 중요한 | 84회 |

[krítikəl]

The summer was **critical** to most of the restaurants and pubs. 대수능
→ critic 명 평론가 criticism 명 비평, 평론

| 1665 **crucial** | 형 | 결정적인, 중대한 | 28회 |

[krú:ʃəl]

Parents know how **crucial** the choice of friends is for every child. 대수능
✪ at the crucial moment 결정적인 순간에

★철자주의

| 1666 **crude** | 형 | 가공하지 않은, 투박한, 거친 | 16회 |

[krú:d]

That country exports **crude** oil.

| 1667 **cruel** | 형 | 잔혹한, 잔인한, 무정한 | 16회 |

[krú:əl]

It is **cruel** to do such a thing.

[예문 해석] **1659** 관중들은 그 논란이 많은 연극을 비난했다. **1660** 그 회사의 본사는 그 나라의 수도에 위치해 있다. **1661** 이러한 설명 중 어떤 것도 올바른 것으로 판명되지 않았다. **1662** 우리는 이 사회의 부패상을 보고 탄식하지 않을 수 없다. **1663** 우주의 법칙이 이 세계를 지배한다. **1664** 그 여름은 대부분의 식당들과 술집들에게 중요했다. **1665** 부모들은 모든 아이들에게 있어 친구의 선택이 얼마나 중요한지 알고 있다. **1666** 그 나라는 원유를 수출한다. **1667** 그런 짓을 하는 것은 잔인하다.

| 1668 **cynical** | 형 | 냉소적인, 비꼬는 | 13회 |

[sínikəl]

Don't be so grumpy and **cynical** about it all.
→ cynicism 명 냉소, 비꼬는 버릇

| 1669 **decent** | 형 | 기품 있는, 근사한 | 13회 |

[díːsnt]

혼동어
descent
명 하강

The new CEO is an educated, **decent**, and competent man.
→ decently 부 점잖게, 기품 있게

| 1670 **deceptive** | 형 | 현혹시키는, 사기의 | 13회 |

[diséptiv]

Appearances are **deceptive**.

| 1671 **deliberate** | 형 | 신중한, 의도적인 | 27회 |

[dilíbərət]

It is a **deliberate** attempt to delay the law-making process for bills.
→ deliberation 명 숙고, 심의, 협의   deliberately 부 신중히, 고의로

| 1672 **dense** | 형 | 밀집한, 조밀한, 짙은 | 29회 |

[déns]

The man and children are playing in the **dense** woods.
→ density 명 밀도, 농도

| 1673 **desperate** | 형 | 자포자기한, 필사적인, 절망적인 | 23회 |

[déspərət]

Stores are getting **desperate** after a year of poor sales.

| 1674 **deviant** | 형 | (정상에서) 벗어난, 일탈적인 | 13회 |

[díːviənt]

Deviant behavior is behavior that violates the social norms and values.

| 1675 **diligent** | 형 | 근면한, 부지런한 | 15회 |

[dílədʒənt]

Ants are **diligent** workers that work as part of a group.

| 1676 **disabled** | 형 | 불구가 된, 무능력의 | 11회 |

[diséibld]

Unless one is **disabled**, every Korean young man has to serve in the army.
→ disable 동 쓸모없게 만들다, 불구로 만들다

[예문 해석] **1668** 그것 모두에 대해서 그렇게 까다롭고 냉소적으로 굴지 마라. **1669** 새로운 최고 경영자는 교양 있고 기품 있으며 유능한 사람이다. **1670** 외관은 믿을 수 없다. **1671** 그것은 법안에 대한 입법 절차를 지연시키려고 하는 의도적인 시도이다. **1672** 남자와 아이들이 나무가 우거진 숲에서 놀고 있다. **1673** 가게들은 1년 동안 판매가 부진한 뒤라 자포자기하는 상태이다. **1674** 일탈 행동이란 사회규범과 가치에 위배되는 행동이다. **1675** 개미는 집단의 일원으로 일하는 근면한 일꾼이다. **1676** 불구자가 아닌 한, 한국의 청년은 누구나 군에 복무해야 한다.

1677 disposable 형 (사용 후) 버릴 수 있는, 일회용의 `16회`

[dispóuzəbl]

There are not only paper plates but **disposable** razors. `대수능`
→ disposal 명 처리, 처분 ○ dispose of ~을 처분(처리)하다

1678 distinct 형 별개의, 뚜렷한, 독특한 `51회`

[distíŋkt]

There is a **distinct** difference between the two.
→ distinction 명 구별, 차이, 특성 distinctive 형 독특한, 특이한

1679 dizzy 형 현기증이 나는, 어지러운 `13회`

[dízi]

The sudden ascent of the elevator made us **dizzy**.

1680 domestic 형 국내의, 가정의 `34회`

[dəméstik] 혼동어 cosmetic 명 화장품

The **domestic** resources require protection because of national defense. `대수능`
→ domestication 명 교화, 길들임 domesticate 동 길들이다

1681 dramatic 형 극적인, 인상적인, 연극의 `29회`

[drəmǽtik]

The sci-fi film had a **dramatic** story that fascinated audiences.

1682 drastic 형 과감한, 맹렬한 `18회`

[drǽstik]

I believe **drastic** measures should be taken before it's too late. `대수능`
→ drastically 부 격렬하게, 철저하게

1683 dynamic 형 동적인, 힘찬 `17회`

[dainǽmik]

We look forward to cooperation with your **dynamic** leadership.
↔ static 형 정적인

1684 eager 형 열망하는, 간절히 ~하고 싶어하는 `13회`

[íːgər]

The new graphic artist was **eager** to please the head designer.

1685 economic 형 경제(학상)의 `187회`

[èkənámik]

The killing of whales must be stopped for **economic** reasons. `대수능`
→ economy 명 경제 economics 명 경제학 economical 형 절약하는

[예문 해석] **1677** 종이 접시뿐만 아니라 일회용 면도기도 있다. **1678** 그 둘 사이에는 뚜렷한 차이가 있다. **1679** 엘리베이터가 갑자기 올라가서 우리는 어지러워졌다. **1680** 국내 자원은 국가 방위 때문에 보호가 필요하다. **1681** 그 공상과학 영화는 인상적인 줄거리로 관객들의 마음을 사로잡았다. **1682** 나는 너무 늦기 전에 과감한 조치들이 취해져야 한다고 확신한다. **1683** 귀하의 역동적인 지도에 저희도 함께 협력할 수 있기를 고대합니다. **1684** 새로 온 그래픽 담당자는 수석 디자이너를 기쁘게 해주려고 안달이었다. **1685** 고래를 죽이는 것은 경제적인 이유로 중지되어야만 한다.

1686 edible 형 먹을 수 있는, 식용에 적합한 `10회`

[édəbl]

With his **edible** produce sculptures, Elffers hopes to share that joy. `대수능`

1687 efficient 형 능률적인, 유능한, 기량이 있는 `66회`

[ifíʃənt]

혼동어
sufficient
형 충분한

Farming will become more **efficient** by using new types of technology. `대수능`
→ efficiency 명 효과, 능률   efficiently 부 능률적으로, 유효하게

1688 elaborate 형 정교한, 공들인   동 정성들여 만들다 `12회`

[ilǽbərət]

It was a very **elaborate** dinner.
→ elaboration 명 공들여 함, 정성, 퇴고

1689 elastic 형 탄력성이 있는 `15회`

[ilǽstik]

A rubber band is **elastic**.

1690 electronic 형 전자의 `45회`

[ilektránik]

No matter how many **electronic** wonders we invent, we have to read. `대수능`
→ electricity 명 전기   electronics 명 전자 공학   electron 명 전자

1691 eligible 형 적격의, 적임의 `15회`

[élidʒəbl]

You are **eligible** to membership.
→ eligibility 명 자격, 적임

1692 eloquent 형 웅변의, 설득력 있는, 표정이 풍부한 `16회`

[éləkwənt]

Eyes are more **eloquent** than lips.

1693 eminent 형 저명한, 뛰어난 `13회`

[émənənt]

He produced **eminent** achievements.

1694 enormous 형 거대한, 막대한 `37회`

[inɔ́ːrməs]

The voice gives us an **enormous** amount of information about its owner.
→ enormously 부 거대하게, 엄청나게

> [e(=out of)+norm(=rule)+ous(형용사어미)] norm은 '규칙, 규정, 형식'의 의미이다.

[예문 해석] **1686** Elffers는 음식을 가지고 조각을 하여 그 기쁨을 나누고 싶어한다.   **1687** 농업은 새로운 종류의 기술을 사용함으로써 더 능률화될 것이다.   **1688** 그것은 무척 정성들여 준비한 만찬이었다.   **1689** 고무 밴드는 신축성이 있다.   **1690** 아무리 많은 전자상의 경이로운 것을 발명하더라도, 우리는 독서를 해야 한다.   **1691** 당신은 회원이 될 자격이 있다.   **1692** 눈은 입 이상으로 말을 한다.   **1693** 그는 뛰어난 업적을 만들어 냈다.   **1694** 목소리는 그것의 소유자에 대한 엄청난 양의 정보를 우리에게 준다.

1695 envious 형 부러워하는, 질투심이 강한 47회

[énviəs]

He is never **envious** of others for their wealth.
→ envy 명 질투, 부러움, 선망의 대상

1696 essential 형 필수적인, 본질적인, 긴요한 123회

[isénʃəl]

But the art of reading will be more **essential** than ever. 대수능
→ essence 명 본질   essentially 부 본질적으로

1697 eternal 형 영구한, 불변의 16회

[itə́:rnəl] 혼동어 internal 형 내부의

God is **eternal**.
→ eternity 명 영원, 무궁, 불멸

1698 ethical 형 도덕상의, 윤리적인 30회

[éθikəl]

Should there be **ethical** limits to technological development? 대수능
→ ethics 명 윤리학

★ 철자 주의

1699 ethnic 형 인종의, 민족의 12회

[éθnik]

Ethnic minorities comprise 0.7% of the population.
➕ ethnocentric 형 자민족 중심주의의

1700 exquisite 형 절묘한, 정교한, 세련된 12회

[ikskwízit]

Mr. Song's photography is **exquisite**.

💡 **exquisite**는 특히 감각이 예민하고 취미가 고상한 사람만이 이해할 것 같은 아름다움을 의미하고, **delicate**는 연약함이 따르는 아름다움을 의미한다.

표제어 이외의 주요 어휘

complacent	형 만족한, 자기만족의	discreet	형 분별 있는, 생각이 깊은
complete	형 완전한	discrete	형 별개의, 분리된
complex	형 복잡한	due	형 ~할 예정인, 만기의
consecutive	형 연속적인, 잇따른	dull	형 무딘, 지루한
cunning	형 약삭빠른, 교활한	elder	형 손위의, 연장자의
damp	형 축축한, 습기 찬	enjoyable	형 즐거운, 즐길 수 있는
detrimental	형 유해한, 손해를 주는	equivalent	형 동등한, 같은
dim	형 희미한, 어둠침침한	evident	형 명백한

[예문 해석] **1695** 그는 결코 재산 때문에 다른 사람들을 부러워하지 않는다. **1696** 하지만 독서의 기술은 그 어느 때보다 더 필수적인 것이 될 것이다. **1697** 신은 영원히 존재한다. **1698** 기술 발전에 윤리적인 한계가 있어야만 하는가? **1699** 소수민족은 인구의 **0.7**퍼센트를 차지한다. **1700** Mr. Song의 사진은 절묘하다.

DAY 34 수능 필수 Daily IDIOMS

result from
~의 결과로서 일어나다

Most cases **resulted from** a lack of proper preparation.
대부분의 사건은 적절한 준비를 하지 않아서 발생한 것들이다.

result in
~을 초래하다

The plan **resulted in** failure.
그 계획은 결국 실패했다.

run for
~에 출마하다

He consented to **run for** President.
그는 대통령 선거에 출마하는 데 동의했다.

run out of
~이 부족해지다, 바닥나다

We've **run out of** gas.
휘발유가 다 떨어졌다.

run short (of)
~이 바닥나다, 부족해지다

We soon **ran short of** topics of conversation.
우리는 곧 이야깃거리가 바닥났다.

save face
체면을 세우다, 면목을 유지하다

The politicians involved are more interested in **saving face** than telling the truth.
관련된 정치인들은 진실을 말하기보다는 체면을 세우는 데 더 관심을 갖고 있다.

separate from
~와 분리된

This will create a new domain tree that is **separate from** any existing trees.
이것은 기존의 트리로부터 독립된 별개의 새 도메인 트리를 만들 것이다.

set free
풀어주다, 석방하다

Lincoln ordered to **set** the slaves **free**.
Lincoln은 노예를 석방하라고 명했다.

DAY 34 암기를 위한 Daily TEST

맞은 개수 ___ / 50문항

빈칸에 알맞은 단어나 뜻을 쓰시오.

01. compatible
02. competent
03. competitive
04. compulsive
05. concrete
06. Confucian
07. 불변의, 일정한
08. 만족하는
09. controversial
10. corporate
11. 정확한, 올바른
12. corrupt
13. cosmic
14. critical
15. crucial
16. 가공하지 않은
17. 잔혹한, 잔인한
18. cynical
19. 기품 있는, 근사한
20. deceptive
21. deliberate
22. 밀집한, 조밀한
23. desperate
24. deviant
25. diligent

26. disabled
27. disposable
28. distinct
29. 현기증이 나는
30. domestic
31. dramatic
32. drastic
33. 동적인, 힘찬
34. 열망하는
35. economic
36. 먹을 수 있는
37. 능률적인, 유능한
38. elaborate
39. 탄력성이 있는
40. electronic
41. eligible
42. eloquent
43. 저명한, 뛰어난
44. enormous
45. envious
46. essential
47. eternal
48. ethical
49. 인종의, 민족의
50. exquisite

1701 extensive 형 광대한, 넓은   14회

[iksténsiv] 혼동어 expensive 형 비싼

He possessed an **extensive** farmland.
→ extension 명 확장, 연장   extend 동 넓히다, 확장하다

1702 external 형 외부의, 표면의, 대외적인   34회

[ikstə́:rnl]

They were incessantly exposed to **external** aggressions.
↔ internal 형 내부의, 내면적인, 국내의

1703 extraordinary 형 비범한, 놀라운, 특별한   15회

[ikstrɔ́:rdənèri]

It was the vividness of the dream that was so **extraordinary**.
→ extraordinarily 부 엄청나게

1704 extreme 형 극단의, 극도의   82회

[ikstrí:m]

I'm afraid that may be too **extreme** an approach. 대수능
→ extremist 명 극단론자   extremely 부 극단적으로

1705 fabulous 형 기막히게 좋은, 엄청난, 굉장한   14회

[fǽbjuləs]

The singer has enjoyed popularity with her **fabulous** voice since her debut.

1706 fair 형 공정한, 공평한, 아름다운   명 박람회   52회

[féər] 혼동어 fairy 명 요정

We learned in kindergarten "share everything" and "play **fair**." 대수능
→ fairly 부 공평하게, 매우

1707 fake 형 가짜의   명 위조품   동 위조하다   16회

[féik]

She wears garish clothing and **fake** jewelry.

1708 familiar 형 친밀한, 잘 알려진   36회

[fəmíljər]

Helen Keller is **familiar** to us.

[예문 해석] **1701** 그는 광대한 농지를 소유했다. **1702** 그들은 끊임없이 외부의 침략에 노출되었다. **1703** 정말로 범상치 않은 것은 그 꿈의 생생함이었다. **1704** 나는 그것이 너무 극단적인 접근법일지도 몰라 걱정이 된다. **1705** 그 가수는 데뷔한 이래 아주 멋진 목소리로 인기를 누렸다. **1706** 우리는 유치원에서 '모든 것을 공유하기', '공정하게 경기하기'를 배웠다. **1707** 그녀는 화려한 옷에다가 모조 보석을 하고 있다. **1708** Helen Keller는 우리에게 잘 알려져 있다.

1709 **famous**	형	유명한	76회

[féiməs]

I'm used to make fingernail polish and records of **famous** singers. 대수능

1710 **fancy**	형	멋진, 최고급의, 공상의	명	공상	동	공상하다	17회

[fǽnsi] 혼동어
infancy
명 유년기, 초기

Betty had lost a lot of money at a **fancy** department store. 대수능
→ fanciful 형 공상에 잠긴, 비현실적인

DAY 35 형용사

1711 **fatal**	형	치명적인, 운명의	12회

[féitl]

The drunk driver caused a **fatal** accident.
→ fatalist 명 운명론자   fate 명 운명, 죽음

1712 **favorite**	형	매우 좋아하는, 마음에 드는	116회

[féivərit]

I was finally able to enjoy my **favorite** authors. 대수능
→ favor 명 호의, 찬성   favorable 형 호의적인, 찬성하는

1713 **federal**	형	연방의, 동맹의, 연합의	19회

[fédərəl]

Remember, **federal** regulations prohibit smoking aboard this aircraft.

1714 **feminine**	형	여성의, 여성다운	12회

[fémənin] 혼동어
famine
명 굶주림, 기아

She seemed to have plenty of **feminine** charm.
→ feminist 명 여권주의자   feminism 명 여권주의

1715 **fertile**	형	비옥한, 기름진, 다산인	14회

[fə́:rtl]

Cattle are raised on **fertile** plains in the south.
→ fertility 명 비옥, 다산   fertilize 동 비옥하게 하다   fertilizer 명 비료

1716 **festive**	형	축제의	35회

[féstiv]

The atmosphere is really **festive** and friendly. 대수능
→ festival 명 축제, 잔치

1717 **fierce**	형	사나운, 격렬한, 맹렬한	14회

[fíərs] 혼동어
pierce
동 관통하다

After a **fierce** battle the enemy has been forced back. 대수능
→ fiercely 부 사납게, 맹렬하게

[예문 해석] **1709** 나는 손톱 광택제 그리고 유명한 가수들의 음반을 만드는 데 사용된다. **1710** Betty는 고급 백화점에서 많은 돈을 잃어버렸다. **1711** 그 음주 운전자는 치명적인 사고를 일으켰다. **1712** 나는 마침내 내가 가장 좋아하는 작가의 작품을 즐길 수 있었다. **1713** 이 비행기에 탑승 시 흡연은 연방 규정에 의해 금지됨을 기억해주시기 바랍니다. **1714** 그녀는 여성적 매력을 많이 지닌 것 같았다. **1715** 소는 남부의 비옥한 평원 지대에서 사육된다. **1716** 분위기는 정말로 축제 같고 친근하다. **1717** 격렬한 전투 후에 적은 퇴각했다.

1718 fit

[fít] 혼동어
feat 몡 위업, 공적

혱 꼭 맞는, 건강이 좋은, 적합한   80회

She looks physically **fit** and always has lots of energy.

1719 flat

[flǽt]

혱 편평한, 납작한   10회

He squashed the empty can **flat**.

1720 folk

[fóuk] 혼동어
fork 몡 포크

혱 민속의, 전통적인   몡 사람들   17회

Folk music was played at the outdoor concert in the park.

1721 following

[fálouiŋ]

혱 다음의   몡 추종자   229회

Please listen to the **following** directions. If you'd like to place an order, press "one" now. 대수능
→ follow 동 따르다

1722 fond

[fánd] 혼동어
pond 몡 연못

혱 좋아하는, 애정 있는, 다정한   15회

Children in general are **fond** of candy.
✪ be fond of ~을 좋아하다

1723 fragile

[frǽdʒəl]

혱 부서지기 쉬운, 연약한   17회

"Then it must be a **fragile** color," said the blind man. 대수능
→ fragility 몡 부서지기 쉬움, 허약

1724 frank

[frǽŋk]

혱 솔직한   15회

To be **frank** with you, I don't like him.
✪ to be frank with you 솔직히 말해서

1725 frantic

[frǽntik]

혱 미친 듯 날뛰는, 광란의, 필사적인   14회

A rat made **frantic** attempts to escape from a mousetrap.
→ frantically 붰 미친 듯이

1726 frequent

[frí:kwənt]

혱 빈번한   100회

More **frequent** use of computers will create a danger to our health. 대수능
→ frequency 몡 빈번함, 주파수   frequently 붰 자주, 흔히

[예문 해석] **1718** 그녀는 신체적으로 건강해 보이고 항상 힘이 넘쳐난다. **1719** 그는 빈 깡통을 짓눌러 납작하게 만들었다. **1720** 민속음악이 공원의 야외 콘서트에서 연주되었다. **1721** 다음 사항에 주의를 기울여 주십시오. 만약 주문을 하고 싶으시면, 지금 '1번'을 눌러주십시오. **1722** 아이들은 일반적으로 사탕을 좋아한다. **1723** "그러면 이것은 부서지기 쉬운 색임에 틀림없어."라고 장님인 남자는 말했다. **1724** 솔직히 말해서 나는 그를 좋아하지 않는다. **1725** 쥐는 쥐덫에서 빠져나오려고 필사적인 시도를 하였다. **1726** 컴퓨터의 더 잦은 사용은 우리의 건강에 위험을 야기할 것이다.

1727 fresh 형 새로운, 신선한 62회

[fréʃ]

Welcome to MUSE — a **fresh** approach to classical music. 대수능
→ freshly 부 새로이, 신선하게 ⊕ freshman 명 신입생, 1학년생

1728 fundamental 형 기초의, 근본적인, 중요한 28회

[fʌndəméntl]

That is a **fundamental** change in politics.
→ fundamentally 부 기본적으로

1729 furious 형 성난, 사납게 몰아치는, 맹렬한 9회

[fjúəriəs] 혼동어
curious
형 호기심이 많은

He got **furious** at her remarks.
→ fury 명 격분, 격렬함

1730 gloomy 형 우울한, 음침한 39회

[glú:mi] 혼동어
bloomy
형 꽃이 만발한

She looked **gloomy**. 대수능
→ gloom 명 우울, 어둠

1731 gorgeous 형 호화로운, 찬란한, 멋진 11회

[gɔ́:rdʒəs]

The dress worn by Miss Korea looks so **gorgeous** and radiant.

1732 grateful 형 감사하는, 고마운 42회

[gréitfəl]

She will be deeply **grateful** to know that you have done that for her.
→ gratitude 명 감사

1733 hard 형 굳은, 열심인, 어려운 220회

[há:rd]

Success and **hard** work go together.

1734 horrific 형 끔찍한, 무서운 15회

[hɔ:rífik] 혼동어
terrific
형 엄청난, 훌륭한

I was shocked as I watched a **horrific** terrorist attack in Russia.

1735 huge 형 거대한 63회

[hjú:dʒ] 혼동어
hug 동 껴안다

Mental factors play a **huge** role in determining performance outcomes. 평가원

[예문 해석] **1727** Muse에 오신 것을 환영합니다. 이것은 고전음악에 대한 신선한 접근입니다. **1728** 그것은 정치상의 근본적인 변화이다. **1729** 그는 그녀의 말에 몹시 화가 났다. **1730** 그녀는 우울해 보였다. **1731** 미스코리아가 입은 의상은 매우 호화찬란해 보인다. **1732** 당신이 그녀를 위해 그 일을 해주었다는 것을 알면 그녀는 깊이 감사할 것이다. **1733** 성공에는 고생이 따르기 마련이다. **1734** 나는 러시아에서 일어난 끔찍한 테러 공격을 보고서는 충격을 받았다. **1735** 정신적 요인은 수행 결과를 결정하는 데 지대한 역할을 한다.

1736 humble 형 초라한, 겸손한 ^{19회}

[hámbl] 혼동어 tumble 동 떨어지다, 폭락하다

I think he is a very **humble** person. 대수능
→ humbleness 명 겸손, 비천   humbly 부 비천하게, 겸손하게

1737 humid 형 습기 있는, 눅눅한 ^{12회}

[hjú:mid]

If the air is **humid**, the particles stick to moisture droplets and form haze.
→ humidity 명 습기, 습도

1738 illiterate 형 읽고 쓸 수 없는, 무학(無學)의, 무식한 ^{15회}

[ilítərət]

He is **illiterate**, but a man of strong mother wit.

1739 immature 형 미숙한 ^{13회}

[ìmətʃúər]

We are too **immature** to be independent. 대수능

1740 immediate 형 즉각적인, 직접적인 ^{127회}

[imí:diət] 혼동어 intermediate 형 중간의, 중급의

We took an **immediate** action. 대수능
→ immediately 부 즉시, 직접적으로

1741 immortal 형 죽지 않는, 불후의 ^{13회}

[imɔ́:rtl] 혼동어 immoral 형 비도덕적인

A man's body dies, but his soul is **immortal**.
→ immortality 명 불멸, 영생   ↔ mortal 형 죽어야 할 운명의

1742 immune 형 면역성의, 면제받은 ^{19회}

[imjú:n]

I am **immune** from the malady, as I have had it once.
→ immunity 명 면역   immunize 동 (사람·동물을) 면역시키다

1743 incidental 형 우연의, 부수적인   명 부수적인 일 ^{20회}

[ìnsədéntl] 혼동어 accidental 형 우연한

The setting and other **incidental** details are changed for adapting into the movie.

1744 indifferent 형 무관심한, 중요치 않은 ^{90회}

[indífərənt]

More and more people are becoming **indifferent** to politics.
→ indifference 명 무관심   indifferently 부 무관심하게

[예문 해석] **1736** 나는 그가 매우 겸손한 사람이라고 생각한다. **1737** 공기가 습하면 입자들이 물방울에 들러붙어 안개를 형성한다. **1738** 그는 교육은 받지 못했으나 상식은 풍부한 사람이다. **1739** 우리는 너무 미숙해서 독립할 수 없다. **1740** 우리는 즉각적인 조치를 취했다. **1741** 인간의 신체는 죽지만, 영혼은 불멸한다. **1742** 나는 한번 그 병에 걸렸으니까 면역이 되어 있다. **1743** 배경 그리고 다른 부수적 세부 사항들이 영화로의 각색을 위해 바뀌어 있다. **1744** 점점 더 많은 사람들이 정치에 무관심해지고 있다.

1745 indispensable 형 없어서는 안 되는, 필요한 ⟨14회⟩

[ìndispénsəbl]

Health is **indispensable** to everyone.

1746 inevitable 형 불가피한, 필연적인 ⟨22회⟩

[inévətəbl]

The increasing number of empty houses is an **inevitable** outcome.

1747 infinite 형 무한한, 무수한 ⟨12회⟩

[ínfənət] 혼동어 definite 형 확실한

I finally found the land of **infinite** opportunities. 〔대수능〕
→ infinitely 부 무한히, 대단히

1748 inherent 형 본래부터의, 고유의, 타고난 ⟨29회⟩

[inhíərənt] 혼동어 coherent 형 일관성 있는

The success of businesses depends on their **inherent** competitiveness.
→ inhere 동 본래부터 타고나다

1749 initial 형 처음의, 최초의, 낱말 첫머리에 있는 ⟨13회⟩

[iníʃəl]

The **initial** capital city of Afghanistan was Kandahar.

1750 intense 형 격렬한, 강렬한, 열심인 ⟨61회⟩

[inténs]

Competition for roles is usually **intense**.
→ intensity 명 격렬   intensify 동 증강하다   intensive 형 집중적인

표제어 이외의 주요 어휘

exact	형 정확한	genuine	형 진짜의, 진정한
exotic	형 외래의, 이국적인	glorious	형 영광스러운, 장려한
exterior	형 외부의	harsh	형 거친, 가혹한
extra	형 여분의, 가외의	hilarious	형 명랑한, 즐거운
extracurricular	형 교과 과정 이외의	historic	형 유서 깊은, 역사상의
fore	형 앞의, 전방의	honorable	형 존경할 만한, 명예로운
former	형 이전의	illegal	형 불법의, 비합법적인
generous	형 관대한	inborn	형 타고난, 천부의

[예문 해석] **1745** 건강은 누구에게나 절대 필요하다. **1746** 빈집 증가는 피할 수 없는 결과이다. **1747** 마침내 나는 무한한 기회의 땅을 발견했다. **1748** 사업의 성공은 타고난 경쟁력에 달려 있다. **1749** 아프가니스탄의 초기 수도는 칸다하르였습니다. **1750** 배역을 따내기 위한 경쟁은 대개 치열하다.

DAY 35 수능 필수 Daily IDIOMS

set up
설립하다, 설치하다

A barrier was **set up** to prevent any more accidents.
더 이상의 사고를 막기 위해 방벽을 설치했다.

show off
과시하다, 드러내다

She **showed off** her glamorous figure.
그녀는 볼륨감 있는 몸매를 과시했다.

show up
나타나다

Two people did not **show up** for the lunchtime meeting.
두 사람은 오찬 회의에 나타나지 않았다.

side by side
나란히

School education must go **side by side** with training at home.
학교교육은 가정교육과 병행해야 한다.

so as not to + V
~하지 않으려고

I took off my shoes **so as not to** make any noise.
소리를 내지 않으려고 나는 신발을 벗었다.

speak ill of
~을 나쁘게 말하다, 험담하다

Don't **speak ill of** others at the unofficial occasion.
사석에서 남의 욕을 하지 말라.

stay in shape
건강을 유지하다

It's a great way to **stay in shape**.
그것은 건강을 유지하는 아주 좋은 방법이다.

stem from
~에서 유래하다

This expression **stems from** an old Korean saying.
이 표현은 한국의 옛 속담에서 유래한 것이다.

DAY 35 암기를 위한 Daily TEST

맞은 개수 　 / 50문항

빈칸에 알맞은 단어나 뜻을 쓰시오.

01. extensive
02. external
03. extraordinary
04. extreme
05. fabulous
06. 공정한, 공평한
07. 가짜의
08. 친밀한, 잘 알려진
09. famous
10. 멋진, 최고급의
11. fatal
12. favorite
13. federal
14. feminine
15. 비옥한, 기름진
16. 축제의
17. fierce
18. 꼭 맞는
19. 편평한, 납작한
20. 민속의, 전통적인
21. following
22. 좋아하는
23. fragile
24. frank
25. frantic

26. frequent
27. 새로운, 신선한
28. fundamental
29. furious
30. 우울한, 음침한
31. gorgeous
32. 감사하는, 고마운
33. 굳은, 열심인
34. horrific
35. 거대한
36. humble
37. humid
38. illiterate
39. immature
40. immediate
41. immortal
42. immune
43. incidental
44. indifferent
45. indispensable
46. inevitable
47. infinite
48. inherent
49. 처음의, 최초의
50. intense

우리말 뜻에 알맞은 영어 단어를 고르시오.

01 괴로워하다
① suffer　　② submerge

02 암시하다, 제안하다
① suggest　　② subscribe

03 공급하다, 보완하다
① substitute　　② supply

04 상상하다, 가정하다
① suppose　　② subtract

05 살아남다
① suck　　② survive

06 경향이 있다, 돌보다
① tease　　② tend

07 위협하다, 겁주다
① threaten　　② tolerate

08 번영하다, 잘 자라다
① throw　　② thrive

09 수송하다, 운반하다
① transport　　② transplant

10 통합하다, 결합하다
① unite　　② utter

11 바꾸다, 변화하다
① vary　　② vend

12 낭비하다, 황폐하게 하다
① weave　　② waste

13 궁금해하다, 놀라다
① wonder　　② worsen

14 정확한
① accurate　　② abstract

15 이용할 수 있는, 소용이 되는
① authentic　　② available

16 ~을 알고, 깨닫고
① aware　　② awful

17 쓴, 비통한
① bitter　　② blunt

18 확신하는, 어떤
① casual　　② certain

19 공통의, 보통의
① coherent　　② common

20 불변의, 일정한
① constant　　② Confucian

21 평론의, 비판적인
① critical   ② crude

22 별개의, 뚜렷한
① distinct   ② disposable

23 경제(학상)의
① edible   ② economic

24 능률적인, 유능한
① efficient   ② elaborate

25 필수적인, 본질적인
① eternal   ② essential

26 극단의, 극도의
① extreme   ② extensive

27 공정한, 공평한
① fair   ② fake

28 유명한
① fabulous   ② famous

29 매우 좋아하는, 마음에 드는
① federal   ② favorite

30 꼭 맞는, 건강이 좋은
① fit   ② flat

31 빈번한
① frank   ② frequent

32 새로운, 신선한
① frantic   ② fresh

33 우울한, 음침한
① gloomy   ② gorgeous

34 굳은, 열심인
① humid   ② hard

35 거대한
① huge   ② humble

36 즉각적인, 직접적인
① immature   ② immediate

37 면역성의, 면제받은
① immortal   ② immune

38 무관심한, 중요치 않은
① indifferent   ② indispensable

39 본래부터의, 고유의
① infinite   ② inherent

40 격렬한, 강렬한
① initial   ② intense

우리말 뜻에 알맞은 영어 단어를 고르시오.

01 감독하다
① supervise　② supplement

02 에워싸다, 둘러싸다
① surrender　② surround

03 매달다, 중지하다
① suspect　② suspend

04 부양하다, 유지하다
① sustain　② suppress

05 들이키다, (꿀꺽) 삼키다
① swallow　② surpass

06 상징하다
① switch　② symbolize

07 번역하다, 해석하다
① translate　② transmit

08 발사하다, (일을) 일으키다
① tremble　② trigger

09 재촉하다, 주장하다
① urge　② utter

10 투표하다
① vomit　② vote

11 떠돌아다니다, 헤매다
① wander　② warrant

12 경고하다
① warn　② weep

13 목격하다
① witness　② worsen

14 산출하다, 양보하다
① yield　② yearn

15 절대적인
① abrupt　② absolute

16 풍부한, 많은
① absurd　② abundant

17 대체의
① alert　② alternative

18 일 년의, 일 년마다의
① annual　② antique

19 걱정하는, 갈망하는
① anxious　② anonymous

20 적절한, 적당한
① awkward　② appropriate

21 근사치인, 대략의
① ambiguous ② approximate

22 인공적인
① artificial ② aesthetic

23 부끄러운, 수치스러운
① ashamed ② atomic

24 짧은, 간단한
① brief ② brilliant

25 문명화된
① civilized ② chronic

26 유능한
① compatible ② competent

27 만족하는
① content ② concrete

28 법인의, 회사의
① controversial ② corporate

29 정확한, 올바른
① correct ② corrupt

30 결정적인, 중대한
① crucial ② cruel

31 신중한, 계획적인
① deliberate ② deviant

32 밀집한, 조밀한
① dense ② diligent

33 국내의, 가정의
① drastic ② domestic

34 전자의
① elastic ② electronic

35 거대한, 막대한
① enormous ② eligible

36 부러워하는, 질투심이 강한
① envious ② eloquent

37 도덕상의, 윤리적인
① ethnic ② ethical

38 외부의, 표면의
① extensive ② external

39 친밀한, 잘 알려진
① familiar ② fancy

40 축제의
① festive ② folk

1751 intent 형 집중된, 전념하고 있는 명 의도 35회

[intént] 혼동어
intense
형 강렬한, 격렬한

He was in a library, **intent** on his book.
→ intention 명 의향, 의도 intentional 형 의도적인

★철자주의

1752 interior 형 안의, 안쪽의 명 내부 22회

[intíəriər]

Then, we'll need four men for the **interior** walls.

1753 internal 형 내부의, 국내의 33회

[intə́:rnl] 혼동어
interval
명 간격

Everyone told me that when I turned fifteen some **internal** change would occur. 대수능
→ internally 부 내부적으로

1754 intricate 형 뒤얽힌, 복잡한 20회

[íntrikət] 혼동어
indicate
동 나타내다

Your sweater has an **intricate** pattern.

1755 introverted 형 내향적인 18회

[íntrəvə̀:rtid]

Rosa was quiet and **introverted**.
↔ extroverted 형 외향적인

1756 jealous 형 질투심이 많은 38회

[dʒéləs]

She was **jealous** of her friend's wealth.
→ jealousy 명 질투, 투기

1757 keen 형 날카로운, 예민한, 열심인 20회

[kíːn]

There is a **keen** competition between the two.

1758 legal 형 법률의 16회

[líːgəl]

Banks, government offices, and schools are closed on **legal** holidays.
↔ illegal 형 불법의 대수능

[예문 해석] **1751** 그는 자기 책에 몰두한 채 도서관에 있었다. **1752** 그 다음에, 우리는 내벽을 담당할 네 명의 일꾼이 필요할 것이다. **1753** 모든 사람들이 나에게 내가 15살이 되면 일종의 내적 변화가 생길 것이라고 말했다. **1754** 네 스웨터는 무늬가 복잡하다. **1755** Rosa는 조용하고 내성적이었다. **1756** 그녀는 친구의 재물을 질투했다. **1757** 두 사람 사이에 경쟁이 심하다. **1758** 은행과 공공기관, 그리고 학교는 법정 공휴일에 문을 닫는다.

| 1759 **legitimate** | 형 | 정당한, 합법의 | 20회 |

[lidʒítəmət]

His claim to be promoted to the post was quite **legitimate**.

| 1760 **liable** | 형 | 책임이 있는, ~하기 쉬운 | 20회 |

[láiəbl]

You will not be **liable** for any unauthorized use of the lost card.
→ liability 명 ~하기 쉬움, 의무

DAY
36

형용사

| 1761 **literal** | 형 | 글자 그대로의, 사실에 충실한 | 16회 |

[lítərəl] 혼동어
literary
형 문학의

This is a **literal** fact that applies to every married person.

| 1762 **local** | 형 | 지방(지역)의 | 124회 |

[lóukəl]

The only **local** people he will meet are the overworked waiters and hotel staff. 대수능

| 1763 **loose** | 형 | 풀린, 헐거운 | 251회 |

[lú:s] 혼동어
lose
동 잃다

She wears a **loose** sweater.
→ loosen 동 느슨하게 하다, 풀다

| 1764 **lunar** | 형 | 달의 | 20회 |

[lú:nər]

Today is the **lunar** New Year's day, a holiday for us Koreans.

| 1765 **magnificent** | 형 | 장엄한, 훌륭한 | 22회 |

[mægnífəsnt] 혼동어
magnitude
명 규모, 중요도

The tourists admired the **magnificent** spectacle.

| 1766 **main** | 형 | 주요한, 주된 | 74회 |

[méin]

The **main** part of the army moved to besiege the town.

| 1767 **majestic** | 형 | 장엄한, 위엄 있는 | 16회 |

[mədʒéstik]

Fifty steps lead to the cathedral's **majestic** portal.
→ majesty 명 위엄, 장엄, 폐하

[예문 해석] **1759** 그 자리로 진급시켜 달라는 그의 요구는 아주 정당한 것이었다. **1760** 분실된 카드의 어떠한 불법적 사용에 대해서도 당신에게는 책임이 없을 것이다. **1761** 이것은 결혼한 사람들 모두에게 적용되는 엄밀한 사실이다. **1762** 그가 만나게 될 유일한 그 지방 사람들은 과로에 지친 웨이터들과 호텔 직원들이다. **1763** 그녀는 헐렁한 스웨터를 입는다. **1764** 오늘은 음력설로 우리 한국인에게는 휴일이다. **1765** 관광객들은 그 장엄한 광경에 탄복했다. **1766** 군의 본대는 그 마을을 포위 공격하기 위해 이동했다. **1767** 50개의 계단을 올라가면 대성당의 웅장한 정문에 이른다.

PART III 형용사   323

1768 managerial 형 경영의, 관리의 79회

[mǽnidʒíəriəl]

Rachel said her lack of **managerial** experience will not be an obstacle.
→ manage 동 관리하다, 운영하다   management 명 관리, 경영   manager 명 관리인

1769 marine 형 바다의, 해양의 21회

[məríːn]

The sea horse is a very small **marine** animal.

1770 masculine 형 남성의, 남자다운 19회

[mǽskjulin]

It must have something to do with **masculine** pride.
↔ feminine 형 여성의, 여자다운

1771 mature 형 성숙한, 익은 22회

[mətjúər] 혼동어
nature
명 자연, 천성

The film proved to be too violent for even **mature** audiences.
→ maturity 명 성숙, 숙성

1772 medical 형 의학의, 의료의 185회

[médikəl]

He earned a **medical** degree from the University of Pennsylvania. 평가원

1773 medieval 형 중세의 20회

[mìːdiíːvəl]

Some tyrants believed that they had apotheosis during **medieval** ages.

1774 melancholy 형 우울한 명 우울 16회

[mélənkàli]

She stared at him with a **melancholy** smile.

1775 mental 형 마음의, 지능의 99회

[méntl] 혼동어
rental
명 임대, 사용료

She had **mental** problems and was put into a hospital. 대수능
→ mentality 명 정신력, 지성, 정신 상태   mentally 부 정신적으로

1776 mere 형 단순한, 순진한, 단지 ~일 뿐인 47회

[míər]

Rage, envy, resentment are in themselves **mere** misery.
→ merely 부 단지, 다만

[예문 해석] **1768** Rachel은 그녀의 관리 경험의 부족이 장애가 되지 않을 것이라고 말했다. **1769** 해마는 아주 작은 해양 동물이다. **1770** 그것은 남자의 자존심과 관계된 일임에 틀림없다. **1771** 그 영화는 성인 관객에게조차 지나치게 폭력적인 것으로 드러났다. **1772** 그는 펜실베이니아 대학교에서 의학 학위를 받았다. **1773** 중세 시대에 일부 폭군들은 자기들이 신격을 갖추었다고 믿었다. **1774** 그녀는 우울한 미소를 띠고 그를 응시했다. **1775** 그녀는 정신병이 있어서 병원에 입원했다. **1776** 분노, 투기, 원망은 그 자체가 단지 불행일 뿐이다.

| 1777 | **mighty** | 형 | 강력한, 힘센 | 20회 |

[máiti]

We met a **mighty** wind.

| 1778 | **migrant** | 형 | 이주하는 | 명 | 이주자 | 28회 |

[máigrənt]

He fought for legislation to protect the rights of **migrant** workers.

→ migrate 동 이주하다 migration 명 이주 migratory 형 이주하는

DAY
36

형용사

| 1779 | **miserable** | 형 | 비참한, 불쌍한 | 11회 |

[mízərəbl]

혼동어
desirable
형 바람직한

To make us more **miserable**, it began to rain.

→ misery 명 비참함, 불행, 고통

| 1780 | **mobile** | 형 | 움직이기 쉬운, 이동성이 있는 | 21회 |

[móubəl]

Major growth was expected in the field of **mobile** telecommunications.

→ mobility 명 이동성, 기동성

| 1781 | **moderate** | 형 | 중간의, 온화한, 적당한 | 동 | 적당하게 하다 | 15회 |

[mádərət]

The government continues to follow **moderate** policies. 대수능

→ moderately 부 알맞게, 적당히

| 1782 | **modern** | 형 | 현대의, 현대적인 | 114회 |

[mádərn]

Houser's designs are **modern**, yet firmly rooted in the tradition. 교육청

→ modernize 동 현대화하다

| 1783 | **modest** | 형 | 겸손한, 정숙한, 적당한 | 12회 |

[mádist]

Sam was very self-conscious and **modest**. 대수능

→ modesty 명 겸손, 정숙

★철자주의

| 1784 | **moral** | 형 | 도덕적인, 윤리의 | 62회 |

[mɔ́ːrəl] 혼동어
morale
명 사기, 의욕

She is an extremely **moral** woman.

→ morality 명 도덕성

| 1785 | **mortal** | 형 | 죽어야 할 운명의, 치명적인 | 16회 |

[mɔ́ːrtl]

Remember that you are **mortal**.

→ mortality 명 죽을 운명임, 사망자 수

[예문 해석] **1777** 우리는 강풍을 만났다. **1778** 그는 이주 노동자들의 권리를 보호하는 법률 제정을 위해 투쟁했다. **1779** 설상가상으로 비까지 오기 시작했다. **1780** 이동 통신 분야에서 큰 성장이 예상되었다. **1781** 정부는 계속해서 온건주의 정책들을 따른다. **1782** Houser의 디자인은 현대적이지만, 전통에 확고하게 뿌리를 내리고 있다. **1783** Sam은 매우 자의식이 강하고 겸손했다. **1784** 그녀는 아주 도덕적인 여인이다. **1785** 당신이 죽을 운명이라는 것을 명심해라.

| 1786 **monotonous** | 형 | 단조로운, 변화 없는 | 13회 |

[mənátənəs]

The scenery here is **monotonous**.
→ monotony 명 단조로움, [음악] 단음, 단조

| 1787 **multiple** | 형 | 다수의, 다양한 | 31회 |

[mʌ́ltəpl] 혼동어
multiply
동 곱하다, 증가하다

It is an essential skill to fulfill **multiple** social roles. 대수능

| 1788 **mutual** | 형 | 상호의, 공통의 | 24회 |

[mjúːtʃuəl] 혼동어
mature
형 익은, 성숙한

I didn't like him and I was sure the feeling was **mutual**. 대수능

| 1789 **naive** | 형 | 순진한, 천진난만한 | 20회 |

[naːíːv] 혼동어
native
형 원주민의, 타고난

He is **naive** and gullible.

| 1790 **nasty** | 형 | 불쾌한, 더러운 | 20회 |

[nǽsti]

The cheap food smelled **nasty**.

| 1791 **natural** | 형 | 자연의, 타고난 | 170회 |

[nǽtʃərəl]

She has a **natural** bent for mathematics.

| 1792 **naughty** | 형 | 장난(꾸러기)의, 버릇없는 | 16회 |

[nɔ́ːti]

The **naughty** boy hit his baby sister.

| 1793 **negative** | 형 | 부정적인 | 82회 |

[négətiv]

Both sound and noise can have **negative** effects. 대수능
→ negatively 부 부정적으로   negation 명 부정, 부인

| 1794 **nervous** | 형 | 신경의, 불안한 | 73회 |

[nə́ːrvəs]

Taking a bath helps calm you down when you are feeling **nervous**. 대수능
→ nerve 명 신경

[예문 해석] **1786** 여기 경치는 단조롭다. **1787** 그것은 여러 개의 사회적 역할을 수행하기 위한 필수적인 기술이다. **1788** 나는 그를 싫어했고 그 감정이 상호적인 것이라고 확신했다. **1789** 그는 순진해서 잘 속는다. **1790** 그 값싼 음식은 고약한 냄새가 났다. **1791** 그녀는 수학에 타고난 소질이 있다. **1792** 그 장난꾸러기 소년은 아기 여동생을 때렸다. **1793** 소리와 소음은 모두 부정적인 영향을 끼칠 수 있다. **1794** 목욕을 하는 것은 당신이 불안감을 느낄 때 당신을 진정시키는 데 도움을 준다.

1795 neutral 형 중립의 12회

[njúːtrəl] 혼동어 *natural* 형 자연의

It was hard for Americans to hide their feelings and to be **neutral**. 대수능
→ neutralize 동 중립화하다 ⊕ neutron 명 [물리] 중성자

1796 normal 형 보통의, 평범한, 정상적인 56회

[nɔ́ːrməl] 혼동어 *formal* 형 공식적인, 격식을 차린

Cold weather is **normal** for the winter.

1797 notable 형 주목할 만한, 유명한 24회

[nóutəbl]

The area is **notable** for its pleasant climate.
◎ be notable for ~으로 유명하다

1798 nuclear 형 (세포) 핵의, 원자핵의 23회

[njúːkliər]

Nuclear power is not a sustainable source of energy.

1799 numerous 형 많은 19회

[njúːmərəs]

Numerous people have fun at the amusement park.

1800 obedient 형 순종하는, ~의 말을 잘 듣는 19회

[oubíːdiənt]

That child is **obedient** to his parents.
→ obey 동 순종하다, (법규 등을) 준수하다 obedience 명 순종, (법규 등의) 준수

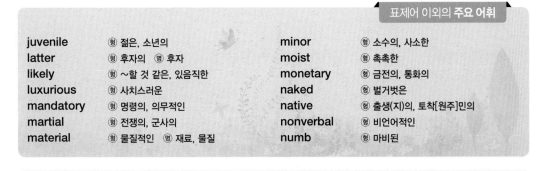

표제어 이외의 **주요 어휘**

juvenile	형 젊은, 소년의	minor	형 소수의, 사소한
latter	형 후자의 명 후자	moist	형 촉촉한
likely	형 ~할 것 같은, 있음직한	monetary	형 금전의, 통화의
luxurious	형 사치스러운	naked	형 벌거벗은
mandatory	형 명령의, 의무적인	native	형 출생(지)의, 토착[원주]민의
martial	형 전쟁의, 군사의	nonverbal	형 비언어적인
material	형 물질적인 명 재료, 물질	numb	형 마비된

[예문 해석] **1795** 미국인들이 그들의 감정들을 숨기고 중립을 지키는 것은 어려웠다. **1796** 겨울에 추운 날씨는 정상이다. **1797** 그 지역은 상쾌한 날씨로 유명하다. **1798** 원자력은 지속 가능한 에너지원이 아니다. **1799** 많은 사람들이 놀이 공원에서 즐거운 시간을 보낸다. **1800** 그 아이는 부모의 말을 잘 듣는다.

DAY 36 수능 필수 **Daily IDIOMS**

suffer from
~으로 고통 받다, 겪다

Some parts of the world **suffer** regularly **from** famine.
세계의 일부 지역은 정기적으로 기근을 겪는다.

sweep over
휩쓸다

A pestilence **swept over** the country.
유행병이 그 나라를 휩쓸었다.

take actions
조치를 취하다

Before you **take** any **action**, prepare well.
어떤 행동을 하기 전에 준비를 잘 하여라.

take advantage of
이용하다, 속이다

Her friends **take advantage of** her generosity.
그녀의 친구들은 그녀의 관대함을 이용한다.

take for granted
당연하게 여기다

Don't **take for granted** the passion that she has for you.
당신에 대한 그녀의 열정을 당연한 것으로 받아들이지 마라.

take into consideration
고려하다

You must **take** his youth **into consideration**.
그 사람이 나이가 어리다는 점을 참작해야 한다.

take it easy
서두르지 않다, 느긋하게 하다

You'd better **take it easy**.
마음을 느긋하게 갖는 게 좋겠어.

take measures
조치를 취하다

Though a little too late the government has decided to **take measures**.
뒤늦게나마 정부도 조치를 취하기로 했다.

암기를 위한 **Daily TEST**

맞은 개수 ◯ / 50문항

💡 빈칸에 알맞은 단어나 뜻을 쓰시오.

01. intent

02. 안의, 안쪽의

03. internal

04. intricate

05. introverted

06. 질투심이 많은

07. keen

08. 법률의

09. legitimate

10. liable

11. literal

12. 지역의

13. loose

14. 달의

15. magnificent

16. 주요한, 주된

17. majestic

18. managerial

19. 바다의, 해양의

20. masculine

21. mature

22. 의학의, 의료의

23. medieval

24. melancholy

25. 마음의, 지능의

26. mere

27. mighty

28. migrant

29. 비참한

30. mobile

31. moderate

32. 현대의

33. modest

34. 도덕적인

35. mortal

36. monotonous

37. multiple

38. 상호의, 공통의

39. naive

40. nasty

41. natural

42. naughty

43. 부정적인

44. nervous

45. neutral

46. normal

47. notable

48. 원자핵의

49. numerous

50. obedient

1801 obscure 형 분명치 않은, 애매한, 희미한 _{19회}
[əbskjúər]
Some of them will be, but most of them are too **obscure**.

1802 optic 형 눈의, 시력의, 광섬유의 _{19회}
[áptik]
We completed our review of your proposal to supply fiber **optic** cable.
→ optical 형 눈의, 시력의

1803 optimal 형 최적의, 최상의 _{18회}
[áptəməl]
The classroom maintains an **optimal** indoor temperature.

1804 oral 형 구두의, 입의 _{24회}
[ɔ́:rəl]
The hearing device turns **oral** language into written language on the monitor.

1805 ordinary 형 보통의, 평범한 _{44회}
[ɔ́:rdənèri]
All **ordinary** people can make a great contribution to the creation of peace. 대수능
→ ordinarily 부 일반적으로, 보통

1806 original 형 원래의, 독창적인 _{52회}
[ərídʒənl]
I maintained my **original** judgement. 대수능
→ origin 명 기원 originality 명 독창성 originally 부 원래, 독창적으로

1807 outgoing 형 외향적인, 사교적인 _{20회}
[áutgòuiŋ] 혼동어 ongoing 형 진행 중인
He has an **outgoing** and gregarious personality.
↔ reserved 형 내성적인, 말수가 적은

1808 outrageous 형 너무나 충격적인, 터무니없는 _{20회}
[autréidʒəs]
It's **outrageous** to pay $100 for a meal.

[예문 해석] 1801 부분적으로는 그렇겠지만, 나머지 대부분은 너무 불명확하다. 1802 우리는 당신이 보낸 광섬유 케이블 공급 제안서의 검토를 마쳤다. 1803 그 교실은 최적의 실내 온도를 유지한다. 1804 그 청취기는 구어를 모니터에서 문어로 바꾼다. 1805 모든 일반 사람들은 평화를 만드는 데 큰 기여를 할 수 있다. 1806 나는 원래의 판단을 유지했다. 1807 그는 외향적이고 사교적인 성격을 가지고 있다. 1808 한 끼 식사에 100달러를 지불하다니 터무니없다.

| 1809 | **outstanding** | 형 | 눈에 띄는, 현저한 | 19회 |

[àutstǽndiŋ]

She was an **outstanding** orator.

| 1810 | **outward** | 형 | 밖을 향한, 외관의 | 25회 |

[áutwərd]

Never be deceived by **outward** appearance.

| 1811 | **overall** | 형 | 전부의, 전반적인 | 36회 |

[óuvərɔ̀ːl]

The **overall** situation is good, despite a few minor problems.

| 1812 | **overwhelming** | 형 | 압도적인, 굉장한 | 21회 |

[òuvərhwélmiŋ]

The job looked **overwhelming** at first. 대수능
→ overwhelm 동 압도하다   overwhelmingly 부 압도적으로

| 1813 | **pale** | 형 | 창백한, 엷은 | 24회 |

[péil]

She took her five-year-old son to a hospital, since he looked so **pale**.

| 1814 | **paradoxical** | 형 | 역설적인, 모순된 | 25회 |

[pæ̀rədáksikəl]

Comedians, **paradoxical** as it may seem, may be too natural.
→ paradox 명 역설, 패러독스

| 1815 | **parallel** | 형 | 평행의, 서로 같은 | 명 | 평행선, 유사물 | 19회 |

[pǽrəlèl] 혼동어
paralyze
동 마비시키다

Draw a pair of **parallel** lines.

| 1816 | **particular** | 형 | 특별한, 특수한, 상세한 | 170회 |

[pərtíkjulər] 혼동어
particle
명 입자

His explanation was very **particular**.

| 1817 | **passive** | 형 | 수동적인 | 16회 |

[pǽsiv] 혼동어
massive
형 거대한, 대규모의

The government took a **passive** action.

[예문 해석] **1809** 그녀는 탁월한 웅변가였다. **1810** 겉모양에 결코 속지 마라. **1811** 몇 개의 사소한 문제가 있음에도 불구하고 전반적인 상황은 좋다. **1812** 그 일은 처음에는 엄청나 보였다. **1813** 그녀는 5살짜리 아들이 너무 창백하게 보였기 때문에 병원으로 데려갔다. **1814** 역설적으로 보일지 모르지만, 코미디언은 너무나 자연스러울 수도 있다. **1815** 평행선 한 쌍을 그려라. **1816** 그의 설명은 매우 상세했다. **1817** 정부는 소극적인 조치를 취했다.

| 1818 **peculiar** | 형 | 독특한, 기묘한 | 23회 |

[pikjú:ljər]

She has the most **peculiar** ideas.

| 1819 **perfect** | 형 | 완벽한 | 71회 |

[pə́:rfikt]

Our class had **perfect** attendance yesterday.

| 1820 **permanent** | 형 | 영구적인, 영속적인 | 22회 |

[pə́:rmənənt]

She is looking for a **permanent** job.

| 1821 **perpetual** | 형 | 영구적인 | 17회 |

[pərpétʃuəl]

They hoped to live in a world of **perpetual** happiness.
→ perpetuate 동 영속시키다

| 1822 **personal** | 형 | 개인의, 개인적인 | 563회 |

[pə́rsənl] 혼동어 personnel 명 직원, 인사과

May I ask you a **personal** question?
→ person 명 개인   personality 명 성격, 인격   personally 부 개인적으로, 직접

| 1823 **physical** | 형 | 육체의, 물질의, 물리학(상)의 | 16회 |

[fízikəl] 혼동어 physician 명 내과 의사

In all cases, tricks and **physical** threats are prohibited.
→ physics 명 물리학

| 1824 **physiological** | 형 | 생리학의, 생리적인 | 11회 |

[fíziəládʒikəl]

Farting is a natural **physiological** phenomenon.

| 1825 **plain** | 형 | 명백한, 솔직한, 평범한   명 평야 | 21회 |

[pléin]

This story is written in **plain** language.
→ plainly 부 명백히, 솔직히

| 1826 **polite** | 형 | 예의 바른 | 24회 |

[pəláit]

Always be **polite** to other drivers. 대수능

[예문 해석] **1818** 그녀는 가장 독특한 아이디어를 가지고 있다. **1819** 어제 우리 학급은 출석률이 100퍼센트였다. **1820** 그녀는 영구적인 직업을 찾고 있다. **1821** 그들은 영원한 행복의 세계에 살기를 희망했다. **1822** 사적인 질문을 하나 해도 되겠습니까? **1823** 모든 경우에 있어 속임수와 신체적인 위협은 금지되고 있다. **1824** 방귀는 자연스러운 생리 현상이다. **1825** 이 이야기는 평이한 언어로 쓰여졌다. **1826** 항상 다른 운전자들에게 예의 바르게 행동해라.

1827 political 형 정치적인 _{88회}

[pəlítikəl]

An invasion would certainly precipitate a **political** crisis.
→ politician 명 정치가   politics 명 정치, 정치학

1828 portable 형 들고 다닐 수 있는, 휴대용의 _{18회}

[pɔ́ːrtəbl]

The clock radio is in front of the **portable** stereo.

DAY
37
형용사

1829 positive 형 긍정적인, 적극적인 _{168회}

[pázətiv]

If you are not **positive**, you cannot be productive on your job. 대수능

1830 practical 형 실용적인 _{38회}

[prǽktikəl]

Solar energy can be a **practical** alternative energy source for us. 대수능
→ practicality 명 실제적임, 실용성

1831 precious 형 귀중한, 값비싼 _{36회}

[préʃəs]   혼동어
precise
형 정확한

Remember that life is **precious** and you need to live in the present. 대수능

[**preci**(=price)+**ous**(=full)] **preci**는 '가격, 가치'의 의미이다.

1832 pregnant 형 임신한 _{17회}

[prégnənt]

Pregnant women are encouraged not to smoke during their pregnancy.
→ pregnancy 명 임신

1833 prime 형 제1의, 주요한 _{29회}

[práim]

A **prime** reason for our economic decline is lack of investment.
○ prime minister 국무총리, 수상

1834 primitive 형 원시의, 원시적인 _{20회}

[prímətiv]

The museum displayed the tools of **primitive** men.

1835 prior 형 이전의, 앞의, 사전의 _{30회}

[práiər]

I can't go with you because I have a **prior** appointment.
→ priority 명 우선사항, 우선권

[예문 해석] **1827** 침략은 확실히 정치적 위기를 촉진시킬 것이다. **1828** 시계 겸용 라디오가 휴대용 스테레오 앞에 있다. **1829** 당신이 긍정적이지 않으면, 당신의 일에서 생산적일 수 없다. **1830** 태양 에너지는 우리에게 실용적인 대체 에너지원이 될 수 있다. **1831** 삶은 귀중한 것이며, 당신은 현재에 살 필요가 있다는 것을 기억해라. **1832** 임신한 여자들에게는 임신 기간 동안 흡연하지 않는 것이 장려된다. **1833** 경기 하락의 주된 이유는 투자 부족이다. **1834** 그 박물관은 원시인들의 연장을 전시했다. **1835** 나는 선약이 있어서 당신과 함께 갈 수 없다.

1836 professional 형 직업(상)의, 전문적인 명 전문 직업인 *18회*

[prəféʃənl]

Volunteers grew in number, organized themselves, and became **professional**. 대수능

→ professionally 부 전문적으로, 직업적으로

1837 prompt 형 즉석의, 신속한 *24회*

[prámpt]

We expect **prompt** payment.

1838 prone 형 경향이 있는 *21회*

[próun]

He is **prone** to do that kind of mistake.

1839 proper 형 적당한, 예의 바른 *29회*

[prápər] 혼동어 prosper 동 번성하다

They blame police for not taking **proper** measures.

→ properly 부 당연히, 똑바로, 적당하게

1840 proud 형 자랑스러워하는, 자랑스러운 *59회*

[práud]

Be **proud** of yourself and be confident.

1841 punctual 형 시간을 잘 지키는 *21회*

[pʌ́ŋktʃuəl]

She is **punctual** to the minute.

→ punctuality 명 시간 엄수, 정확함

1842 pure 형 순수한 *21회*

[pjúər]

If we do, our air, which is endangered today, can become **pure**. 대수능

→ purify 동 순수하게 하다

1843 quality 형 고급의, 양질의 명 질(質), 자질 *124회*

[kwáləti] 혼동어 quantity 명 양, 수량

What we gain in quantity we lose in **quality**.

→ qualify 동 자격을 얻다

1844 quick 형 빠른, 즉석의 *33회*

[kwík]

Airplanes provide **quick** transportation over long distances.

[예문 해석] **1836** 자원 봉사자들의 수가 증가하였고, 조직되었고, 그리고 전문화되었다. **1837** 우리는 신속한 지불을 기대하고 있다. **1838** 그는 곧잘 그런 잘못을 저지른다. **1839** 그들은 적절한 조치를 취하지 않고 있는 경찰을 비난하고 있다. **1840** 당신 스스로를 자랑스럽게 여기고 자신감을 가지세요. **1841** 그녀는 일 분의 어김도 없이 시간을 잘 지킨다. **1842** 우리가 한다면 오늘날 위험에 처해 있는 우리의 공기는 깨끗해질 수 있다. **1843** 양이 많아지면 질이 떨어진다. **1844** 비행기는 신속한 장거리 수송을 제공한다.

1845 racial 형 인종의, 종족의 18회

[réiʃəl]
Americans need to appreciate the contributions made by the various **racial** groups. 대수능

✱ 철 자 주 의

1846 radiant 형 빛나는, 밝은 22회

[réidiənt]
Kathy smiled at her daughter's **radiant** face.
→ radiate 통 (빛을) 발하다, 빛나다   radiation 명 방사, 발광

1847 radical 형 근본적인, 급진적인, 극단적인 22회

[rǽdikəl]
We need a **radical** change in the tax system.

1848 radioactive 형 방사능의, 방사성의 17회

[rèidiouǽktiv]
The government has been storing **radioactive** waste at Fernald.
→ radioactivity 명 방사능, 방사성

1849 random 형 닥치는 대로의, 임의의 26회

[rǽndəm]
He made a **random** collection of old stamps.
○ at random 닥치는 대로, 임의로

1850 rapid 형 빠른, 신속한 45회

[rǽpid]
The industry is currently undergoing **rapid** change.

표제어 이외의 **주요 어휘**

odd	형 이상한, 홀수의	plausible	형 그럴듯한, 정말 같은
ongoing	형 전진하는, 진행 중인	potent	형 강력한, 유력한
oval	형 타원형의	precise	형 정확한, 정밀한
overdue	형 (지급) 기한이 지난, 늦은	premature	형 조숙한, 시기 상조의
overweight	형 초과 체중의	priceless	형 아주 귀중한
partial	형 부분적인, 불공평한	private	형 사적인
part-time	형 시간제의	prominent	형 현저한, 저명한

[예문 해석] **1845** 미국인은 여러 인종 집단이 기여한 공로를 고마워할 필요가 있다. **1846** Kathy는 딸의 빛나는 얼굴을 보고 미소지었다. **1847** 우리는 조세 제도상의 근본적인 변화가 필요하다. **1848** 정부는 Fernald에 방사능 폐기물을 보관해오고 있다. **1849** 그는 옛날 우표를 닥치는 대로 수집했다. **1850** 그 산업은 현재 급속한 변화를 겪고 있는 중이다.

DAY 37 수능 필수 Daily IDIOMS

take notes
메모하다, 기록하다

In class, listen carefully to your teacher and **take** good **notes**.
수업 시간에는 선생님의 말씀을 잘 듣고 필기를 잘 하세요.

take part in
~에 참가하다

Don't **take part in** another's quarrel.
남의 싸움에 끼어들지 마라.

take place
발생하다, 개최되다

A very different event will **take place** here.
매우 다양한 이벤트가 이곳에서 열릴 것이다.

take the risk of
위험을 무릅쓰다

I can't **take the risk of** not returning the money.
나는 그 돈을 돌려주지 않아서 생기는 위험을 무릅쓸 수 없다.

talk a person into
남을 설득하여 ~을 시키다

He **talked** his father **into** lending him a car.
그는 아버지께 잘 말씀드려 차를 빌렸다.

tend to + V
~하는 경향이 있다

Population **tends to** concentrate in large cities.
인구는 대도시에 집중하는 경향이 있다.

there's no use ~ing
~해도 소용없다

There's no use crying.
울어 봐도 소용없다.

there is no doubt that
~은 의심할 여지가 없다

There is no doubt that he is a good boy.
그가 착한 소년임은 의심의 여지가 없다.

DAY 37 암기를 위한 Daily TEST

💡 빈칸에 알맞은 단어나 뜻을 쓰시오.

01.	obscure	26.	예의 바른
02.	눈의, 시력의	27.	political
03.	optimal	28.	portable
04.	구두의, 입의	29.	긍정적인
05.	ordinary	30.	practical
06.	원래의, 독창적인	31.	precious
07.	outgoing	32.	임신한
08.	outrageous	33.	prime
09.	눈에 띄는, 현저한	34.	primitive
10.	outward	35.	이전의, 앞의
11.	overall	36.	professional
12.	overwhelming	37.	prompt
13.	창백한, 엷은	38.	prone
14.	paradoxical	39.	proper
15.	parallel	40.	proud
16.	특별한, 특수한	41.	시간을 잘 지키는
17.	passive	42.	pure
18.	peculiar	43.	quality
19.	완벽한	44.	quick
20.	permanent	45.	인종의
21.	perpetual	46.	radiant
22.	personal	47.	radical
23.	육체의, 물질의	48.	radioactive
24.	physiological	49.	임의의
25.	plain	50.	rapid

1851 rational 형 이성적인, 합리적인   25회

[ræʃənl] 혼동어 national 형 국가의, 국민의

Panic destroys **rational** thought. 대수능
→ rationalize 동 합리화하다

1852 reactive 형 반응을 나타내는   98회

[riːǽktiv]

It is so easy to be **reactive**! 대수능
→ reaction 명 반동, 반작용   react 동 반응하다

1853 realistic 형 현실적인   12회

[rìːəlístik]

Set yourself **realistic** goals, and aim to achieve them one step at a time.
→ reality 명 현실, 실재   real 형 실제의, 현실의   realize 동 실현하다   대수능

1854 reasonable 형 논리적인, 적당한, 비싸지 않은   32회

[ríːzənəbl]

The rent has risen each time, but always until now, by a **reasonable** amount. 대수능
→ reason 명 이유, 이성   reasoning 명 추론

1855 regardless 형 무관심한, 개의치 않는   25회

[rigáːrdlis]

Arthritis can strike anyone at anytime, **regardless** of age.
✪ regardless of ~에도 상관없이

1856 regretful 형 후회하는, 유감으로 여기는   58회

[rigrétfəl]

He is neither proud nor **regretful** about what happened. 대수능
→ regret 동 유감으로 생각하다, 후회하다   regrettable 형 유감스러운

1857 relevant 형 관련된, 타당한   16회

[réləvənt]

The association will seek help from **relevant** government agencies.
→ relevance 명 관련(성)

1858 reluctant 형 꺼리는, 주저하는   12회

[rilʌ́ktənt]

She seemed **reluctant** to go with me.
→ reluctantly 부 꺼려하여, 마지못해

[예문 해석] **1851** 공황은 합리적인 사고를 파괴한다. **1852** 반응을 하는 것은 아주 쉽다! **1853** 현실적인 목표를 세워 한 번에 한 단계씩 달성하는 것을 목표로 삼아라. **1854** 임대료는 매번 인상되었으나 지금까지는 늘 합당한 액수만큼이었다. **1855** 관절염은 나이와 상관없이 어느 때든 누구에게나 생길 수 있다. **1856** 그는 발생된 일에 대해 자랑스러워하지도 후회하지도 않는다. **1857** 협회는 관련 정부기관의 도움을 구할 것이다. **1858** 그녀는 나와 함께 가는 것을 꺼리는 것 같았다.

1859 remote 〔형〕 (거리·시간적으로) 먼, 외딴 19회

[rimóut] 혼동어
remove
〔동〕 제거하다

We need cases to transport scientific equipment to **remote** field locations.
➕ remote-control 〔명〕 리모컨

1860 rigid 〔형〕 단단한, 엄격한 21회

[rídʒid]

Argument is often considered disrespectful in **rigid** families. 〔대수능〕

1861 ripe 〔형〕 익은, 때가 무르익은 15회

[ráip]

The plan is **ripe** to be executed.
→ ripen 〔동〕 익다, 기회가 무르익다

1862 rural 〔형〕 시골의, 전원의 46회

[rúərəl]

She's carrying out a comparative study of health in inner cities and **rural** areas.
↔ urban 〔형〕 도시의

✱철자주의

1863 sacred 〔형〕 신성한, 성스러운 11회

[séikrid]

The **sacred** treasures are enshrined in this temple.

1864 scared 〔형〕 겁먹은 44회

[skéərd]

He looked real **scared** when they took him out. 〔대수능〕
→ scare 〔동〕 겁나게 하다

1865 sarcastic 〔형〕 비꼬는, 풍자의 24회

[sa:rkǽstik]

Her remarks were bitterly **sarcastic**.

1866 secure 〔형〕 안전한, 보장된 21회

[sikjúər]

His victory is **secure**.
→ security 〔명〕 안전, 보증

1867 senior 〔형〕 손위의, 상위의 〔명〕 연장자, 상급생 30회

[síːnjər]

Bill visited **senior** citizens for two hours. 〔대수능〕

[예문 해석] **1859** 우리는 과학 장비를 멀리 떨어진 현장까지 운반할 케이스가 필요하다. **1860** 논쟁은 종종 엄격한 가정에서는 무례한 것으로 간주된다. **1861** 그 계획은 실행할 시기에 이르렀다. **1862** 그녀는 도심과 농촌 지역의 건강에 관한 비교 연구를 수행하고 있다. **1863** 이 신전에는 성물(聖物)이 안치되어 있다. **1864** 그는 그들이 그를 데리고 나갈 때 정말 겁을 먹은 것처럼 보였다. **1865** 그녀의 말은 완전히 빈정거리는 투였다. **1866** 그의 승리는 확실하다. **1867** Bill은 2시간 동안 노인들을 방문했다.

| 1868 **serious** | 형 | 진지한, 심각한 | 61회 |

[síəriəs]

His illness did not seem to be **serious**. 대수능
→ seriously 부 진지하게, 심각하게

| 1869 **severe** | 형 | 엄격한, 심한 | 23회 |

[sivíər]

Severe illness will create a crisis both for the individual concerned and for his family. 대수능
→ severely 부 엄격하게, 심하게

| 1870 **shallow** | 형 | 얕은, 피상적인 | 21회 |

[ʃǽlou]

혼동어
swallow
동 삼키다

Oysters are found in **shallow** water along seacoasts.

| 1871 **sharp** | 형 | 날카로운, 예민한, 급격한 | 23회 |

[ʃáːrp]

The result has been a **sharp** drop in the use of trains.
→ sharpen 동 예리하게 하다   sharply 부 날카롭게

| 1872 **simultaneous** | 형 | 동시에 일어나는, 동시의 | 25회 |

[sàiməltéiniəs]

혼동어
spontaneous
형 자발적인

The incident was almost **simultaneous** with his disappearance.

| 1873 **slight** | 형 | 약간의, 사소한 | 13회 |

[sláit]

It's just a **slight** infection. There's nothing to worry about.
→ slightly 부 약간, 조금

| 1874 **sociable** | 형 | 사교적인 | 261회 |

[sóuʃəbl]

If you enjoy making friends, you're likely to stick with a **sociable** activity. 대수능
→ sociability 명 사교성

| 1875 **solemn** | 형 | 엄숙한, 장엄한 | 22회 |

[sáləm]

The service of burial is done with **solemn** and mournful music. 대수능

| 1876 **solid** | 형 | 고체의, 단단한 | 16회 |

[sálid]

The building has a **solid** foundation.
→ solidity 명 고체성, 단단함

[예문 해석] **1868** 그의 병은 심각해 보이지 않았다. **1869** 심각한 질병은 관련된 개인과 그의 가족 모두에게 위기를 일으킬 것이다. **1870** 굴은 해안을 따라 얕은 물에서 발견된다. **1871** 그 결과는 기차 이용의 급격한 감소였다. **1872** 그 사고는 그의 실종과 거의 동시에 일어났다. **1873** 그건 대수롭지 않은 전염병일 뿐이야. 걱정할 것 없어. **1874** 만약 당신이 친구 사귀는 것을 즐긴다면, 당신은 사회적인 활동에 집착하기 쉽다. **1875** 장례식은 엄숙하고 애도로 가득 찬 음악과 함께 행해진다. **1876** 그 건물은 기초가 튼튼하다.

1877 solitary 형 고독한 32회

[sálətèri]

Few people live entirely **solitary** lives. 대수능
→ solitude 명 고독

1878 sophisticated 형 정교한, 세련된 14회

[səfístəkèitid]

Antitheft devices are becoming increasingly more **sophisticated**.
→ sophisticate 동 정교하게 하다

1879 sore 형 아픈, 슬픔에 잠긴 22회

[sɔ́ːr]

Is your shoulder still **sore**?
→ soreness 명 아픔

1880 sour 형 시큼한, 신 14회

[sáuər] 혼동어
soar
동 치솟다

These apples are **sour**.
✪ go(turn) sour (맛이) 시어지다, (일이) 잘못되다

1881 spacious 형 넓은, 광대한 21회

[spéiʃəs]

I felt as though my room had become **spacious** once I got rid of the piano.
→ space 명 공간, 우주, 여지

1882 specific 형 명확한, 구체적인, 특별한 77회

[spisífik] 혼동어
pacific
형 평화로운, 태평한

Be as **specific** as possible.
→ specifically 부 명확하게, 특히

1883 splendid 형 화려한, 멋진 17회

[spléndid]

It was a **splendid** parade.

1884 spontaneous 형 자발적인, 자연스러운 23회

[spantéiniəs]

His action commands my **spontaneous** admiration.
→ spontaneity 명 자발성

1885 stale 형 (음식이) 신선하지 않은, (빵이) 딱딱해진, (생각이) 진부한 17회

[stéil] 혼동어
scale 명 규모, 등급

The popcorn is **stale**.

[예문 해석] **1877** 전적으로 고독한 삶을 사는 사람은 거의 없다. **1878** 도난 방지 장치는 점점 더 정교해지고 있다. **1879** 어깨가 아직도 아픈가요? **1880** 이 사과들은 시다. **1881** 피아노를 치웠더니 내 방이 한결 넓어진 것 같다. **1882** 가능한 한 구체적으로 하라. **1883** 그것은 멋진 행진이었다. **1884** 그의 행동은 나의 자발적인 칭찬을 받을 만하다. **1885** 팝콘이 눅눅하다.

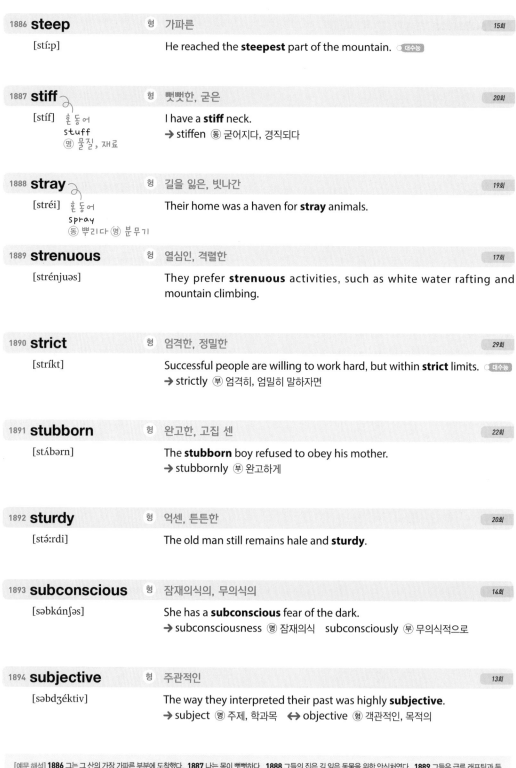

1886 steep 형 가파른 15회

[stíːp]

He reached the **steepest** part of the mountain. 대수능

1887 stiff 형 뻣뻣한, 굳은 20회

[stíf] 혼동어 stuff 명 물질, 재료

I have a **stiff** neck.
→ stiffen 동 굳어지다, 경직되다

1888 stray 형 길을 잃은, 빗나간 19회

[stréi] 혼동어 spray 동 뿌리다 명 분무기

Their home was a haven for **stray** animals.

1889 strenuous 형 열심인, 격렬한 17회

[strénjuəs]

They prefer **strenuous** activities, such as white water rafting and mountain climbing.

1890 strict 형 엄격한, 정밀한 29회

[stríkt]

Successful people are willing to work hard, but within **strict** limits. 대수능
→ strictly 부 엄격히, 엄밀히 말하자면

1891 stubborn 형 완고한, 고집 센 22회

[stʌ́bərn]

The **stubborn** boy refused to obey his mother.
→ stubbornly 부 완고하게

1892 sturdy 형 억센, 튼튼한 20회

[stə́ːrdi]

The old man still remains hale and **sturdy**.

1893 subconscious 형 잠재의식의, 무의식의 14회

[sʌbkánʃəs]

She has a **subconscious** fear of the dark.
→ subconsciousness 명 잠재의식   subconsciously 부 무의식적으로

1894 subjective 형 주관적인 13회

[səbdʒéktiv]

The way they interpreted their past was highly **subjective**.
→ subject 명 주제, 학과목   ↔ objective 형 객관적인, 목적의

[예문 해석] **1886** 그는 그 산의 가장 가파른 부분에 도착했다. **1887** 나는 목이 뻣뻣하다. **1888** 그들의 집은 길 잃은 동물을 위한 안식처였다. **1889** 그들은 급류 래프팅과 등산 같은 격렬한 활동을 선호한다. **1890** 성공적인 사람들은 기꺼이 열심히 일하지만 엄격한 한도 내에서만 한다. **1891** 그 고집 센 소년은 엄마 말에 순종하는 걸 거부했다. **1892** 그 노인은 아직도 기운이 정정하고 건강하다. **1893** 그녀에게는 어둠에 대한 무의식적인 두려움이 있다. **1894** 그들이 그들의 과거를 해석한 방식은 매우 주관적이었다.

1895 subsequent   형 뒤의, 차후의   13회

[sʌ́bsikwənt]   혼동어
substantial
형 상당한, 많은

Subsequent events vindicated his innocence.
→ subsequently 튀 그 후에, 뒤에

1896 subtle   형 미묘한, 민감한   34회

[sʌ́tl]

I know this because people tell me — both directly and in more **subtle** ways. 대수능
→ subtly 튀 미묘하게

1897 successive   형 잇따른, 계속되는, 연속적인   328회

[səksésiv]   혼동어
successful
형 성공적인

They are sisters born in two **successive** years.

1898 sufficient   형 충분한, (~하기에) 족한   21회

[səfíʃənt]

I bought **sufficient** supplies for the winter.

1899 superb   형 최고의, 훌륭한   22회

[supə́:rb]

She amazed her audiences with her **superb** authority and vocal power.
대수능

1900 superficial   형 표면상의, 피상적인   23회

[sùːpərfíʃəl]

Girls used to receive only a **superficial** education.
→ superficiality 명 천박, 피상

표제어 이외의 주요 어휘

raw	형 날것의, 원료의	sincere	형 성실한, 진실한
recent	형 최근의	smooth	형 매끄러운, 부드러운
reckless	형 무모한, 부주의한	solar	형 태양의
rotten	형 썩은, 타락한	spiritual	형 정신적인
rough	형 거친, 대강의	staple	형 주요한 명 주요 산물
rude	형 무례한	steady	형 확고한, 꾸준한
several	형 몇몇의	suitable	형 적절한, 어울리는

[예문 해석] **1895** 그 뒤의 사건이 그의 무죄를 입증했다. **1896** 나는 사람들이 나에게 직접적으로 그리고 좀 더 미묘한 방식으로 말해주기 때문에 이것을 안다. **1897** 그들은 연년생으로 태어난 자매이다. **1898** 나는 겨울에 대비해 생활 필수품들을 충분히 샀다. **1899** 그녀는 자신의 최고 권위와 힘 있는 목소리를 가지고 청중들을 놀라게 했다. **1900** 여자아이들은 피상적인 교육만 받았었다.

DAY 38 수능 필수 **Daily IDIOMS**

to be sure
분명히

This is a handy apparatus, **to be sure**.
분명히 이것은 편리한 기계다.

to begin with
우선

To begin with, I don't like his looks.
우선, 나는 그의 외모가 마음에 들지 않는다.

to one's surprise
놀랍게도

To my surprise, the old cabin remained unchanged.
놀랍게도 그 옛 오두막은 변치 않은 채 남아 있었다.

to put it another way
다시 말하면, 즉

To put it another way, you will find that you want to put your life together in the way that you think is best for you.
다시 말하면, 당신은 자신에게 가장 적합하다고 생각하는 방식으로 당신의 삶을 꾸려가려고 싶어한다는 것을 발견하게 될 것이다.

to some extent
어느 정도, 다소

Our plan was successful **to some extent**.
우리의 계획은 어느 정도 성공했다.

to the fullest
최대한으로, 충분하게

Live each moment **to the fullest**!
매 순간을 최대한으로 즐기며 살아라!

turn A into B
A를 B로 바꾸다

It is not easy to **turn** miles **into** kilometers.
마일을 킬로미터로 환산하기는 쉽지 않다.

turn down
거절하다

Yes, it's too bad I have to **turn** it **down**.
네, 제가 그것을 거절해야 하다니 유감이에요.

DAY 38 암기를 위한 Daily TEST

맞은 개수 ◯ / 50문항

💡 빈칸에 알맞은 단어나 뜻을 쓰시오.

01. 이성적인

02. reactive

03. realistic

04. 논리적인, 적당한

05. regardless

06. regretful

07. relevant

08. reluctant

09. 먼, 외딴

10. rigid

11. 익은

12. rural

13. 신성한

14. scared

15. sarcastic

16. secure

17. 손위의, 상위의

18. serious

19. severe

20. shallow

21. 날카로운, 급격한

22. simultaneous

23. slight

24. 사교적인

25. solemn

26. 고체의

27. solitary

28. sophisticated

29. sore

30. 시큼한

31. spacious

32. 구체적인

33. splendid

34. spontaneous

35. stale

36. 가파른

37. stiff

38. 길을 잃은

39. strenuous

40. strict

41. stubborn

42. sturdy

43. subconscious

44. 주관적인

45. subsequent

46. subtle

47. successive

48. 충분한

49. superb

50. superficial

1901 **superior**	형	뛰어난, 우수한, ~보다 나은	23회

[səpíəriər]

The enemy were **superior** in numbers.
→ superiority 명 우월, 우위, 탁월

1902 **supernatural**	형	초자연의, 불가사의한	21회

[sùːpərnǽtʃərəl]

Rowling's books do contain **supernatural** creatures.

1903 **supreme**	형	최고의, 가장 중요한	17회

[səpríːm]

The present constitution gives **supreme** authority to the presidency.
→ supremacy 명 주권, 최고, 최상위

★철자주의

1904 **temperate**	형	온화한, 중용의	17회

[témpərət]

The Nile Valley keeps a **temperate** climate throughout the year.

1905 **temporary**	형	임시적인, 일시적인	19회

[témpərèri]

She is a **temporary** resident. 대수능
→ temporarily 부 일시적으로, 임시로

1906 **tender**	형	부드러운, 상냥한	19회

[téndər]

This means their **tender** tops are easier to reach for the rabbit. 대수능

1907 **tense**	형 긴장한, 팽팽한 명 시제		56회

[téns] 혼동어
intense
형 강렬한, 극심한

When we are under a lot of stress, we become **tense** and lose concentration.
→ tension 명 긴장, 흥분

1908 **thin**	형	얇은, 여윈, 드문드문한	35회

[θín]

The ice seems too **thin** to skate on.

[예문 해석] **1901** 적이 수적으로 우세했다. **1902** Rowling의 책들은 초자연적인 생명체들을 담고 있다. **1903** 현행 헌법은 대통령직에 최고의 권위를 부여한다. **1904** Nile 계곡은 일 년 내내 온화한 기후를 유지한다. **1905** 그녀는 임시 거주자이다. **1906** 이것은 토끼가 그것의 부드러운 끝에 이르기 더 쉽다는 것을 의미한다. **1907** 우리는 스트레스를 많이 받을 때 긴장하게 되고 집중력을 잃는다. **1908** 얼음이 너무 얇아 스케이트를 탈 수 없을 것 같다.

| 1909 | **terrible** | 형 | 무서운, 무시무시한 | 39회 |

[térəbl]

I dreamed a **terrible** dream.

| 1910 | **terrific** | 형 | 굉장한, 멋진, 무서운 | 22회 |

[tərífik]

Juvenile crime is increasing at a **terrific** rate.

| 1911 | **thorough** | 형 | 철저한, 충분한 | 25회 |

[θə́:rou]

혼동어
through
전 ~을 통해

He has a **thorough** knowledge of foreign affairs.
→ thoroughly 부 철저하게, 충분히, 완전히

| 1912 | **timid** | 형 | 겁 많은, 두려워하는 | 22회 |

[tímid]

The **timid** child was afraid of dogs.
→ timidity 명 소심, 겁

| 1913 | **tough** | 형 | 강인한, 단단한 | 18회 |

[tʌf]

This beef is **tough** to chew.

| 1914 | **toxic** | 형 | 유독성의 | 13회 |

[táksik]

I felt myself being choked by thick **toxic** fumes.
→ toxin 명 독소

| 1915 | **transparent** | 형 | 투명한 | 17회 |

[trænspέərənt]

The insect's wings are almost **transparent**.
→ transparency 명 투명성, 투명도

| 1916 | **tremendous** | 형 | 굉장한, 무서운 | 28회 |

[triméndəs]

That'd be a **tremendous** help. Thank you.

| 1917 | **trivial** | 형 | 사소한, 하찮은 | 24회 |

[tríviəl]

혼동어
trial
명 시도, 재판

We decide what is important or **trivial** in life. 대수능
→ triviality 명 하찮음

[예문 해석] **1909** 나는 무서운 꿈을 꾸었다. **1910** 청소년 범죄가 무서운 속도로 증가하고 있다. **1911** 그는 외교 문제에 충분한 지식을 가지고 있다. **1912** 겁 많은 그 아이는 개를 두려워했다. **1913** 이 쇠고기는 씹기가 힘들다. **1914** 나는 짙은 유독 가스로 숨이 막히는 듯했다. **1915** 그 곤충의 날개는 거의 투명하다. **1916** 그것은 큰 도움이 될 거예요. 감사합니다. **1917** 우리는 인생에서 중요하거나 사소한 일을 결정한다.

| 1918 **trustworthy** | 형 | 신뢰할 수 있는 | 12회 |

[trʌ́stwə̀rði]

We need someone **trustworthy** to head the company.

| 1919 **turbulent** | 형 | 몹시 거친, 격렬한 | 19회 |

[tə́:rbjulənt]

She tried to calm her **turbulent** thoughts.

| 1920 **ultimate** | 형 | 최후의, 궁극의, 근본적인 | 11회 |

[ʌ́ltəmət]

Peace was the **ultimate** goal of the meeting.

| 1921 **underground** | 형 | 지하의 부 | 지하에 명 | 지하철 | 22회 |

[ʌ́ndərgràund]

My car is in the **underground** parking lot.

| 1922 **unexpected** | 형 | 예상치 못한 | 25회 |

[ʌ̀nikspéktid]

"But there is also an **unexpected** kind of crisis," added Mary. 대수능

| 1923 **unique** | 형 | 유일한, 독특한 | 56회 |

[juːníːk]

Her style is very **unique**.

| 1924 **universal** | 형 | 보편적인, 전 세계의, 우주의 | 49회 |

[jùːnəvə́:rsəl]

I listened to their stories, and I saw **universal** truths in their simple lives.
→ universe 명 우주 대수능

| 1925 **upcoming** | 형 | 다가오는, 이윽고 나타날 | 17회 |

[ʌ́pkʌ̀miŋ]

Is your group prepared for the **upcoming** inspection?

| 1926 **upright** | 형 | (자세가) 똑바른, 올바른 | 21회 |

[ʌ́pràit]   혼동어
outright
형 완전한, 명백한

An **upright** body is the sign of confidence.

[예문 해석] **1918** 우리는 회사를 경영할 믿을 만한 사람이 필요하다. **1919** 그녀는 혼란스러운 생각을 진정시키려고 애썼다. **1920** 평화가 그 모임의 궁극적인 목표였다. **1921** 제 차가 지하 주차장에 있습니다. **1922** "그러나 또한 예상치 못한 위기도 있습니다."라고 Mary가 덧붙였다. **1923** 그녀의 스타일은 매우 독특하다. **1924** 나는 그들의 이야기를 들었으며, 그들의 소박한 삶에서 보편적인 진리를 보았다. **1925** 당신의 그룹은 곧 있을 감사에 준비되어 있나요? **1926** 똑바른 신체는 자신감의 표시이다.

| 1927 **upward** | 형 | 위로 향한, 향상하는　부　위쪽으로 | 12회 |

[ʌ́pwərd]

The price of property has continued its **upward** movement.

| 1928 **urban** | 형 | 도시의 | 53회 |

[ə́:rbən]

They are experiencing a huge **urban** poverty problem now.
→ urbanize 동 도시화하다　↔ rural 형 시골의

DAY **39** 형용사

| 1929 **utmost** | 형 | 최고의, 극도의 | 20회 |

[ʌ́tmòust]

These are things of the **utmost** importance to human happiness. 대수능

| 1930 **vacant** | 형 | 공허한, 비어 있는 | 22회 |

[véikənt]

The hospital has no **vacant** beds.
→ vacancy 명 공허, 공석　vacate 동 비우다

| 1931 **vague** | 형 | 어렴풋한, 애매한, 흐릿한 | 23회 |

[véig] 혼동어
vogue
명 유행

Everything looks **vague** in a fog.

| 1932 **vain** | 형 | 헛된, 허영심이 강한, 쓸데없는 | 16회 |

[véin] 혼동어
vein
명 정맥

Efforts to rescue the drowned pilot were in **vain**.
❂ in vain 헛되이, 공연히

| 1933 **valid** | 형 | 유효한, 근거가 확실한 | 17회 |

[vǽlid]

A human law is **valid** only for a certain number of people over a certain period of time. 대수능
→ validity 명 타당성, 유효성

| 1934 **verbal** | 형 | 언어의, 말로 된 | 26회 |

[və́:rbəl] 혼동어
herbal
형 풀의, 약초의

Many countries recognize **verbal** abuse as a serious problem.

| 1935 **vertical** | 형 | 수직의, 세로의 | 24회 |

[və́:rtikəl]

Floors are horizontal and walls are **vertical**.
↔ horizontal 형 수평의, 가로의

[예문 해석] **1927** 집값이 계속해서 상승세를 유지해왔다. **1928** 그들은 지금 엄청난 도시 빈곤 문제를 겪고 있다. **1929** 이것들은 인간의 행복에 있어서 최고로 중요한 것이다. **1930** 그 병원에는 비어 있는 침상이 없다. **1931** 안개 속에서는 모든 것이 어렴풋이 보인다. **1932** 물에 빠진 비행사를 구하기 위한 노력은 헛수고였다. **1933** 인문법은 단지 어느 특정 기간에 걸쳐 한정된 사람들에게만 유효하다. **1934** 많은 나라들이 언어 폭력을 심각한 문제로 생각한다. **1935** 바닥들은 평평하고 벽들은 수직이다.

1936 vibrant 형 떠는, 진동하는 17회

[váibrənt]

Her **vibrant** voice is fantastic.

→ vibrate 동 진동하다 vibration 명 진동, 떨림

1937 violent 형 폭력적인, 격렬한 29회

[váiələnt]

Several residents of the area said they had never seen such a **violent** storm. (대수능)

→ violence 명 폭력, 격렬 violently 부 난폭하게, 격렬하게

1938 virtual 형 가상의, 사실상의 20회

[və́:rtʃuəl]

The helmet is connected to the **virtual** reality computer.

1939 visible 형 눈에 보이는, 명백한 17회

[vízəbl]

Many people view any amount of **visible** fat on the body as something to get rid of. (교육청)

→ visibility 명 눈에 보임, 가시도

1940 vital 형 생명의, 극히 중대한, 치명적인 27회

[váitl]

It's **vital** that we should act at once.

→ vitality 명 생명력, 활기

1941 vivid 형 생생한, 선명한 11회

[vívid]

The sight is still **vivid** in my mind.

1942 voluntary 형 자발적인, 임의적인, 자원 봉사로 하는 21회

[váləntèri]

In his spare time he does **voluntary** work.

1943 vulnerable 형 취약한, 상처를 입기 쉬운 17회

[válnərəbl]

Anti-rejection drugs can make transplant patients **vulnerable** to diseases.

1944 weak 형 약한 66회

[wíːk]

I was so **weak**, I could hardly get to my feet.

→ weaken 동 약해지다, 약화시키다

[예문 해석] **1936** 그녀의 떨림 목소리는 환상적이다. **1937** 이 지역의 몇몇 거주자들은 그런 격렬한 폭풍을 본 적이 없다고 말했다. **1938** 그 헬멧은 가상 현실 컴퓨터에 연결되어 있다. **1939** 많은 사람들이 몸에 있는 눈에 띄는 지방이 얼마만큼이든 간에 그것을 없애야 하는 것으로 여긴다. **1940** 우리가 즉시 조치를 취하는 것이 극히 중요하다. **1941** 그 광경은 여전히 내 마음속에 생생하게 남아 있다. **1942** 여가 시간에 그는 자원 봉사를 한다. **1943** 거부반응 치료약들은 장기 이식 수술을 한 환자들이 질병에 취약해지도록 만들 수 있다. **1944** 나는 아주 녹초가 돼서 거의 일어날 수 없었다.

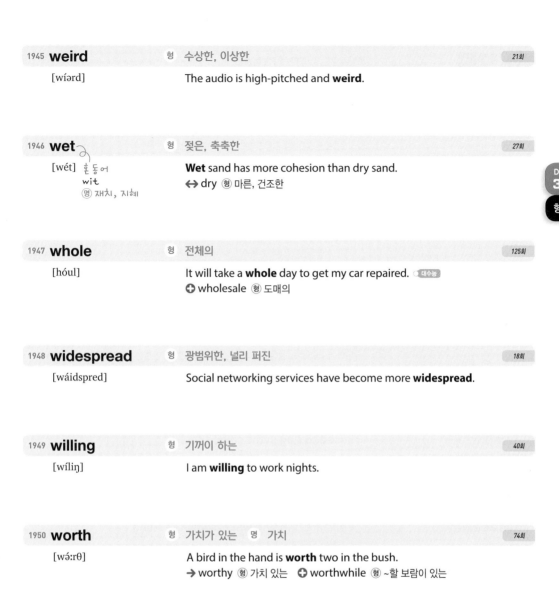

1945 weird 형 수상한, 이상한 21회

[wíərd]

The audio is high-pitched and **weird**.

1946 wet 형 젖은, 축축한 27회

[wét] 혼동어
wit
명 재치, 지혜

Wet sand has more cohesion than dry sand.
↔ dry 형 마른, 건조한

1947 whole 형 전체의 125회

[hóul]

It will take a **whole** day to get my car repaired. 대수능
➕ wholesale 형 도매의

1948 widespread 형 광범위한, 널리 퍼진 18회

[wáidspred]

Social networking services have become more **widespread**.

1949 willing 형 기꺼이 하는 40회

[wíliŋ]

I am **willing** to work nights.

1950 worth 형 가치가 있는 명 가치 74회

[wɔ́ːrθ]

A bird in the hand is **worth** two in the bush.
→ worthy 형 가치 있는 ➕ worthwhile 형 ~할 보람이 있는

표제어 이외의 주요 어휘

swift	형 빠른, 신속한	transient	형 일시적인
technical	형 기술적인	tropical	형 열대성의, 열대 지방의
thick	형 두꺼운, 빽빽한	typical	형 전형적인
thirsty	형 목마른	up-to-date	형 최신의
tidy	형 단정한, 깔끔한	valuable	형 귀중한
tight	형 단단한, 꼭 끼는	vast	형 광대한, 거대한
tiny	형 몹시 작은	vulgar	형 상스러운, 저속한

[예문 해석] **1945** 오디오 소리가 높게 나오고 이상하다. **1946** 젖은 모래가 마른 모래보다 더 응집력이 있다. **1947** 내 차를 고치는 데 하루 종일 걸릴 것이다. **1948** 소셜 네트워크 서비스가 점점 확산되고 있다. **1949** 나는 야근하는 것을 꺼리지 않는다. **1950** 손 안에 있는 새 한 마리는 수풀 속에 있는 새 두 마리의 가치가 있다.

DAY 39 수능 필수 Daily IDIOMS

turn out
~로 드러나다

I hope everything **turns out** okay.
나는 모든 일이 잘 되길 바란다.

upon ~ing
~하자마자

Upon receiving his appointment, the judge began preparing for his new responsibilities.
그 판사는 임명되자마자 새 직책을 준비하기 시작했다.

use up
다 쓰다

If you **use up** the same number of calories you take in, your weight will stay the same.
만약에 여러분이 섭취하는 것과 동일한 칼로리를 소모한다면, 여러분의 몸무게는 그대로 유지될 것입니다.

used to + V
~이었다, ~하곤 했다

I **used to** sing in the church choir.
나는 교회 성가대에서 노래했었다.

wear away
마모시키다

Constant dripping **wears away** the stone.
낙숫물이 돌을 뚫는다.

what is more
더구나, 또한

It is raining and, **what is more**, the wind is blowing.
비가 오는데 더구나 바람까지 분다.

when it comes to + N
~에 관한 한

When it comes to exercise, there's nothing like swimming.
운동에 관한 것이라면 수영이 제일이다.

wipe out
전멸하다, 파괴하다

The bulk of the whole city was **wiped out**.
전 시가의 대부분이 파괴되었다.

DAY 39 암기를 위한 Daily TEST

💡 빈칸에 알맞은 단어나 뜻을 쓰시오.

01.	뛰어난	26.	upright
02.	supernatural	27.	upward
03.	supreme	28.	도시의
04.	temperate	29.	utmost
05.	임시적인	30.	vacant
06.	tender	31.	어렴풋한
07.	긴장한	32.	vain
08.	얇은, 여윈	33.	유효한
09.	terrible	34.	verbal
10.	terrific	35.	vertical
11.	thorough	36.	vibrant
12.	timid	37.	폭력적인
13.	tough	38.	virtual
14.	유독성의	39.	눈에 보이는
15.	transparent	40.	vital
16.	tremendous	41.	생생한
17.	사소한, 하찮은	42.	voluntary
18.	trustworthy	43.	vulnerable
19.	turbulent	44.	weak
20.	최후의, 궁극의	45.	weird
21.	underground	46.	젖은, 축축한
22.	unexpected	47.	whole
23.	유일한, 독특한	48.	widespread
24.	universal	49.	willing
25.	upcoming	50.	worth

1951 across 부 가로질러, 건너편에, 맞은편에 118회

[əkrɔ́:s]

They went **across** the river and went into the jungle.

1952 actually 부 실제로, 사실 127회

[ǽktʃuəli]

This not only expresses ideas but this may **actually** shape them. 대수능

→ actuality 명 현실, 실상   actual 형 실제의, 현실의

1953 afterward 부 후에, 나중에 11회

[ǽftərwərd]

Afterward, the movie *Amadeus* swept eight Oscars including one for best director. 대수능

1954 apart 부 떨어져서, 흩어져서 112회

[əpáːrt]

Put your feet **apart** and your arms at your sides.

✪ apart from ~은 별도로 하고

1955 apparently 부 명백하게, 외관상으로 38회

[əpǽrəntli]

This is **apparently** what happened in your case. 대수능

→ apparent 형 명백한, 외관상의

1956 arrogantly 부 거만하게, 무례하게 24회

[ǽrəgəntli]

He behaved **arrogantly** toward his teacher.

→ arrogance 명 오만, 거만, 불손   arrogant 형 거만(오만)한

1957 astray 부 길을 잃어, 타락하여 19회

[əstréi]

He was led **astray** by bad friends.

✪ lead astray ~을 잘못된 방향으로 이끌다, 타락시키다

1958 automatically 부 자동적으로 87회

[ɔ̀ːtəmǽtikəli]

It will take a long time to do such things **automatically**. 대수능

→ automation 명 자동화   automatic 형 자동의

[예문 해석] **1951** 그들은 강을 가로질러 정글로 들어갔다. **1952** 이것은 생각을 표현할 뿐만 아니라 실제로 그것들을 만들어 낼 수 있다. **1953** 그 후에 영화 'Amadeus'는 최우수 감독상을 포함하여 여덟 개의 오스카상을 휩쓸었다. **1954** 양 발을 벌리고 양 팔을 옆구리에 대세요. **1955** 이것은 당신의 경우에 일어난 것이 분명하다. **1956** 그는 선생님께 불손하게 행동했다. **1957** 그는 나쁜 친구들 때문에 잘못된 길로 들어섰다. **1958** 이러한 일을 자동적으로 하는 데는 오랜 시간이 걸릴 것이다.

| 1959 **barely** | 부 겨우, 가까스로, 거의 ~않다 | 22회 |

[béərli]

I can **barely** remember life without television. 〔대수능〕

| 1960 **beneath** | 부 아래에   전 ~밑에 | 17회 |

[biníːθ]

Beneath the stamped imprint was a notation from the bank in ink. 〔대수능〕

| 1961 **besides** | 부 게다가   전 ~외에도 | 50회 |

[bisáidz]

And **besides**, I want to do what I really enjoy doing. 〔대수능〕

> ■☞ beside는 장소의 개념으로 '~의 옆에'의 의미이므로 besides와 혼동하지 않도록 한다.

DAY **40** 부사

| 1962 **chiefly** | 부 주로, 대개 | 16회 |

[tʃíːfli]

It depends **chiefly** on two words, diligence and thrift. 〔대수능〕
→ chief 형 주요한, 최고의

| 1963 **con** | 부 반대하여 | 16회 |

[kán]

They argued the matter pro and **con**.
✪ pro and con 찬반양론으로

| 1964 **consciously** | 부 의식적으로 | 26회 |

[kánʃəsli]

A community can **consciously** make new laws or change old ones. 〔대수능〕
→ consciousness 명 의식, 지각   conscious 형 의식적인

| 1965 **definitely** | 부 분명히, 틀림없이 | 53회 |

[défənitli]   혼동어 infinitely 부 무한히, 엄청

I **definitely** remember sending the letter.

| 1966 **elsewhere** | 부 다른 곳에, 다른 경우에 | 102회 |

[élshwèər]   혼동어 everywhere 부 어디에나

The surviving individuals were forced to find shelter **elsewhere**. 〔평가원〕

| 1967 **entirely** | 부 완전히, 전적으로 | 186회 |

[intáiərli]

It was **entirely** the work of these women's organizations. 〔대수능〕
→ entire 형 전체의, 완전한

[예문 해석] **1959** 나는 텔레비전 없는 삶을 거의 기억할 수가 없다. **1960** 직인이 찍혀진 날인 아래에 잉크로 쓴 은행의 알림글이 있었다. **1961** 그리고 게다가 나는 내가 정말로 즐기는 일을 하기 원한다. **1962** 그것은 주로 근면과 절약이라는 두 단어에 달려 있다. **1963** 그들은 찬반양론으로 그 문제를 논했다. **1964** 사회는 의식적으로 새로운 법을 만들거나 낡은 법을 고칠 수 있다. **1965** 나는 그 편지를 보낸 걸 분명히 기억한다. **1966** 살아남은 개체들은 다른 곳에서 피난처를 찾을 수밖에 없었다. **1967** 그것은 전적으로 이러한 여성 조직들의 일이었다.

| 1968 **especially** | 부 | 특히 | 311회 |

[ispéʃəli]

Today I am still used for this purpose, **especially** in factories. (대수능)

| 1969 **eventually** | 부 | 결국, 마침내 | 73회 |

[ivéntʃuəli]

What we throw away will harm ourselves and **eventually** our descendants as well. (대수능)

| 1970 **firsthand** | 부 | 직접, 바로 | 형 | 직접의 | 62회 |

[fə́:rsthǽnd]

혼동어
beforehand
(부) 사전에, 미리

Learn **firsthand** how to be successful in a multinational corporation.

| 1971 **fortunately** | 부 | 운 좋게도, 다행히도 | 74회 |

[fɔ́:rtʃənətli]

Fortunately, you still have time to renew! (대수능)
→ fortune 명 행운, 재산   fortunate 형 운이 좋은   ✚ fortuneteller 명 점쟁이

| 1972 **furthermore** | 부 | 게다가, 더욱이 | 35회 |

[fə́:rðərmɔ̀:r]

Furthermore, they had to memorize whole texts. (대수능)

| 1973 **gradually** | 부 | 차차, 점차로 | 44회 |

[grǽdʒuəli]

You **gradually** become aware that you are a unique person. (대수능)
→ gradual 형 점차적인, 점진적인

| 1974 **hardly** | 부 | 거의 ~ 않다 | 147회 |

[há:rdli]

I was so ashamed that I could **hardly** reply. (대수능)
✪ hardly ~ when(before) ~하자마자

| 1975 **hence** | 부 | 그러므로, 지금부터 | 44회 |

[héns]

Hence, the time spent on regular examinations is a sensible investment in good health. (대수능)

| 1976 **indeed** | 부 | 실로, 정말로 | 62회 |

[indí:d]

Indeed, the majority of words are used with more than one meaning. (교육청)

[예문 해석] **1968** 오늘날 나는 특히 공장에서 여전히 이러한 목적을 위해 사용되고 있다. **1969** 우리가 버리는 것들은 우리 자신과 마침내는 우리 후손들까지도 해치게 될 것이다. **1970** 다국적 기업에서 성공할 수 있는 방법을 직접 배우십시오. **1971** 운 좋게도, 당신에게는 아직 개선할 시간이 있다! **1972** 게다가 그들은 텍스트 전체를 암기해야 했다. **1973** 당신은 점차로 당신이 독특한 사람이란 것을 알게 된다. **1974** 나는 너무도 부끄러워 거의 대답도 하지 못했다. **1975** 그러므로 정기 검진에 들이는 시간은 좋은 건강을 유지하는 현명한 투자이다. **1976** 정말로, 다수의 단어들은 한 가지가 넘는 의미로 사용된다.

1977 indirectly	부	간접적으로	26회

[ìndəréktli]

The nonverbal message is often designed to let the partner know one's thoughts **indirectly**. 평가원

→ indirect 형 간접적인, 똑바르지 않은 ↔ directly 부 직접적으로, 즉시

1978 instead	부	그 대신에	361회

[instéd]

Some members of the group decided to eat pizza, **instead** of chicken.

✪ instead of ~대신에

DAY
40

부사

1979 likewise	부	마찬가지로	47회

[láikwàiz]

Your sister works hard, and you should do **likewise**.

1980 meanwhile	부	그 동안에, 한편	22회

[mí:nwàil]

Meanwhile, heat the eggs and oil in a pan.

1981 moreover	부	게다가	156회

[mɔːróuvər]

Moreover, these differences often cause local conflicts to grow into larger wars. 대수능

1982 mostly	부	대개, 주로	47회

[móustli] 혼동어
costly
형 값비싼

They use **mostly** nonviolent means to keep their language and literature alive. 대수능

1983 nearly	부	거의	112회

[níərli] 혼동어
yearly
형 매년의

Norman has climbed **nearly** all the famous peaks in Europe. 대수능

1984 nevertheless	부	그럼에도 불구하고	58회

[nèvərðəlés]

Nevertheless, it was clear that she was talented in tennis.

1985 nonetheless	부	그럼에도 불구하고, 그렇지만	13회

[nʌnðəlés]

The substance may not affect humans. **Nonetheless**, we should examine it closely.

[예문 해석] **1977** 비언어적 메시지는 종종 상대방에게 자신의 생각을 간접적으로 알리려고 계획된다. **1978** 그 그룹의 일부 사람들은 치킨 대신 피자를 먹기로 결정했다. **1979** 네 언니는 열심히 일하는데, 너도 마찬가지로 그래야 해. **1980** 그 동안에 프라이팬에 달걀과 기름을 넣고 가열하세요. **1981** 게다가, 이러한 차이점들은 종종 지역적 분쟁들을 보다 큰 전쟁으로 자라나게 한다. **1982** 그들은 자신들의 언어와 문학을 계속 지속시키려고 주로 비폭력적인 수단을 사용한다. **1983** Norman은 유럽에 있는 거의 모든 유명한 산봉우리에 올라갔다. **1984** 그럼에도 불구하고, 그녀가 테니스에 재능이 있는 것은 분명했다. **1985** 그 물질은 사람에게 영향을 미치지 않을지도 모른다. 그렇지만 우리는 그것을 세밀히 조사해야 한다.

1986 obviously 부 명백하게, 분명히 29회

[ábviəsli]

Paper money is **obviously** easy to handle and convenient in the modern world. 대수능

→ obvious 형 명백한

1987 otherwise 부 만약 그렇지 않으면 41회

[ʌ́ðərwàiz]

We have to drive faster. **Otherwise** we won't arrive on time.

1988 perhaps 부 아마도 69회

[pərhǽps]

Perhaps in the future, you may no longer have to go to work. 대수능

1989 probably 부 아마도 (~할 것이다) 12회

[prábəbli] 혼동어 properly 부 적절히

You **probably** conclude that the shorter one is a woman while the taller one is a man. 대수능

→ probability 명 가망, 있을 법함   probable 형 있을 법한

1990 profoundly 부 깊이, 심오하게, 매우 19회

[prəfáundli]

Television and computers have changed our lives **profoundly**. 대수능

→ profound 형 깊은, 심오한

1991 rarely 부 드물게, 좀처럼 ~하지 않는 40회

[réərli] 혼동어 merely 부 단지, 그저

Only **rarely** does he let his own views become public. 대수능

→ rare 형 드문, 진기한

1992 rather 부 오히려, 어느 정도 211회

[rǽðər]

This definition is somewhat incomplete and **rather** misleading.

1993 relatively 부 상대적으로, 비교하여 184회

[rélətivli]

Gold is a **relatively** soft metal. 교육청

→ relativity 명 상대성   relative 형 상대적인 명 친척

1994 repeatedly 부 반복하여, 되풀이하여 51회

[ripíːtidli] 혼동어 reportedly 부 전하는 바에 의하면

The monkeys **repeatedly** chose to spend their time with the towel cloth mothers. 대수능

→ repeat 동 반복하다

[예문 해석] **1986** 지폐는 현대 세계에서 명백히 다루기 쉽고 편리하다. **1987** 우리는 더 빨리 차를 몰아야 한다. 그렇지 않으면 우리는 정각에 도착하지 못할 것이다. **1988** 아마도 미래에 당신은 더 이상 일하러 갈 필요가 없어질지도 모른다. **1989** 당신은 아마 더 작은 사람이 여자이고 더 큰 사람이 남자라고 결론지을 것이다. **1990** 텔레비전과 컴퓨터는 우리의 삶을 매우 변화시켰다. **1991** 그는 자신의 견해를 거의 알리지 않는다. **1992** 이 정의는 좀 불완전하며 오히려 오해를 일으킬 수 있다. **1993** 금은 비교적 부드러운 금속이다. **1994** 원숭이들은 여러 차례 수건 천 엄마와 시간을 보내는 쪽을 선택했다.

1995 **seldom**	부	드물게, 좀처럼 ~않다	19회

[séldəm]

He very **seldom** eats breakfast.

1996 **similarly**	부	비슷하게, 마찬가지로	126회

[símələrli]

Similarly, a weak light will make it more difficult for a biker to see at night. 대수능

→ similarity 명 유사성   similar 형 유사한

1997 **solely**	부	혼자서, 오로지	12회

[sóulli]

Scholarship is given **solely** on the basis of financial need.

→ sole 형 오직 하나의, 고독한 명 발바닥

1998 **thus**	부	이와 같이, 따라서	141회

[ðʌ́s]

Thus, the trend of giving more homework came to an end.

1999 **triumphantly**	부	의기양양하게	24회

[traiʌ́mfəntli]

"Well then!" he answered **triumphantly**. 대수능

→ triumph 명 승리   triumphant 형 승리한, 의기양양한

2000 **undoubtedly**	부	틀림없이, 확실히	17회

[ʌ̀ndáutidli]

But we will **undoubtedly** see the other side there, too. 대수능

→ undoubted 형 의심할 여지없는, 틀림없는

DAY **40** 부사

표제어 이외의 주요 어휘

abnormally	부 비정상적으로, 이상하게	behind	부 뒤에 전 ~의 뒤에
aboard	부 (배·열차·비행기 등을) 타고	forward	부 앞으로
abroad	부 해외로	fully	부 충분히
afloat	부 (물·공중에) 떠서, 해상에	involuntarily	부 무의식적으로, 본의 아니게
ahead	부 앞으로, 앞에	lately	부 요즘, 최근에
aloud	부 크게	nowadays	부 오늘날에는
aside	부 곁에, 제쳐놓고	overseas	부 해외로

[예문 해석] **1995** 그는 아침 식사를 좀처럼 하지 않는다. **1996** 마찬가지로 약한 불빛은 자전거 운전자가 밤에 보는 것을 더 어렵게 만들 것이다. **1997** 장학금은 오로지 재정적 필요에만 근거하여 제공된다. **1998** 그러므로 더 많은 숙제를 내주는 트렌드는 끝났다. **1999** "그럼 됐네!"라고 그는 의기양양하게 대답했다. **2000** 그러나 우리는 또한 분명히 거기에서 다른 측면을 볼 것이다.

DAY 40 수능 필수 Daily IDIOMS

with all
~에도 불구하고

With all her drawbacks, she is loved by everybody.
그녀는 여러 결점이 있음에도 불구하고, 모든 사람에게서 사랑을 받는다.

with the light on(off)
불을 켠(끈) 채

He goes to sleep **with the light on**.
그는 불을 켜 놓은 채 잠든다.

within call
부르면 들릴 만한 곳에, 가까운 곳에

Please stay **within call**.
가까운 곳에 계십시오.

without control
~의 통제를 벗어나, 제멋대로

Thus, personal information has been collected and distributed **without control**, causing harm to the right to privacy.
따라서 개인의 정보가 통제되지 않고 수집되고 배포되어, 사생활권에 해를 끼쳤다.

work out
풀다, 해결하다

They cannot **work out** a math problem without a calculator.
그들은 계산기 없이는 수학 문제를 풀 수 없다.

worst of all
무엇보다 나쁜 것은

Worst of all, he was a teacher.
무엇보다 나쁜 것은 그가 선생이었다는 것이다.

wrap up
끝내다, 마무리하다

I want to **wrap up** this deal as quickly as possible.
나는 이 거래를 가능하면 빨리 끝내고 싶다.

year by year
해가 갈수록, 해마다

Clearly, the damage will get worse **year by year**.
분명히 그 손상은 해마다 더 악화될 것이다.

DAY 40 암기를 위한 Daily TEST

💡 빈칸에 알맞은 단어나 뜻을 쓰시오.

01.	across	26.	실로, 정말로
02.	실제로, 사실	27.	indirectly
03.	afterward	28.	그 대신에
04.	apart	29.	likewise
05.	apparently	30.	meanwhile
06.	거만하게	31.	moreover
07.	astray	32.	mostly
08.	automatically	33.	nearly
09.	barely	34.	nevertheless
10.	아래에, ~밑에	35.	nonetheless
11.	besides	36.	obviously
12.	chiefly	37.	만약 그렇지 않으면
13.	반대하여	38.	perhaps
14.	consciously	39.	probably
15.	definitely	40.	profoundly
16.	elsewhere	41.	rarely
17.	완전히	42.	오히려, 어느 정도
18.	especially	43.	relatively
19.	eventually	44.	repeatedly
20.	직접, 바로	45.	좀처럼 ~않다
21.	fortunately	46.	similarly
22.	furthermore	47.	혼자서, 오로지
23.	차차, 점차로	48.	thus
24.	hardly	49.	triumphantly
25.	hence	50.	틀림없이

💡 우리말 뜻에 알맞은 영어 단어를 고르시오.

01 집중된, 전념하고 있는
① intent   ② interior

02 내부의, 국내의
① intermediate   ② internal

03 정당한, 합법의
① legitimate   ② liable

04 지방[지역]의
① legal   ② local

05 풀린, 헐거운
① loose   ② lunar

06 장엄한
① magnificent   ② managerial

07 주요한, 주된
① masculine   ② main

08 바다의, 해양의
① marine   ② melancholy

09 성숙한, 익은
① mature   ② mighty

10 의학의, 의료의
① medical   ② medieval

11 마음의
① miserable   ② mental

12 단순한, 순진한
① moderate   ② mere

13 이주하는
① migrant   ② monotonous

14 현대의, 현대적인
① modest   ② modern

15 도덕적인, 윤리의
① mortal   ② moral

16 신경의, 불안한
① negative   ② nervous

17 원래의, 독창적인
① original   ② optic

18 특별한, 특수한
① parallel   ② particular

19 완벽한
① perfect   ② personal

20 정치적인
① polite   ② political

21 긍정적인	31 실제로, 사실
① portable ② positive	① across ② actually

22 반응을 나타내는	32 게다가
① reactive ② realistic	① beneath ② besides

23 사교적인	33 결국, 마침내
① slight ② sociable	① eventually ② especially

24 명확한, 구체적인	34 운 좋게도, 다행히도
① spacious ② specific	① furthermore ② fortunately

25 잇따른, 계속되는	35 실로, 정말로
① successive ② superficial	① indeed ② indirectly

26 긴장한, 팽팽한	36 명백하게, 분명히
① tense ② thorough	① otherwise ② obviously

27 보편적인, 전 세계의	37 깊이, 심오하게
① universal ② vacant	① profoundly ② probably

28 도시의	38 반복하여, 되풀이하여
① urban ② utmost	① repeatedly ② relatively

29 약한	39 드물게, 좀처럼 ~하지 않는
① weird ② weak	① rather ② rarely

30 전체의	40 비슷하게, 마찬가지로
① wet ② whole	① similarly ② seldom

💡 우리말 뜻에 알맞은 영어 단어를 고르시오.

01 내향적인
① introverted   ② intricate

02 법률의
① legal   ② literal

03 움직이기 쉬운, 이동성이 있는
① mutual   ② mobile

04 주목할 만한, 유명한
① notable   ② nuclear

05 보통의, 평범한
① outgoing   ② ordinary

06 압도적인, 굉장한
① overwhelming   ② outstanding

07 육체의, 물질의
① physical   ② physiological

08 명백한, 솔직한
① personal   ② plain

09 실용적인
① practical   ② pale

10 귀중한, 값비싼
① precious   ② paradoxical

11 제1의, 주요한
① prime   ② parallel

12 원시의, 원시적인
① passive   ② primitive

13 이전의, 앞의
① prior   ② peculiar

14 직업(상)의, 전문적인
① perpetual   ② professional

15 즉석의, 신속한
① prompt   ② prone

16 적당한, 예의바른
① proper   ② punctual

17 순수한
① pure   ② quick

18 빛나는, 밝은
① racial   ② radiant

19 근본적인, 급진적인
① radical   ② rapid

20 닥치는 대로의, 임의의
① radioactive   ② random

21 이성적인, 합리적인
  ① rational   ② relevant

22 논리적인, 적당한
  ① reasonable   ② reluctant

23 무관심한, 개의치 않는
  ① regardless   ② remote

24 후회하는
  ① regretful   ② rigid

25 시골의, 전원의
  ① ripe   ② rural

26 겁먹은
  ① sacred   ② scared

27 안전한
  ① sarcastic   ② secure

28 손위의, 상위의
  ① senior   ② serious

29 엄격한, 심한
  ① severe   ② shallow

30 동시에 일어나는
  ① sharp   ② simultaneous

31 고독한
  ① solid   ② solitary

32 엄격한, 정밀한
  ① strict   ② sturdy

33 미묘한, 민감한
  ① superb   ② subtle

34 충분한, (~하기에) 족한
  ① supreme   ② sufficient

35 뛰어난, 우수한
  ① superior   ② supernatural

36 굉장한, 무서운
  ① transparent   ② tremendous

37 예상치 못한
  ① unexpected   ② unique

38 격렬한, 폭력적인
  ① violent   ② vulnerable

39 명백하게, 외관상으로
  ① arrogantly   ② apparently

40 그러므로, 지금부터
  ① hence   ② hardly

01 ①	02 ②	03 ①	04 ②	05 ①
06 ②	07 ②	08 ①	09 ②	10 ①
11 ①	12 ②	13 ①	14 ②	15 ①
16 ②	17 ①	18 ①	19 ①	20 ②
21 ①	22 ①	23 ②	24 ②	25 ①
26 ②	27 ②	28 ①	29 ①	30 ②
31 ①	32 ②	33 ①	34 ②	35 ①
36 ①	37 ②	38 ②	39 ②	40 ①

02회 복습을 위한 누적 TEST DAY 01-05

01 ①	02 ①	03 ②	04 ①	05 ②
06 ①	07 ②	08 ①	09 ②	10 ①
11 ①	12 ①	13 ②	14 ②	15 ①
16 ②	17 ②	18 ②	19 ①	20 ②
21 ②	22 ①	23 ②	24 ①	25 ①
26 ②	27 ①	28 ②	29 ①	30 ①
31 ②	32 ①	33 ②	34 ②	35 ①
36 ①	37 ②	38 ①	39 ①	40 ②

03회 복습을 위한 누적 TEST DAY 06-10

01 ①	02 ①	03 ①	04 ②	05 ①
06 ②	07 ②	08 ①	09 ②	10 ①
11 ②	12 ②	13 ②	14 ①	15 ②
16 ①	17 ①	18 ②	19 ②	20 ②
21 ①	22 ②	23 ①	24 ②	25 ①
26 ②	27 ①	28 ①	29 ①	30 ②
31 ①	32 ②	33 ①	34 ①	35 ①
36 ②	37 ②	38 ①	39 ②	40 ②

04회 복습을 위한 누적 TEST DAY 06-10

01 ①	02 ②	03 ①	04 ②	05 ①
06 ①	07 ①	08 ①	09 ②	10 ②
11 ②	12 ①	13 ②	14 ①	15 ①
16 ②	17 ①	18 ①	19 ②	20 ①
21 ①	22 ①	23 ①	24 ①	25 ②
26 ①	27 ②	28 ①	29 ②	30 ①
31 ①	32 ②	33 ②	34 ①	35 ②
36 ②	37 ①	38 ①	39 ①	40 ①

05회 복습을 위한 누적 TEST DAY 11-15

01 ①	02 ②	03 ①	04 ①	05 ②
06 ①	07 ②	08 ①	09 ①	10 ①
11 ①	12 ②	13 ①	14 ②	15 ①
16 ①	17 ②	18 ①	19 ②	20 ②
21 ①	22 ②	23 ②	24 ①	25 ①
26 ②	27 ②	28 ①	29 ②	30 ①
31 ①	32 ①	33 ①	34 ②	35 ①
36 ①	37 ②	38 ①	39 ②	40 ①

06회 복습을 위한 누적 TEST DAY 11-15

01 ①	02 ①	03 ②	04 ①	05 ①
06 ②	07 ②	08 ①	09 ②	10 ①
11 ①	12 ①	13 ①	14 ①	15 ①
16 ②	17 ①	18 ②	19 ①	20 ①
21 ①	22 ②	23 ①	24 ①	25 ②
26 ①	27 ②	28 ①	29 ①	30 ①
31 ②	32 ②	33 ①	34 ①	35 ①
36 ②	37 ②	38 ①	39 ②	40 ①

07회 복습을 위한 누적 TEST DAY 16-20

01 ①	02 ①	03 ①	04 ②	05 ②
06 ②	07 ①	08 ②	09 ①	10 ②
11 ①	12 ②	13 ②	14 ①	15 ①
16 ②	17 ②	18 ②	19 ①	20 ①
21 ①	22 ②	23 ①	24 ②	25 ①
26 ②	27 ①	28 ①	29 ①	30 ①
31 ①	32 ②	33 ①	34 ②	35 ①
36 ①	37 ①	38 ①	39 ①	40 ②

08회 복습을 위한 누적 TEST DAY 16-20

01 ①	02 ②	03 ②	04 ②	05 ①
06 ①	07 ①	08 ②	09 ②	10 ①
11 ②	12 ①	13 ②	14 ①	15 ②
16 ①	17 ②	18 ①	19 ①	20 ②
21 ②	22 ①	23 ②	24 ②	25 ①
26 ②	27 ①	28 ①	29 ②	30 ①
31 ①	32 ②	33 ①	34 ②	35 ①
36 ①	37 ②	38 ①	39 ①	40 ②

01 ②	02 ②	03 ②	04 ①	05 ①
06 ②	07 ①	08 ②	09 ②	10 ①
11 ①	12 ②	13 ②	14 ①	15 ②
16 ①	17 ①	18 ①	19 ①	20 ②
21 ①	22 ①	23 ①	24 ②	25 ②
26 ②	27 ①	28 ①	29 ②	30 ①
31 ①	32 ①	33 ②	34 ①	35 ①
36 ②	37 ②	38 ②	39 ①	40 ①

01 ②	02 ①	03 ①	04 ②	05 ②
06 ②	07 ①	08 ②	09 ②	10 ①
11 ①	12 ①	13 ②	14 ①	15 ①
16 ②	17 ①	18 ①	19 ②	20 ①
21 ①	22 ②	23 ②	24 ①	25 ②
26 ①	27 ②	28 ①	29 ②	30 ①
31 ①	32 ①	33 ①	34 ①	35 ①
36 ②	37 ①	38 ②	39 ①	40 ①

01 ②	02 ②	03 ①	04 ①	05 ①
06 ②	07 ①	08 ①	09 ①	10 ②
11 ①	12 ②	13 ①	14 ①	15 ②
16 ②	17 ①	18 ②	19 ①	20 ②
21 ①	22 ②	23 ①	24 ①	25 ②
26 ②	27 ①	28 ①	29 ①	30 ②
31 ②	32 ①	33 ①	34 ②	35 ①
36 ②	37 ①	38 ②	39 ①	40 ①

01 ①	02 ①	03 ①	04 ①	05 ②
06 ②	07 ①	08 ①	09 ②	10 ①
11 ②	12 ①	13 ①	14 ①	15 ①
16 ①	17 ①	18 ②	19 ①	20 ①
21 ①	22 ②	23 ②	24 ①	25 ②
26 ②	27 ①	28 ②	29 ①	30 ①
31 ①	32 ②	33 ②	34 ①	35 ①
36 ①	37 ②	38 ②	39 ①	40 ①

01 ①	02 ①	03 ②	04 ①	05 ②
06 ②	07 ①	08 ②	09 ①	10 ①
11 ①	12 ②	13 ①	14 ①	15 ②
16 ①	17 ①	18 ②	19 ②	20 ①
21 ①	22 ①	23 ②	24 ①	25 ①
26 ①	27 ①	28 ①	29 ②	30 ①
31 ①	32 ②	33 ①	34 ②	35 ①
36 ②	37 ②	38 ①	39 ②	40 ②

01 ①	02 ②	03 ②	04 ①	05 ①
06 ②	07 ①	08 ②	09 ①	10 ②
11 ①	12 ①	13 ②	14 ①	15 ②
16 ②	17 ②	18 ①	19 ①	20 ②
21 ②	22 ①	23 ①	24 ①	25 ①
26 ②	27 ①	28 ②	29 ①	30 ①
31 ①	32 ①	33 ②	34 ②	35 ①
36 ①	37 ②	38 ②	39 ①	40 ①

01 ①	02 ②	03 ①	04 ②	05 ①
06 ①	07 ②	08 ①	09 ①	10 ①
11 ①	12 ②	13 ①	14 ②	15 ②
16 ②	17 ①	18 ②	19 ①	20 ②
21 ②	22 ②	23 ①	24 ①	25 ①
26 ①	27 ①	28 ①	29 ②	30 ①
31 ②	32 ②	33 ①	34 ②	35 ①
36 ②	37 ①	38 ①	39 ②	40 ①

01 ①	02 ①	03 ②	04 ①	05 ②
06 ①	07 ①	08 ②	09 ①	10 ①
11 ①	12 ②	13 ①	14 ①	15 ①
16 ①	17 ①	18 ②	19 ①	20 ②
21 ①	22 ①	23 ①	24 ①	25 ②
26 ②	27 ②	28 ①	29 ①	30 ②
31 ②	32 ①	33 ②	34 ②	35 ①
36 ②	37 ①	38 ①	39 ②	40 ①

미래를 생각하는
(주)이룸이앤비

이룸이앤비는 항상 꿈을 갖고 무한한 가능성에 도전하는 수험생 여러분과 함께 할 것을 약속드립니다.
수험생 여러분의 미래를 생각하는 이룸이앤비는 항상 새롭고 특별합니다.

내신·수능 1등급으로 가는 길
이룸이앤비가 함께합니다.

| 이룸이앤비 | 🔍 |

인터넷 서비스

숨마쿰라우데®

◈ 이룸이앤비의 모든 교재에 대한 자세한 정보
◈ 각 교재에 필요한 듣기 MP3 파일
◈ 교재 관련 내용 문의 및 오류에 대한 수정 파일

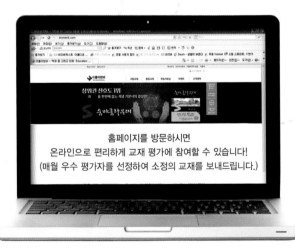

홈페이지를 방문하시면
온라인으로 편리하게 교재 평가에 참여할 수 있습니다!
(매월 우수 평가자를 선정하여 소정의 교재를 보내드립니다.)

굿비
좋은 시작, 좋은 기초

미래로

이룸이앤비 교재는 수험생 여러분의 "부족한 2%"를 채워드립니다

누구나 자신의 꿈에 대해 깊게 생각하고 그 꿈을 실현하기 위해서는 꾸준한 실천이 필요합니다. 이룸이앤비의 책은 여러분이 꿈을 이루어 나가는 데 힘이 되고자 합니다.

수능 영어 영역 고득점을 위한 영어 교재 시리즈

내신·수능 대비 기본서

굿비 시리즈

한 권으로 수능의 기본을
다지는 개념 기본서

고1·2 영어 듣기
영어 독해

숨마쿰라우데 MANUAL 시리즈

쉬운 개념 설명과 실전에 바로
적용 가능한 문제로 구성된 고교
영어 학습의 기본서

전학년 수능 2000 WORD MANUAL
WORD MANUAL
영어 입문 MANUAL
구문 독해 MANUAL
어법 MANUAL
독해 MANUAL

수능 대비 기출 문제집

미래로 수능 기출문제집 시리즈

수능, 평가원, 교육청 연도별 시험을
듣기와 독해로 나누어 구성한 기출문제집

고2·3 영어 듣기
영어 독해

ERUM BOOKS 이룸이앤비 책에는 진한 감동이 있습니다

중등 교재

◉ 숨마주니어 **중학국어 어휘력** 시리즈
중학국어 교과서(8종)에 실린 중학생이 꼭 알아야 할
필수 어휘서
● 1 / 2 / 3 (전 3권)

◉ 숨마주니어 **중학국어 비문학 독해 연습** 시리즈
모든 공부의 기본! 글 읽기 능력 향상 및 내신·수능까지 준비
하는 비문학 독해 워크북
● 1 / 2 / 3 (전 3권)

◉ 숨마주니어 **중학국어 문법 연습** 시리즈
중학국어 주요 교과서 종합! 중학생이 꼭 알아야 할 필수
문법서
● 1 기본 / 2 심화 (전 2권)

◉ 숨마주니어 **WORD MANUAL** 시리즈
주요 중학영어 교과서의 주요 어휘 총 2,200단어 수록
어휘와 독해를 한 번에 공부하는 중학 영어휘 기본서
● 1 / 2 / 3 (전 3권)

◉ 숨마주니어 **중학 영문법 MANUAL 119** 시리즈
중학 영어 마스터를 위한 핵심 문법 포인트 119개를 담은
단계별 문법 교재
● 1 / 2 / 3 (전 3권)

◉ 숨마쿰라우데 **중학수학 개념기본서** 시리즈
개념 이해가 쉽도록 묻고 답하는 형식으로 설명한 개념기본서
● 중1 상 · 하 〈새교육과정〉
● 중2 상 · 하 〈새교육과정〉
● 중3 1학기 / 2학기 (전 6권)

◉ 숨마쿰라우데 **중학수학 실전문제집** 시리즈
기출문제로 개념 잡고 내신 대비하는 실전문제집
● 중1 상 · 하 〈새교육과정〉
● 중2 상 · 하 〈새교육과정〉
● 중3 1학기 / 2학기 (전 6권)

◉ 숨마쿰라우데 **스타트업 중학수학** 시리즈
한 개념씩 쉬운 문제로 매일매일 꾸준히 공부하는 연산 문제집
● 중1 상 · 하 〈새교육과정〉
● 중2 상 · 하 〈새교육과정〉
● 중3 상 · 하 〈출간 예정〉 (전 6권)

고등 교재

내신·수능 대비를 위한 국어 고득점 전략서!
◉ 숨마쿰라우데 **국어 기본서·문제집** 시리즈
자기 주도 학습으로 국어 공부가 쉬워진다!
● 고전 시가   ● 어휘력 강화
● 독서 강화 [인문·사회]   ● 독서 강화 [과학·기술]
● 신경향 비문학 워크북

쉽고 상세하게 설명한 수학 개념기본서의 결정판!
◉ 숨마쿰라우데 **수학 기본서** 시리즈
기본 개념이 튼튼하면 어떠한 시험도 두렵지 않다!
● 고등 수학 (상) / (하), 수학 I 〈새교육과정〉
● 미적분 I / 미적분 II / 확률과 통계 / 기하와 벡터

한 개념씩 매일매일 공부하는 반복 학습서!
◉ 숨마쿰라우데 **스타트업 고등수학** 시리즈
개념을 쉽게 이해하고 반복 학습으로 수학의 자신감을 갖는다.
● 고등 수학 (상) / (하) 〈새교육과정〉

유형으로 수학을 정복하는 수학 문제유형 기본서!
◉ 숨마쿰라우데 **라이트수학** 시리즈
수학의 핵심 개념과 대표문제들을 유형으로 나누어
체계적으로 공부한다.
● 고등 수학 (상) / (하) 〈새교육과정〉
 (적용 교육과정에 따라 계속 출간 예정)

변화된 수능 절대 평가에 맞춘 영어 학습 기본서!
◉ 숨마쿰라우데 **영어 MANUAL** 시리즈
영어의 기초를 알면 1등급이 보인다!
● 수능 2000 WORD MANUAL / WORD MANUAL
● 구문 독해 MANUAL / 어법 MANUAL
● 영어 입문 MANUAL / 독해 MANUAL

쉽고 상세하게 설명한 한국사 및 사탐·과탐 개념기본서의 결정판!
◉ 숨마쿰라우데 **한국사, 사회·과학탐구** 시리즈
내신·수능·수행평가(서술형) 대비를 한 권으로!

한국사
한국 지리
윤리와 사상
생활과 윤리
사회·문화

물리I
화학I
생명과학I
지구과학I

1등급을 향한 수능 입문서
◉ **굿비** 시리즈
수능을 향한 첫걸음! 고교 새내기를 위한 좋은 시작, 좋은 기초!

국어▶ 독서 입문 / 문학 입문   **영어▶** 영어 듣기 / 영어 독해
수학▶ 고등 수학(상)(하), 수학 I 〈새교육과정〉
    미적분 I / 미적분 II / 확률과 통계 / 기하와 벡터
한국사·사회탐구▶ 한국사 / 생활과 윤리 / 사회·문화 / 윤리와 사상
과학탐구▶ 물리I / 화학I / 생명과학I / 지구과학I

수능 완벽 대비를 위한 필수 학습서!
◉ **美來路**(미래로) 수능 기출문제집 시리즈

국어▶ 국어 문법·화법·작문 / 국어 독서 / 국어 문학
영어▶ 영어 듣기 / 영어 독해
수학▶ 수학II [나형] / 미적분II [나형] / 확률과 통계 [가·나 공통]
    미적분II [가형] / 기하와 벡터 [가형]
한국사·사회탐구▶ 한국사 / 생활과 윤리 / 한국 지리 / 법과 정치 / 사회·문화
과학탐구▶ 물리I / 화학I / 생명과학I / 지구과학I